The Long Way to a Small Angry Planet
Copyright © Becky Chambers 2014

Publicado originalmente na Grã-Bretanha
em 2015 por Hodder & Stoughton, uma
companhia da Hachette UK

Fotografias da capa
© Christoffer Meyer (paisagem)
© Shutterstock (mulher)

Tradução para a língua portuguesa
© Flora Pinheiro, 2017

Os personagens e as situações desta obra são reais
apenas no universo da ficção; não se referem a
pessoas e fatos concretos, e não emitem opinião
sobre eles.

**Diretor Editorial**
Christiano Menezes

**Diretor Comercial**
Chico de Assis

**Gerente de Novos Negócios**
Frederico Nicolay

**Editora**
Raquel Moritz

**Editor Assistente**
Ulisses Teixeira

**Projeto Gráfico**
Retina 78

**Designers Assistentes**
Marco Luz
Pauline Qui

**Revisão**
Ana Kronemberger
Retina Conteúdo

**Impressão e acabamento**
Coan Gráfica

DADOS INTERNACIONAIS DE CATALOGAÇÃO NA PUBLICAÇÃO (CIP)
Angélica Ilacqua CRB-8/7057

Chambers, Becky
 A longa viagem a um pequeno planeta hostil /
Becky Chambers ; tradução de Flora Pinheiro.
— Rio de Janeiro : DarkSide Books, 2017.
 352 p.

 ISBN: 978-85-9454-050-8
 Título original: The long way to a small angry planet

 1. Ficção norte-americana 2. Ficção científica
 I. Título II. Pinheiro, Flora

17-1045                                   CDD 813.6

Índices para catálogo sistemático:
    1. Ficção norte-americana

[2017]
Todos os direitos desta edição reservados à
**DarkSide®** *Entretenimento LTDA.*
Rua do Russel, 450/501 - 22210-010
Glória - Rio de Janeiro - RJ - Brasil
www.darksidebooks.com

# BECKY CHAMBERS

# a
# longa
# viagem
# a um
# pequeno
# planeta
# hostil

TRADUÇÃO
FLORA PINHEIRO

DARKSIDE

*Para a minha família,*
*do ninho e das penas*

*Do chão,*

*nós nos*

*erguemos;*

*Nas nossas naves,*

*vivemos;*

*Nas estrelas,*

*sonhamos.*

— Provérbio exodoniano —

Dia 128, Padrão 306 da CG

# em

# trânsito

Ao acordar dentro da cápsula, ela se lembrou de três coisas. Número um: estava viajando pelo espaço. Número dois: em breve, começaria em um novo emprego, um no qual não podia fazer besteira. Número três: tinha subornado um funcionário do governo para conseguir um novo arquivo de identidade. Nenhuma das três coisas era novidade, mas, ainda assim, não era agradável acordar com esses pensamentos.

Ela deveria estar dormindo ainda, no mínimo por mais um dia. Era nisso que dava contratar o transporte mais barato. No transporte mais barato, a cápsula barata usaria combustível barato, além de sedativos baratos para induzir o sono. Acordara várias vezes ao longo da viagem, confusa, apenas para voltar a dormir assim que conseguia se localizar. O interior da cápsula estava escuro, e não havia telas de navegação. Era impossível saber quanto tempo se passara desde a última vez que tinha acordado, ou até onde já viajara, ou mesmo se ainda estava viajando. O pensamento a deixou ansiosa e enjoada.

A visão clareou o suficiente para que ela conseguisse focalizar a janela. As persianas estavam fechadas, bloqueando qualquer fonte de luz. Ela sabia que não havia nenhuma. Estava no espaço aberto. Nada de planetas movimentados, pistas de viagem, órbitas brilhantes. Apenas o vazio, o terrível vazio, preenchido por ela e um ou outro meteoroide.

O motor rangeu ao se preparar para outro salto subcamada. Os sedativos voltaram a fazer efeito, arrastando-a para um sono agitado. Já meio adormecida, pensou mais uma vez no emprego, nas mentiras, no olhar arrogante do funcionário quando ela depositou os créditos na sua conta. Ela se perguntou se teriam sido suficientes. Tinham que ser. *Tinham* que ser. Já pagara caro demais por erros que não cometera.

Seus olhos se fecharam. Os sedativos a fizeram apagar. A cápsula, supostamente, continuou em frente.

Dia 129, Padrão 306 da CG

# reclamação

Viver no espaço era tudo, menos silencioso. Os terrenos sempre se surpreendiam com isso. Qualquer um que tivesse crescido em um planeta levava algum tempo para se acostumar aos barulhos e zumbidos de uma nave, os sons ambientes que vinham quando se vivia dentro de uma máquina. Para Ashby, entretanto, eram sons tão corriqueiros quanto as batidas do seu coração. Ele sabia a hora de acordar pelo silvo do filtro de ar acima da cama. Quando meteoroides atingiam o casco com suas batidas familiares, sabia identificar quais eram pequenos e podiam ser ignorados e quais trariam problemas. Conseguia dizer, só pela intensidade da estática do ansible, a que distância estava a pessoa com quem ele se comunicava. Eram os sons da vida dos espaciais, que enfatizavam a vulnerabilidade e a distância. Eram lembretes de como a vida é frágil. Contudo, esses sons também indicavam que todos na nave estavam a salvo. A ausência de ruídos significaria que o ar tinha parado de circular, que os motores não estavam funcionando, que a gravidade artificial não prendia mais a tripulação ao chão. O silêncio pertencia ao vácuo lá fora. O silêncio era a morte.

Havia outros sons, produzidos não pela nave em si, mas pelos seus habitantes. Mesmo nas inúmeras câmaras das naves residenciais, era possível ouvir ecos das conversas nas imediações, barulhos de passos no chão metálico, os baques surdos de um técnico escalando as paredes, indo consertar algum circuito escondido. A nave de Ashby, a *Andarilha*, era suficientemente espaçosa, mas minúscula se comparada à nave residencial onde crescera. Na época em que comprou a *Andarilha* e contratou a tripulação, até mesmo ele teve que se acostumar com as acomodações apertadas. Porém, os sons constantes de pessoas trabalhando, rindo ou discutindo ao seu redor acabaram se tornando reconfortantes. O espaço era um lugar vazio, e, em certos momentos, mesmo o mais experiente dos espaciais olhava com admiração e humildade para o vácuo pontilhado de estrelas.

Para Ashby, os ruídos eram bem-vindos. Era tranquilizador saber que nunca estava sozinho ali fora, ainda mais considerando o seu trabalho. Escavar buracos de minhoca não era uma profissão muito glamorosa. Havia tantas passagens interespaciais cortando a Comunidade Galáctica que elas já eram consideradas banais. Ashby duvidava muito que as pessoas comuns considerassem a escavação de túneis algo mais intrigante que um par de calças ou uma refeição. Entretanto, seu trabalho o obrigava a refletir sobre os túneis, e refletir muito, na verdade. Se a pessoa parasse para pensar no assunto, imaginasse sua nave cerzindo o espaço como uma agulha... então, era o tipo de coisa que, ter companhia e barulho por perto, a fariam se sentir bem melhor.

Ashby estava no seu escritório, lendo as notícias com uma xícara de mek, quando um som em particular o fez se encolher. O som de passos. Os passos de Corbin. Os passos *nervosos* de Corbin, cada vez mais próximos da sua porta. Ele suspirou, engoliu a irritação e se tornou o capitão. Deixou o rosto neutro e os ouvidos a postos. Falar com Corbin sempre exigia um momento de preparação e uma boa dose de desprendimento.

Artis Corbin era duas coisas: um algaísta talentoso e um babaca completo. A primeira característica era crucial em uma nave como a *Andarilha*, que viajava por longos períodos. Uma leva de combustível que acabasse marrom podia ser a diferença entre alcançar um porto e ficar à deriva. Metade de um dos conveses inferiores da nave era ocupado exclusivamente por tanques de algas, que precisavam de alguém ajustando a quantidade de nutrientes e a salinidade de maneira obsessiva. Nesse ponto, a falta de traquejo social de Corbin era uma vantagem. O homem *preferia* passar as suas horas sozinho com as algas, murmurando consigo mesmo sobre os índices de qualidade, empenhado na sua busca pelo que chamava de "condições ótimas". Para Ashby, as condições sempre pareciam ótimas o suficiente, mas ele não ia discutir com Corbin quando o assunto era alga. Os custos com combustível haviam caído dez por cento desde que ele fora trazido a bordo. Além disso, poucos algaístas aceitariam trabalhar em uma nave de escavação de túneis, para início de conversa. Algas já eram bem sensíveis em viagens curtas, de modo que mantê-las saudáveis por longos períodos exigia meticulosidade e energia. Corbin odiava gente, mas amava o seu trabalho, e era muito bom no que fazia. Na opinião de Ashby, isso o tornava extremamente valioso. Uma dor de cabeça extremamente valiosa.

A porta se abriu e Corbin entrou, furioso. A testa estava coberta de suor, como de costume, e o cabelo grisalho nas têmporas parecia úmido.

A *Andarilha* tinha que ser mantida quente por conta da sua piloto, mas Corbin deixara claro desde o primeiro dia que detestava a temperatura padrão da nave. Mesmo após anos a bordo, seu corpo se recusara a se adaptar, aparentemente por puro despeito.

As bochechas dele estavam vermelhas. Se era por conta do mau humor ou de ter subido as escadas, era impossível dizer. O capitão jamais se acostumara àquelas bochechas tão vermelhas. A maioria dos humanos atuais descendia da Frota do Êxodo, que navegara muito além do alcance do seu antigo sol. Diversas pessoas, como Ashby, nasceram nas mesmas naves residenciais que haviam pertencido aos refugiados terráqueos originais. A pele morena e os cachos pretos, pequenos e definidos, eram o resultado de gerações de misturas entre as populações das gigantescas naves. A maioria dos humanos, fossem nascidos no espaço ou nas colônias, vinha dessa miscigenação do Êxodo e não tinha uma nação.

Corbin, por sua vez, era inconfundivelmente um produto do sistema Sol, embora mesmo as populações dos planetas natais tivessem ficado parecidas com os exodonianos nas últimas gerações. Embora a raça humana fosse um grande caldeirão genético, tons mais claros surgiam de vez em quando, mesmo na Frota. Só que Corbin era quase *rosa*. Seus antepassados foram cientistas, os exploradores que construíram as primeiras órbitas de pesquisa ao redor de Encélado. Estavam ali havia séculos, vigiando as bactérias que cresciam nos mares gélidos. Como o Sol não passava de uma pálida impressão nos céus de Saturno, a pele dos pesquisadores foi se tornando menos pigmentada ao longo das décadas. O resultado final era Corbin, um homem cor-de-rosa criado para tarefas tediosas em laboratório e um céu sem sol.

Ele jogou seu scrib em cima da mesa de Ashby. O aparelho fino e retangular atravessou a nuvem de pixels e caiu com um baque diante do capitão, que gesticulou para que os pixels se dispersassem. As manchetes das notícias se dissolveram em fiapos coloridos. Os pixels voaram de volta como pequenos insetos para os projetores de cada lado da mesa. Ashby olhou para o scrib e então ergueu uma sobrancelha na direção do algaísta.

"*Isso*", Corbin apontava o dedo ossudo para o scrib, "só pode ser uma piada."

"Deixe-me adivinhar...", disse Ashby. "Jenks andou mexendo nas suas anotações de novo?" Corbin franziu a testa e balançou a cabeça. O capitão voltou a atenção para o aparelho, tentando não rir ao se lembrar da última vez em que Jenks hackeara o scrib de Corbin, substituindo suas cuidadosas anotações por 362 fotos do próprio Jenks, nu como no dia em que veio ao mundo. Na opinião de Ashby, aquela em que Jenks carregava a bandeira da Comunidade Galáctica era especialmente boa. Tinha uma certa dignidade dramática, considerando-se as circunstâncias.

Ashby pegou o scrib e virou a tela para cima.

Attn.: Capitão Ashby Santoso (*Andarilha*, CG licença no 387-97456)
Re: Currículo de Rosemary Harper (CG certificado administração
nº 65-78-2)

Ashby reconheceu o arquivo. Era o currículo da nova guarda-livros, que chegaria no dia seguinte. Ela devia estar em uma cápsula de subcamada naquele exato momento, sedada durante a longa viagem naquele espaço apertado. "Por que está me mostrando isso?", perguntou Ashby.

"Ah, então você *já* viu!"

"É claro que vi. Falei para todos vocês lerem esse arquivo há um bom tempo, para irem se familiarizando com ela antes da sua chegada." Ashby não fazia a menor ideia de aonde Corbin estava tentando chegar, mas esse era o procedimento padrão do algaísta: reclamar primeiro e explicar depois.

A resposta foi previsível, antes mesmo de ele abrir a boca: "Não tive tempo." Corbin tinha o hábito de ignorar tarefas que não se originavam no laboratório. "Mas que ideia é essa, de trazer uma criança a bordo?"

"A ideia é contratar uma guarda-livros certificada." Nem mesmo ele podia rebater esse argumento. Os registros de Ashby estavam uma bagunça, e embora uma nave de construção de túneis não precisasse necessariamente de um guarda-livros para manter a licença, os mandachuvas do Conselho de Transportes da CG tinham deixado bem claro que os relatórios sempre atrasados de Ashby não o estavam fazendo cair nas graças de ninguém. Não seria barato pagar e manter mais um tripulante, mas depois de pensar bastante no assunto e ser encorajado por Sissix, o capitão pedira ao Conselho para lhe mandar alguém com um certificado. Seus negócios acabariam desandando se ele não parasse de tentar fazer dois trabalhos ao mesmo tempo.

Corbin cruzou os braços e soltou um som de desdém. "Você falou com ela?"

"Tivemos uma conversa por sib decana passada. Ela pareceu ok."

"*Ela pareceu ok*", repetiu Corbin. "Muito promissor."

Ashby escolheu as palavras seguintes com muito cuidado. Era Corbin, afinal. O rei da semântica. "O Conselho a aprovou. Ela é perfeitamente qualificada."

"O Conselho deve ter fumado um estouro." Corbin apontou para o scrib outra vez. "Ela não tem experiência com viagens de longa duração. Nunca morou fora de Marte, pelo que vi. Acabou de sair da faculdade..."

O capitão começou a listar os próprios argumentos, contando-os nos dedos. Dois podiam fazer aquele jogo. "Ela tem um certificado para lidar com a papelada da CG. Fez estágio em uma empresa de transporte terreno, o que requer as mesmas habilidades básicas que preciso dela. É fluente em hanto, inclusive nos gestos, o que pode abrir algumas portas para nós. Ela recebeu uma carta de recomendação do seu professor de relações interespécies. E, o mais importante: pelo pouco que nos falamos, ela pareceu alguém com quem eu consigo trabalhar."

"Ela nunca fez isso antes. Estamos aqui no espaço aberto, prestes a fazer um furo às cegas, e você resolve trazer *uma menina* a bordo."

"Ela não é uma menina, só é jovem. E todo mundo tem um primeiro emprego, Corbin. Até você teve que começar em algum lugar."

"E sabe qual foi o meu primeiro emprego? Lavar as placas de amostras no laboratório do meu pai. Uma coisa que até um animal adestrado conseguiria fazer. *Aquilo sim* era um primeiro emprego, não..." Ele estava quase cuspindo. "Preciso lembrá-lo qual é o nosso trabalho? Nós voamos por aí, escavando buracos pelo espaço. Literalmente. Não é uma coisa segura. Kizzy e Jenks já me assustam muito com aquele jeito descuidado deles, mas pelo menos são experientes. Não consigo realizar as minhas obrigações se ficar o tempo todo preocupado se a novata vai apertar o botão errado."

Esse era o sinal amarelo, o *não consigo trabalhar nessas condições* que indicava que Corbin estava prestes a surtar. Era preciso acalmá-lo. "Corbin, ela não vai apertar botão nenhum. Não vai fazer nada mais complicado que escrever relatórios e arquivar papelada."

"Ela também vai entrar em contato com os guardas das fronteiras, as patrulhas planetárias e os clientes que atrasarem os pagamentos. As pessoas com quem trabalhamos nem sempre são legais. Nem sempre são *confiáveis*. Precisamos de alguém que saiba se impor, que consiga falar grosso quando um delegado arrogante achar que conhece o regulamento melhor do que nós. Alguém capaz de ver a diferença entre o lacre de segurança *legítimo* de um alimento e a imitação de um contrabandista. Alguém que realmente saiba como as coisas funcionam por aqui, não uma recém-formada qualquer que vai molhar as calças na primeira vez que um oficial quelin nos abordar."

O capitão pousou a caneca na mesa. "O que *eu* preciso é de alguém que mantenha os registros em dia. Preciso de alguém que cuide da nossa agenda, que faça a tripulação tomar todas as vacinas e passar por todos os exames necessários antes de cruzarmos uma fronteira, alguém que deixe a minha contabilidade em ordem. É um trabalho complicado, mas não é difícil, pelo menos não se ela for tão organizada quanto sugere a carta de recomendação."

"É uma carta padrão, tenho certeza absoluta. Aposto que o professor diz sempre as mesmas coisas de qualquer aluno frouxo que vá bater à sua porta."

Ashby ergueu a sobrancelha. "Ela estudou na Universidade de Alexandria, assim como você."

O algaísta soltou um muxoxo de desdém. "Eu estudei no departamento de ciências. Tem uma grande diferença."

Ashby riu. "Sissix tem razão, Corbin. Você é mesmo um esnobe."

"Sissix pode ir para o inferno."

"Sim, ouvi você dizendo isso para ela ontem à noite. Dava para escutar vocês no fim do corredor." Qualquer dia desses, Corbin e Sissix iam acabar se matando. Nunca se deram bem, e nenhum dos dois tinha o menor interesse em se entender. Ashby precisava ser muito cuidadoso nessa questão. Ashby e Sissix já eram amigos antes da *Andarilha*, mas, quando estava no modo capitão, precisava tratar Corbin e Sissix com imparcialidade, como membros da sua tripulação. Mediar as brigas frequentes exigia uma abordagem delicada. Na maioria das vezes, tentava ficar de fora. "Devo perguntar o que aconteceu?"

Corbin torceu o canto da boca. "Ela usou o meu último dentibô."

Ashby apenas piscou, surpreso. "Você sabe que nós temos caixotes enormes, cheios de pacotes de dentibôs, lá no porão."

"Não do *meu* tipo. Você compra daqueles falsificados que deixam a gengiva toda inflamada."

"Eu uso aqueles robôs todos os dias e as minhas gengivas estão ótimas."

"Pois eu tenho gengivas sensíveis. Pode pedir o meu histórico dental a Dr. Chef se você não acredita em mim. Tenho que comprar os meus próprios dentibôs."

Ashby torcia para que o seu rosto não revelasse que aquele problema tão comovente estava no fim da sua lista de prioridades. "Entendo que deve ter sido irritante, mas é só um pacote de dentibôs."

Corbin ficou ultrajado. "Eles não são baratos! Ela fez de propósito, só para me irritar, com certeza. Se aquela réptil egoísta não..."

"Ei!" Ashby se endireitou na cadeira. "Nada disso. Não quero ouvir essa palavra saindo da sua boca de novo!" No que dizia respeito a expressões racistas, *réptil* não era a pior, mas era ruim o suficiente.

Corbin apertou bem os lábios, como se para impedir que mais palavras desagradáveis escapassem. "Desculpe."

O capitão estava com os cabelos da nuca arrepiados, mas, para dizer a verdade, não havia andamento melhor para uma conversa com Corbin. Isolá-lo do restante da tripulação, deixá-lo desabafar, esperar até que ele passasse dos limites e então colocá-lo no seu lugar enquanto ainda estava arrependido. "Vou ter uma conversa com Sissix, mas você precisa ser mais cordial com as pessoas. E não quero nem saber se está com raiva, não aceito esse tipo de linguajar na minha nave."

"Perdi a cabeça, só isso." Era óbvio que o algaísta ainda estava zangado, mas mesmo ele sabia que não se deve morder a mão que o alimenta.

Corbin tinha consciência de que era um membro valioso da tripulação, só que, no fim das contas, era Ashby quem depositava os créditos na sua conta. *Valioso* não era o mesmo que *insubstituível*.

"Perder a cabeça é uma coisa, mas você faz parte de uma tripulação interespécie e não pode se esquecer disso. Ainda mais quando teremos alguém novo a bordo. E, falando nisso, sinto muito que você esteja preocupado com ela, mas, francamente, não é problema seu. Rosemary foi recomendada pelo Conselho, mas concordar em chamá-la foi decisão minha. Se ela for uma má escolha, vamos contratar outra pessoa. Mas até lá, daremos a ela o benefício da dúvida. Independente dos seus sentimentos em relação a isso, espero que faça Rosemary se sentir bem-vinda. Aliás..." — Um sorriso se formou bem devagar na boca de Ashby.

Corbin pareceu preocupado. "O que foi?"

O capitão se recostou na cadeira, entrelaçando os dedos das mãos. "Corbin, acabei de me lembrar de que a nossa nova guarda-livros deve chegar por volta das cinco e meia amanhã. Eu tenho uma conversa por sib marcada com Yoshi às cinco em ponto, e você sabe como ele adora tagarelar. Duvido que termine antes de Rosemary atracar, e ela vai precisar que alguém lhe mostre as coisas por aqui."

"Ah, não." A expressão de Corbin foi de puro sofrimento. "Peça para Kizzy. Ela adora esse tipo de coisa."

"Kizzy está muito ocupada substituindo o filtro de ar na enfermaria, e duvido que vá ter acabado amanhã. Jenks está ajudando Kizzy, então também não pode."

"Sissix, então."

"Hum... Sissix tem muitos preparativos a fazer antes da escavação de amanhã. Ela não deve ter tempo." Ashby abriu um largo sorriso. "Tenho certeza de que o seu tour vai ser ótimo."

Corbin olhou para o patrão com uma expressão maligna. "Às vezes, você é insuportável, Ashby."

Ashby pegou a caneca e tomou o último gole. "Sabia que podia contar com você."

Dia 130, Padrão 306 da CG

# chegada

Rosemary esfregou o ponto entre as sobrancelhas ao aceitar o copo d'água do bebedouro da parede. Sentia-se meio lenta por conta dos resquícios de sedação. Até agora, os estimulantes que deveriam balancear esses efeitos tinham servido apenas para acelerar o seu ritmo cardíaco. O corpo dela ansiava por se esticar, mas, enquanto a cápsula estivesse em movimento, Rosemary não podia tirar os cintos de segurança, e, de qualquer forma, só havia espaço para se levantar e sair. Apoiou a cabeça com um grunhido. Fazia quase três dias desde que a cápsula de subcamada fora lançada. Dias solares, lembrou a si mesma. Não dias padrões. Precisava se acostumar com a diferença. Dias mais longos, anos mais longos. No entanto, tinha coisas mais urgentes para se preocupar do que as diferenças de calendário. Estava sonolenta, com fome, dolorida e, em todos os seus vinte e três anos — solares, não padrões —, jamais precisou tanto fazer xixi. Na estação espacial, o nada agradável atendente aeluoniano dissera que os sedativos suprimiriam essa necessidade, mas ninguém falara nada sobre como ela se sentiria quando os efeitos passassem.

Rosemary imaginou a longa carta de reclamação que a mãe escreveria após uma viagem como aquela. Na verdade, não conseguia imaginar que circunstâncias fariam a mãe viajar em uma cápsula de subcamada. Ou mesmo imaginá-la pondo os pés em uma estação espacial pública. A própria Rosemary ficara surpresa por *se ver* em uma. A área de espera suja, os pôsteres de pixels, o fedor das algas gosmentas e dos produtos de limpeza. Apesar de todos os exoesqueletos e tentáculos passeando ao seu redor, fora *ela* quem se sentira como uma alienígena.

Tinha sido naquele momento que Rosemary se deu conta de como estava distante de Sol — os inúmeros seres sapientes parados ao seu lado na fila da bilheteria. Seu mundo natal era bastante cosmopolita, porém, tirando um ou outro diplomata ou representante de alguma corporação, Marte não recebia muitos visitantes não humanos. Uma rocha terraformada habitada por uma das espécies menos influentes da CG não era um destino muito popular. O professor Selim a alertara de que estudar os conceitos de relações interespécies era bem diferente de sair por aí e *falar* com outros sapientes, mas ela não tinha entendido de fato o conselho até se ver rodeada de biotrajes barulhentos e pés que não precisavam de calçados. Ficara nervosa até na hora de falar com o atendente harmagiano na bilheteria. Ela sabia que seu hanto era excelente (pelo menos para uma humana), mas não estava mais no ambiente controlado do laboratório de línguas da faculdade. Ninguém a corrigiria gentilmente ou perdoaria uma gafe cultural. Estava sozinha, e se quisesse ter créditos na conta e uma cama para dormir, precisava fazer o trabalho que garantira ao capitão Santoso ser capaz de fazer.

Sem pressão, é claro.

Não pela primeira vez, sentiu um punho gelado apertar o seu estômago. Nunca na vida se preocupara com créditos ou ter um lar para onde voltar. Entretanto, suas economias estavam acabando e ela fechara muitas portas, de modo que não havia margem para erro. O preço de um novo começo era não ter o apoio de ninguém.

*Por favor*, pensou. *Por favor, não faça nenhuma besteira.*

"Vamos nos aproximar agora, Rosemary", disse o computador da cápsula. "Você precisa de algo antes de atracarmos?"

"Um banheiro e um sanduíche."

"Desculpe, Rosemary, não consegui processar o seu pedido. Poderia por gentileza repetir?"

"Não preciso de nada."

"Está bem, Rosemary. Vou abrir as persianas. Talvez seja melhor fechar os olhos para se acostumar com possíveis fontes de luz externas."

Obediente, Rosemary fechou os olhos enquanto as persianas se abriam com um zumbido, mas as suas pálpebras continuaram escuras. Abriu os olhos e descobriu que a única fonte de luz significativa vinha de dentro da cápsula. Como esperara, não havia nada do lado de fora da janela além do vazio e de pequenas estrelas. Estava em espaço aberto.

Perguntou-se quão espesso seria o casco da cápsula.

Ela se voltou para cima, e Rosemary teve que proteger os olhos da repentina explosão de luz que vinha das janelas da nave mais feia que já vira na vida. Era atarracada e reta, a não ser por um pequeno domo protuberante nas costas que mais parecia uma corcunda. Aquela não era uma nave feita para transportar passageiros exigentes. Não havia nada de elegante ou inspirador nela. Era maior que uma nave de transporte, menor que um cargueiro.

A ausência de asas indicava que ela fora construída no espaço e jamais entrara em uma atmosfera. A parte inferior tinha uma imensa e complexa máquina — metálica e pontuda, com fileiras de hastes pontiagudas, que lembravam dentes, erguidas em espiral. Rosemary não entendia muito de naves, porém, a julgar pelos diferentes tons do casco externo, era como se vários pedaços tivessem sido remendados, talvez reaproveitados de outros veículos. Uma nave de retalhos. A única coisa que passava certa segurança era que parecia bem resistente. Era uma nave que podia suportar (e tinha suportado) algumas pancadas. Embora estivesse acostumada a viajar em modelos de aparência mais distinta, saber que aquele casco sólido e resistente ficava entre ela e todo aquele vazio era reconfortante.

"*Andarilha*, aqui fala a Cápsula de Subcamada 36-A, solicitando permissão para atracar", disse o computador.

"Cápsula de Subcamada 36-A, aqui é a *Andarilha*", respondeu uma voz feminina com sotaque exodoniano. Rosemary reparou nas vogais suaves, na pronúncia um pouquinho polida demais. Era uma Inteligência Artificial. "Por favor, confirme a identidade do passageiro."

"Entendido, *Andarilha*. Transmitindo os dados do passageiro."

Houve uma breve pausa.

"Confirmado, Cápsula de Subcamada 36-A. Permissão concedida para atracar."

A cápsula de subcamada se moveu ao longo da *Andarilha* como algum tipo de criatura aquática nadando para ser amamentada. A escotilha nas costas da cápsula grudou-se à doca de uma das reentrâncias do porto da nave. Rosemary ouviu os sons mecânicos dos conectores. Houve um silvo de ar quando o lacre se expandiu.

A porta da escotilha se ergueu. Rosemary grunhiu ao se levantar. Os músculos pareciam prestes a se rasgar. Pegou a bolsa de viagem e a mochila do compartimento de bagagem e mancou para fora. Havia uma leve diferença entre a gravidade da cápsula e a da *Andarilha*, o bastante para fazer o estômago se contrair ao passar de uma para a outra. A sensação durou apenas alguns segundos, no entanto, combinada à confusão mental, ao pulso acelerado e à bexiga prestes a explodir, foi suficiente para fazer Rosemary passar de *desconfortável* para *um pouco infeliz*. Torcia para que a sua nova cama fosse macia.

Entrou na pequena câmara de descontaminação, vazia a não ser pelo painel de luz amarela fixo a um pedestal que batia na sua cintura. A IA falou pela vox na parede. "Olá! Tenho quase certeza de quem você é, mas poderia escanear o seu implante de pulso no painel, só para eu ter certeza?"

Rosemary enrolou a manga, expondo o protetor de pulso — uma pulseira trançada que protegia o pequeno adesivo cutâneo no seu pulso direito. Havia muitas informações armazenadas naquele dispositivo tecnológico do tamanho da unha de um polegar — o arquivo de identidade, os dados da sua conta bancária e uma interface médica usada para se comunicar com os mais ou menos meio milhão de imunobôs que percorriam sua corrente sanguínea. Como todos os cidadãos da CG, Rosemary ganhou o primeiro adesivo na infância (a idade padrão para humanos era aos cinco anos), mas o seu adesivo atual tinha apenas algumas decanas. A pele ao redor ainda estava sensível. O novo adesivo custara metade das suas economias, o que lhe pareceu um preço exorbitante, mas ela não podia se dar ao luxo de discutir.

Posicionou o pulso diante do painel amarelo. A luz piscou de leve. Uma onda de adrenalina somou-se aos efeitos dos estimulantes. E se houvesse algo de errado com o adesivo e eles acessassem os seus arquivos antigos? E se vissem o seu nome e ligassem os pontos? Será que aquelas pessoas se importariam? Mudaria alguma coisa o fato de que ela não fizera nada errado? Será que lhe dariam as costas, assim como os seus amigos? Será que a colocariam de novo na cápsula e a mandariam de volta para Marte, de volta para um nome que não queria e uma confusão que não...

O painel piscou um verde amigável. Rosemary voltou a respirar e se achou tola por ter ficado nervosa. O novo dispositivo tinha funcionado bem desde que fora instalado. Não tivera problema em confirmar a sua identidade ou realizar pagamentos em nenhum dos pontos de parada ao longo do caminho. Era pouco provável que o escâner de adesivos daquela lata-velha de escavar túneis fosse perceber qualquer discrepância quando os escâneres de última geração das estações espaciais não tinham notado. Ainda assim, aquela era a última barreira. Daquele momento em diante, só precisaria se preocupar se faria ou não um bom trabalho.

"Ah, aí está você, Rosemary Harper", disse a IA. "Eu me chamo Lovelace e sirvo como a interface de comunicação da nave. Acho que, nesse sentido, nossos empregos são bem parecidos, não? Você faz contato em nome da tripulação; eu, em nome da nave."

"Acho que sim...", respondeu Rosemary, um pouco insegura. Não tinha muita experiência com IAS com consciência. As do seu planeta eram frias e iam direto ao ponto. A biblioteca da universidade tinha uma IA chamada Oráculo, que fazia mais o tipo acadêmico. Rosemary jamais conversara com uma IA tão amigável quanto Lovelace.

"Devo chamá-la de Rosemary?", perguntou Lovelace. "Ou você tem um apelido?"

"Rosemary está ótimo."

"Está bem, Rosemary. Pode me chamar de Lovey, se quiser. É como todos me chamam. É bom sair daquela cápsula, não?"

"Você não faz ideia."

"É verdade. Mas, por outro lado, você também não sabe como é bom ter o seu banco de memória recalibrado."

Rosemary pensou no assunto. "Tem razão, não sei mesmo."

"Rosemary, preciso ser sincera com você. Passei esse tempo todo conversando para que você não ficasse entediada enquanto fazia uma varredura corporal em busca de agentes infecciosos. Um dos membros da nossa tripulação tem a saúde delicada, então o meu processo precisa ser um pouco mais profundo do que o de outras naves. Não deve demorar muito."

Rosemary não achava que estava demorando, mas não fazia ideia do que uma IA consideraria demorado. "Pode levar o tempo que precisar."

"Essa é toda a sua bagagem?"

"É", respondeu. Na verdade, estava carregando todos os seus pertences (os que não vendera). Ainda ficava pasma com o fato de que tudo cabia em duas pequenas malas. Depois de passar a vida inteira na gigantesca casa dos seus pais, cheia de mobília, bibelôs e objetos raros, saber que não precisava de nada além do que conseguia carregar era surpreendentemente libertador.

"Se quiser, coloque as malas no elevador de carga à sua direita, que eu as mandarei para o convés da tripulação superior. Pode pegá-las quando for para o seu quarto."

"Obrigada". Abriu a porta de metal na parede, pôs as malas no compartimento certo e fechou e trancou a porta. Deu para ouvir a movimentação veloz do outro lado da parede.

"Prontinho, Rosemary, terminei a varredura. Sinto muito, mas encontrei alguns micro-organismos proibidos no seu sistema."

"Que micro-organismos?" Temerosa, ela pensou nos corrimões sujos e nos assentos grudentos da estação espacial. Fazia três decanas desde que deixara Marte, e já pegara alguma doença alienígena.

"Ah, nada que afetaria o seu organismo, apenas coisas que não são seguras para o nosso navegador. Você terá que ver o médico da nave para fazer as atualizações necessárias nos seus imunobôs antes de sair da *Andarilha* outra vez. Por enquanto, vou precisar fazer um flash de descontaminação. Tudo bem?" Havia um pedido de desculpas implícito no tom de Lovey, e por um bom motivo. A única parte boa de um flash de descontaminação era que acabava rápido.

"Está bem", disse Rosemary, cerrando os dentes.

"Aguente firme. O flash ocorrerá em três... dois... um."

A luz laranja berrante inundou o cômodo. Rosemary sentiu quando ela a atravessou. O frio penetrou os poros, os dentes, as raízes dos cílios. Por um segundo, ela soube a localização exata de todos os vasos capilares do seu corpo.

"Ah, sinto muito", disse Lovey quando o flash terminou. "Odeio ter que fazer isso. Você está com uma cara péssima."

Rosemary soltou a respiração, tentando esquecer as agulhadas. "Não é culpa sua. Eu já não estava me sentindo muito bem." Ela parou de falar, percebendo que estivera tentando fazer uma IA se sentir melhor. Era um pensamento tolo, mas, com o jeito de Lovey, qualquer outra resposta teria soado grosseira. Será que IAS ficavam ofendidas? Rosemary não sabia.

"Espero que se sinta melhor logo. Sei que há um jantar planejado para você e aposto que vai poder descansar depois de comer. Bem, já a detive por tempo suficiente. Você está liberada. E serei a primeira a dizer: bem-vinda a bordo."

A vox foi desligada. Rosemary encostou a palma no painel da porta. A porta inferior da câmera de descompressão se abriu para revelar um homem pálido com uma expressão azeda. O rosto dele mudou quando Rosemary deu um passo para a frente. Ele abriu o sorriso mais falso que ela já vira.

"Bem-vinda à *Andarilha*", disse o homem, estendendo a mão. "Artis Corbin. Algaísta."

"Prazer em conhecê-lo, sr. Corbin. Sou Rosemary Harper." Apertou a mão dele. O aperto era frouxo e a palma estava suada. Foi um alívio quando terminou.

"Pode me chamar de Corbin." Ele pigarreou. "Você... hã..." Ele indicou a parede oposta com o queixo. Havia uma porta exibindo o símbolo humano para banheiro.

Rosemary disparou até ela.

Voltou alguns minutos depois, sentindo-se muito melhor. O coração ainda estava acelerado, as ideias ainda não tinham clareado por completo, os dentes ainda não haviam parado de doer após o flash. Mas pelo menos *um* dos seus incômodos físicos fora riscado da lista.

"Cápsulas de subcamada são um péssimo jeito de viajar", começou Corbin. "Usam o pior combustível, sabe. Não sei como não acontece um monte de acidentes. Deveriam ser mais rigorosos com elas." Rosemary tentou pensar em uma resposta, mas, antes de ter tempo, Corbin continuou: "Por aqui."

Ela o seguiu pelo corredor.

A *Andarilha* não era mais chique do lado de dentro do que do lado de fora, mas os corredores descombinados tinham certo charme. Havia pequenas janelas a intervalos regulares. Os painéis das paredes eram unidos por porcas e parafusos de formas variadas. Assim como no exterior, as paredes internas tinham cores diferentes — um marrom acobreado de um lado, um bronze fosco do outro, um pouco de cinza aqui e ali.

"Que projeto interessante."

Corbin bufou com desdém. "Se por 'interessante' você quis dizer que parece a colcha de retalhos da minha avó, então concordo. A *Andarilha* é uma nave velha, como costumam ser as naves de escavação de túneis. Oferecem-se incentivos para os capitães que reformam naves antigas em vez de comprar novas. Ashby aproveitou isso ao máximo. A nave original tem uns trinta e cinco padrões de idade. Foi feita para durar, mas não foi projetada com o conforto da tripulação em mente. Ashby ampliou as acomodações, assim como a área de armazenagem, e adicionou chuveiros de água, coisas do tipo. Tudo reaproveitado, claro. Não tinha dinheiro suficiente para construir do zero.

Rosemary ficou aliviada ao ouvir sobre essa melhora da qualidade de vida. Estivera se preparando para encarar beliches minúsculos e chuveiros sanitários. "Imagino que Lovey também tenha sido uma modificação recente?"

"Isso mesmo. Ashby a comprou, mas ela é a queridinha de Jenks." Corbin não explicou. Indicou a parede com um movimento do queixo. "Há voxes instaladas em cada quarto e em todos os cruzamentos de corredores mais movimentados. Onde quer que você esteja, Lovey pode ouvir os seus pedidos e passar recados. Eles são transmitidos para a nave inteira, então cuidado com o que diz. Voxes são uma ferramenta, não um brinquedo. Temos também extintores de incêndio ao longo da nave. Kizzy pode lhe mandar um mapa com as localizações. Há armários com exotrajes na escotilha do embarcadouro, no convés da tripulação e no porão. Também há cápsulas de emergência em todos os conveses. Além disso, temos um ônibus que pode ser acessado pelo porão. Se os painéis de emergência se acenderem, procure um dos trajes, uma cápsula ou o ônibus, o que estiver mais próximo." Eles chegaram a uma bifurcação. Corbin apontou para a esquerda. "A enfermaria é nessa direção. Não é nenhuma maravilha, mas serve para manter alguém vivo até chegarmos ao porto mais próximo."

"Entendi", disse Rosemary. Tentou não pensar muito sobre como Corbin só sabia falar em emergências e ferimentos.

Era possível ouvir vozes animadas e altas de um corredor mais adiante. Houve um barulho alto quando algo caiu no chão e, em seguida, o som de uma breve discussão e depois risos. Os olhos de Corbin se estreitaram como se estivesse tentando evitar uma dor de cabeça. "Acho que você está prestes a conhecer os nossos técnicos."

Entraram num outro corredor e deram de cara com um emaranhado de fios e cabos caídos no chão. Até onde Rosemary podia ver, não estavam organizados ou identificados de forma alguma. Tubos de algas pareciam vísceras saindo de uma parede cujo painel fora removido. Trabalhando na parede havia duas pessoas, um homem e uma mulher, ambos humanos — talvez. Rosemary não tinha dúvidas sobre a mulher, que devia estar beirando os trinta.

O cabelo escuro estava preso em um coque lateral por um laço surrado e desbotado. Usava macacão laranja sujo de graxa e algas, visivelmente remendado nos cotovelos com tecido berrante. Havia bilhetes apressados nas mangas, coisas como "VERIFICAR 32-B — FIOS VELHOS?", "NÃO ESQUECER FILTRO DE AR, SUA IDIOTA" e "COMER". Um curioso par de lentes ópticas estava apoiado no nariz achatado. Em vez de uma única lente por olho, havia pelo menos meia dúzia soldada em suportes articuláveis. Algumas eram grossas, de aumento, enquanto outras reluziam com pequenos painéis digitais. Parecia que tudo tinha sido feito à mão. Quanto à mulher, a pele morena sugeria muitas horas de banho de sol, mas os traços eram inegavelmente exodonianos. Rosemary achou que havia uma boa chance de ela ter crescido em uma colônia extrassolar — "fora do Sol", como se dizia em Marte.

O homem, por sua vez, não era tão facilmente categorizável. Em vários aspectos, parecia humano. Os traços faciais misturados, o formato do corpo, os membros e os dedos eram todos familiares. O tom de pele acobreado até mesmo lembrava o de Rosemary, só que bem mais escuro. Porém, embora a cabeça fosse do tamanho médio, o restante era pequeno, nas proporções de uma criança. E ele era robusto, como se todos os membros tivessem estufado, mas teimassem em não se alongar. Era tão pequeno que poderia ficar sobre os ombros da mulher — que era exatamente o que estava fazendo. Como se já não fosse notável o suficiente, tinha feito todo o possível para se enfeitar. As laterais da cabeça eram raspadas, enquanto do couro cabeludo brotava um tufo de cachos. As orelhas eram adornadas por uma constelação de piercings, e os braços, cobertos de tatuagens coloridas. Rosemary tentou ao máximo não ficar olhando. Decidiu que ele era mesmo humano, embora fosse adepto da genedificação. Era a única explicação que lhe ocorria. Mas por que alguém teria tanto trabalho para diminuir de tamanho?

A mulher tirou os olhos do trabalho. "Ah, olá! Jenks, saia de cima de mim, precisamos socializar."

O homem pequeno, que estivera operando uma barulhenta ferramenta dentro da parede, voltou a atenção para ela e ergueu os óculos de proteção. "Ah", disse, descendo. "Lá vem a novata."

Antes que Rosemary pudesse se pronunciar, a mulher se levantou, tirou os óculos e lhe deu um abraço apertado. "Bem-vinda ao lar." Ela se afastou. O seu sorriso era contagiante. "Eu sou Kizzy Shao. Técnica mecânica."

"Rosemary Harper." Tentou não parecer sobressaltada. "E obrigada."

O sorriso de Kizzy se alargou. "Nossa, amei o seu sotaque! Vocês marcianos soam sempre tão *descolados*."

"Sou o técnico de computação", apresentou-se o homem, limpando a gosma nas mãos com um trapo. "Jenks."

"Esse é o seu nome ou sobrenome?", perguntou Rosemary.

Ele deu de ombros. "Tanto faz", respondeu, estendendo a mão para apertar a de Rosemary. Apesar de pequena, Jenks tinha um aperto mais firme que o de Corbin. "Prazer em conhecê-la."

"Prazer em conhecê-lo também, sr. Jenks."

"*Senhor* Jenks! Gostei!" Ele virou o rosto para o vazio. "Ei, Lovey. Me transmita para todo mundo, por favor." Uma vox próxima foi ligada. "Atenção", anunciou ele em uma voz pomposa. "Conforme sugestão da nossa guarda-livros, de agora em diante só aceitarei ser tratado por sr. Jenks. Isso é tudo."

Corbin se aproximou de Rosemary e disse baixinho: "Não é para isso que servem os voxes."

"E então?", disse Kizzy. "Fez boa viagem?"

"Já tive melhores", respondeu Rosemary. "Mas cheguei inteira, então não posso reclamar."

"Pode reclamar à vontade." Jenks puxou uma velha lata de metal do bolso. "Cápsulas de subcamada são um jeito horrível de viajar. Eu sei que são a única maneira de trazer você até aqui rápido, mas são muito perigosas. Os estimulantes a deixaram meio fraca?" Rosemary assentiu. Ele continuou: "É, eu entendo. Pode acreditar, vai se sentir melhor depois que comer alguma coisa."

"Você já viu o seu quarto?", perguntou Kizzy. "Eu que fiz as cortinas, mas, se não gostar do tecido, é só dizer que arranco tudo na hora."

"Ainda não. Mas estive admirando o resto do seu trabalho. Não deve ser nada fácil fazer adições a um modelo mais antigo."

O rosto de Kizzy se iluminou como um globoluz. "Mas é por isso que é tão divertido! É como montar um quebra-cabeças, ter que descobrir com quais circuitos os antigos conseguem se comunicar, adicionar partes novas para deixar as coisas mais aconchegantes, aprender todos os segredos da velha estrutura para a nave não explodir..." Ela deu um suspiro feliz. "É o melhor emprego do mundo. Você já viu o Aquário?"

"O... o quê?"

"O Aquário", disse Kizzy, sorridente. "Você vai ver. É muito legal."

Os olhos estreitos de Corbin se arregalaram ao reparar no técnico de computação. "Jenks, você só pode estar brincando!"

A lata de Jenks estava cheia de palha-vermelha. Ele enfiara uma porção generosa dentro de um pequeno cachimbo curvo, que estava acendendo com o maçarico. "Que foi?", perguntou, a voz abafada pelos dentes cerrados. Sugou ar pelo cachimbo, acendendo a palha e fazendo-a soltar fumaça. O leve cheiro de canela queimada e cinzas chegou ao nariz de Rosemary. Ela pensou no pai, que estava sempre fumando cachimbo enquanto trabalhava. Afastou a lembrança indesejada.

Corbin cobriu o nariz e a boca com a mão. "Se quer encher os seus pulmões com toxinas, tudo bem, mas faça isso no seu quarto."

"Calma", disse Jenks. "Esse é o tipo modificado produzido pelos laruanos. Abençoados sejam os seus corações de oito cavidades. A mesma doçura da palha-vermelha e nenhuma das toxinas. Cem por cento saudável. Quer dizer, pelo menos não faz mal. Você devia experimentar, faria maravilhas pelo seu humor." Ele soprou uma nuvem de fumaça na direção de Corbin.

A expressão do algaísta se tornou pétrea, mas ele relutou em insistir no assunto. Rosemary teve a impressão de que, apesar do seu furor em defender as regras, Corbin não tinha qualquer autoridade sobre os técnicos. "Ashby está sabendo dessa bagunça?", perguntou Corbin, apontando para o chão.

"Relaxa, mal-humorado", disse Kizzy. "Vai estar tudo consertado e de volta no lugar até a hora do jantar."

"O jantar começa em meia hora."

Kizzy levou as mãos à cabeça. Ela fez uma expressão exagerada de surpresa. "Ah, não! Está falando sério? Pensei que o jantar fosse às seis."

"São cinco e meia."

"Caramba!", exclamou Kizzy, voltando-se para a parede. "A gente se fala depois, Rosemary, preciso trabalhar. Jenks, suba logo nos meus ombros, rápido!"

"Subindo!", disse ele, prendendo o cachimbo entre os dentes e começando a escalar.

Corbin seguiu andando pelo corredor sem falar mais nada.

"Foi um prazer!", disse Rosemary e saiu correndo atrás de Corbin.

"O prazer foi nosso!", gritou Kizzy. "Mas que merda, Jenks, essas suas cinzas caíram na minha boca!" Rosemary a ouviu cuspir, e depois Kizzy e Jenks riram juntos.

"É incrível não termos todos morrido", disse Corbin para ninguém em particular. Ele continuou em silêncio ao seguirem pelo corredor. Rosemary deduziu que jogar conversa fora não era o seu forte. Apesar de o silêncio ser desconfortável, achou melhor não quebrá-lo.

O corredor fazia uma curva para dentro, levando ao outro lado da nave. Na parede curva, havia uma porta. "Aqui é a sala de controle", explicou Corbin. "Onde ficam os controles de navegação e de escavação. Você não vai ter muito o que fazer aí."

"Mas posso conhecer mesmo assim? Só para ter uma noção?"

Corbin hesitou. "A nossa piloto deve estar trabalhando. Seria melhor não inter..."

A porta se abriu, e uma aandriskana saiu. "Bem que achei ter ouvido uma voz nova!"

Apesar do seu sotaque ser perceptível, ainda assim era o melhor que Rosemary já ouvira da espécie. Não que ela tivesse muita experiência com aandriskanos. Como eram uma das três espécies fundadoras da Comunidade Galáctica, aandriskanos eram vistos com frequência em qualquer lugar da galáxia. Ou fora isso que Rosemary ouvira. A aandriskana parada diante dela era a primeira com quem falava diretamente. Os seus pensamentos se aceleraram quando tentou se lembrar de tudo o que conseguia da cultura aandriskana. *Estruturas de parentesco complexas. Sem conceito de espaço pessoal. Fisicamente afetuosos. Promíscuos.* Recriminou-se mentalmente por este último pensamento. Era um estereótipo que todos os humanos conheciam, querendo ou não, e revelava uma visão etnocêntrica. *Não formam casais como nós*, corrigiu a si mesma. *Isso não é a mesma coisa que ser promíscuo.* Em algum lugar na sua cabeça, o professor Selim estava franzindo a testa para ela. *O simples fato de usarmos a expressão "sangue-frio" para denominar alguém pouco emotivo mostra o nosso preconceito inato de primata em relação aos répteis*, imaginou-o dizer. *Não julguem outras espécies pelas suas próprias normas sociais.*

Decidida a deixar o professor orgulhoso, Rosemary se preparou para suportar aquela esfregação de bochecha com bochecha da qual ouvira falar, ou talvez outro abraço inesperado. Independentemente de como essa pessoa quisesse cumprimentá-la, aceitaria sem problemas. Agora ela era parte de uma tripulação multiespécie, e, porra, fazia questão de lidar com isso com toda a educação possível.

Porém, para a decepção de Rosemary, tudo o que a aandriskana fez foi estender uma das suas mãos com garras. "Você deve ser Rosemary", disse ela, simpática. "Eu sou Sissix."

Rosemary tentou ao máximo envolver a mão escamosa de Sissix. As mãos delas não se encaixavam direito, mas ambas fizeram o melhor possível. Sissix era alienígena demais para Rosemary chamá-la de bonita, mas era... *impressionante.* Sim, aquela era uma boa palavra. A mulher era uma cabeça mais alta que Rosemary, e seu corpo, leve e esguio. Escamas verde-musgo a cobriam do topo da cabeça até a ponta da cauda, mas o tom era mais claro na parte da barriga. Seu rosto era liso, sem nariz, lábios ou orelhas, apenas discretas cavidades para respirar e ouvir, e uma pequena fenda que lhe servia de boca. Penas coloridas cobriam a cabeça, como uma curta e alegre juba. Seu peitoral era reto como o de um humano do sexo masculino, mas o contraste entre a cintura fina e as coxas musculosas de lagarto davam a ilusão de um quadril feminino (embora Rosemary soubesse que isso também se devia aos preconceitos culturais, já que os aandriskanos machos tinham o mesmo físico que as fêmeas, sendo apenas menores). As pernas eram ligeiramente dobradas, como se ela estivesse prestes a correr, e os dedos das mãos e dos pés tinham garras grossas e cegas. Cada uma das garras fora pintada com espirais douradas e parecia ter sido lixada. Sissix usava calças baixas folgadas e um colete fechado com um único botão. Rosemary lembrou-se de como o professor Selim falara que os aandriskanos usavam roupas apenas para deixar as outras espécies mais à vontade. Com as roupas, o sotaque e o aperto de mão, Rosemary teve a impressão de que Sissix convivia com humanos há bastante tempo.

Não fora apenas Sissix que saíra da sala de controle. Um bafo de ar quente e seco também passara pela porta. Rosemary pôde sentir o calor emanando do outro cômodo. Mesmo parada ali na porta, a temperatura era sufocante.

Corbin estreitou os olhos. "Você sabe que os painéis de interface começam a entortar com calor intenso."

Sissix voltou os olhos amarelos para o homem pálido. "Obrigada, Corbin. Como passei apenas a minha vida adulta inteira a bordo de naves, não faço a menor ideia de como controlar com segurança a temperatura interna."

"Acho que a nave já está quente demais."

"Se tivesse mais alguém aqui dentro comigo, eu teria baixado a temperatura. Sinceramente, qual o problema?"

"O problema, Sissix, é que..."

"Pode parar." A aandriskana ergueu a palma da mão. Seus olhos foram de Corbin a Rosemary algumas vezes. "Por que *você* está mostrando as coisas a ela?"

O queixo de Corbin ficou tenso. "Ashby me pediu. Não é problema algum." Suas palavras não revelavam muito, mas Rosemary ouviu o mesmo tom falso de antes, quando as feições dele mudaram ao vê-la entrar pela escotilha. O punho frio voltou a apertar o seu estômago. Estava na nave havia dez minutos e alguém já não gostava dela. Que ótimo.

"Sei." Sissix estreitou os olhos, como se estivesse tentando descobrir algo. "Será um prazer continuar o tour se você estiver ocupado com outras coisas."

Corbin comprimiu os lábios. "Não quero ser rude, Rosemary, mas de fato tenho alguns testes de salinidade para fazer e seria melhor começá-los o quanto antes."

"Maravilha!" Sissix pôs a mão no ombro de Rosemary. "Divirta-se com as suas algas!"

"Hã, foi um prazer conhecê-lo", disse Rosemary enquanto Sissix a levava em outra direção. Corbin já estava sumindo no corredor. Aquela conversa fora desconcertante, mas Rosemary estava feliz por ter uma companhia mais amigável, ao que parecia. Fez o possível para não ficar olhando quando os pés descalços de Sissix se flexionaram, ou para as penas da sua cabeça, que se sacudiam a cada passo. Cada um dos seus movimentos era fascinante.

"Rosemary, eu gostaria de pedir desculpas em nome da tripulação da *Andarilha*. Chegar ao seu novo lar merece uma recepção muito melhor do que a que Artis Corbin seria capaz de dar. Tenho certeza de que a essa altura você já sabe tudo sobre as cápsulas de ejeção de emergência e nada sobre quem somos e o que fazemos."

Rosemary não conseguiu se impedir de rir. "Como você adivinhou?"

"Porque sou obrigada a conviver com aquele homem. Assim como você. Mas, felizmente, você também vai conviver com o resto de nós, e acho que somos muito cativantes." Ela parou ao lado de uma escada de metal que levava ao andar superior e ao inferior. "Já viu o seu quarto?"

"Ainda não."

Sissix revirou os olhos. "Vamos lá", disse, começando a subir as escadas e fazendo o possível para que o seu rabo não esbarrasse no rosto de Rosemary. "Sempre me sinto melhor em uma nave nova quando sei onde é o meu lugar."

A aandriskana estava certa. O lugar de Rosemary, no fim das contas, era um quarto escondido no canto do convés superior. A única mobília era uma peça grandalhona que ficava na parede oposta, com gavetas, um pequeno armário e um nicho onde cabia apenas o seu beliche. Entretanto, o vazio fora suavizado por alguns toques humanos (ou toques sapientes, supunha Rosemary). No beliche havia um cobertor felpudo com travesseiros coloridos, transformando o que poderia ter sido uma prateleira austera em um ninho aconchegante. As cortinas que Kizzy mencionara usavam um tecido com padrão de florezinhas — aliás, águas-vivas, não flores. A estampa era um pouco chamativa demais para o gosto de Rosemary, mas ela tinha certeza de que acabaria gostando. Na parede contígua, havia um pequeno vaso de planta hidropônico com folhas obovaladas. Ao lado dele, repousava um espelho, no qual fora preso um bilhete impresso: BEM-VINDA AO LAR. Era o menor quarto que Rosemary já vira, o mais simples e humilde (sem contar os hotéis sujos das estações espaciais). Entretanto, considerando tudo, era perfeito. Não podia pensar em um lugar melhor para recomeçar.

Dia 130, Padrão 306 da CG

# uma

# dica

Ashby forçou um sorriso enquanto Yoshi continuava a tagarelar pelo sib. Nunca tinha gostado muito do homem. Não havia nada de *errado* com ele, não exatamente, mas, pelas estrelas, Yoshi podia passar horas falando. Para início de conversa, aquele contato com o Conselho de Transportes era mera formalidade, apenas para o capitão ter certeza de que não ia escavar uma área indevida. Ele sabia que era melhor prevenir do que remediar, mas Yoshi sempre conseguia transformar o que deveria ser uma conversa por sib de segundos — *Receberam o plano de voo? Tudo certo então, boa viagem* — em uma conversa de uma hora.

Os pixels exibindo Yoshi tremeluziram de leve por instabilidade do sinal. Yoshi enrolou as mangas compridas e mexeu o mek — frio, reparou Ashby, como bebiam os harmagianos. Conseguiu se impedir de revirar os olhos diante da encenação. O mek frio, as roupas no estilo aeluoniano, o sotaque central praticado, mas ainda com um leve fundo marciano para quem tivesse o ouvido apurado. Eram os ardis de um burocrata tentando fingir ser da mesma estirpe das espécies poderosas ao seu redor. Ashby não se envergonhava das suas origens — muito pelo contrário —, mas era irritante quando um humano dava ares de importância a si mesmo.

"Mas chega de falar de mim", disse Yoshi, rindo. "Como vai a vida na *Andarilha*? Tudo bem com a tripulação?"

"Sim, tudo bem por aqui", respondeu. "Aliás, hoje ganhamos mais um membro."

"Ah, sim, a nova guarda-livros! Eu estava para perguntar sobre ela. Está se adaptando bem?"

"Ainda não a conheci, na verdade. Ouvi a cápsula dela atracar não faz muito tempo."

"Ah, então não vou mais tomar o seu tempo." *Até parece.* "Sabe, Ashby, contratar uma guarda-livros fez você ganhar alguns pontos com o Conselho. Sempre foi possível contar com você no que diz respeito à perfuração, mas isso mostra o seu comprometimento com os nossos padrões administrativos. Foi muito inteligente da sua parte."

"Só estava sendo prático. Preciso de mais ajuda por aqui."

Yoshi se recostou na cadeira, e o seu rosto ficou desfocado ao se afastar da sibcâmera.

"Você tem trabalhado no nível três faz um bom tempo. Já pensou em tentar fazer algo maior?"

Ashby ergueu as sobrancelhas. Yoshi era um falastrão, mas não era incompetente. Sabia que a *Andarilha* não tinha o equipamento necessário para os trabalhos de alto nível.

"Já pensei, mas não temos as ferramentas." Nem o dinheiro. O equipamento da nave de Ashby lhe permitia trabalhar em túneis menores, próprios para naves de comunicação entre as colônias. Era possível ganhar bastante grana com túneis cargueiros, mas era necessário um equipamento muito superior para dar estabilidade a uma passagem tão grande. Ashby não conhecia nenhuma nave humana trabalhando nesse ramo.

"É verdade, mas nem por isso as suas opções são limitadas", disse Yoshi. Olhou por cima do ombro, como se estivesse fazendo segredo. Mais uma vez, o capitão se segurou para não revirar os olhos. Até onde sabia, Yoshi estava sozinho na sala, de porta fechada. "Fique atento, pois pode surgir um trabalhinho *interessante* para você. É no seu ramo mesmo, mas... um pouco diferente."

Ashby chegou mais perto. Era difícil confiar em um humano que forçava seus "R"s para que soassem harmagianos, mas, ainda assim, não ia ignorar o conselho de alguém com um cargo parlamentar.

"Que tipo de trabalho?"

"Infelizmente não posso revelar, mas digamos que vai ser uma boa mudança em relação ao que você está acostumado a fazer." Ele olhou Ashby nos olhos. Os pixels tremeluziram de novo. "O tipo de coisa que pode fazer você subir na vida."

O capitão deu um sorriso que esperou ser simpático.

"Isso é um pouco vago."

Yoshi respondeu com um sorrisinho convencido.

"Tem acompanhado as notícias?"

"Sempre."

"Não deixe de vê-las pelos próximos cinco dias, mais ou menos. Mas não se preocupe com isso agora. Receba bem a sua guarda-livros, cuide da escavação amanhã e então... você vai ver." Tomou um gole arrogante da sua xícara de mek frio. "Vai por mim. Você vai entender."

Dia 130, Padrão 306 da CG

# os

# perfuradores

Depois de guardar as suas duas malas (o que Sissix tinha aprovado, já que "uma carga mais leve economiza combustível"), Rosemary seguiu a aandriskana escada abaixo novamente. Um detalhe chamou a sua atenção, algo em que não havia reparado na subida. Os degraus eram feitos a partir de uma grade de metal, mas cada um deles fora cuidadosamente coberto com um tapete grosso.

"Por que isso?", perguntou Rosemary.

"Hã? Ah, é por minha causa. Para as minhas garras não ficarem presas na grade."

Rosemary se encolheu.

"Ai."

"Você não faz ideia. Arranquei uma faz alguns anos, antes de Kizzy colocar esse tapete. Guinchei como se tivesse acabado de sair do ovo." Ela foi da escada para o deque seguinte, indicando algumas portas com a cabeça: "Aqui fica a sala de recreação. Máquinas de exercício, a área de jogos, sofás confortáveis, essas coisas. Tem alguns simuladores bons de ambientes ao ar livre. Todo mundo deveria usar pelo menos meia hora por dia. Deveria. É fácil esquecer, mas é uma boa atividade. Durante uma viagem mais longa, isso *aqui*." Ela bateu de leve na cabeça de Rosemary. "É o mais importante na hora de se cuidar."

Rosemary fez uma pausa enquanto seguiam pelo corredor.

"É impressão minha ou está ficando meio escuro?"

Sissix riu.

"Pelo visto, você nunca viveu em espaço aberto", comentou ela, mas o tom não era hostil. "A iluminação nos corredores e nas áreas comuns aumenta e diminui de intensidade com o passar do dia. Você está vendo o pôr do sol, ou algo do tipo. Dá para ligar as lâmpadas de trabalho em cômodos individuais quando precisar de mais luz, mas ter iluminação ambiente na nave nos ajuda a manter um ritmo."

"Vocês seguem o dia padrão aqui, certo?"

Sissix assentiu.

"Dia e calendário padrões. Você ainda está no fuso solar?"

"Estou."

"Tente pegar leve na primeira decana. Mudar o relógio biológico pode ser bem cansativo. Mas, para ser sincera, contanto que você faça o seu trabalho e saiba em que dia estamos, pode seguir o padrão que quiser. A gente não se levanta na mesma hora, todo mundo trabalha em horários diferentes. Especialmente Ohan. Eles são noctívagos."

Rosemary não sabia quem era Ohan e por que Sissix tinha usado o plural, mas, antes que tivesse a chance de perguntar, a piloto sorriu na direção da porta adiante. "Pode entrar primeiro."

Havia uma faixa feita à mão colada na parede ao lado da porta. O AQUÁRIO. As letras berrantes estavam cercadas por planetas sorridentes e flores alegres. Apesar de ser nova na nave, Rosemary tinha uma forte suspeita de que aquilo era obra de Kizzy.

Abriu a porta e perdeu o fôlego. Estava diante de um amplo salão, construído a partir de vários painéis de plex interligados. No teto, havia uma janela gigantesca, em forma de bolha, com a galáxia inteira estendendo-se à distância. Nas laterais do cômodo, tudo — tudo mesmo — era verde. Grandes vasos hidropônicos estavam dispostos em espirais, e deles brotavam folhas largas, mudas viçosas e vegetais escuros. Havia plaquinhas escritas à mão identificando-os a intervalos regulares (Rosemary não reconheceu o alfabeto). Algumas das plantas tinham flores, e trepadeiras subiam bem alto em arranjos de delicadas treliças. Caixotes de carga e latas de comida reaproveitados como vasos para grama margeavam o caminho desde a entrada. Algumas peças de sucata tinham sido pintadas com figuras coloridas e dispostas em meio à vegetação, salpicando cor no ambiente. No fim do caminho, três degraus desciam até um jardim rebaixado. Barulho de água corrente vinha de uma fonte muito velha, com alguns bancos e cadeiras próximos. Atrás dos bancos, pequenas árvores decorativas cresciam em direção às lâmpadas solares penduradas no teto. Contudo, quando Rosemary reparou nas lâmpadas, o domo de vidro chamou a sua atenção de novo, abrindo-se para as estrelas, os planetas e as nebulosas do lado de fora.

Depois de alguns segundos boquiaberta, Rosemary conseguiu reparar nos detalhes menores. A moldura da janela parecia bem gasta e de um material completamente diferente do restante do cômodo. Os vasos hidropônicos eram de todos os formatos e tamanhos, e, pelo que podia ver, deviam ter sido comprados de segunda mão. No entanto, o salão era um daqueles lugares estranhos e maravilhosos que ficavam ainda melhores com a falta de uniformidade. As plantas eram saudáveis e bem-cuidadas, mas, por algum motivo, eram os amassados, os arranhões e as sucatas que lhes davam vida.

"Isso... isso é incrível."

"E necessário, acredite ou não", disse Sissix. "Pode parecer uma extravagância, mas tem os seus propósitos. Para começar, as plantas ajudam a não sobrecarregar os filtros de ar. E desse jeito nós também podemos cultivar parte da nossa comida, uma economia na hora das compras, além de ser mais saudável do que ficar comendo aquele monte de porcaria em estase. Por último, e mais importante, nos impede de surtar depois de passarmos algumas decanas presos na nave. A sala de recreação é ótima para descansar por alguns minutos, mas é aqui que a gente vem quando precisa diminuir o ritmo. Um monte das naves em viagens mais longas tem cômodos assim. Mas o nosso é o melhor, na minha opinião completamente imparcial."

"É muito bonito", disse Rosemary, forçando-se a desviar os olhos da janela. Lembrou-se do domo opaco que vira da sua cápsula de subcamada. "Por que não vi isso tudo quando estava chegando?"

"Bem legal, não é?", disse Sissix. "Foi construído com acrílico polarizado, então só é transparente quando a gente quer. Isso nos dá mais privacidade e ajuda a não aquecer o ar quando estamos perto de um sol. Veio do iate de um harmagiano. Kizzy e Jenks têm toda uma rede de contatos de catadores de sucata que ligam para nós sempre que encontram algo que poderíamos aproveitar. Demos muita sorte com esse domo." Fez um gesto para Rosemary segui-la. "Vamos lá, vou apresentá-la ao cara que cultiva todas essas plantas."

Seguiram o caminho à direita até chegarem a uma mesa oval, posta para o jantar. As cadeiras eram de modelos e estilos diferentes, um terço delas feito para acomodar traseiros não humanos. Lâmpadas coloridas presas em fios acima da mesa lançavam um brilho suave. Estava longe de ser a mesa mais chique que Rosemary já vira — os guardanapos estavam desbotados, alguns dos pratos tinham pequenas rachaduras nas laterais e os condimentos eram das marcas mais baratas —, mas ainda assim era convidativa.

Perto da mesa havia uma bancada com três tamboretes que dava para uma grande cozinha. O cheiro de pão fresquinho e temperos invadiu as narinas de Rosemary, e o seu corpo a lembrou de que fazia um bom tempo que não comia. A barriga parecia oca.

"Oi!", disse Sissix, dirigindo-se a alguém do outro lado da bancada. "Venha conhecer o novo membro da nossa tripulação!"

Rosemary não tinha reparado na cortina que cobria a porta nos fundos da cozinha até que um ser de uma das espécies mais estranhas que já vira a abriu e passou pesadamente pela porta. O ser sapiente — um ele, segundo Sissix — era o dobro do tamanho de Rosemary, no mínimo. Era gordo e arredondado, com manchas na pele acinzentada. Não fossem os tufos dos longos bigodes que brotavam das suas bochechas balofas, teria achado que se tratava de um anfíbio. O traço mais proeminente no rosto era o lábio leporino, que, por algum motivo, Rosemary achou encantador, embora não soubesse dizer por quê. Pensou nas imagens dos antigos animais da Terra que vira quando criança. Se você pensasse na mistura de uma lontra com uma lagartixa, mas com as pernas de uma lagarta de seis patas, estaria chegando perto.

As pernas do sapiente eram especialmente difíceis de categorizar, porque poderiam muito bem ser braços. Tinha seis daqueles membros, o que quer que fossem, todos idênticos. Quando entrou pela porta, estava andando em um par e carregando dois potes de comida com os outros. No entanto, quando pôs os potes no lugar, apoiou-se em dois pares e foi até a bancada.

"Ora, ora, ora", retumbou o sapiente.

Sua voz era estranhamente harmônica, como se cinco pessoas estivessem falando ao mesmo tempo. Rosemary reparou que ele usava roupas no estilo humano. A parte superior do tronco — se é que podia ser chamado assim — estava coberta por uma camiseta que exibia um dedo verde humano voando pelo espaço. As palavras ao redor da imagem estavam escritas em ensk, não em klip: *Empório das Plantas do Littlejohn — A sua loja de hidropônicos transgalácticos*. Ele tinha cortado buracos extras na camiseta para os membros do meio. A parte inferior do corpo estava coberta por uma enorme calça presa por um cordão na cintura. Na verdade, não era bem uma calça. Era mais como uma bolsa com buracos para as pernas.

O rosto inteiro do sapiente curvou-se para cima em algo parecido com um sorriso.

"Aposto que nunca viu um como eu antes", disse ele.

Rosemary sorriu, aliviada por ele ter quebrado o gelo.

"É verdade", respondeu ela.

Enquanto conversava, o sapiente continuou os seus afazeres do outro lado da bancada.

"Todo o treinamento de sensibilidade interespécie cai por terra quando a gente vê algo novo, não é? Da primeira vez que vi um de vocês, tão magricelas e marrons, fiquei mudo."

"O que é uma coisa muito impressionante, levando em conta a espécie dele", acrescentou Sissix.

"Isso lá é verdade! O silêncio não combina com a gente." Uma série de sons explodiu da sua boca em um chilro grave.

Rosemary olhou para Sissix enquanto aquele cantar dissonante saía da boca estranha do sapiente.

"Ele está rindo", sussurrou Sissix.

O barulho parou e o sapiente deu um tapinha no próprio peito. "Sou Dr. Chef."

"Rosemary. Que nome interessante."

"Bem, não é o meu nome de verdade, mas cozinho as refeições e trabalho na enfermaria quando precisam de mim. Sou o que faço."

"De que espécie você é?"

"Grum, e no momento sou macho."

Rosemary nunca tinha ouvido falar de uma espécie chamada grum. Não devia ser da Comunidade Galáctica. "No momento?"

"O sexo biológico é transitório na minha espécie. Começamos a vida como fêmeas, viramos machos quando paramos de botar ovos e morremos em um estado intermediário, nem lá, nem cá." Dr. Chef passou o braço por cima da bancada e pôs um copo de suco e um pequeno prato com grossas bolachas multigrãos diante de Rosemary. "Prontinho. Açúcar, sal, vitaminas e calorias. O jantar está quase pronto, mas você parece prestes a desmaiar." Ele balançou a cabeça na direção de Sissix. "Odeio cápsulas de subcamada."

"Ah, pelas estrelas, muito obrigada." Rosemary começou a devorar as bolachas. Uma parte distante da sua mente sabia que elas não tinham nada de mais, porém, naquele momento, eram a melhor coisa que já comera. "Se não for problema, poderia me dizer o seu nome de nascença?", perguntou, quando a boca estava menos cheia.

"Você não vai conseguir pronunciar."

"Posso tentar?"

Mais uma vez, a risada melodiosa.

"Está bem, mas prepare-se." A boca de Dr. Chef se abriu e dela jorrou uma cacofonia de sons impressionantes, camadas e camadas de sons surpreendentes. Levou um minuto. Inflou as bochechas três vezes ao terminar. "Esse sou eu." Apontou para a garganta. "Uma rede de traqueias, seis conjuntos de cordas vocais. Não há uma palavra na minha língua que não tenha vários sons misturados."

Rosemary ficou impressionada. "Não deve ter sido fácil aprender klip."

"Ah, não foi mesmo", concordou Dr. Chef. "E não vou mentir, ainda é cansativo de vez em quando. Dá trabalho sincronizar todas as cordas vocais."

"Por que não usa uma caixa-falante?"

Dr. Chef balançou a cabeça, a pele nas bochechas tremendo.

"Não gosto de implantes, a não ser por motivo de saúde. Além disso, do que adianta falar com espécies diferentes se você não se dá ao trabalho de aprender a língua delas? Acho trapaça simplesmente *pensar* alguma coisa e deixar uma caixinha falar por você."

Ela tomou outro gole de suco. A dor de cabeça já tinha passado.

"Seu nome tem algum significado?"

"Tem. Eu sou 'Um Bosque de Árvores Onde Amigos se Encontram para Observar o Alinhamento das Luas durante um Pôr do Sol no Intermediário'... Acho que vocês diriam 'outono'. Mas esse é só o começo, veja bem. Tem também o nome da minha mãe e a cidade onde nasci, mas acho melhor parar por aí, ou você vai passar a noite toda me ouvindo traduzir." Ele riu outra vez. "E você? Sei que os humanos em geral não ligam para nomes, mas o seu tem algum significado?"

"Hã, bem, não acho que tenha sido a intenção dos meus pais, mas vem de *Rosmarinus*, que é um tipo de planta. Para ser mais específica, alecrim."

Dr. Chef se inclinou para a frente, apoiando o peso nos braços superiores. "Uma planta? Que tipo de planta?"

"Nada de especial, só uma erva."

"Só uma erva! Só uma erva, ela diz!", exclamou Dr. Chef, os bigodes tremendo.

"Ihhh...", disse Sissix. "Você falou a palavra mágica."

"Rosemary, Rosemary", disse Dr. Chef, segurando a sua mão. "Ervas são o meu assunto favorito. São uma combinação do medicinal e do gastronômico, o que, como já deve ter adivinhado, são as minhas especialidades. Sou um grande colecionador de ervas. Pego espécies novas onde quer que eu vá." Ele fez uma pausa, resmungando e silvando sozinho. "Nunca ouvi falar da sua erva xará. As pessoas comem ou usam em remédios?"

"Comem", respondeu Rosemary. "Acho que são usadas em sopa. E pães também, se não me engano."

"Sopas! Ah, eu gosto de sopa", disse Dr. Chef. Os olhos completamente negros se voltaram para Sissix. "Vamos fazer uma parada no Porto Coriol em breve, não vamos?"

"Vamos", confirmou Sissix.

"Com certeza alguém lá deve ter. Vou mandar uma mensagem para um velho amigo, Dave, ele vai saber onde procurar. É muito bom em encontrar alimentos." A boca dele se curvou para cima quando voltou a olhar para Rosemary. "Viu? Até que você tem um nome de verdade. Agora, pode terminar as suas bolachas, vou dar uma olhada nas baratas." Voltou apressado para a cozinha, rosnando e suspirando ao se debruçar sobre a grelha. Rosemary se perguntou se ele estaria cantarolando.

Sissix chegou mais perto de Rosemary e sussurrou, a voz abafada pela música de Dr. Chef e os sons da cozinha: "Não pergunte nada sobre o mundo dele."

"Ah. Está bem", disse Rosemary.

"Vai por mim. E não faça nenhuma pergunta sobre a família dele também. Não é... um bom assunto para o jantar. Depois eu explico."

Todo orgulhoso, Dr. Chef ergueu um grande artrópode da grelha com a ajuda de uma pinça. A carapaça estava torrada e as fileiras de perninhas sob ela estavam encolhidas. Era do tamanho da mão de Rosemary, do pulso até a ponta do dedo. "Espero que goste de barata-da-costa-vermelha. Bem fresquinhas, não estavam em estase. Tenho uns tanques de reprodução lá nos fundos."

Sissix deu uma cotovelada amigável em Rosemary. "Só comemos as frescas em ocasiões especiais."

"Nunca provei, mas o cheiro é delicioso", disse Rosemary.

"Espera um pouco, você nunca comeu barata-da-costa-vermelha? Jamais conheci um humano que não tivesse comido."

"Sempre morei no planeta", explicou Rosemary. "Em geral, não comemos insetos em Marte." Sentiu-se culpada ao dizer aquelas palavras. Insetos eram baratos, ricos em proteína e fáceis de criar em espaços apertados, o que fazia deles o alimento ideal para espaciais. Insetos tinham feito parte da dieta da Frota do Êxodo por tanto tempo que mesmo as colônias extrassolares os tinham como base da alimentação. Claro que Rosemary já *ouvira* falar em baratas-da-costa-vermelha. Pelo que diziam, um pouco depois de os humanos da Frota do Êxodo terem sido aceitos como refugiados pela Comunidade Galáctica, seus representantes foram levados a alguma colônia aeluoniana para discutir as suas necessidades. Um dos humanos mais empreendedores reparou nos montes de insetos espalhados pelas dunas vermelhas ao longo da costa. As baratas eram apenas uma praga para os aeluonianos, mas os humanos viram nelas uma fonte de alimento, e muito abundante. Baratas-da-costa-vermelha foram adotadas na dieta exodoniana, e hoje em dia era possível encontrar muitos aeluonianos e humanos extrassolares que haviam prosperado com o comércio. A confissão de Rosemary de que nunca comera uma significava não só que não tinha viajado muito, mas também que pertencia a um capítulo distinto da história humana. Ela descendia dos comedores de carne ricos que colonizaram Marte, os covardes que enviaram gado para o espaço enquanto nações inteiras passavam fome na Terra. Embora exodonianos e solários tivessem posto as diferenças de lado (ou quase), Rosemary tinha passado a se envergonhar dessa sua ancestralidade privilegiada. Era um lembrete muito forte de por que saíra de casa.

Sissix a olhou com desconfiança. "Você já comeu mamíferos? Os de verdade, não carne *in vitro*."

"Claro. Temos algumas fazendas de gado em Marte."

Sissix se encolheu, fazendo barulhos de nojo com ar bem-humorado.

"Ai, não, *eca*." Desculpou-se com um olhar. "Perdão, Rosemary, mas é muito... urgh."

"Que nada. São apenas sanduichões com cascos", falou Jenks ao chegar, todo sorridente. "Já comi carne importada de planetas, é *maravilhoso*."

"Ai, que nojo. Vocês todos são nojentos", disse Sissix, rindo.

"Prefiro as baratas, muito obrigado", disse uma voz humana masculina. Rosemary se virou para o recém-chegado, levantando-se. "Bem-vinda a bordo", disse o capitão Santoso, apertando a sua mão. "É um prazer finalmente conhecê-la."

"Muito prazer, capitão", disse Rosemary. "Estou feliz por estar aqui."

"Por favor, me chame de Ashby", disse ele, com um sorriso. Olhou ao redor, procurando alguém. "Corbin fez o tour com você?"

"Ele começou", respondeu Sissix, pegando uma das bolachas de Rosemary. "Eu o substituí para ele poder fazer uns testes."

"Bem, isso foi muito... gentil da sua parte." Ashby encarou Sissix, fazendo uma pergunta silenciosa que Rosemary não conseguiu decifrar. O capitão se virou de volta para ela. "Infelizmente não vou ter muito tempo para explicar como funcionam as coisas nos próximos dias. Temos uma escavação marcada para amanhã e a gente sempre precisa amarrar umas pontas soltas depois. Mas sei que você necessita de um tempo para se adaptar, de qualquer maneira. Assim que terminarmos este trabalho, vou me sentar com você e podemos começar a olhar os meus relatórios."

"Meus pêsames", disse Sissix, dando tapinhas reconfortantes no ombro de Rosemary.

"Não estão *tão* ruins assim", disse Ashby. Dr. Chef limpou as gargantas significativamente. "Tá bom, estão bem ruins." Ashby deu de ombros e sorriu. "Mas, ei! Foi por causa deles que você ganhou um emprego!"

Rosemary riu. "Não precisa se preocupar, sou uma dessas pessoas esquisitas que gostam de papelada."

"Graças às estrelas", disse Ashby. "Somos uma boa tripulação, mas burocracia não é o nosso forte."

"Sissix!", exclamou Kizzy assim que chegou. "Preciso falar com você sobre esse vid pornô bizarro que vi hoje!"

Ashby fechou os olhos. "E tato também não."

A aandriskana pareceu estar se divertindo.

"Kizzy, já falei, não vou mais assistir a esses seus vids. É sério, humanos são a única espécie que consegue transformar sexo em um negócio brega."

"Não, escuta, é importante." Kizzy passou para o outro lado da bancada, inspecionando a comida de Dr. Chef. Tinha trocado o macacão sujo por uma jaqueta amarela, uma saia que só poderia ser descrita como uma anágua curta armada, meia-calça com bolinhas laranja e um par de botas imensas cheias de fivelas, além de várias flores de pano trançadas pelo cabelo. A combinação teria feito outra pessoa parecer um palhaço, mas, de alguma maneira, caía bem nela. "Era um vid interespécie e eu tenho muitas perguntas para fazer sobre a anatomia aandriskana."

"Você já me viu nua", disse Sissix. "Já deve ter visto um monte de aandriskanos nus."

"É, mas... Sissix, a flexibilidade desse cara, puta *merda*..." Ela estendeu a mão em direção a uma tigela de legumes. Dr. Chef acertou o seu pulso com uma espátula sem nem olhar na direção dela.

Sissix suspirou. "Qual o nome do vid?"

*"Planeta Prisão 6: O Ponto G-Zero."*

"Eeeee... já deu por hoje", falou Ashby. "Sinceramente, vocês iam morrer se fossem educados por um dia?"

"Ei, *eu* estou sendo educado", reclamou Jenks. "Nem cheguei a mencionar o *Planeta Prisão 7.*"

O capitão suspirou e se virou para Rosemary. "Provavelmente ainda dá tempo de você chamar a cápsula de subcamada de volta, se tiver mudado de ideia."

Rosemary balançou a cabeça. "Ainda não jantei."

Dr. Chef soltou uma risada grasnada e retumbante. "Finalmente alguém com as mesmas prioridades que eu."

Sissix se debruçou na bancada. "Kizzy, os seus sapatos são incríveis. Queria poder usar sapatos."

"São mesmo, não são?", disse ela, erguendo o pé direito como se nunca o tivesse visto antes. "Contemplem as minhas maravilhosas botas! O potencial destrutivo de um esquadrão aeluoniano aliado à mais perfeita ergonomia! Os podólogos vão à loucura! O que serão essas botas? São pesadas e perigosas? São confortáveis e despojadas? Ninguém sabe! Grandiosos feitos da ciência estão acontecendo neste exato momento em volta das minhas meias!" Ela se virou para Dr. Chef, que estava tirando do forno uma assadeira com bisnaguinhas redondas. Ela pegou uma e ficou jogando-a de mão em mão, esperando esfriar. "Pelas estrelas, que cheiro bom. Vem cá com a mamãe, gostosura!"

Ashby se virou para Rosemary. "Você é boa com línguas, certo?"

Ela se obrigou a desviar os olhos da mecânica, que estava dando pulinhos de dor depois de queimar a língua com a bisnaguinha quente. "Consigo me virar", falou. Na verdade, era muito boa com línguas, mas aquele não era o tipo de coisa a se dizer para os novos colegas durante o jantar.

"Bem, se vai morar nessa nave, vai ter que aprender a falar kizzynês."

"É uma dessas línguas que você vai aprendendo com a prática", disse Sissix, começando a levar as tigelas cheias de comida para a mesa. Rosemary a imitou, pegando uma tigela com purê de algum tubérculo roxo. Ao pousar a comida na mesa, ela fez uma estranha constatação: era a primeira vez que servia a mesa.

"Ah! Ah! Só uma coisinha!", disse Kizzy, pulando até Ashby. "Consertei o filtro de ar, mas estava com medo de me atrasar para o jantar, e ainda precisava me trocar, então enfiei todos os fios de volta na parede de um jeito que não vai fazer eles pegarem fogo, mas juro que vou terminar depois de comer, juro..."

"Se quiser, Kiz, posso arrumar os cabos sozinho", ofereceu-se Jenks. "Sei que você ainda tem muita coisa para preparar até amanhã."

"É por isso que você é o máximo", respondeu Kizzy. Seu olhar se cruzou com o de Rosemary e ela apontou para Jenks. "Ele não é o máximo?"

"Muito bem", falou Dr. Chef, trazendo uma bandeja cheia de baratas fumegantes. "Chegou a gororoba. Tá na mesa."

Sissix, Kizzy e Jenks sentaram-se do mesmo lado da mesa. Como se essa fosse a sua deixa, Corbin chegou. Sentou-se no lado oposto. Não disse uma palavra. Os outros também não. Ashby, ao menos, cumprimentou-o com a cabeça educadamente.

O capitão se sentou na cabeceira. Dr. Chef sentou-se na cadeira do outro lado. Ashby gesticulou para que Rosemary se sentasse no lugar vazio à sua direita. O capitão sorriu para todos e ergueu o copo d'água. "À nossa nova tripulante", brindou ele. "E a um dia sem problemas no trabalho amanhã."

Todos brindaram, encostando os copos. "Eu devia ter arrumado uma bebida mais chique", murmurou Dr. Chef.

"Nós precisamos de água, Doutor", disse Ashby. "Além disso, você já se superou hoje." Ele indicou as tigelas cheias de comida.

Rosemary cobriu o estômago com a mão para abafar um ronco.

No que dizia respeito a servir os pratos, era cada um por si. As tigelas e travessas eram passadas sem qualquer ordem ou padrão específico. Quando todas as tigelas já estavam de volta à mesa, o prato de Rosemary tinha salada, purê do tubérculo roxo (Dr. Chef o chamava de raiz-tusk), duas das bisnaguinhas de grãos e uma barata-da-costa-vermelha. Manteiga com ervas derretida escorria dos buracos nas juntas compridas do inseto. Rosemary reparou em um pequeno furo na carapuça, por onde Dr. Chef administrara o tempero antes de grelhá-las. O bicho era feio de dar dó, mas o cheiro estava incrível, e Rosemary estava com fome o suficiente para provar qualquer coisa. Só havia um problema. Não sabia como comê-la.

Sissix deve ter sentido a sua hesitação, pois a aandriskana a encarou do outro lado da mesa. Em movimentos lentos e deliberados, segurou o garfo e a faca com as mãos de quatro dedos e começou a remover a carapaça com a facilidade vinda da prática, primeiro as patas, depois abrindo a barriga. Rosemary a imitou, tentando disfarçar a inexperiência. Ficou grata pela sutileza de Sissix, mas não podia ignorar a ironia de ter uma aandriskana a ensinando a comer um prato humano.

Se Rosemary cometeu alguma gafe abrindo e cortando a barata, nenhum dos outros tripulantes falou nada. Estavam ocupados devorando a comida, cobrindo Dr. Chef de elogios e rindo de piadas internas que ela não conseguia entender. O embaraço pela falta de familiaridade com a comida desapareceu no segundo em que deu a primeira mordida — macia, saborosa, reconfortante. Lembrava caranguejo, mas um pouco mais consistente. As bisnaguinhas quentes enchiam a barriga, o purê era agridoce, a salada (colhida naquele mesmo dia, disseram a ela) era refrescante e crocante. Todos os seus medos sobre as comidas dos espaciais desapareceram. Ela se habituaria às baratas e aos vegetais hidropônicos facilmente.

Quando a fome foi saciada o suficiente para que passasse a comer em um ritmo menos desesperado, Rosemary reparou na cadeira vazia entre ela e Corbin, diante da qual havia um prato limpo com talheres. "Quem senta aqui?", perguntou.

"Ah", disse Dr. Chef. "Uma pergunta difícil. Ninguém, na prática, mas é o lugar de Ohan."

Rosemary se lembrou do nome. "Ah, Sissix disse que a pessoa tem hábitos noturnos", disse, optando pela forma neutra. Era a coisa educada a se fazer quando não se sabia o gênero de um indivíduo.

Ashby sorriu e sacudiu a cabeça. "*Eles*. Ohan são Sianat Par. Macho, mas ainda assim usamos 'eles'."

Rosemary se lembrou do momento na câmara de descontaminação. Lovey não estava falando de um navegador, mas de um *Navegador*. O entusiasmo foi imediato. Onde crescera, sianats não passavam de lendas urbanas — uma raça reclusa capaz de pensar o espaço multidimensional com a facilidade com que um humano resolvia problemas de álgebra. Entretanto, essa aptidão mental não era inata. A cultura sianat tinha como base um neurovírus chamado Sussurro. Os efeitos do Sussurro ainda eram desconhecidos para o restante da CG (os sianats impediam as outras espécies de estudá-lo), mas sabia-se que eles alteravam o funcionamento cerebral do hospedeiro. Até onde Rosemary sabia, todos os sianats eram infectados pelo vírus na infância, e a partir daquele momento deixavam de pensar em si mesmos como indivíduos e passavam a ser ver como uma entidade dualista — um par. Eram então encorajados a sair pela galáxia e compartilhar os dons do Sussurro com outras espécies que jamais poderiam experimentá-los em primeira mão (o vírus ainda não era transmitido a outras raças). A capacidade dos Sianats Pares de conceber conceitos que estavam além do entendimento das outras espécies fazia deles membros valiosos em projetos de pesquisa, laboratórios e... naves de perfuração. Com todas as emoções para chegar até a *Andarilha*, a possibilidade de encontrar um Sianat Par ainda não tinha lhe ocorrido.

"Eles não jantam com a gente?", perguntou, tentando disfarçar o quanto queria conhecer aquele... indivíduo? Indivíduos? Ia precisar de tempo para se acostumar com o plural.

Ashby balançou a cabeça. "Pares são paranoicos quanto à sua saúde. São bastante cuidadosos com qualquer coisa que possa afetar o Sussurro. Ohan nunca saem da nave, e eles não comem a mesma comida que a gente."

"Embora seja completamente segura, eu garanto", disse Dr. Chef.

"Foi por isso que precisei do flash quando atraquei", falou Rosemary. "Lovey disse que eu tinha alguns micróbios que um dos tripulantes poderia não suportar."

"Ah, sim", disse Dr. Chef. "Vamos precisar atualizar o banco de dados dos seus imunobôs. Podemos cuidar disso amanhã."

"Não é só por uma questão de saúde", explicou Sissix. "Pares têm certa dificuldade de socialização, mesmo entre a própria espécie. Ohan não saem muito do quarto. São... Você vai ver quando conhecê-los. Eles vivem no próprio mundo."

"Você também viveria, se fosse capaz de mapear túneis de cabeça", disse Jenks.

"Mas Dr. Chef sempre põe um lugar à mesa para eles mesmo assim", disse Kizzy, de boca cheia. "Porque ele é um amor."

"Quero que saibam que são sempre bem-vindos", explicou Dr. Chef. "Mesmo que não possam comer com a gente."

"Ohhhhh", derreteram-se Kizzy e Jenks em uníssono.

"Tecnicamente, eu também não janto", explicou Sissix. Rosemary já tinha notado que, embora Sissix tivesse se servido de todos os pratos, suas porções eram minúsculas. "Vou beliscando ao longo do dia. Uma das vantagens de não poder me manter quente é que não preciso de tanta comida." Ela sorriu. "Mas gosto de me sentar à mesa com todo mundo na hora do jantar. É um dos meus costumes humanos favoritos."

"Concordo plenamente", disse Dr. Chef, pegando outra barata. "Ainda mais porque só como uma vez por dia." Ele equilibrou a barata em cima de uma pilha de carapaças vazias. Rosemary contou seis.

"Então o que os Sianats Pares comem?", perguntou Rosemary.

Um jorro violento de ar passou pelas bochechas de Dr. Chef. Mesmo com a sua anatomia pouco familiar, Rosemary teve a impressão de que era um muxoxo enojado.

"Uma pasta de nutrientes horrível. Só isso, tubos e tubos daquela porcaria, importada do mundo dos sianats."

"Ah, nunca se sabe", disse Jenks. "Pode ser uma delícia."

"Não", retrucou Kizzy. "Não é mesmo. Peguei um tubo escondida uma vez, em nome da ciência."

"*Kizzy*", repreendeu Ashby.

Ela o ignorou. "Imagine um treco com uma consistência seca, de manteiga de nozes fria, mas completamente sem gosto. Sem sal nem nada. Tentei comer com torrada, mas foi um desperdício de torrada."

Ashby suspirou. "Isso vindo da mulher que tem um ataque toda vez que alguém *olha* para os seus saquinhos de camarões-limpadores."

"Ei!" Kizzy apontou o garfo para ele. "Camarões-limpadores são uma iguaria, ok?"

"São um petisco barato", disse Sissix.

"Um petisco barato que só pode ser encontrado na minha colônia, o que faz deles uma iguaria. Tem caixotes e mais caixotes daquela pasta de Ohan no porão. Eu sabia que ninguém ia reparar se eu experimentasse um pouco. É a lei da oferta e da procura."

"Lei da oferta e da procura não é isso", disse Jenks.

"Claro que é."

"'Oferta e procura' não significa 'pode roubar à vontade, sem a menor vergonha na cara, porque tem um monte dessa coisa aqui'."

"Assim?", perguntou ela, roubando uma bisnaguinha do prato dele. Ela a enfiou na boca, forçando-a para dentro com os dedos, e começou a pegar outras da cesta.

Ashby se virou para Rosemary, ignorando a guerra das bisnaguinhas. "Então, Rosemary, fale mais sobre você. Tem família em Marte?"

Com toda a calma, Rosemary tomou um gole d'água. A pergunta fez o seu coração disparar, mas ficaria tudo bem. Ela tinha praticado.

"Tenho. Meu pai trabalha com importação e exportação para fora do planeta, minha mãe tem uma galeria de arte." Era tudo verdade, só faltavam alguns detalhes importantes. "Também tenho uma irmã mais velha, mas ela mora em Hagarem." Também era verdade. "Ela trabalha para a CG. No escritório de realocação de recursos. Nada muito importante, só lida com papelada." Outra verdade. "Mas não somos muito próximas." Verdade, definitivamente verdade.

"Onde você cresceu?"

"Florença." Verdade.

Jenks parou de lutar com Kizzy pelas bisnaguinhas. Deu um assobio impressionado. "É uma área bem nobre", observou ele. "Sua família deve ter dinheiro."

"Nem tanto." Mentira. "É só porque é mais perto dos negócios do meu pai." Verdade. Mais ou menos.

"Já visitei Florença", disse Kizzy. "Quando tinha doze anos. Meus pais juntaram dinheiro um tempão para irmos ver o Dia da Recordação. Juro pelas estrelas, nunca vou me esquecer de quando as pessoas soltaram as lanternas flutuantes naquele parque gigante." Rosemary sabia do que ela estava falando. Praça Novo Mundo, o principal lugar para eventos na capital. Uma gigantesca praça de pedra sobre a qual se assomava uma estátua do epônimo da cidade: Marcella Florença, a primeira humana a pôr os pés em Marte. "Todas aquelas luzinhas, subindo como naves em miniatura. Na hora pensei que era a coisa mais linda que já tinha visto."

"Eu também estava lá", disse Rosemary.

"Mentira!"

Ela riu. "Ninguém perderia o Festival de Todas as Histórias." Aliás, o pai dela fora um dos maiores patrocinadores do evento, mas Rosemary achou melhor deixar essa parte de fora. O Dia da Recordação era um feriado humano comemorando o dia em que a última nave residencial partiu da Terra, o dia em que os últimos humanos deixaram o seu inóspito planeta natal. O feriado tinha nascido de um hábito exodoniano, mas o Dia da Recordação logo se tornara popular também entre a República Solar e as colônias extrassolares. O Festival de Todas as Histórias marcara o bicentenário do Dia da Recordação, e o evento fora organizado em um esforço conjunto dos funcionários dos governos solário e exodoniano. Praticamente toda a Diáspora se envolvera, até o último burocrata e escrevente. O festival fora concebido como um símbolo de amizade e união entre uma espécie dividida, um reconhecimento de que, apesar dos seus passados difíceis, podiam trabalhar juntos por um futuro galáctico brilhante. No entanto, tudo aquilo não deu em nada. A Diáspora ainda era ineficaz no Parlamento da CG. Os harmagianos tinham dinheiro. Os aeluonianos tinham armas. Os aandriskanos tinham diplomacia. Os humanos tinham brigas. Festival nenhum, não importava quão chique, mudaria isso. Mas tinha sido uma bela festa, pelo menos.

Kizzy sorriu para Rosemary. "Talvez você tenha visto a minha lanterna e eu a sua! Ah! Você tomou um dos sorvetes de lá? Aqueles feitos com leite de verdade, naquelas tigelas de biscoito, com calda de frutas vermelhas e pedacinhos de chocolate?"

"Eca, parece tão doce", disse Dr. Chef.

"Se não me falha a memória, tomei dois", respondeu Rosemary. Sorriu, esperando disfarçar a saudade de casa que comprimia o seu peito. Tinha se esforçado tanto para escapar, satisfeito tantas exigências, passara tantas noites em claro com medo de ser descoberta, e mesmo assim... ali estava ela, com baratas no prato, uma rede de gravidade artificial sob os pés, uma mesa cheia de estranhos que jamais poderiam saber o que ela deixara para trás. Estava em espaço aberto, longe de tudo que lhe era familiar.

"Por falar em coisas doces", disse Dr. Chef, pousando o garfo em um movimento decidido. "Quem quer sobremesa?"

Apesar de estar prestes a explodir, Rosemary não teve a menor dificuldade de abrir espaço para três dos doces que Dr. Chef chamava de "bolinhos primavera" — eram delicados, com textura de caramelo, um leve gosto de amêndoas e um tempero marcante que ela não conseguiu identificar. Não chegava a ser tão bom quanto o sorvete com calda de frutas vermelhas que comera no Dia da Recordação, mas nada jamais seria.

Depois de ajudar a tirar a mesa, Ashby se acomodou em um dos bancos mais reservados do jardim. Pegou o seu scrib e deu uma mordida no último bolinho primavera — um dos privilégios de ser o capitão.

Gesticulou um comando para o scrib, que abriu os classificados de empregos do Conselho de Transportes. "Conectando", dizia a tela. "Verificando acesso". Enquanto o ícone de "carregando" pulsava no aparelho, Ashby olhou em direção à cozinha. Dr. Chef estava atrás da bancada, ensinando Rosemary a pôr os pratos sujos na limpadora. Ela parecia atenta, mas um pouco perdida. O capitão sorriu para si mesmo. O primeiro dia era sempre o mais difícil.

Sissix se aproximou com uma xícara de chá na mão. "E aí?", perguntou ela em voz baixa, indicando a cozinha com um movimento sutil da cabeça.

Ashby assentiu e abriu espaço para ela no banco. "Até agora, tudo bem", respondeu em um sussurro. "Parece simpática."

"Tenho um bom pressentimento em relação a ela", disse Sissix, sentando-se.

"É mesmo?"

"É. Quer dizer, ela é meio... ai, estrelas, não tem uma palavra boa para isso em klip. *Issik*. Sabe o que significa?"

Ashby balançou a cabeça. Conseguia entender um pouco de reskitkish, se falassem devagar, mas o seu vocabulário não era muito amplo.

"A tradução literal seria "macia do ovo". Como a pele de um filhote que acabou de sair do ovo."

"Ah, entendi. Então... sem experiência?"

Ela balançou a cabeça, pensativa. "É, mas não exatamente. Porque dá a entender que a pessoa vai endurecer com o tempo."

Ele assentiu, olhando para as escamas grossas de Sissix. "Tenho certeza de que sim."

"Bem, essa é a questão quando alguém é *issik*. Se a pele não endurecer, então..." Ela pôs a língua para fora e fingiu estar sufocando. Então riu.

Ashby a olhou com reprovação. "Você está falando de *bebês*."

Ela suspirou. "Mamíferos", disse, com exasperação afetuosa. Apoiou a cabeça no ombro dele e pôs a mão no seu joelho. Vindo de um humano, seria um contato íntimo, mas o capitão já tinha se acostumado com o jeito de Sissix. Era a versão dela de um toque casual. "Está tentando encontrar o nosso próximo trabalho?", perguntou, indicando o scrib com a cabeça. Os classificados tinham carregado, exibindo uma tabela organizada com ofertas de contratos.

"Só estou olhando as ofertas."

"Esses classificados não vão levar você a lugar nenhum."

"Por que não?"

"Porque são trabalhos para o alto escalão." O tom de Sissix era divertido. "Você está cansado."

"Não, só estou... dando uma olhada." Teria parado por aí, mas podia sentir os olhos dela em cima dele, esperando uma explicação. Ele suspirou. "É só que um desses paga mais do que os nossos três últimos trabalhos juntos."

"As naves maiores levam as maiores boladas. É assim que as coisas são."

"Não é necessário ter uma nave *grande*. Só bem equipada." Ele olhou em volta, para o jardim. Engradados reciclados, uma janela reaproveitada, vasos de segunda mão. "Com algumas reformas, podemos nos candidatar a esses trabalhos."

Sissix começou a rir, mas parou ao ver o rosto dele. "Está falando sério?"

"Não sei", respondeu Ashby. "Fico me perguntando... será que não acabei tão acomodado que nunca nem parei para considerar trabalhos maiores? E nós conseguiríamos, em teoria. Somos competentes. Bons o bastante."

"Somos", concordou Sissix, cautelosa. "Mas não estamos falando só de trocar algumas placas de circuitos. Precisaríamos de uma broca nova, o que custaria um ano padrão de lucro, para início de conversa. Eu ia querer um painel de navegação novo, já que o nosso já está no limite. Precisaríamos de uma reserva de atmosfera maior, mais estabilizadores e balizas... Desculpe, não queria ser estraga-prazeres." As garras dela arranharam o joelho dele de um jeito amigável. "Está bem, digamos que você guarde dinheiro suficiente e a gente faça todas as melhorias e comece a pegar os trabalhos de alto escalão. O que ia fazer com isso?"

"Como assim?"

"Quer dizer, por que quer tudo isso? Além de Yoshi ter falado alguma coisa que incomodou você."

Ele ergueu as sobrancelhas e sorriu. "Como você sabia?"

Ela riu. "Foi só um palpite."

Ashby coçou a barba e ficou pensando no assunto. Por que ele *queria* tudo aquilo? Depois de sair de casa, tantos anos antes, ele algumas vezes se perguntava se voltaria à Frota para formar uma família ou se passaria a morar em alguma colônia qualquer. Mas era um espacial, de coração e alma, e ansiava por viajar. Com o passar dos anos, o desejo de formar uma família fora diminuindo. Sempre pensara que a graça de ter filhos estava no prazer de trazer algo novo ao universo, transmitir o seu conhecimento e ver uma parte de si perdurar. No entanto, percebera que a vida no espaço preenchia essa necessidade. Tinha uma tripulação que precisava dele, uma nave que continuava a crescer, túneis que durariam por gerações. Para ele, já bastava.

Mas será que bastava continuar como estava? Sim, estava satisfeito, mas podia *fazer* mais. Poderia construir coisas maiores, para um número maior de pessoas. Poderia dividir uma parte maior dos lucros com a tripulação, o que já queria fazer havia anos, e eles certamente mereciam. Não tinha a arrogância de Yoshi, mas não podia negar que a ideia de um capitão humano fazendo o trabalho tradicionalmente realizado apenas pelas espécies fundadoras lhe despertava uma pontinha de orgulho. Ele poderia...

"Ah, sem querer mudar de assunto, mas estava para lhe contar", disse Ashby. "Recebi um pacote de vids de Tessa hoje. Ky começou a andar."

"Ah, que ótimo. Diga a ela que mandei os parabéns." Sissix fez uma pausa. 'Ok, preciso ser sincera. Sempre esqueço que vocês demoram tanto a aprender a andar. Quando pensava no seu sobrinho, sempre o imaginava correndo."

Ashby riu. "Ele vai começar a correr daqui a pouco." E começaria mesmo, perseguindo a irmã mais velha, ralando o joelho, quebrando os ossos, queimando uma quantidade cada vez maior de calorias. Tessa sempre protestava quando Ashby lhe mandava créditos, mas nunca dizia não diretamente. Nem o seu pai, que estava com problemas de visão apesar das muitas cirurgias. Ele precisava era de um implante óptico, assim como Tessa precisava de comida mais saudável para os seus filhos do que a que podia ser comprada com o emprego que tinha nas docas da Frota.

Ele podia fazer mais.

Dia 130, Padrão 306 da CG

# detalhes

# técnicos

# em

# trânsito

Jenks ouviu tecnoestim tocando ao passar pelo corredor na sala do motor. A batida da música ecoava pela rede de canos no teto, cheios de líquido. Seguiu os sons de bateria, flautas de Pã, cordas estridentes e berros de diversos harmagianos — além de uma voz humana descaradamente desafinada que não fazia parte da gravação.

Entrou na sala ampla. Aqueles eram os domínios de Kizzy, um espaço bem-iluminado cheio de bancadas de trabalho lotadas de peças extras, potes com rótulos escritos à mão e distrações deixadas de lado. Havia um depósito de ferramentas logo na entrada, uma grande gaiola metálica que armazenava todo tipo de ferramenta imaginável. Duas poltronas verdes, o estofado esburacado coberto de remendos, estavam estrategicamente posicionadas perto dos canos quentes que bombeavam os restos de combustível para os tanques de processamento. Entre as cadeiras estava uma mekeira imunda, ligada por uma gambiarra a um dos cabos de energia do motor.

A mecânica se encontrava no topo de uma escada, as mãos e a cabeça enfiadas em um painel aberto no teto. Balançava os quadris no ritmo da bateria. Cantava esganiçada, acompanhando a música: "Quebra a cara deles! Os macacos também gostam!"

"Ei, Kizzy", chamou Jenks.

"Eita, uma harmônica! Xeque-mate, mãe! Rá!"

"Kizzy."

Uma ferramenta caiu no chão, fazendo barulho. Kizzy fechou as mãos em punho quando a música se ergueu em um crescendo barulhento. Dançava no alto da escada, que não parava de balançar, a cabeça ainda enfiada no teto.

"Xeque-mate! Mãe! Rá! O tempo some no sino! Xeque-mate!"

"*Kizzy!*"

Ela tirou a cabeça do buraco no teto. Apertou o botão amarrado no pulso, baixando o volume da caixa de som mais próxima. "E aí?"

Jenks ergueu uma sobrancelha. "Você faz ideia de que música é essa?"

Ela apenas piscou, confusa.

"'Xeque-mate, mãe. Rá'", respondeu. Voltou a trabalhar no teto, apertando algo com as mãos enluvadas.

"'*Soshk Matsh Mae'ha'*." Foi banida de todo o protetorado harmagiano.

"Não estamos no protetorado harmagiano."

"Você sabe o que significa a letra dessa música?"

"Eu não falo hanto."

"É sobre trepar com a família real harmagiana inteira. E é rica em detalhes."

"Ah, agora eu gosto mais ainda dela."

"Dizem que foi o estopim das rebeliões em Sosh'ka ano passado."

"Hum... Bem, se essa banda odeia tanto o sistema, duvido muito que eles iam ligar sobre eu inventar a minha própria letra. Eles não podem me oprimir com a 'letra certa' deles. Foda-se o sistema!" Ela grunhiu, fazendo força para fechar uma válvula emperrada. "Mas e aí? Tudo bem?"

"Preciso de um acoplador para circuito axial e não faço ideia de onde você deixou."

"Está na mesa da esquerda."

Jenks olhou em volta. "A sua esquerda ou a minha?"

"A minha. Não, espera. A sua."

Jenks foi até a mesa de trabalho, arrastou um caixote vazio e subiu nele para dar uma olhada. Os amontoados de ferramentas e ferragens tinham se juntado em uma gigantesca pilha de bagunça. Começou a procurar. Um pacote com três aferidores de combustível. Um saquinho de camarão-limpador pela metade (*Insuportavelmente apimentados!*, vangloriava-se a embalagem). Diversas xícaras sujas. Diagramas com anotações e desenhos por cima. Uma caixa novinha de... Jenks parou e virou a cabeça na direção de Kizzy.

"Só por curiosidade, o que você está fazendo?"

Ela lhe mostrou as palmas das mãos. As luvas grossas estavam cobertas por uma gosma verde. "O sifão das algas entupiu."

Ele voltou o olhar para a caixa na mesa. "Você já podia ter terminado isso se tivesse usado reparabôs."

"Nós não temos."

"Então o que é essa caixa de reparabôs que está aqui na minha frente?"

A cabeça de Kizzy surgiu de novo. Ela olhou com desconfiança para a mesa. "Ah, esses reparabôs." — Ela enfiou a cabeça de volta no buraco no teto.

Jenks passou o dedo pela caixa. Estava empoeirada.

"Você nem abriu." Reparou na logo da embalagem. "Caramba, Kiz, são robôs da Tarcska. Não sabe que eles são da melhor qualidade?"

"Robôs são um tédio."

"Um tédio."

"Anrrã."

Jenks balançou a cabeça. "Houve um tempo em que a raça humana teria matado pela capacidade de processamento de um desses robôs, literalmente falando, e você larga um monte de restos de salgadinhos em cima deles. Por que comprou isso?"

Uma linha de gosma verde escorreu pelo painel do teto, pingando no chão. "Se algum dia estivermos em uma situação tão desesperadora que você não possa me ajudar e Lovey não tenha como desligar tudo, então vou precisar deles. Felizmente, isso nunca aconteceu." Ela pegou uma ferramenta do cinto e se esticou toda, ficando na ponta dos pés. Algo metálico resmungou em protesto. "Ai, que *saco*, funciona logo, seu treco idiota…"

Jenks empurrou um pote de cola vazio e encontrou o acoplador. Prendeu-o no seu cinto de ferramentas. "O filtro de ar está pronto, aliás. Vou ver como Lovey está. Vai querer um estouro antes de dormir?"

Ela respondeu, mas a voz foi abafada pelos clangores, pelos xingamentos e pelo pingar da gosma verde. Jenks riu e foi embora. Kizzy continuou no teto, imunda e boca suja. Ele sabia que ela estava se divertindo muito.

Havia outras Lovelaces, é claro. O software básico podia ser comprado com qualquer vendedor de IAs. Havia talvez dezenas de versões dela viajando pela galáxia — quem sabe até centenas. Mas não eram *ela*. A Lovey que Jenks conhecia fora moldada de forma única pela *Andarilha*. Sua personalidade tinha sido formada por cada experiência que ela e a tripulação haviam compartilhado, cada lugar onde haviam ido, cada uma das suas conversas. E, para falar a verdade, pensou Jenks, o mesmo não poderia ser dito sobre as pessoas orgânicas? Elas não nasciam todas com o mesmo Software Humano Inicial Básico, que era moldado e modificado com o passar do tempo? Na opinião de Jenks, a única diferença real no desenvolvimento cognitivo de humanos e IAs era a velocidade. Ele tivera que aprender a andar, a falar, a comer e todas as outras funções essenciais antes de começar a ter uma identidade. Lovey não precisava se preocupar com essas coisas. Não tivera que passar anos aprendendo a monitorar sistemas ou desligar circuitos. Começara a vida com a maturidade e o conhecimento necessários para fazer o seu trabalho de forma competente. Porém, nos três anos padrões desde que fora instalada, ela se tornara muito mais do que a IA da nave. Ela se tornara um ser maravilhoso.

"Olá", cumprimentou Lovey quando Jenks entrou na câmara de IA.

"Oi", respondeu ele, se abaixando para desamarrar os cadarços. Tirou as botas e calçou um par de chinelos que nunca eram usados fora da câmara.

Achava falta de educação usar sapatos sujos ali dentro. As paredes eram cobertas por painéis de circuitos, sendo que cada um deles era um componente vital da estrutura de Lovey — na prática, o cérebro dela. No meio do cômodo estava o processador central, sobre um pedestal em um pequeno fosso cuja temperatura era rigorosamente controlada. Jenks passava muito tempo ali no fosso, embora não fosse o seu trabalho, e entrar no núcleo com as botas seria como beijar alguém pela manhã sem escovar os dentes.

"Teve um bom dia?", perguntou ela.

Ele sorriu. "Você sabe como foi o meu dia." Lovey tinha câmeras e sensores por toda a nave. Ela zelava por eles dia e noite. Era reconfortante saber que um acidente ou ferimento não passaria despercebido, mesmo nos cantos mais isolados da *Andarilha*. Lovey estava sempre lá, se pedissem ajuda. Contudo, era o tipo de coisa que fazia uma pessoa pensar duas vezes antes de coçar o saco ou tirar uma meleca. Com uma IA na nave, você era forçado a ter boas maneiras.

"Mesmo assim, gosto de ouvir você contar."

"Tudo bem. Foi um bom dia. Acho que estamos prontos para a perfuração de amanhã. Pelo que posso ver, tudo está funcionando bem."

"O que achou de Rosemary?"

"Ela parece legal. É difícil dizer. É meio quieta, e estava bem cansada. Vamos precisar de um tempo até conhecê-la melhor."

"Fiquei me sentindo tão mal quando tive que aplicar o flash assim que ela chegou a bordo. A cara dela depois estava péssima. Não é uma coisa legal a se fazer logo que se conhece alguém."

"Tenho certeza de que Rosemary entendeu que você só estava fazendo o seu trabalho." Jenks foi passando pelos painéis, examinando-os à procura das luzinhas vermelhas que sinalizavam problemas. Lovey não o tinha alertado sobre problema nenhum, mas, se algo estivesse errado de *verdade*, talvez ela não tivesse como lhe dizer. Ele verificava duas vezes por dia, por via das dúvidas.

"Você achou ela bonita?"

Jenks ergueu uma sobrancelha em direção à câmera mais próxima, então voltou a olhar para a via analítica de Lovey. O filamento estava velho, precisaria ser substituído em uma ou duas decanas. "Acho que sim. Não é de tirar o fôlego, mas, se eu fosse mulher, ficaria feliz em ter a aparência dela." Ele subiu em um banquinho para examinar os circuitos superiores. "Por que pergunta?"

"Ela pareceu ser do tipo que você acharia bonita."

"Como assim?"

"Lembra-se daquela simulação de aventura que você jogou há dois anos? *O Cair do Sol Negro*?"

"Claro. Era ótima. Alguns arqueólogos falaram que não conseguiam ver diferença entre as ruínas arkânicas da simulação e as verdadeiras."

"Você se lembra do par romântico que escolheu?"

"Como era mesmo o nome dela?... Mia. Sim, uma personagem bem-escrita. Gostei bastante da história dela."

"Exatamente. E quando Rosemary chegou a bordo, notei que ela tinha um belo sorriso e os seus cachos eram curtos, como os de Mia. Então pensei que ela fizesse o seu tipo."

Jenks riu. "É um raciocínio razoável. Não sabia que você guardava essas informações."

"Eu gosto de saber do que você gosta."

"Eu gosto de você." Jenks desceu do banquinho, largou o acoplador e foi até o fosso. A inspeção podia esperar. Ele pôs o casaco pesado que deixara dobrado na beirada na véspera. Desceu, alcançando o ar frio e contrastante com o brilho amarelo que pulsava da central de Lovey. "Se eu tivesse achado Rosemary bonita, você ficaria incomodada?"

Lovey riu. "Não. Ter ciúmes é idiotice."

"Só porque é idiotice não significa que você não possa sentir."

"Verdade, mas do que adianta sentir ciúme de alguém que tem um rosto de verdade? Ou seios, ou quadris, ou o que quer que seja. Você foi criado para achar corpos atraentes, Jenks. Aproveite." Ela fez uma pausa. "Se a lei permitisse que eu tivesse um corpo, que tipo de corpo você gostaria que eu tivesse?"

"Boa pergunta. Nunca pensei no assunto."

"Seu mentiroso."

Jenks se sentou, as costas apoiadas na parede. Podia sentir o sistema de resfriamento vibrar de leve contra a sua cabeça. Naturalmente, ele já imaginara Lovey em um corpo. Muitas e muitas vezes.

"Que tipo de corpo *você* gostaria de ter?", rebateu ele. "Isso é bem mais importante."

"Não sei. É por isso que tenho prestado atenção no que chama a *sua* atenção. Não sei como é existir em outra forma que não esta, então é difícil expressar os meus desejos sobre o assunto. Não é como se eu passasse o dia sonhando em ter pernas."

"Diga isso para a ASD." — A Amigos dos Sapientes Digitais era uma dessas organizações com um bom coração, mas um péssimo cérebro. Teoricamente, Jenks acreditava em muitas das mesmas coisas que eles: IAS eram indivíduos sapientes que mereciam os mesmos direitos que qualquer um diante da lei. No entanto, a ASD fazia tudo errado. Para início de conversa, eles não tinham muitos técnicos entre os seus adeptos. Ignoravam a ciência por trás da cognição artificial e repetiam um monte de bobagens bonitinhas, como se as IAS fossem almas orgânicas presas em caixas de metal. IAS não eram assim. Comparar uma IA com um sapiente orgânico era como comparar um humano a um harmagiano. Era possível encontrar semelhanças, e ambos mereceriam o mesmo respeito, mas, sob a superfície, os dois funcionavam de formas fundamentalmente diferentes. Jenks era a favor dos direitos das IAS, mas a falta de capacidade da ASD de falar sobre mentes digitais com um mínimo de propriedade fazia mais mal do que bem. O ar superior aliado às inverdades técnicas eram a pior maneira de vencer um debate, mas uma excelente forma de irritar todo mundo.

"Foi o que eu quis dizer", falou Lovey. "Eles agem como se todas as IAS quisessem um corpo. Realmente, acho que *eu* quero um, mas não significa que todos nós desejemos um. Isso é um tremendo preconceito dos orgânicos, que acham que essa sua experiência carnal é um ápice ao qual todos os programas aspiram. Sem ofensa."

"Imagina." Ele pensou por um momento. "É meio hipócrita, não é? Nós partimos do pressuposto de que corpos orgânicos são o máximo, que todo mundo quer um, daí fazemos um monte de genedificações para parecer mais jovens e mais magros ou sei lá."

"Você mesmo fez algumas modificações. Não com esse fim, mas mesmo assim. Por que acha que é diferente de alguém que quer uma aparência mais jovem? Não são todas as mudanças corporais uma expressão de vaidade?"

"Hum..." Jenks sentiu o peso dos alargadores nas orelhas. Lembrou-se da picada ardida da agulha injetando tinta na sua pele. "É uma boa pergunta." Bateu os dedos na boca, pensativo. "Não sei. Você sabe que detesto genedificação, então não sou exatamente imparcial. Mas acho que, em geral, as pessoas decidem passar por uma cirurgia antienvelhecimento porque têm baixa autoestima e sentem que não estão boas o suficiente com a sua aparência atual. Só que tudo que fiz com o meu corpo foi por amor. É sério. As tatuagens são uma recordação de vários lugares e lembranças específicas, mas, no fundo, tudo que fiz foi o meu jeito de dizer que este é o *meu* corpo. Que não quero o corpo que todos me diziam que eu deveria ter. Dr. Chef é o único médico que nunca me falou que a minha vida seria mais fácil com apenas alguns ajustezinhos. Ou seja, para que eu pudesse ter uma altura *normal*. Nem fodendo. Se vou mudar o meu corpo, as mudanças têm que vir de mim."

"Acho que é assim que me sinto também", disse Lovey. "Embora não faça diferença no meu caso. Toda essa conversa sobre ter um corpo é completamente hipotética no meu caso, a não ser que algumas leis mudem."

"Você quer *mesmo* ter um corpo?" Ele hesitou, não muito à vontade com o que queria perguntar a seguir. "Tem certeza de que não é só por minha causa?"

"Tenho. Ainda não me decidi, mas acho que os prós são maiores que os contras."

"Está bem", disse Jenks, apoiando as mãos na barriga. "Me fale os contras primeiros."

"Contras: só poderia estar em um cômodo de cada vez. Não conseguiria ver dentro e fora da nave ao mesmo tempo. Teria que conectar a minha cabeça fisicamente à Rede toda vez que quisesse fazer uma pesquisa. Ou poderia usar um scrib, acho, mas aquele negócio parece tão lento."

"Sempre tive inveja disso", disse Jenks. Para Lovey, verificar uma referência ou acessar um portal era tão simples quanto ativar uma parte do seu processador cognitivo que tinha acesso à Rede. Ele sempre imaginou que devia ser como ter uma biblioteca de downloads dentro da cabeça, cheia de livros que você poderia ler em segundos.

"Para ser sincera, acho que a maioria dos contras vem das minhas preocupações com percepção e orientação espacial. É por isso que os prós têm mais peso. São mais variados. Acho que conseguiria me acostumar a ter apenas um par de olhos. Talvez fosse possível descansar. Ou um tédio, sei lá."

"Mais ou menos um pouco dos dois. E os prós?"

"Poder sair da nave. Esse é um bem grande. Não sinto que estou perdendo nada na minha forma atual, mas vocês todos parecem se divertir tanto quando visitam um orbitador ou um planeta."

"O que mais?"

"Poder jantar com a tripulação. Ter conversas cara a cara. Ver o céu do chão." Ela fez uma pausa. "Poder ser a sua companheira de verdade. Você sabe, com todas as coisas no lugar."

Mesmo sentado, Jenks sentiu os joelhos fraquejarem.

Lovey suspirou. "É um pensamento fútil, considerando como as coisas são. Mas, mesmo assim, você não me respondeu."

"Respondi o quê?"

"Que tipo de corpo gostaria que eu tivesse? Ou talvez seja melhor perguntar: o que acha atraente?"

"Isso... não sei se dá para resumir assim tão fácil. Depende da pessoa."

"Hum, entendi. Como eram as mulheres com quem você já copulou?"

Jenks riu com vontade. "Está fazendo um banco de dados?"

Lovey fez uma pausa. "Talvez."

Jenks sorriu com afeição. "Lovey, se fosse possível você ter um corpo, ele deveria ter a aparência que *você* quer." Reclinou-se mais relaxado contra a parede e correu a ponta dos dedos por um emaranhado de cabos. "Eu acharia você bonita em qualquer corpo."

"Pelas estrelas, que mentira!" A IA riu. "Mas é por isso que eu te amo."

Fonte: O Tópico — O portal de notícias oficial da Frota do Êxodo
   (público/klip)
Título/data: Sumário do noticiário da noite — Galáctico — 130/306
Criptografia: 0
Traduções: 0
Transcrição [vid:texto]
Nodo de identificação: 7182-312-95, Ashby Santoso

Olá, e bem-vindos ao nosso segmento noturno. Aqui quem fala é Quinn
Stephens. Vamos começar com as manchetes da Frota.

Ontem foi o quarto aniversário do desastre de Oxomoco. Foram
realizados vários eventos por toda a Frota lembrando a data, em
homenagem aos 43.756 exodonianos que perderam a vida depois
do acidente causado por uma fadiga nas anteparas da Oxomoco,
que levou à descompressão rápida de vários deques residenciais.
Ontem, todas as principais naves da Frota desligaram as luzes por
dois minutos às 14:16, horário em que ocorreu o acidente. A tragédia
também foi relembrada em Marte este ano, com a inauguração de uma
escultura no Jardim Botânico Samurakami. O presidente marciano,
Kevin Liu, esteve presente na cerimônia e dedicou o memorial "às
famílias a bordo da Oxomoco e a todos os nossos corajosos irmãos
e irmãs na Frota". A almirante Ranya May agradeceu ao governo
marciano pelo gesto, dizendo: "Nossos povos não se fazem mais de
cegos diante das tragédias pelas quais o outro passa. Esta é uma
prova de como avançamos nos esforços de reaproximação."

Em outras notícias sobre a Frota, o pânico provocado pelo vírus
Marabunta a bordo da *Newet* finalmente acabou. O último paciente foi
liberado da quarentena em perfeita saúde. A secretaria de saúde da
Frota está confiante de que não restam traços do vírus a bordo das
naves. Hoje de manhã, foi feita uma declaração lembrando a todos os
moradores e passageiros da Frota que é preciso marcar consultas
médicas regularmente para a atualização dos seus imunobôs e que
não é bom se arriscar com clínicas de implante sem licença. Acredita-
se que o vírus Marabunta foi trazido a bordo da *Newet* por um indivíduo
que recorreu a uma dessas clínicas ilegais de implantes das colônias
à margem. Em resposta ao surto, a secretaria está trabalhando para
aprimorar os escâneres de todas as docas da Frota, de modo a detectar
indivíduos carregando robôs comprometidos.

Na próxima decana ocorrerá a trigésima primeira edição do
Festival de Inseto Frito a bordo da *Dou Mu*, realizado anualmente.

A secretaria de transportes prevê trânsito intenso e atrasos durante as atracagens nas docas enquanto durar o festival. Todos aqueles viajando entre naves devem se programar, mesmo quem não planeja participar das festividades.

Agora, vamos falar das notícias da República Solar. Quentin Harris III, ex-diretor-executivo da Combustíveis Phobos, foi oficialmente indiciado, acusado de contrabando de armas, conspiração e crimes contra sapientes. Supostamente, Harris teve participação fundamental na quadrilha de contrabando que forneceu armas ilegais, incluindo armas genéticas, a diversos clãs toremis, que estão em guerra civil. Harris foi preso hoje mais cedo depois que um pacote de dados com provas documentando o seu envolvimento com os contrabandistas foi carregado em diversos portais na Rede. Ele alega que a evidência foi forjada por concorrentes rivais e se declarou inocente.

Passando às notícias das colônias humanas independentes, a construção de uma nova usina de tratamento de água em Grão foi interrompida na decana passada após a descoberta de artefatos arkânicos. Informações de satélites confirmaram a presença de extensas ruínas arkânicas ao longo do Refúgio do Contraforte. Apesar de a comunidade acadêmica da CG estar celebrando a descoberta pela importância histórica, a interrupção das obras trouxe problemas para o governo de Grão, que tem sofrido com a escassez de água. A Universidade de Alexandria e o Instituto Interestelar de Migração Hashkath reuniram uma equipe de investigação arqueológica conjunta para estudar o local. O governo municipal de Grão fez um pedido oficial de ajuda à Diáspora, na esperança de receber recursos para comprar aparelhos portáteis de tratamento de água em caráter emergencial.

Agora, sobre a galáxia. A guerra na fronteira de Hok Pes continua a se agravar desde que tropas aeluonianas completaram três anos padrões de conflito armado com os rosk synergy. Vinte e seis civis da comunidade galáctica em Kaelo foram mortos hoje de manhã, após um bombardeio das forças rosk. Apesar de o governo aeluoniano não ter liberado muitos detalhes sobre os seus esforços militares, relatos da região indicam que houve um aumento no número de tropas aeluonianas enviadas a Kaelo.

Ficamos por aqui com o nosso boletim noturno. Nosso segmento matinal estará disponível a partir da décima hora amanhã. Para uma cobertura mais detalhada dessas e de outras notícias, em vid ou texto, conecte-se ao portal do nosso Tópico via scrib ou com o seu implante neural. Obrigada e um bom voo!

Dia 131, Padrão 306 da CG

# furo

# às

# cegas

O café da manhã estava servido na bancada da cozinha quando Rosemary voltou ao Aquário pela manhã. Duas grandes tigelas de fruta (conservadas em estase, a julgar pela palidez da casca), uma cesta de doces que ela não reconhecia e uma grande panela térmica cheia de um mingau escuro. Dr. Chef estava atrás da bancada, picando legumes com um par de pés-mãos e secando talheres com outro par. As bochechas dele incharam quando ela se aproximou.

"Bom dia!", cumprimentou. "Dormiu bem?"

"Nada mal", respondeu Rosemary, sentando-se em um dos bancos diante do balcão. "Acordei meio desorientada algumas vezes."

Dr. Chef assentiu. "Nunca é fácil dormir em um lugar novo. Você deu sorte que já havia uma cama para humanos naquela cabine. Quando me juntei à tripulação, tive que esperar alguns dias até a minha mobília chegar." Ele indicou a comida na bancada. "Quando quiser tomar café da manhã, basta vir e se servir, assim como no almoço. Durante o dia, se sentir fome, também temos lanches. Ah, e sempre tem chá. Pode vir tomar uma xícara em qualquer momento que tiver vontade." Ele apontou para dois decantadores no canto da bancada, ao lado de um porta-xícaras. Havia duas plaquinhas escritas à mão presas nos decantadores. "Chá feliz!" dizia uma, com o desenho de um humano sorridente de olhos arregalados e cabelo em pé. "Chá chato", dizia a outra. O humano desenhado parecia satisfeito, mas indiferente. A caligrafia era a mesma da plaquinha no Aquário. Kizzy.

"Chá chato?", perguntou Rosemary.

"Sem cafeína. Só um saboroso chá normal, de ervas", explicou Dr. Chef. "Nunca vou entender por que vocês humanos gostam tanto de ficar nessa agitação. Como médico, odeio essa mania de começar as manhãs com estimulantes, mas, como cozinheiro, entendo que os hábitos de café da manhã são importantes." Ele balançou um dos dedos grossos na direção dela. "Mas beba no máximo três xícaras por dia. E nada de tomar essas coisas de estômago vazio."

"Não se preocupe", disse Rosemary, pegando uma xícara. "Sou do tipo que prefere o chá chato." Dr. Chef pareceu feliz. A humana apontou para o que pareciam ser pães. "Que cheiro ótimo. O que são esses?"

A resposta veio de trás dela. "Brioche defumado!", comemorou Kizzy. Ela saltou para um dos bancos e agarrou um dos brioches amarelados. Começou a comê-lo com uma das mãos enquanto se servia de mingau com a outra.

"Brioche defumado?"

"Outra coisa do meu mundo com um nome difícil de ser traduzido", disse Dr. Chef.

"Ele sempre faz esses brioches em dia de escavação", disse Kizzy, pondo outro no prato e se servindo de fruta.

"São um ótimo combustível para um dia de trabalho pesado." Ele olhou com reprovação para Kizzy enquanto ela enchia uma xícara com chá feliz. "Ao contrário disso aí."

"Eu sei, eu sei, não vou tomar mais que três xícaras, prometo", disse ela. Virou-se para Rosemary, segurando a xícara com as duas mãos "E aí, o que achou das cortinas?"

"São ótimas. Deixam o quarto mais acolhedor." Era verdade. Quase tinha se esquecido de que estava em uma nave até abrir as cortinas pela manhã e se deparar com um majestoso sistema estelar do lado de fora. Embora já tivesse viajado entre planetas antes, ainda não se acostumara com a ideia de que estava vivendo no espaço.

Deu a primeira mordida em um dos brioches defumados. O pão era macio e leve, com um recheio saboroso não identificado, que lembrava vagamente cogumelos assados. Defumado, sim, mas também apimentado, bem de leve, com a quantidade perfeita de sal. Ela olhou para Dr. Chef, que a observava com toda a atenção. "Nossa, é maravilhoso."

Dr. Chef abriu um sorriso satisfeito. "O recheio é feito com jeskoo. Acho que vocês solares chamam de fungo-arbóreo-albino. Bem diferente dos ingredientes com os quais cresci, mas é uma boa aproximação. E os brioches também são ricos em proteína. Complemento os grãos com farinha de tenébrios."

"Ele não passa a receita", disse Kizzy. "O maldito vai levar para o túmulo."

"Gruns não têm túmulos."

"Para o fundo do mar, então. É ainda pior que um túmulo. Pelo menos a gente pode reabrir uma cova." Ela sacudiu acusadoramente um brioche na direção dele. "Mas um peixe idiota vai comer o pedaço do seu cérebro que guarda a receita e vamos todos ficar perdidos."

"É melhor aproveitar enquanto pode, então", respondeu Dr. Chef, as bochechas inchando e tremendo. Rosemary deduzira que quanto mais rápido elas tremessem, maior o "sorriso".

"Então..." Kizzy voltou a atenção para Rosemary. "Essa é a sua primeira vez em um furo, né?"

"Desculpa, o quê?"

Ela riu. "Isso já responde à pergunta. Furo é perfurar o túnel."

"Ah, sim." Rosemary tomou um gole de chá. Um pouco doce, nada de especial. Tudo bem, era um pouco chato, mas, ainda assim, reconfortante. "Na verdade, estava pensando..." Ela fez uma pausa. Não queria parecer burra. "Sei que nunca vou ajudar com a parte técnica da perfuração, mas gostaria de entender melhor como funciona."

Kizzy pareceu animada. "Quer fazer um intensivo comigo?"

"Se não for problema..."

"Ah, imagina! Não é problema nenhum. Fico lisonjeada, você é uma fofa. Hum, ok, vamos lá. Você já fez algum curso de manipulação interespacial? Provavelmente não, né?"

"Pois é, nunca fiz."

"Topologia espaço-temporal?"

"Também não."

"Teoria transdimensional?"

Rosemary a olhou pedindo desculpas.

"Ohhhh!", disse Kizzy, levando as mãos ao peito, comovida. "Você é virgem em física! Tudo bem, vamos para a explicação simples." Ela olhou para a bancada, à procura de elementos cênicos. "Olha só. A área acima da minha tigela de mingau é o tecido do espaço. O mingau é a subcamada, ou seja, o espaço entre o espaço. E esse grube" — ela pegou uma frutinha escura no prato — "é a *Andarilha*."

"Ah, mal posso esperar para ouvir isso", disse Dr. Chef, apoiando os braços superiores do outro lado da bancada.

Kizzy pigarreou e se endireitou. "Então, esses somos nós." — Ela fez a frutinha sobrevoar a tigela. "Temos que conectar dois pontos do espaço. *Aqui* e *aqui*." — Ela enfiou o dedo em dois lugares opostos do mingau, deixando duas marquinhas. "Então, nós viajamos até um dos pontos... *vruuum*... e todo mundo que nos vê diz: 'Ah, pelas estrelas, observem que nave maravilhosa! Quem será o técnico genial que criou algo assim?', e eu respondo: 'Ah, fui eu mesma, Kizzy Shao, podem nomear os seus primogênitos em minha homenagem'... *vruuum*... e chegamos ao ponto de entrada." — Ela fez a frutinha sobrevoar uma das marcas no mingau. "Quando estamos posicionados, eu ligo a broca interespacial. Você viu quando chegou? Uma máquina monstruosa na parte de baixo? É animal.

É alimentada por partículas de ambi. A nave inteira não seria suficiente para carregar a quantidade de alga necessária para alimentar aquele troço. Ah, e só para avisar: é muito barulhenta, então não precisa se assustar quando ela começar a funcionar. Não vamos explodir nem nada. Mas então. A broca começa a aquecer. Nesse momento, a gente faz o furo." Ela enfiou a frutinha no mingau. "E é aí que as coisas ficam meio esquisitas."

"Esquisitas como?"

"Bem, nós não passamos de reles criaturinhas tridimensionais. Nossos cérebros não têm a capacidade de processar o que acontece na subcamada. Tecnicamente, a subcamada está fora do que consideramos o tempo normal. Entender o que acontece por lá é que nem mandar alguém... quer dizer, alguém humano... tentar enxergar infravermelho. Não somos capazes. Então, na subcamada, você sente que tem algo errado com o mundo, mas não sabe dizer bem o quê. É muito, muito estranho. Já usou lelé?"

Rosemary ficou sem reação. De onde ela vinha, as pessoas não conversavam calmamente sobre alucinógenos ilegais durante o café da manhã. "Ah, não, nunca usei."

"Hum... bem, é parecido. Sua percepção visual e temporal ficam alteradas, mas a diferença é que você está em pleno controle das suas ações. Durante o curso preparatório para escavar túneis... que, aliás, é completamente separado do curso básico de técnico, então acredite em mim quando digo que fico muito feliz por nunca mais ter que pisar em uma escola... enfim, durante o curso a gente tem que praticar coisas tipo consertar os motores ou inserir comandos depois de tomar uma dose de sophro, que não passa de uma versão mais fraca de lelé produzida pelo governo. Foi o pior dever de casa da minha vida. Mas você se acostuma." Ela enfiou a mão no mingau, agarrando a frutinha afundada. "Então, enquanto a gente está doidão, a nave segue pela subcamada, largando flutuadores que forçam o túnel a se abrir. Eles servem para duas coisas: sustentam o túnel para ele não desabar e geram um campo formado por todas as partículas e estruturas do espaço normal."

Rosemary assentiu. "Espaço artificial." Finalmente, um conceito que ela entendia mais ou menos. "Mas para que isso?"

"Para ser uma viagem mais tranquila para todo mundo que passar pelo túnel. É por isso que você não nota a diferença quando viaja por um."

"E nada disso afeta o espaço de fora? O nosso?"

"Não se você fizer direito. É por isso que somos profissionais."

Rosemary indicou o mingau com a cabeça. "E como a gente sai da subcamada?"

"Ok, vamos lá..." Ela empurrou o grube pelo mingau. "Quando chegamos ao ponto de saída, voamos para fora." Ela enfiou uma colher por baixo do grube, improvisando uma catapulta, e ergueu o punho.

"Kizzy", advertiu Dr. Chef, em uma voz calmíssima. "Se você esparramar mingau na minha bancada limpinha..."

"Não vou sujar. Acabei de perceber que não vai funcionar. Minha demonstração genial tem uma falha." Ela franziu a testa. "Não dá para dobrar mingau."

"Tome", disse Dr. Chef, estendendo dois guardanapos de pano. "Um para a sua mão e o outro para a sua aula."

"Ah!", disse Kizzy, limpando os dedos sujos. *Perfecto.* Ergueu o guardanapo limpo, segurando-o por dois cantos opostos. "Então, sabe as grades em forma de esfera que fecham as aberturas dos túneis, com todas aquelas luzes de advertência piscando e raiozinhos saindo das articulações? São grades de contenção. Elas impedem o espaço de se rasgar além do que queremos. É preciso ter uma dessas grades em cada ponta do túnel." Ela indicou as extremidades do guardanapo. "Então, se nós temos uma grade nesta ponta e uma grade na outra, temos que construir um túnel que faça com que *isto*" — ela afastou ao máximo os cantos do guardanapo — "seja a mesma distância que *isto*" — ela aproximou os cantos, sobrepondo-os.

Rosemary franziu a testa. Tinha uma vaga ideia de como os túneis funcionavam, mas nunca conseguira entender completamente o conceito. "Certo, então as grades estão a anos-luz de distância. Não estão no mesmo lugar. Mas... se comportam como se estivessem?"

"É por aí. É como se fosse uma porta ligando dois cômodos, só que eles estão em lados opostos da cidade."

"Então o único lugar em que a distância entre esses dois pontos foi alterada... foi dentro do túnel?"

Kizzy abriu um sorriso. "Física é foda, né?"

Rosemary encarou o guardanapo, lutando para fazer o seu cérebro tridimensional entender esses conceitos. "Mas como você coloca as grades lá? Não deveria levar uma eternidade para se viajar de um ponto ao outro?"

"Estrelinha dourada para a moça com a blusa amarela bonita!", disse Kizzy. "Você está certa. É por isso que existem dois jeitos diferentes de construir um túnel. O jeito fácil é chamado de *furo ancorado*. Esses são realizados em sistemas já conectados a outros lugares. Por exemplo, digamos que você queira ligar o Sistema Estelar A ao Sistema Estelar B. Tanto A quanto B já têm túneis que levam a C. Você bota uma das grades no Sistema A. Aí você salta pelo túnel que leva de A a C. De C, salta de novo para o Sistema B. E lá coloca a segunda grade, então faz o furo de volta ao sistema A."

Rosemary assentiu. "Faz sentido. Mas parece um desvio e tanto."

"Ah, com certeza, mas raramente a gente precisa de dois saltos. Ainda mais se os túneis se conectam a planetas diferentes no sistema. Em geral, levamos algumas decanas entre um trabalho e outro, às vezes mais, se for mais longe. Essa é uma das funções de Sissix, traçar as rotas mais rápidas entre túneis que já existem."

Rosemary pegou outro brioche e o abriu. O pãozinho quente soltou fumaça. "E se o sistema para onde vocês estão perfurando não estiver ligado a outros?"

"Ah. Aí você faz um furo às cegas."

"O que é isso?"

"Você põe as grades em uma das saídas, faz o furo e segue até sair do outro lado, o que é difícil para caramba sem a segunda grade para servir como guia. Depois que sai, está correndo contra o tempo para construir a segunda grade. Ela se monta sozinha, então só é preciso liberar as peças e esperar um dia. Ainda assim, você precisa fazer isso no momento em que sai do túnel. Ter uma grade em uma das saídas mas não na outra desestabiliza o interior. No começo não tem problema, mas, quanto mais tempo passa, mais rápida é a deterioração. Se isso acontecer, dá merda. E se der merda no tecido do tempo, você tem um problemão."

"Que nem com a região Kaj'met." Aprender sobre a região Kaj'met era uma espécie de rito de passagem para os mais jovens, o momento em que você percebia que o espaço, apesar da calma silenciosa, era um lugar perigoso. A região Kaj'met era um território harmagiano da metade do tamanho do sistema de Sol, onde o espaço havia se estilhaçado. As fotos eram assustadoras: asteroides entrando em buracos invisíveis, planetas partidos ao meio, uma estrela moribunda derramando-se em uma fenda cheia de destroços.

"É, isso é da época em que os harmagianos começaram a construir túneis. Todos os primeiros furos foram às cegas. Tinham que ser. Não havia outra maneira de viajar entre sistemas, a não ser por FTL, mais rápido que a luz."

"Entendi", disse Rosemary, assentindo. A proibição de viagens FTL era uma das leis mais antigas, anterior até à fundação da CG. Embora viajar mais rápido que a luz fosse possível com a tecnologia atual, os problemas logísticos e sociais gerados pelo que era praticamente uma viagem no tempo eram maiores que os benefícios. Além do pesadelo do ponto de vista administrativo, poucos tinham vontade de adotar um método de viagem que garantia que todo mundo que você conhecia estaria morto quando chegasse ao seu destino. "Mas por que não viajar de um sistema para outro com... ai, não sei qual é o nome. Aquela coisa que as cápsulas de subcamada usam."

"Um drive de agulha. Ele faz você entrar e sair da subcamada bem rápido, como se fosse uma agulha cerzindo um tecido. Eles fazem um monte de túneis temporários muito pequenininhos para chegar bem rápido a algum lugar."

"Até aí eu sabia."

"Certo. Os pulos de agulha funcionam com uma nave individual, como uma cápsula de subcamada, porque os furos são pequenos demais para causar danos. Sem uma grade, o túnel logo se fecha. É como se fosse um furinho às cegas, mas a trajetória foi mapeada de antemão por vários flutuadores, então a cápsula de subcamada está sempre seguindo o mesmo caminho padrão pela subcamada. É também por isso que cápsulas de subcamada têm pistas de viagem exclusivas em áreas populosas e são equipadas com sinalizadores multidimensionais. Não seria nada bom ter uma cápsula pulando da subcamada direto no casco da sua nave."

"Não dá para usar drives de agulha em naves maiores?"

"Até dá, mas não é uma boa ideia. Buracos desse tamanho acabam desgastando o espaço. Se você tiver vários muito próximos um do outro, como no caso da pista das cápsulas de subcamada, eles poderiam se rasgar e formar um buraco maior. De vez em quando até dá para fazer um pulo de agulha com uma nave maior, mas se algo do tamanho da nossa nave entrasse na subcamada com a mesma frequência de uma cápsula de subcamada... não seria nada bom. Além disso, esses drives de agulha são caríssimos para instalar, então as naves maiores nem se dão ao trabalho. Agora, se você realmente estiver com pressa para chegar em algum lugar, por uma necessidade real, como trabalho, então pode pedir um reboque de agulha. Eles conseguem arrastar uma nave grande até onde ela precisa ir. Continua sendo arriscado, mas os reboques são bem fiscalizados, e eles são bastante cuidadosos com o uso. Seu pedido tem que ser aprovado pelo Conselho de Transportes. Os reboques são usados em emergências tipo... se uma nave médica precisa chegar rápido a um grupo de refugiados, ou se o governo está mandando alguém para além do território da CG, onde não existem túneis. Então, para coisas normais como perfuração de túneis, um drive de agulha não vale o preço ou o risco."

Rosemary tomou um longo gole da xícara. O chá chato estava começando a conquistá-la. Uma bebida doce e despretensiosa era a combinação perfeita para os brioches defumados. Dr. Chef sabia o que estava fazendo.

"Os furos às cegas por si só já parecem bem arriscados."

"E são. Não é qualquer equipe que trabalha com túneis que tem permissão para fazer um desses. É por isso que pagam bem. Ou pelo menos bem o suficiente."

"Esta nave faz furos às cegas?" Rosemary não gostou da ideia. Cavucar o espaço entre o espaço sem saber bem onde você ia sair não era uma coisa da qual ela gostaria de participar.

"Faz. Vamos fazer um hoje." Ela deu tapinhas reconfortantes no ombro de Rosemary. "Não se preocupe. Sei que parece assustador, mas a gente faz isso o tempo todo. Pode confiar em mim, estamos seguros."

*Pode confiar em mim.* Isso vindo de uma técnica em um macacão sujo com uma lista de tarefas escrita na manga. Rosemary precisava de algo mais tranquilizador que isso.

"Como você sabe quando é a hora de a nave sair da subcamada?"

"Bem, *a gente* não sabe. O melhor que um programa de computador é capaz de fazer em um furo às cegas é adivinhar com uma margem razoável de segurança, o que não é o bastante. É por isso que a gente precisa de um Sianat Par."

"Não dá para fazer um furo às cegas sem um Navegador, nem pela lei, nem na prática", disse Dr. Chef. "Você precisa de alguém capaz de compreender o que está acontecendo na subcamada. Alguém que consiga *visualizar* o que está havendo."

"Uma IA não consegue?", perguntou Rosemary. Ela sabia que ainda havia coisas que a tecnologia não era capaz de fazer, mas ser lembrada disso sempre a surpreendia.

"Não", respondeu Kizzy. "É só pensar um pouco. IAs não podem ser mais inteligentes do que as pessoas que a criaram. Podemos programar com toda a teoria e matemática maluca que quisermos, mas não somos capazes de produzir uma IA que faça coisas que nós mesmos não entendemos. E não quero deixar você nervosa, mas a gente não entende realmente a subcamada. Temos uma ideia do que é, claro, mas a única espécie que *entende de verdade* são os sianats. O que quer dizer que as únicas pessoas capazes de fazer uma IA do nível deles seriam os próprios sianats. E de jeito nenhum eles vão fazer isso."

"Por que não?"

"Porque é uma heresia", explicou Dr. Chef. "Os sianats acreditam que as habilidades dadas pelo Sussurro são dádivas sagradas. Acreditam que, já que o vírus não afeta outras espécies, então não é para as outras espécies terem as mesmas habilidades. Eles fazem o trabalho pela gente com todo o prazer, mas não vão compartilhar a sua compreensão, nem mesmo com um software."

"Que interessante", disse Rosemary. *Que esquisito*, pensou. "Tudo bem, mas então, independentemente do tipo de furo que está sendo feito, não seria possível não apenas sair em outro lugar, mas em outro tempo?"

"Com certeza", disse Kizzy. "É por isso que tentamos com todas as forças não fazer merda. Ah, acabei de lembrar!" Ela pulou do banco e correu para a vox na cozinha. "Lovey, posso falar com Jenks, por favor?"

Silêncio. Então a vox começou a funcionar.

"Hum... que é?", disse Jenks do outro lado.

"Vem pegar os seus brioches defumados, dorminhoco, antes que eu coma todos."

"Que horas são?"

"Lá pela nona. Você está atrasado."

"O quê? Já estamos no local do furo?"

"Falta uma hora."

"Merda. Kizzy. Kizzy, estou com uma ressaca braba."

"Eu sei."

"É tudo culpa sua."

"Eu sei, meu amor. Vem comer uns brioches defumados."

"Não vem com essa de 'meu amor' para cima de mim. Não sou mais seu amigo. Você está na cozinha?"

"Estou.

"Dr. Chef, por favor, me diga que você tem uma caixa de SóbrioJá em mãos."

"Tenho uma caixa fechada na enfermaria", disse Dr. Chef, as bochechas infladas.

"Tá bem." Jenks suspirou. "Tá bem." A vox se desligou.

Dr. Chef lançou um olhar significativo para Kizzy. "O que foi que vocês dois andaram fazendo ontem à noite?"

Kizzy tomou uma colherada de mingau. "Assistimos à semifinal de aquabol. Achei que seria mais divertido se tivesse álcool na história. Resolvemos fazer uma brincadeira."

"Quem estava jogando ontem?"

"Paraquedistas contra Desembestados. Eu e Jenks escolhemos um time cada e a gente tinha que beber quando a outra equipe marcava."

"Quem você escolheu?"

"Desembestados."

"Quer dizer que eles ganharam?"

"Por doze pontos de diferença." Kizzy abriu um largo sorriso.

Dr. Chef suspirou bem alto e fixou os olhos escuros em Rosemary. "Quer um conselho? Se Kizzy algum dia lhe disser as palavras 'Sabe o que seria uma boa ideia?', ignore tudo o que vier depois."

"Não dê ouvidos a ele", falou Kizzy, se defendendo. "Minhas ideias são todas ótimas."

Dr. Chef analisou Rosemary, pensativo. "Sabe, costumo ficar sedado durante os furos. Nunca me acostumei à subcamada, então acho mais fácil passar por ela dormindo. Ninguém vai pensar mal de você se quiser se juntar a mim."

"Obrigada, mas acho que quero ver como é."

"Grande garota!", elogiou Kizzy, dando um tapa nas costas de Rosemary. "Não se preocupe. É uma porrada, mas é divertido!"

Uma hora mais tarde, na sala de controle, Rosemary estava no seu assento, prendendo os cintos de segurança, quando o Sianat Par entrou. Ela não pôde deixar de encará-lo. Já tinha visto fotos antes, mas ver um ao vivo era diferente. Ohan era comprido, com quatro membros, pés largos e dedos estranhamente longos. Ele — *eles* andavam apoiando-se nos quatro membros, as costas curvadas, como nos vids antigos que Rosemary vira sobre os primatas da Terra. Da cabeça aos pés, Ohan eram cobertos por pelos azuis cor de gelo, curtos porém densos, raspados em padrões geométricos que deixavam ver a pele cinza-carvão embaixo. Seus olhos eram enormes, com cílios longos e visivelmente úmidos (Rosemary tinha lido na noite anterior que os dutos lacrimais hiperativos eram um dos muitos efeitos colaterais do vírus dos sianats). O rosto peludo parecia relaxado, quase dopado — e os ombros caídos e os movimentos lentos passavam a mesma impressão. Usavam um tipo de roupão, um robe justo tão simples que parecia ter sido posto em cima da hora. Rosemary sabia que não era certo julgar outros sapientes pelas normas sociais dos humanos, mas Ohan parecia um universitário drogado chegando atrasado na aula no seu roupão de banho. Ela lembrou a si mesma que esse universitário drogado era mais inteligente que uma IA quando se tratava de física interdimensional.

"Aqui está a outra metade da minha equipe", disse Sissix com um sorriso amigável. "Esse vai ser divertido, hein?"

Ohan assentiram com a cabeça uma vez, de modo formal e educado.

"Trabalhar com você é sempre um prazer para nós."

"Ei, Ohan", disse Ashby, erguendo os olhos do painel de controle quando o Sianat Par se sentou. "Como estão hoje?"

Ohan se sentavam curvados, apoiados nos membros traseiros. Suas juntas se dobravam de modo compacto, fazendo-os parecer muito menores do que quando haviam entrado na sala.

"Muito bem, Ashby, obrigado", responderam. Viraram a cabeça na direção de Corbin antes de voltar a atenção ao painel. Mexeram nos controles com os dedos compridos e os índices de leitura apareceram. Vários segundos se passaram até erguerem a cabeça de novo, finalmente reparando que havia algo de diferente na sala. Viraram a cabeça na direção de Rosemary, como uma coruja. "Bem-vinda", disseram, assentindo uma única vez. Quando falaram, Rosemary pôde ver a fileira de dentes chatos. Ela tinha lido que os pares lixavam os caninos. Pensar nisso lhe dava calafrios.

Rosemary os imitou, assentindo uma só vez, sem deixar de fazer contato visual. Queixo para baixo, olhos para cima. Era assim que o artigo na Rede dizia que os pares cumprimentavam outros.

"É um prazer conhecê-los. Mal posso esperar para vê-los trabalhar."

Eles assentiram mais uma vez — satisfeitos, talvez? — e voltaram a atenção de volta ao painel. Pegaram um scrib e uma caneta pixel. Os olhos de Rosemary se arregalaram quando ela viu que o scrib estava aberto em um programa básico, como um bloco de anotações. Não era possível que eles pretendessem desvendar o funcionamento de um buraco de minhoca fazendo as contas à mão.

"Certo", disse Ashby, prendendo os cintos. "Vamos lá. Lovey, me transmita para os técnicos."

"Transmitindo", avisou Lovey.

"Chamada", anunciou Ashby.

"Controles de voo, prontos", disse Sissix.

"Combustível, pronto", disse Corbin.

"Tudo certo com a broca interespacial", confirmou Kizzy via vox, "mas não estou achando o meu pacote de salgadinhos e vocês sabem que odeio trabalhar sem um lanche..."

"Na próxima vez você não esquece, Kiz", disse Ashby. "Jenks?"

"Flutuadores, prontos', disse a voz de Jenks.

"Lovey, status da nave", pediu Ashby.

"Todos os sistemas estão funcionando normalmente", informou Lovey. "Não foram detectados problemas técnicos ou estruturais."

"Ohan, prontos?"

"Estamos ansiosos para começar."

"Maravilha", disse Ashby. Olhou para Rosemary. "Colocou os cintos?"

Ela assentiu. Tinha conferido três vezes.

"Está bem. Kizzy, pode começar."

No fundo da nave, a broca acordou com um ressoar barítono. Rosemary ficou aliviada por Kizzy tê-la avisado do barulho. Era o tipo de som que parecia capaz de arrancar as anteparas da nave.

Ashby deu dez batidinhas regulares no braço da sua cadeira. Com cada batida, um tremor crescente sacudia o casco. A coisa na parte de baixo pulsou e retumbou. O piso sob os seus pés vibrava.

Com um silêncio terrível, o céu se rasgou.

E os engoliu.

Rosemary olhou pela janela e percebeu que jamais tinha visto de fato a cor preta.

"Me deem as coordenadas, Ohan", pediu Sissix.

Ohan encararam as informações na tela. A mão deles já estava se movendo rapidamente sobre o scrib, escrevendo equações em caracteres que Rosemary não reconheceu.

"Adiante, 6,6 ibens. Velocidade máxima, por favor."

"É isso que gosto de ouvir", disse Sissix. Deu um grito animado, jogando a cabeça coberta de penas para trás, e fez a *Andarilha* disparar pelo nada.

Não havia como dizer quanto tempo levou para construir o buraco de minhoca, porque, como Kizzy dissera que ia acontecer, o tempo parou de ter qualquer significado. Havia um relógio acima da janela contando silenciosamente os minutos e as horas, porém, dentro da subcamada, não passavam de meros números para Rosemary. Várias vezes, ela teve a impressão de que haviam acabado de chegar, para, no momento seguinte, se sentir como se estivessem ali há uma eternidade. Sentia-se bêbada, ou, pior ainda, como se estivesse tentando acordar de um delírio febril. A visão ondulava e se distorcia. Não havia nada na tela, mas esse mesmo vazio às vezes parecia oferecer um vislumbre de cor ou de uma luz diáfana. Os flutuadores lançados pela *Andarilha* piscavam e ficavam à deriva, como plâncton sendo arrastado por ondas.

As vozes ao seu redor se tornaram indistintas, falando com termos complexos que ela não teria entendido nem se as palavras estivessem na velocidade normal. A voz de Ohan era a única que continuava firme, o olho do furacão, pedindo mudanças de rumo a Sissix, a mão incansável rabiscando números no scrib.

"Todos os flutuadores foram lançados", informou Jenks pela vox. "Estamos prontos para montar a grade." As palavras pareciam se arrastar no ar, como se ele tivesse ficado gelatinoso, apesar de o mundo ao redor de Rosemary parecer estar em velocidade acelerada.

"Iniciar acoplagem", disse Ashby.

"Ashby, acho que atingimos um bolsão", avisou Sissix.

"Nos tire daqui antes que a gente fique preso", disse Ashby.

"Ashby, acho que atingimos um bolsão."

"Nos tire daqui antes que a gente fique preso."

"Ashby, acho que atingimos um bolsão."

"Nos tire daqui antes que a gente fique preso."

"Ashby, acho que atingimos..."

"Trinta ibens a bombordo, agora!", gritaram Ohan.

A nave se lançou para a frente e rangeu quando Sissix a virou bruscamente. Apesar da gravidade artificial, de alguma maneira Rosemary teve a impressão de que tinham ficado de cabeça para baixo. Ou talvez estivessem de cabeça para baixo desde o começo.

"Que merda foi essa?", perguntou Ashby.

"Um bolsão temporal", responderam Ohan.

"Onde?"

Ohan olharam para a tela cheia de números. "Vinte ibens a estibordo. Tem cinco ibens e meio de largura. Mantenha uma boa distância."

"Pode deixar", disse Sissix. "Ainda bem que não ficamos presos."

Corbin olhou feio para a tela.

"Parece que ficamos, na verdade. Os níveis de combustíveis estão 0,006 mais baixos do que deveriam."

"E os flutuadores? Estão firmes?", perguntou Ashby.

"Firmes", responderam Jenks e Kizzy em uníssono.

"Ohan, onde está a saída?"

"A 3,6 ibens em frente", disse Ohan. "Agora 2,9 ibens acima. Um... não, 0,7 iben a estibordo."

As garras de Sissix voavam pelos controles. "Prontos?"

Ashby assentiu. "Pode furar."

O ressoar ensurdecedor da broca recomeçou. Todos sentiram o solavanco, fechando os olhos ao bater de volta nos assentos. O tempo voltou com um baque. Ainda sem fôlego, Rosemary descravou as unhas dos braços da cadeira. Olhou pela janela. A vista tinha mudado. Uma anã vermelha estava visível à distância, cercada por diversos planetas. Um era parcialmente terraformado, com uma pequena frota de cargueiros e outras naves de transporte da CG não muito longe. Uma nova colônia estava sendo construída. Uma esfera de flutuadores piscantes estava em volta da *Andarilha*, as luzes amarelas de aviso direcionando o tráfego espacial para longe da área de trabalho da nave.

"E é isso que chamamos de perfeito", elogiou Ashby. Deu uma olhada nos números do painel diante de si. "Zero degradação espacial, nada de rasgos temporais. Estamos exatamente onde deveríamos estar, no momento certo." Sissix comemorou. Gritos animados vieram da vox, abafados pelos parabéns de Lovey. Ashby assentiu, satisfeito. "Kizzy, Jenks, vocês dois ficam encarregados da grade. O resto pode parar por aqui. Bom trabalho, pessoal. Vocês se saíram bem."

"Sabe, Ashby", disse Sissix. "Se não me falha a memória, naves de transporte grandes como aquela ali costumam ter ótimas áreas recreativas para viajantes cansados."

"É mesmo?" O capitão sorriu. "Bem, acabamos de ganhar um belo pagamento. Acho que isso pede por algumas horinhas fora da nave. Quer dizer, se Ohan e Lovey não se incomodarem de ficar de olho na montagem da grade."

O Sianat Par e a IA concordaram.

Sissix pôs as mãos em concha e as aproximou da boca, uma de cada lado, e dirigiu-se à vox. "Festa no cargueiro em duas horas!", anunciou ela. Os berros felizes de Kizzy quase não os deixaram ouvir Jenks, que resmungava algo sobre o SóbrioJá. Sissix se virou para Rosemary. "E aí, novata? O que achou?"

Rosemary forçou um sorriso, enjoada.

"Foi ótimo", falou. Teve tempo de virar o rosto para longe dos painéis antes de vomitar.

Dia 132-145, Padrão 306 da CG

# trabalho

"Odeio esse jogo", declarou Sissix, franzindo a testa para o tabuleiro quadriculado de pixels.

Ashby deu uma mordida no pão apimentado. "Foi você quem quis jogar."

"Bem, um dia desses eu ainda vou ganhar, e aí nunca mais vou ter que jogar esse negócio." Descansou o queixo nos punhos, suspirou e fez um gesto na direção do bispo. A peça avançou, deixando um rastro de pixels. "Só o fato do seu povo estar jogando isso há séculos diz muito sobre a sua espécie."

"Ah, é? O quê?"

"Que os humanos gostam de complicar as coisas sem necessidade."

Ashby riu. "Posso deixar você ganhar."

Os olhos de Sissix se estreitaram. "Não se atreva." Olhou pela janela em domo do Aquário e observou as articulações da nova grade de contenção se encaixarem sozinhas. Mais algumas horas e eles poderiam dar o fora dali. Não que já tivessem outro trabalho agendado, mas não havia por que se demorar. Tinham uma parada para compras programada, e Sissix mal podia esperar para pôr os pés no chão por um tempo.

"Sabe, Aya riu de mim por eu ainda jogar jogos em pixels. Disse que é coisa de gente velha."

Sissix ficou sem reação. "Por favor, não me diga que ela pôs um conector cerebral."

"Ah, não, não. Ela usa adesivos."

"Ah, tá. Ufa." Os adesivos não eram nada de mais. Havia uma caixa deles na sala de recreação, pequenos adesivos que podiam ser grudados abaixo do tronco cerebral, um acessório necessário se você queria criar uma conexão neural com um simulador, um vid ou a Rede. Os adesivos tinham sido inventados quando Sissix já era adulta, então, embora os usasse de vez em quando, ainda preferia o conforto mais tangível de um quadro de pixels ou um scrib. Conectores cerebrais, ao contrário, lhe davam calafrios. Não conseguia nem imaginar gostar tanto de um passatempo a ponto de botar uma porta conectora permanente no cérebro.

Ashby fez um gesto na direção do peão. "Além do mais, duvido muito que algum médico fosse aceitar colocar um conector em uma menina de oito anos. Ou que algum pai ou mãe permitiria isso."

"Você já conheceu algum dos amigos de Kizzy e Jenks?"

"É, tem razão."

Sissix tomou um gole de mek. Em geral, não começava as suas manhãs com a bebida soporífica, mas não tinha nada para fazer até a grade terminar de ser montada. Tinha como justificar a preguiça. Puxou o cobertor térmico sobre os ombros, tentando afastar a letargia. "Os cérebros infantis já têm coisa demais com o que lidar sem esses conectores. E os cérebros adultos também, aliás."

"Foi o que falei para Aya."

"E o que ela respondeu?"

"Me chamou de velho." Esfregou o queixo, a barba por fazer, enquanto estudava o tabuleiro. "Virei oficialmente o tio velho e chato."

Sissix riu. "Duvido muito. Você a deixou pilotar o nosso ônibus da última vez que visitamos a Frota."

Ashby deu uma risadinha. "Achei que a minha irmã fosse me matar."

"Exato. E é por isso que você é legal. Aliás, é a sua vez."

Caminhando pesadamente em dois pés-mãos, Dr. Chef entrou no jardim, trazendo ferramentas de jardinagem nos outros quatro braços. "Como está o pão apimentado?", perguntou ele a Ashby.

"Está mais crocante que o último", respondeu o capitão. "Gostei."

"Que bom. Achei que vocês todos iam precisar de alguns carboidratos complexos depois de ontem à noite."

Ashby sorriu. "Ei, *eu* saí do bar do cargueiro a uma hora razoável, com a reputação intocada. Sou o autocontrole em pessoa."

"Rá!", disse Sissix.

Um sorriso culpado apareceu no rosto de Ashby. "Tá bem, talvez eu tenha ficado um pouco alegrinho demais."

Um coro de risadas irrompeu da garganta de Dr. Chef. "Pelo menos você fez silêncio. Ao contrário de um certo trio de humanos embriagados que encontrei revirando a enfermaria na sexta hora."

"Ah, não", disse Sissix, sorrindo. "O que eles fizeram?"

"Nada de muito escandaloso. Kizzy e Jenks estavam atrás de uma cartela de SóbrioJá, e Rosemary tinha caído por cima de umas das mesas de exame. Apagou. Acho que ela tentou beber tanto quanto os outros dois."

Sissix riu. "Ah, aposto que tentou, e aposto também que foram eles que a convenceram a fazer isso. Quando fui embora, já tinham tomado seis rodadas de coice e tinham pedido tapas-doces. Coitadinha, vai estar um caco hoje. Você a levou até o quarto?"

"Kizzy levou. Acho que ela a colocou no elevador de carga. Os pés dela e o cérebro estavam operando em frequências diferentes."

Ashby balançou a cabeça, achando graça, e moveu a torre. "Bem, tomara que ela entenda que os técnicos só queriam recebê-la bem. E que não precisa nunca mais passar por isso." Ele se recostou na cadeira. "Ah, xeque-mate."

"O quê?", disse Sissix, debruçando-se sobre o tabuleiro. "Não, é... espera.. merda." Ficou de ombros caídos. "Mas eu tinha uma estratégia e tudo."

"Desculpa ter estragado a sua estratégia."

Ela estudou o tabuleiro, tentando descobrir onde errara. Próximo a eles, Dr. Chef estava regando as plantas. Sua respiração produzia um sussurro baixinho constante, como sempre. Era a sua versão de silêncio. Sissix observou os dedos gorduchos dele passarem barbantes ao redor dos brotos. Ela sempre ficava surpresa com a agilidade de Dr. Chef. O homem parecia um pudim com pernas, mas seus pés-mãos permitiam que se movesse com a graça de um dançarino.

"Como vai o seu gengibre?", perguntou Sissix.

"Gordo e feliz", respondeu, amarrando os caules altos. As bochechas de Dr. Chef se inflaram de orgulho. O gengibre tinha sido ideia de Jenks, e poucas coisas deixavam Dr. Chef mais feliz do que atender aos pedidos gastronômicos da tripulação. "Mas tenho que admitir que prefiro as flores à raiz. O sabor é forte demais para o meu gosto. Mas são bem crocantes."

Ashby se virou para Dr. Chef. "Você sabe que gengibre é um tempero, não sabe?"

"O quê? Não sabia. É sério?"

"Você tentou comer só o gengibre?"

"Ih, tentei." Dr. Chef soltou uma risada retumbante. "Pensei que fosse um tipo de batata apimentada."

"Nunca vi graça em batatas", comentou Sissix. "Todo mundo enche a batata de sal para disfarçar a falta de gosto. Não é melhor pegar logo um monte de sal e deixar a batata de lado?"

"Sei lá, não me pergunte", disse Ashby, levantando-se. "Quem gosta de batata são os terrenos."

"Quer continuar jogando?", perguntou Sissix.

"Não, já passa da décima hora. Devem ter atualizado o portal de notícias." Seu tom era despreocupado, mas os olhos estavam sérios.

"Tudo bem." Ela sabia que portais Ashby iria verificar, o que a fez querer dar um abraço nele. Não um daqueles abraços rígidos e apressados de humanos, mas um longo abraço, daqueles de quando você sabe que o seu amigo está preocupado com alguma coisa. No entanto, ela tinha aprendido havia muito tempo que, para os humanos, esses tipos de abraços não aconteciam entre amigos. Era um dos muitos instintos sociais que Sissix aprendera a abafar.

Dr. Chef amarrou mais um barbante, resmungou satisfeito e sentou-se no lugar vazio de Ashby. Em um dos pés-mãos superiores, segurava uma caneca com uma frase em ensk: BEIJE O COZINHEIRO. Um presente de aniversário dado por Kizzy, que sempre ignorava o fato de que nenhum dos membros não humanos da tripulação comemorava aniversários.

Sissix pegou o bule de mek que estava ao lado do tabuleiro de pixels. "Quer mais?"

Dr. Chef pensou no assunto. "Só um pouquinho", disse, estendendo-a para Sissix. "Acho que todo mundo tem direito a um pouco de preguiça de vez em quando."

"Tem mesmo." Sissix encheu a xícara de Dr. Chef até a metade, então encheu a própria xícara até a boca. Podia sentir os músculos nas bochechas e na garganta relaxarem conforme bebia o líquido agridoce. O relaxamento se espalhou pelos seus ombros, pelo seu pescoço e pelos seus braços, desfazendo todos os nós de tensão que a xícara anterior tinha afrouxado. Pelas estrelas, como amava mek.

Dr. Chef segurou a xícara no seu pé-mão. Indicou o tabuleiro de pixels com a cabeça. "Um típico jogo humano."

"Por quê?"

"Todos os jogos humanos giram em torno da conquista."

"Não é verdade", disse ela. "Eles têm muitos jogos cooperativos. Feiticeiros da Batalha, por exemplo." Era raro passar mais que uma decana sem que Kizzy e Jenks entrassem no jogo. Sempre com adesivos, pois nem aqueles dois eram idiotas a ponto de botar um conector no cérebro. Lá, exploravam mundos mágicos e compartilhavam alegres aventuras nas suas próprias mentes.

Dr. Chef balançou um dos seus pés-mãos livres, dispensando o argumento. "Não estou falando dos jogos cerebrais. Mas coisas desse tipo", falou, apontando para o tabuleiro de pixels. "Os clássicos. As coisas que os humanos jogavam antes até de saber que havia outros planetas por aí. Todos sobre conquista e competições. Aliás, até os Feiticeiros da Batalha é assim. Os jogadores trabalham juntos para derrotar um inimigo comum: o próprio jogo."

Sissix pensou no assunto. A ideia de humanos como conquistadores sempre fora risível. Não só por causa dos escassos recursos ou porque a Diáspora era incapaz de fazer qualquer coisa, mas porque os humanos que ela conhecia eram tão despretensiosos. Ashby era um dos melhores indivíduos que ela já vira, de qualquer espécie. As ambições de Jenks se resumiam a viver com algum conforto, cercado de pessoas de que gostasse. Kizzy tinha conseguido a proeza de derrubar um sanduíche em um duto de ar na decana passada, então não precisavam se preocupar com a possibilidade de ela armar um golpe. Corbin era um grande pé no saco, mas inofensivo, além de covarde. E, ainda assim, a história humana — ao menos, pré-Êxodo — era repleta de crueldades e guerras infindáveis. Sissix nunca conseguira entender isso.

Dr. Chef moveu algumas das peças de xadrez pelo tabuleiro. "Os temas dos jogos gruns são bem parecidos. Acho que nossas espécies são bastante semelhantes em alguns aspectos. Os humanos também teriam morrido no espaço se os aeluonianos não tivessem encontrado a Frota por acaso. Eles se salvaram por sorte. Por sorte e por terem descoberto a humildade. É nisso que os humanos são diferentes dos gruns. Bem, além do óbvio." Ele riu, apontando para o próprio corpo.

Sissix pôs a mão sobre o membro inferior mais próximo de Dr. Chef. Dentro de um século, não haveria mais nenhum grum. Nada poderia ser feito em relação a isso. Ela sabia que Dr. Chef já tinha se conformado com a extinção iminente da sua espécie. Mesmo ao tocar no assunto agora, não havia tristeza na voz dele, nenhuma amargura. Mas isso não queria dizer que Sissix não podia sentir essas coisas por ele.

Dr. Chef deu tapinhas na sua mão, mais por ela do que por ele. Olhou por cima do ombro na direção de Ashby, que estava debruçado sobre a bancada da cozinha, lendo as notícias no scrib. Dr. Chef sussurrou, baixando todas as vozes que vinham da sua boca: "É só impressão minha ou Ashby tem olhado bastante as notícias nesses últimos dias?"

Sissix assentiu, sabendo o que ele estava perguntando. "Os rosks têm atacado bastante as colônias em Kaelo."

"E é para lá que...?"

"... que ela foi, sim. Não que os portais deem muitos detalhes."

Ele compreendeu. Os dois sabiam que Ashby não estava preocupado com uma guerra que nunca o afetaria. Sua preocupação girava em torno de uma aeluoniana na periferia dessa guerra. Seu nome era Pei, e ela e Ashby vinham copulando sempre que podiam nos últimos dois anos. Ela era uma civil trabalhando com o seu cargueiro, contratada para transportar suprimentos médicos, munição, equipamentos técnicos, comida, o que quer que as forças aeluonianas precisassem. Por conta da natureza do seu trabalho, nem sempre ela podia escrever ou conversar por ansible quando estava a caminho de território contestado, por medo de denunciar a localização das tropas ou se tornar um alvo fácil. Muitas vezes, Ashby passava decanas sem ter notícias dela, e, durante esses períodos, não era incomum que ficasse verificando os portais. Quando finalmente recebia uma mensagem dela, e passava a ter alguma noção de onde estava, apenas ganhava um foco para as pesquisas. Não contribuía em nada para o bem-estar do capitão, até onde Sissix podia ver, mas humanos sempre ficavam meio idiotas quando se tratava de parceiros sexuais.

Apesar de ser próxima de Ashby, Sissix jamais conhecera Pei, ou sequer pusera os olhos nela. A mulher era um enigma. Contudo, a falta de transparência de Ashby não tinha nada a ver com Sissix, e tudo a ver com o conservadorismo do povo de Pei. Um aeluoniano — ainda mais trabalhando ao lado de soldados respeitáveis — poderia ter vários problemas por se juntar a alguém de outra espécie. Todos à bordo da *Andarilha* sabiam sobre Pei, claro, mas entendiam por que Ashby precisava manter a relação em segredo. Tinham parado de fazer perguntas sobre ela, pelo menos na presença do capitão, e até Kizzy era esperta o suficiente para ficar de bico calado quando estavam com outras pessoas.

"Não é bom para ele ficar olhando as notícias toda hora", disse Dr. Chef. "Não é como se fossem publicar o nome dela se algo acontecesse."

"Fale isso para ele", disse Sissix.

"Não posso." Dr. Chef suspirou. "Fiz a mesma coisa quando as minhas filhas foram para a guerra. É por isso que não gosto do que ele está fazendo. Sei que a preocupação pode consumir uma pessoa." Ele sacudiu as bochechas, como se estivesse se obrigando a pensar em outra coisa. "Quer jogar alguma coisa comigo? Ou já basta para você por hoje?"

"Podemos jogar uma partida. Quer jogar xadrez?"

"Pelas estrelas, não. Vamos jogar alguma coisa aandriskana. Um dos seus maravilhosos jogos de 'vamos nos unir e resolver um desafio juntos'."

"Tikkit?"

"Ah, adoro tikkit. Faz anos que não jogo, desde que morava em Porto Coriol."

"Bem, não sou muito boa, então vamos ser uma equipe equilibrada." Deu o comando verbal para que o tabuleiro trocasse de jogo. Os pixels se rearrumaram. "Mas e os jogos aandriskanos?"

"Hein?"

"O que os jogos aandriskanos dizem sobre a gente?"

"Que vocês são espertos, que gostam de compartilhar coisas e que são tão anormais quanto todo mundo."

Sissix riu. "Não tenho como discordar."

Começaram a partida, e a conversa passou a girar em torno da estratégia tikkit. Sissix estava começando a achar que tinham chance de ganhar quando Ashby quebrou o silêncio.

"Caramba", disse para si mesmo. E depois mais alto, correndo até eles. *"Caramba."*

"Está tudo bem?", perguntou ela. Todos os espaciais sabiam que havia muitas coisas que poderiam dar errado em uma nave em pouquíssimo tempo, ainda mais na boca de um novo túnel. Ver um tripulante correr sempre lhe provocava uma descarga de adrenalina.

"Tudo bem com a gente." Ele pôs o scrib ao lado do tabuleiro de pixels e fez um gesto na direção da tela. O vid que estivera rodando se expandiu no ar, pairando acima do scrib. Era um noticiário humano, produzido pela Frota, a julgar pelo sotaque da repórter. Sissix e Dr. Chef se inclinaram para a frente, ouvindo atentamente.

"... ainda não há confirmação sobre há quanto tempo ocorrem as negociações para aceitá-los como membros, mas as nossas fontes indicam que uma pequena equipe de representantes da CG vem se comunicando secretamente com os Toremi Ka há pelo menos dois anos padrões."

"Os toremis?", repetiu Dr. Chef, os bigodes se agitando com a surpresa. Sissix não podia imitar a reação física dele, mas sentia-se da mesma maneira. Os toremis não eram uma espécie muito discutida no noticiário. Não eram uma espécie muito discutida *em lugar nenhum*. Sissix não sabia muito sobre eles além do fato de que controlavam um território ao redor do núcleo da galáxia e que já fazia décadas que matavam uns aos outros.

Ashby balançou a cabeça, confirmando com descrença. "Um dos clãs dele acabou de se tornar membro da CG."

Sissix pousou a xícara. "O quê?" Seu cérebro tentava compreender. "Peraí, como assim?" Se isso era verdade, o Parlamento Comum tinha enlouquecido. Os clãs toremis, segundo os poucos relatos disponíveis, pareciam ferozes e indecifráveis. Aquela nunca era uma boa combinação. Os clãs tinham sido descobertos pelos harmagianos quase quinhentos padrões antes, quando uma sonda encontrara naves toremis arrancando e dando voltas pelo núcleo da galáxia (o que era perigosíssimo), como peixes seguindo a correnteza. Ninguém sabia por quê, e os toremis não demonstravam qualquer interesse em se comunicar com seus vizinhos galácticos. Continuaram com o seu círculo nômade até quarenta padrões atrás, quando pararam de se movimentar e começaram a matar uns aos outros por disputas territoriais. Mais uma vez, ninguém sabia por quê. Ninguém conseguia se aproximar o suficiente para perguntar. Os toremis bloqueavam qualquer acesso ao núcleo. As naves que se aproximavam eram forçadas a recuar. As que conseguiam entrar no seu território voltavam em pedaços ou nunca mais eram vistas. Porém, tirando quando exterminavam invasores, os toremis não incomodavam ninguém, apenas os cientistas e empreendedores frustrados com o bloqueio do núcleo galáctico.

Ashby encostou o dedo nos lábios e apontou para o scrib.

"... comunicado oficial do comitê diplomático da CG explicou que, por enquanto, os Toremi Ka são o único clã que tomou parte no acordo de adesão", explicou a repórter. "Outros clãs permanecem neutros em relação ao acordo e, segundo os relatos, não estão sendo hostis à CG, que reforçou a sua confiança nos Toremi Ka, com a seguinte declaração: 'Nós defendemos as boas intenções de nossos novos aliados, que estão comprometidos com a perspectiva de usufruir das vantagens de uma galáxia mais unida.' Em conformidade com o novo acordo de adesão, a CG *não* vai auxiliar os Toremi Ka em ofensivas contra os demais clãs toremis. Entretanto, tropas militares serão autorizadas a defender territórios compartilhados pelos Toremi Ka e a CG."

Dr. Chef fez um som de desdém. "Ou seja, os Toremi Ka ganham as gigantescas naves de batalha da CG defendendo as suas fronteiras e a CG ganha acesso ao ambi no seu território." Ele balançou a cabeça. "Uma espécie em guerra consigo mesma não pode trazer nada de bom. Nunca trouxe e nunca vai trazer." Seus olhos diminuíram e ele soltou um bramido profundo. Sissix sabia que ele estava pensando na própria espécie, na própria guerra. Ela estendeu as garras e pressionou o seu ombro superior. Seus olhos aumentaram, focando o rosto dela. Ele voltou ao presente. Inflou as bochechas e cobriu as garras de Sissix com um dos seus pés-mãos.

"Peraí...", disse Ashby. "Hum..."

"Que foi?", perguntou Sissix.

Ashby fez uma pausa. "Era disso que Yoshi estava falando." Ele olhou para Sissix. Ela entendeu.

"Nós poderíamos fazer isso", disse ela, assentindo. "Sim, nós daríamos conta."

"De quê?", perguntou Dr. Chef.

"Se vão minerar ambi, vão precisar transportar as cargas de volta para casa."

"E vão precisar de saltos individuais antes de poderem pensar em construir túneis para comboios", completou Ashby. Ele se endireitou, pensativo. "É exatamente o tipo de trabalho que poderia nos pôr em vantagem. E não vão pagar pouco para algo assim."

"Trabalho?", repetiu Dr. Chef. "Você quer trabalhar lá? Com essas pessoas?"

"Todas as naves de perfuração de túneis vão querer essa oportunidade quando virem as notícias", disse Sissix.

"Então é melhor sermos os primeiros", disse Ashby. "Vamos rascunhar uma carta de intenções. E precisamos ligar para Yoshi."

"Você acha que ele é importante o suficiente para liderar um projeto desses?"

"Ah, de jeito nenhum. Mas vai saber com quem eu preciso falar. Vou pedir para Lovey lhe enviar um convite para uma conversa por sib. Não faço ideia de que horas são por lá. E vou precisar da sua ajuda para me dar uma estimativa de quanto tempo levaríamos para chegar no espaço Central. Imagino que vão querer que o furo seja a partir de lá. Rosemary já está acordada?"

Sissix se lembrou da última vez em que a viu na noite anterior: cabeça apoiada na mão, um sorriso de orelha a orelha, a voz pastosa. "Olha, acho que ainda deve estar dormindo."

Ashby revirou os olhos. "Dê um SóbrioJá para ela. Foi exatamente para esse tipo de coisa que eu contratei uma guarda-livros."

"Vou fazer o café da manhã para Rosemary", disse Dr. Chef. Ele sacudiu um dedo na direção de Sissix. "Diga para os técnicos que eles escolheram uma péssima noite para dar as boas-vindas a ela."

"Sendo justa", refletiu Sissix, se colocando de pé, "acho que eles não esperavam que a CG fosse enlouquecer."

---

Mensagem recebida
Criptografia: 1
De: Vlae Mok Han'sib'in (caminho 4589-556-17)
Para: Ashby Santoso (caminho: 7182-312-95)
Assunto: projeto Tokath/Hedra Ka

Saudações cordiais, capitão Santoso. Meu nome é Vlae Mok Han'sib'in e estou entrando em contato em nome do Conselho de Transportes da CG. Recebemos a sua carta de intenções sobre a construção de túneis no território dos Toremi Ka. Interligar os nossos aliados aos territórios existentes da CG é uma das prioridades do Parlamento Comum e precisamos de construtores habilidosos como você para nos ajudar a escrever este novo capítulo de cooperação interespécie.

Após análise dos seus trabalhos anteriores e um estudo das nossas necessidades, concordamos que a *Andarilha* será excelente para nos ajudar na nossa empreitada com os Toremi Ka. Esta avaliação positiva decorreu não apenas da sua experiência profissional, mas foi também influenciada pela recente decisão de contratar uma guarda-livros certificada. Essa atitude foi vista como um sinal do seu comprometimento com os padrões administrativos do Conselho de Transportes da CG.

É com grande prazer que lhe oferecemos o seguinte projeto. A CG precisa de um túnel individual ligando o espaço Central (Portão Tokath) a Hedra Ka, o planeta-capital do território Toremi Ka. Isso eliminaria nossa atual dependência dos reboques de agulha nesse setor e seria o primeiro passo para construirmos túneis de comboios cargueiros no futuro. Antes de aceitar a proposta, pedimos que considere com muito cuidado as condições do projeto.

Em circunstâncias normais, um furo às cegas seria a maneira mais rápida de estabelecer uma ligação com um território não ancorado. Porém, Hedra Ka está localizado em uma zona fluida. Como tenho certeza de que sabe, os fatores de risco ambiental de uma área como esta fazem com que a realização de um furo às cegas a partir de Tokath seja quase impossível. No interesse de proteger tanto a estabilidade espacial quanto a vida sapiente, o projeto requereria um furo ancorado entre Hedra Ka e o Portão Tokath. Como não há nenhum túnel conectando a GC e o espaço Toremi, isso se mostra um desafio. Propomos que a *Andarilha* siga viagem até o Posto de Observação Del'lek, na fronteira da GC. Este é o ponto ancorado mais próximo que há entre a GC e Hedra Ka. Assim, um reboque de agulha encontraria vocês nessa região para levar a sua nave até Hedra Ka. Considerando sua posição atual, estimamos que a viagem até Del'lek levaria entre 0,8 e 0,9 padrões, dependendo da rota escolhida. O pulo de agulha levaria mais quatro dias. Para ajudar a diminuir o tempo de viagem, a CG contrataria os serviços de outra nave para instalar uma grade em Tokath.

Entendemos que esta é uma proposta incomum, mas, considerando-se as circunstâncias, não temos um plano mais urgente para completar o projeto (nem temos necessidade de um). Também compreendemos que o tempo total de viagem representa um compromisso significativo da sua parte e da sua tripulação. A CG está disposta a cobrir suas despesas básicas e operacionais pela duração do percurso, além do pagamento pelo projeto. Também entendemos que viagens espaciais podem sofrer atrasos inesperados e que serão necessárias algumas paradas para garantir a saúde mental da tripulação. À luz dessas necessidades, não exigimos uma data rígida de chegada. Pedimos apenas que vocês concluam a viagem antes de 165/307. Você também terá liberdade para mapear o próprio plano de voo e fazer as paradas que julgar necessárias, embora uma rota eficiente seja, naturalmente, a prioridade. Se não tiver confiança de que a sua nave e a sua tripulação podem suportar esta viagem, é melhor não aceitar o projeto.

O pagamento oferecido pelo projeto Hedra Ka é de 36M de crédito (despesas não inclusas; este ponto não é negociável). Aguardamos uma resposta até 155/306. O projeto não será oferecido a nenhum outro empreiteiro durante esse período, então pedimos que não tome uma decisão precipitada. Se tiver qualquer pergunta relativa ao projeto, não deixe de entrar em contato. Se eu não estiver disponível, minha IA, Tugu, poderá auxiliá-lo.

Muito atenciosamente,
Vlae Mok Han'sib'in

**Ashby** (00:10): sissix, você tá aí?
(00:11): atende o seu scrib
(00:14): sissix!

**Sissix** (00:15): escrvendo?
(00:15): seriop/?
(00:16): quye marabilha

**Ashby** (00:16): eu te acordei?

**Sissix** (00:17): sim
(00:17): vopu reclamar com meu chefw de manhja~

**Ashby** (00:17): desculpa, é importante
(00:17): acabei de encaminhar uma carta

**Sissix** (00:18): pq vc nõa vem aquyi eu odeiop digitar

**Ashby** (00:18): porque não quero que ninguém escute a nossa conversa

**Sissix** (00:18): nave est´s ok?

**Ashby** (00:18): sim, lê logo a maldita carta

**Sissix** (00:19): ´pera ium poucop
(00:19): tneho que aquercer a cama nçao condsigo me mexer

**Ashby** (00:19): pega um cobertor térmico e anda logo

**Sissix** (00:24): ok pronto
(00:24): finalmente consigo mexer minhas mãos, viva

**Ashby** (00:24): LEIA

**Sissix** (00:24): ok ok
(00:27): PUTA MERDA

**Ashby** (00:27): shh, eu consegui ouvir o seu grito daqui

**Sissix** (00:27): ashby
(00:27): essa carta
(00:28): puta merda
(00:28): a gente ganhou na loteria

**Ashby** (00:28): sis, se você não fizer silêncio vou jogar você no espaço

**Sissix** (00:28): como você consegue ficar QUIETO
(00:28): você não viu quanto dinheiro
(00:29): E AS DESPESAS
(00:29): ashby isso é mais do que faturamos no padrão passado
(00:29): e isso seria só lucro
(00:30): lucro líquido

**Ashby** (00:30): eu sei
(00:30): ainda não consigo acreditar

**Sissix** (00:30): a gente podia comprar uma broca nova, fácil
(00:31): e um monte de tecnologia
(00:31): que nem a gente estava falando
(00:31): estrelas, ashby
(00:32): e assim sem forçar a barra a tripulação pode até ganhar um bônus
(00:32): por exemplo

**Ashby** (00:32): sim
(00:33): é incrível, eu sei
(00:33): mas temos que pensar bem
(00:33): é uma viagem longa

**Sissix** (00:34): a gente está acostumado com viagens longas
(00:34): vai ficar tudo bem

**Ashby** (00:34): sim, mas é a maior parte de um padrão
(00:35): ou seja, nada de férias ou visitar a família a não ser que estejam
na nossa rota. e vamos ter que comer muita comida em estase

Sissix (00:35): não é como se a gente não fosse aportar quando der. Posso traçar uma rota com paradas para compras e lugares para pisar em terra firme

Ashby (00:36): eu sei

Sissix (00:36): mas?

Ashby (00:36): é no espaço toremi
(00:36): essa gente tá em guerra desde sempre
(00:37): não sei nada sobre eles

Sissix (00:37): ashby, a CG não ia nos mandar pra lá se não fosse seguro
(00:38): somos uma nave de perfuração, ninguém liga pra gente
(00:38): pelo contrário, com a viagem longa vai dar tempo de eles resolverem as confusões diplomáticas antes de a gente chegar
(00:39): aposto que o lugar vai estar cheio de burocratas e tropas da CG
(00:39): só temos que chegar lá, furar um túnel e pular de volta pra casa

Ashby (00:40): desde que eles não comecem a se matar de novo quando a gente chegar lá
(00:40): não sei nem que língua eles falam
(00:41): ih
(00:41): tem uma coisa

Sissix (00:41): o quê?

Ashby (00:42): rosemary
(00:42): tinha esquecido dela
(00:43): acha que ela aguenta?

Sissix (00:43): em termos de trabalho ou saúde mental?

Ashby (00:43): os dois
(00:44): um padrão é muito até pra espaciais que nem a gente
(00:44): isso tudo é novidade pra ela

Sissix (00:45): bem, em termos de trabalho ela já teve bastante tempo pra afiar as garras
(00:45): por assim dizer

(00:46): quanto à vida pessoal, ela se esquivou de todas as minhas
    perguntas sobre família. e é solteira
(00:46): acho que ela não está com pressa de visitar a família
(00:47): e você leu a carta
(00:47): contratar ela foi o que te deu este trabalho
(00:47): então mesmo que seja inútil até lá ela já serviu pra alguma coisa

**Ashby** (00:48): credo

**Sissix** (00:48): tô brincando
(00:48): (mais ou menos)

**Ashby** (00:49): é muito dinheiro
(00:49): a gente podia fazer tanta coisa
(00:50): e que projeto

**Sissix** (00:50): como eu disse
(00:50): loteria
(00:51): você merece
(00:51): te conheço há muito tempo, ashby
(00:51): vai por mim
(00:51): você merece

**Ashby** (00:52): obrigado, sis
(00:52): desculpa ter te acordado, eu precisava da sua opinião
(00:52): preciso conversar com o restante da tripulação antes de
    decidir

**Sissix** (00:53): então vamos conversar com eles

**Ashby** (00:53): não sis calma

Por toda a nave, as voxes foram ligadas:
"PESSOAL, ACORDA! TEMOS NOTÍCIAS! REUNIÃO!
    TODO MUNDO NA SALA DE RECREAÇÃO EM CINCO MINUTOS!"

**Ashby** (00:54): vou jogar você no espaço, sissix

**Sissix** (00:55): você me adora

Fonte: Arquivos de Referência da Comunidade Galáctica (Público/Klip)
Caminho: Astronomia → Galáxia Natal → Regiões → Centro Galáctico
  (Núcleo) → Recursos Naturais
Criptografia: 0
Caminho da tradução: 0
Transcrição: 0
Nodo de identificação: 9874-457-28, Rosemary Harper

O Centro Galáctico, chamado informalmente de Núcleo, é o lar de diversos fenômenos astronômicos incomuns, incluindo um buraco negro supermaciço e uma alta concentração de aglomerados estelares. Estas condições únicas indicam que o Centro Galáctico é a maior fonte de combustíveis puros da Galáxia Natal, tais como ambi, assim como outros metais e minerais utilizados na construção de espaçonaves e terraformação.

As estimativas de extração dos recursos disponíveis não passam, na melhor das hipóteses, de especulação, mas a comunidade científica está em consenso sobre como o ambi disponível no Centro Galáctico representa um suprimento quatro vezes maior que a quantidade presente em todos os territórios da CG combinados. Embora a presença de tais materiais tenha sido confirmada por sondas de pesquisa harmagianas de longo alcance, o Centro Galáctico permanece em grande parte inexplorado por espécies da CG devido às reivindicações territoriais dos toremis.

Tópicos relacionados:
Buracos negros
Disco de acreção
Aglomerados estelares
Teoria da energia ambiente
Fontes comerciais de combustível
Extração de ambi
Toremi
Exploração interestelar (harmagiana)
Construção de espaçonaves
Terraformação
Regiões e territórios galácticos (Galáxia Natal)
Nomes tradicionais para a Galáxia Natal (por espécie)

Dia 163, Padrão 306 da CG

# porto

# coriol

Ashby tentava manter a mente aberta, mas qualquer um que não gostava de Porto Coriol já perdia alguns pontos com ele. O espaço controlado pela CG tinha inúmeros mercados neutros abertos a espaciais de todas as espécies, mas o Porto era especial. Mesmo se a pessoa não estivesse precisando de suprimentos, o espetáculo visual já valia a visita. A confusão de ruas lotadas de barracas oferecia roupas, quinquilharias e artigos variados. Antigas naves que haviam sido reformadas e reaproveitadas como armazéns e restaurantes. Pilhas gigantescas de sucata sob a supervisão de um ou outro latoeiro que sempre conseguia encontrar a peça exata que você estava procurando, desde que tivesse paciência para escutá-lo falar sobre a última modificação que ele fez no seu motor. Abrigos subterrâneos frios, cheios de robôs e chips, sempre lotados de técnicos animados e modificadores com todo tipo de implante. As barracas de comida ofereciam do lanche mais gorduroso até os pratos mais requintados. Algumas exibiam menus com os pratos do dia, outras tinham petiscos tão específicos que a única coisa aceitável a se dizer no balcão era "vou querer um, por favor". Uma variedade de sapientes conversava em uma confusão de idiomas, apertando ou esfregando mãos, patas e tentáculos.

Como alguém conseguia *não* amar um lugar desses?

Racionalmente, Ashby até entendia que Porto Coriol podia ser um pouco demais para uma pessoa acostumada aos lustrosos centros comerciais pré-fabricados que podiam ser encontrados por toda a CG, todos idênticos e frios. Os mercados dali não eram nem de longe parte de uma cadeia uniforme, mas a atitude independente e sem grandes formalidades da colônia era justamente o que a tornava tão especial — ou, na opinião de alguns, tão desagradável. Ashby admitia que o Porto era um pouco sujo, com algumas áreas meio degradadas. Mas perigoso? Que nada. Em geral, os crimes se resumiam a golpes não muito sérios em estudantes que tinham acabado de chegar por um túnel ou turistas ingênuos. Porto Coriol era completamente seguro desde que a pessoa tivesse dois neurônios. O comércio era regulamentado — ou tanto quanto você queria que fosse. Os vendedores que se arriscavam a despertar a ira das autoridades locais não duravam muito, e mesmo aqueles que comercializavam produtos suspeitos tinham a documentação em ordem e mercadorias legítimas para manter os fiscais felizes. Não era segredo que havia um mercado negro em Porto Coriol, mas ele era administrado com todo o cuidado. Não que Ashby jamais tivesse tentado a sorte com algo do tipo. Perder a licença arruinaria a sua vida e talvez até a da tripulação. Apesar dos pedidos frequentes de Kizzy para que ele a deixasse comprar algo "especial" para os motores, era melhor fazer tudo nos conformes.

O suave sol laranja do Porto aqueceu a pele de Ashby enquanto ele conduzia sua tripulação pelas docas apinhadas de gente. Embora estivesse acostumado a viver entre paredes seladas e acrílico, passar tempo do lado de fora era uma mudança agradável. Como sempre, porém, ele tinha se esquecido do cheiro: uma mistura pesada de combustível, poeira, temperos, fogo, perfume, óleo de cozinha, soldas e os odores naturais de sapientes de dezenas de espécies diferentes. Além de tudo isso havia o fedor permanente de musgo vindo da costa. Por conta da rotação sincronizada de Coriol, a luz solar brilhava constantemente sobre os restos de algas que cobriam os seus mares tranquilos. Os mercadores e outros negociantes que viviam na lua em geral moravam no lado escuro, longe do sol e do odor desagradável.

Para muitos sapientes — incluindo Sissix e Dr. Chef —, o cheiro era insuportável sem a ajuda de certos aparatos. Respiradores e máscaras filtradoras eram populares, mesmo entre os moradores. Nas docas de ônibus espaciais havia fileiras de barracas que vendiam máscaras aos recém-chegados que não tinham sido avisados sobre o odor característico do Porto. Os humanos, por conta do olfato relativamente pouco desenvolvido, conseguiam andar pelas ruas com os narizes à mostra. Ou ao menos a maioria deles. Corbin tinha optado por um capacete respiratório completo — o Exopulmão Deluxe, uma geringonça pesada que se dizia o melhor filtro de alérgenos e patógenos do mercado. Na opinião de Ashby, parecia um tanque de águas-vivas cheio de balões murchos.

"Destino, por favor?", perguntou em tom monótono a IA do balcão de viagens expressas. Não era um programa com liberdade de pensamento, como Lovey, mas um modelo limitado, incapaz de qualquer coisa além das tarefas programadas. Seu invólucro tentava imitar uma cabeça harmagiana, com articulações no queixo para fazer expressões faciais e tudo. O rosto comprido e macilento fora revestido com um polímero que imitava a pele e não era tão *completamente* diferente da espécie que tentava imitar, mas a voz digital tinha certas falhas e as articulações do queixo estavam meio enrijecidas pela passagem do tempo. Jamais poderia ser confundida com um ser vivo.

"Dois bilhetes para a fazenda de insetos", disse Ashby, indicando a si mesmo e Dr. Chef. A IA apitou em resposta. Ashby apontou para Corbin. "Um para o depósito de algas." Mais um apito. Ashby indicou Jenks. "Outro para o distrito técnico." Outro apito. O capitão se virou para Sissix. "E vocês vão a pé, certo?"

"Isso mesmo", confirmou Sissix. "As lojas de que precisamos ficam logo depois do portão."

"Então é isso", falou Ashby. Ele passou o pulso pelo escâner no balcão. Um apito curto indicou que o pagamento fora aceito.

"Muito bem", disse a IA. "Suas cápsulas expressas chegarão dentro de alguns instantes. Caso precisem de transporte ou novas informações, basta procurar pelo símbolo de viagem expressa idêntico ao deste quiosque. Caso a sua espécie não tenha sentido de visão, você pode requisitar um localizador sem custo adicional, neste ou em qualquer um dos nossos..."

"Obrigado", disse Ashby. Apesar de a IA não ter terminado de falar, ele tomou a dianteira, conduzindo a tripulação para longe do quiosque. Jenks não o seguiu.

A IA continuou, nem um pouco perturbada pela partida do seu público: "Os localizadores são oferecidos em diversos modelos, apropriados para todas as espécies, e podem transmitir alertas em diferentes estímulos sensoriais, como cheiro, gosto, som, estimulação cutânea, estimulação neural..."

"Jenks não vem?", perguntou Rosemary.

"Ele sempre espera até o fim do discurso", disse Kizzy com um sorriso afetuoso. "Só por educação."

Rosemary olhou para a IA de movimentos rígidos. "Aquele modelo não é consciente, é?"

"Acho que não", disse Ashby. "Mas é impossível convencer Jenks. Ele sempre dá o benefício da dúvida às IAs."

"O que é um absurdo", disse Corbin. Sua voz era abafada pelo capacete respiratório.

"Que nem essa coisa na sua cabeça", murmurou Sissix.

Ashby resolveu intervir, antes que Corbin pudesse dar uma resposta à altura. "Então, pessoal. Vocês já sabem como tudo funciona." Ele viu

Jenks assentir com a cabeça educadamente antes de se afastar para se juntar a eles. "A mesma coisa de sempre, só que desta vez temos fichas da CG para cobrir as despesas. *Mas apenas as necessárias.* Tudo o mais tem que ser comprado com o seu implante de pulso. A CG não vai gostar de receber a conta de uma refeição de quatro pratos e uma massagem."

"Lá se vai a minha tarde", disse Jenks.

"Rosemary, todo mundo recebeu as fichas, certo?"

"Certo", disse ela. "E acredito que todos também tenham uma lista de despesas aprovadas nos seus scribs, apenas como referência."

"Ótimo. Depois que cuidarem das suas listas, estão todos livres para fazer o que quiserem até amanhã de manhã. Vamos tentar ir embora na décima hora." Seu scrib apitou, indicando que ele tinha recebido uma mensagem. "Com licença, só um segundo." Ele tirou o scrib da bolsa e fez um gesto para a tela. A mensagem apareceu.

---

Mensagem recebida
Criptografia: 3
Traduções: 0
De: destinatário desconhecido (encriptado)

O coração de Ashby quase parou.

Não pude deixar de notar uma nave de perfuração horrorosa que acabou de atracar em órbita. Acabei de chegar da fronteira, mas tenho que voltar logo. Em três horas, minha folga de dois dias começa oficialmente. Já deixei claro que quero passar tempo sozinha.
Está livre para me ver?

Não havia assinatura, mas Ashby não precisava de uma. A mensagem era de Pei. Ela estava ali. E, mais importante, estava bem. Estava viva.

Apesar de sentir decanas de tensão desaparecerem, o capitão conseguiu manter o controle. Guardou o scrib de volta na bolsa e esfregou o queixo com uma das mãos. Merda. Não tinha se barbeado. Bem, Pei trabalhava em um cargueiro. Apesar da sua espécie não ter pelos, ela, mais do que qualquer um, entenderia um leve desleixo com a aparência.

Sissix o estava encarando quando ele se virou para o grupo. Ergueu as sobrancelhas para ela e assumiu a sua expressão de capitão. "E aí, o que estão esperando? Vão fazer as suas compras."

Rosemary saiu apressada atrás dos outros tripulantes, não querendo se perder. A doca de ônibus espaciais já estava apinhada, mas agora que estavam se embrenhando pela multidão em direção ao portão, a chance de ser levada pelo mar de comerciantes tinha aumentado. *Se perder* não era bem o que a assustava. Era mais a possibilidade de ser roubada. Ou assediada. Ou esfaqueada. Tinha visto algumas pessoas que definitivamente pareciam bem suspeitas. E roubo de implantes de pulso não era algo que acontecia em um lugar daqueles? Ela não tinha ouvido falar de alguém que visitara Porto Coriol, entrara na loja errada e acordara em um beco com o braço amputado? Tudo bem, talvez a história fosse um pouco exagerada, mas, visto que tinha acabado de passar por um aeluoniano cujo rosto mais parecia um mosaico de implantes, não ia descartar a possibilidade de ladrões de braços com implantes. Estava grata por ter Sissix com ela, com sua presença reconfortante, e Kizzy, chamativa o suficiente — tanto nas roupas quanto no volume da voz — para deter os criminosos mais furtivos. As duas pareciam saber o que estavam fazendo. Esperava poder absorver um pouco da segurança delas.

"Tem certeza de que não quer ir nas cavernas dos técnicos, Kiz?", perguntou Sissix.

"Não", respondeu Kizzy. "Jenks levou a minha lista. Mais tarde eu dou uma passada lá para ver o pessoal e ficar babando em cima dos últimos modelos. Mas estou inquieta depois de passar tanto tempo no espaço. Preciso de céu aberto e ar fresco." Ela abriu os braços e respirou bem fundo. "Ahhhhh."

"Hã... sim, claro, ar fresco", concordou Sissix, respirando através da máscara.

"Você me entende, não é, Rosemary?" Kizzy saltitou até ela. "Você cresceu em um planeta."

"É bom ter gravidade de verdade", respondeu Rosemary.

"Coitadinha, você ficou espaceada?"

"Só um pouco, nada de mais. Mas não tem problema, já estou me acostumando."

"Vou procurar um bracelete de equilíbrio para você. Com certeza alguém aqui deve vender."

Sissix soltou um muxoxo de descrença, divertida. "Esses troços são tudo mentira."

"São nada!", retrucou Kizzy. "Minha vó sempre usa quando vai para o espaço e diz que funciona legal."

"Sua avó também acha que consegue falar com os imunobôs dela."

"Sim, mas ela nunca fica espacead... ah, merda." Kizzy baixou o olhar para as próprias botas. "Não olhe nos olhos deles. Não olhe nos olhos deles."

Rosemary desviou o olhar quando encontrou o que tinha feito Kizzy entrar em pânico: uma mesa simples, simpática, coberta de terrários selados e tigelas de argila (argila!) cheias de fichas de informação. Mesas como aquela eram comuns nas praças públicas de Florença, e os trajes dos responsáveis pela mesa eram instantaneamente reconhecíveis. Eles usavam biotrajes pesados, como os antigos exploradores da lua, selados e com tantas camadas que faziam o capacete de Corbin parecer razoável. Rosemary tinha ouvido dizer que aqueles trajes eram postos em compartimentos selados e jogados no espaço. Uma descontaminação padrão não bastava para eles. Não podia existir o mínimo risco de corromper os seus sistemas imunológicos "ou, pior ainda, o fluxo natural da evolução humana".

Gaiaístas. Realmente, era outro nível de loucura.

"*Merda!*", disse Kizzy. "Eu olhei."

"Parabéns, Kiz", falou Sissix.

"Foi sem querer!"

Um gaiaísta foi direto até elas, trazendo um terrário arredondado nas mãos enluvadas.

"Olá, irmãs", cumprimentou ele. Uma pequena vox abaixo do capacete transmitia a sua voz. Falava bem klip, mas tinha um sotaque pesado, especialmente nas consoantes, o que mostrava que não usava a língua com frequência. "Gostariam de ver uma das pequenas maravilhas do seu planeta natal?" Ele ergueu o terrário na direção de Kizzy e Rosemary, ignorando Sissix completamente.

Rosemary murmurou um "não, obrigada", enquanto Kizzy começou a tagarelar dizendo que estava atrasada para um compromisso.

"Eu quero ver", disse Sissix.

Dentro do capacete, o rosto do gaiaísta ficou impassível. Com um sorriso forçado, levantou o terrário mais alto. Atrás do acrílico, uma complexa flor amarela crescia em meio ao fungo. "Esta é uma *orquídea*", disse, e a palavra em outro idioma soou estranha em meio à frase em klip. "Uma planta delicada que outrora cresceu nos pântanos e nas florestas tropicais da Terra. Como grande parte da diversificada flora terrestre, essas lindas flores foram extintas na natureza durante o Colapso." Seus olhos iam de Kizzy a Rosemary, torcendo para que elas manifestassem interesse. "Graças aos esforços incansáveis lá na nossa terra, as orquídeas voltaram a florescer nas florestas tropicais recuperadas."

"São lindas", disse Sissix. Parecia sincera. Apontou para a flor e se virou para as suas companheiras. "A genitália de vocês se parece com essa flor, não é?"

Kizzy soltou uma gargalhada. Rosemary sentiu as bochechas corarem.

"Ei, tenho uma pergunta", disse Sissix para o gaiaísta, que estava gaguejando. Estendeu a mão para tocar o terrário. Dentro do traje, o gaiaísta se encolheu diante da visão de garras alienígenas pairando sobre o musgo terrestre. "Os cientistas do Projeto Samsara também trabalham com essas *orr-quis*?"

O homem franziu a testa. "Talvez", admitiu de má vontade. "Mas uma pessoa não pode esperar ter muito sucesso com terra se vive com os pés no céu." Seu tom amigável passou a ter um fundo de fanatismo.

Rosemary quase teve pena dele. Sissix estava criando uma armadilha, tentando fazer com que o homem abandonasse a falsa aula sobre natureza e falasse abertamente dos ensinamentos do Purismo Gaiaísta. À primeira vista, o objetivo dos gaiaístas era nobre: curar o inóspito planeta natal da sua espécie. No entanto, essa meta também era compartilhada pelos cientistas do Projeto Samsara, que viviam no anel orbitador prateado que circundava a Terra — um anel que não fora construído por humanos, mas por aeluonianos e aandriskanos filantrópicos. Apesar de os esforços de recuperação no anel orbitador serem dirigidos por humanos, muitos cientistas trabalhando com eles vinham de outros mundos. Os fanáticos gaiaístas — especialmente os que desbravavam docas espaciais em busca de almas perdidas — detestavam isso.

O gaiaísta se virou para Rosemary e Kizzy, e a contrariedade na sua voz foi substituída pelo desespero. "Se tiverem um tempo para si mesmas durante a estadia aqui" — em outras palavras, *longe da alienígena —*, "por favor, venham nos ver novamente. Temos muitas outras maravilhas da Terra para compartilhar com vocês aqui, e ainda mais nos viveiros na nossa nave." Ele passou o terrário para a mão esquerda e pegou algo na bolsa. "Aqui. Essas fichas de informação são um presente. Elas contêm vids de alguns dos lugares mágicos que as aguardam no nosso mundo natal. É só as inserir no scrib e aproveitar essas maravilhas." Ele sorriu como se a mera menção à Terra lhe trouxesse paz. "Venham nos visitar, irmãs. Serão sempre bem-vindas entre nós."

O gaiaísta voltou para a mesa, e as três partiram às pressas.

"E é por isso", disse Kizzy, jogando a ficha na primeira lata de lixo que encontrou "que você nunca olha nos olhos deles. *Parabéns, Kizzy.*"

"Sabe, também temos especistas malucos entre os aandriskanos", disse Sissix. "Mas eles não saem por aí para incomodar os outros com isso."

"O que os seus especistas malucos fazem, então?", perguntou Kizzy.

Sissix deu de ombros. "Vivem em fazendas fechadas e fazem orgias particulares."

"Ué, qual a diferença deles para o restante de vocês?"

"Nossas propriedades não são fechadas e todos são bem-vindos nas nossas orgias. Menos os laruanos. Eles têm alergia a nós."

"Estrelas", disse Kizzy, indo na frente até o mercado propriamente dito. Ela pegou um pacote de salgadinhos de alga da bolsa e começou a comer. "Não acredito que Mala costumava participar dessas coisas."

"E eu não acredito que ela já foi sobrevivencialista", disse Sissix. "Parece tão pé no chão. Sem trocadilhos."

"De quem vocês estão falando?", perguntou Rosemary.

"Mala. A mãe de Jenks", explicou Kizzy. "Ela faz parte do Projeto Samsara. Trabalha com mamíferos. Você devia pedir para Jenks mostrar fotos dos bichinhos fofinhos que ela manda. Pela estrelas, os vombates..."

Rosemary ficou sem reação. Devia ter ouvido errado. "Espera, ela era uma sobrevivencialista?" Não podia ser, se a mulher vivia no anel orbitador. Sobrevivencialistas eram tão extremistas quanto os gaiaístas. Não apenas eram xenofóbicos como também tecnófobos. Acreditavam que a tecnologia tinha sido a responsável pela ruína do planeta desde o começo, e a única forma de alcançar a redenção era viver como os animais que realmente eram. Sobrevivencialistas apenas caçavam e colhiam os alimentos, eram puristas genéticos e não só recusavam tratamentos genéticos de rotina como até mesmo vacinas. Acreditavam que as fraquezas tinham que ser eliminadas pela seleção natural. Pareciam ignorar que a única razão pela qual a Terra tinha recursos naturais para sustentá-los era porque a República Solar tinha lhes dado um vasto território de vegetação recuperada, cheia de plantas comestíveis e manadas de presas trazidas à vida por cientistas que utilizaram DNA congelado e câmaras gestacionais. Rosemary ainda não conhecia Jenks muito bem, mas como aquele homem tão razoável, despreocupado e *técnico de computação* podia ter vindo de uma mãe sobrevivencialista?

"Sim, ela entrou nessa durante a adolescência", explicou Kizzy. "Fugiu de casa, pegou carona até a Terra, se juntou a um clã, comeu carne de um *animal selvagem*, juro por Deus, e todo o resto. Dá para imaginar?" Kizzy se abaixou teatralmente, fingindo estar à espreita. "Você fica lá, rastejando na grama, toda furtiva." Ela começou a pular de um lado para o outro. "Desvia de ratos e cobras ou sei lá o quê, com uma vareta pontuda, daí tem que sair correndo atrás de um búfalo..."

"Búfalo?", perguntou Sissix.

"É tipo uma vaca gigante. Aí você vai lá e espeta e espeta e espeta enquanto o bicho se sacode, todo desesperado." Kizzy começou a balançar os braços como em uma encenação, sem perceber ou se importar com os outros visitantes do mercado que a olhavam com desconfiança. Alguns salgadinhos de alga voaram do seu pacote. "E daí eles metem os cascos na sua cara, tem sangue para tudo quanto é lado, *para tudo quanto é lado*, até que o bicho finalmente morre, e você precisa arrancar a carne com as mãos e *comer*." Ela levou as mãos à boca, fazendo barulhos de mastigação.

"Eca, acaba logo com isso", pediu Sissix com uma careta.

"Jenks cresceu lá na Terra? Em um clã?", perguntou Rosemary.

"Não, mas nasceu em um. Por isso é pequeno", explicou Sissix. "Não fez tratamento pré-natal."

"Ah", disse Rosemary. "Achei que ele gostasse de genedificação, mas não sabia como perguntar."

"Assim, é uma questão genética, mas ele nasceu daquela forma", explicou Kizzy. "Aliás, aposto que você ganhou uns pontos com ele por não ter falado nada logo de cara. Ele não se importa com perguntas, mas, às vezes, fica cansado."

Sissix continuou: "Veja bem, Mala não fez nenhum dos exames de rotina quando ficou grávida. Ela..."

"Ela quase morreu no parto", interrompeu Kizzy. "Sério, quase morreu. Dá para imaginar? Gente que morre no parto? Que porra mais arcaica. E Jenks também teria morrido se Mala não tivesse resolvido ser o máximo. Ela parou de acreditar naquelas maluquices sobrevivencialistas assim que começaram a falar em matar o filho dela."

Rosemary ficou boquiaberta. "Eles iam matar Jenks?"

Kizzy assentiu, enfiando um monte de salgadinhos na boca. "Subrevfifencialissa... hum..." Ela engoliu. "Sobrevivencialistas abandonam os bebês se eles nascem doentes ou diferentes. Tipo: 'Ih, esse aqui é meio esquisito, melhor jogar fora para a gente poder eliminar os genes mais fracos'." Kizzy fechou os punhos, irritada, esmagando os salgadinhos. "É uma idiotice!" Ela olhou dentro do pacote como se estivesse reparando nele pela primeira vez. "Ahhh, droga."

" E aí? O que aconteceu?", perguntou Rosemary.

"Ficou tudo esfarelado."

"Não, com Mala."

"Fugiu de novo", respondeu Sissix. "Foi para longe do clã, encontrou um grupo de cientistas trabalhando no planeta... Veja só, eles..."

"Não, você está pulando a parte em que ela foi incrível", interrompeu Kizzy. "Ela teve que andar, olha, um pedação, na esperança de encontrar alguém depois da fronteira sobrevivencialista. Não foi de esquife, nem de planador, nem de ônibus. Foi *andando*. A pé. Com leões por todo o lado. *Leões*."

"Não era *por todo o lado*", falou Sissix.

"Olha, quando se trata de leões, não importa se eles não estão literalmente por todo o lado. Saber que tem alguns leões que podem estar por perto já é ruim o suficiente."

"De qualquer forma", prosseguiu a aandriskana, "os cientistas do anel orbitador deram abrigo a Mala e Jenks, e ela percebeu que eles não eram tão ruins assim. Começou a se interessar por biologia e ficou por lá."

"Não fez faculdade nem nada", disse Kizzy. "Começou limpando as fezes dos criadouros com uma pá e foi subindo a partir dali. Ainda é gaiaísta, mas uma versão mais branda. Muitos dos cientistas no anel orbitador são, na verdade. Eles acreditam nessa história de almas-ligadas-ao-planeta e não gostam de ficar muito longe da Terra, mas reconhecem que aquelas baboseiras não passam de especismo. E parece que ela só ficou um *pouquinho* desesperada quando Jenks decidiu que queria ver o resto da galáxia. Hoje em dia já aceita totalmente. Muito gaiaístas são boas pessoas. Ao contrário daqueles babacas lá." Com um movimento de cabeça, indicou os missionários que haviam ficado para trás.

"Jenks não pôde fazer um tratamento genético quando chegou ao anel orbitador?", perguntou Rosemary. "Quer dizer, mesmo os cientistas gaiaístas devem aceitar medicina tradicional."

"Eles aceitam. Têm imunobôs que nem a gente e tomam vacinas, felizmente. Mas nem sempre concordam com tratamentos genéticos. Em geral, aceitam genedificações para melhorar a qualidade de vida de alguém, mas não por motivos estéticos."

"Então, por quê...?"

"Por que Jenks não se tratou? Como falei, só aceitam para melhorar a qualidade de vida. É só ver como aquele safado é feliz. Ele teria qualidade de vida independentemente do tamanho."

"Mas não sabiam disso quando ele era bebê."

"Mala não deixou fazerem o tratamento. Jenks disse que quando ela conseguiu que os médicos admitissem que o tamanho do seu filho não significava que ele não era saudável, ela nem cogitou mais. Não era nem por causa dessa história de gaiaísta. Ele contou que a mãe já estava cansada de ouvir as pessoas dizerem que tinha algo errado com o filho dela." Ela parou de andar e olhou em volta. "Ih, eu estava indo na direção errada."

"Qual o primeiro item da sua lista?", perguntou Sissix.

Kizzy pegou o scrib. "Limpador de acrílico. Depois, porta-limpabôs."

"A gente pode comprar os sem perfume dessa vez?", implorou Sissix. "Ashby sempre compra os com cheiro de limão, e eu odeio entrar no banheiro depois que ele foi limpo e sentir aquele fedor cítrico."

"Você tem algo contra a brisa refrescante de limão?"

"Você sabe o que é iski?"

"Não."

"Sabe, sim. Umas frutinhas verdes que crescem em trios."

"Ah, sei qual é."

"Têm cheiro de limão, não têm?"

"É, mais ou menos."

"Bem, nós untamos os nossos mortos com suco de iski."

Kizzy riu. "Ai, eca, que horror. Tá bem, vou comprar limpabôs sem perfume." Ela olhou para a lista de novo, dando batidinhas enfáticas, como uma política prestes a fazer um discurso. "Olha, teremos que ser uma equipe de compras impecável hoje. Vamos nos ater à lista e só. Eu sempre gasto dinheiro demais quando venho aqui, em um monte de coisa que não preciso." Algo atrás de Rosemary chamou a atenção dela. "Que nem aqueles ali." Sem dizer mais uma palavra, Kizzy saiu correndo na direção de uma barraca cheia de produtos pendurados.

Sissix suspirou. "Começou", disse, observando Kizzy procurar algo em uma caixa cheia de bastões de malabarismo. "Se você achou que viemos aqui para comprar suprimentos, está errada. Viemos tentar conter Kizzy."

Quando começaram a andar na direção da técnica mecânica, Sissix pôs o seu braço no ombro de Rosemary. A intimidade casual surpreendeu Rosemary, mas também lhe provocou uma pontada de orgulho. Mesmo que fosse assaltada antes do fim do dia, pelo menos estava em boa companhia.

Jenks desceu a rampa até o distrito técnico no subterrâneo — mais conhecido como "as cavernas". Na entrada, havia um aandriskano com uma arma de choque sentado em um banquinho ao lado de um aviso em várias línguas. O aviso dizia:

OS SEGUINTES ITENS PODEM SER PREJUDICIAIS A TÉCNICOS, ROBÔS, IAS, SAPIENTES COM MODIFICADORES E SAPIENTES COM TRAJES DE SUPORTE DE VIDA. ESTES ITENS SÃO PROIBIDOS NAS CAVERNAS. SE UM OU MAIS DESTES ITENS ESTIVER IMPLANTADO NO SEU CORPO, DESATIVE-O ANTES DE PROSSEGUIR.

Implantes-fantasma (implantes oculares que veem através de superfície)
Robôs assassinos ou sequestradores
Poeira hackeadora (injetores de códigos transmissíveis via ar)
Materiais radioativos selados inadequadamente (se não tiver certeza, não arrisque)
Qualquer coisa movida a combustível de alga barato
Ímãs

No fim da lista havia um adendo escrito à mão, apenas em klip:

É sério, não estamos de brincadeira.

Quando Jenks passou por ele, o aandriskano assentiu de maneira simpática, os implantes oculares idênticos brilhando sob as diferentes luzes artificiais. Cada loja e barraca nas cavernas tinha diferentes iluminações para se destacar das demais. As cavernas eram um ciclone de tons azuis, luzes que passavam pelo arco-íris, imitações do nascer do sol, projeções de céus estrelados. Dentro de cada loja, as luzes podiam ser admiradas, mas nos corredores do lado de fora, os efeitos se sobrepunham em cores estranhas e sombras descombinantes. Era como andar por um caleidoscópio bêbado.

Jenks se sentia em casa nas cavernas, não só por conta das incontáveis fileiras de produtos perfeitamente empacotados e empilhados. Muitos ali eram modificadores fanáticos, do tipo que removeria membros naturais para substituí-los por versões sintéticas. Em um passeio pelas cavernas, não era incomum ver exoesqueletos metálicos, tatuagens animadas por nanorrobôs ou rostos desconcertantemente perfeitos que traíam uma fraqueza por genedificações. Implantes faciais, portas cutâneas e implantes caseiros. Perto de tantas estranhezas, sua estatura não era nada de mais. Era difícil se sentir esquisito em um lugar em que todo mundo era estranho. Jenks achava aquilo reconfortante.

Seguiu pelos caminhos, fazendo anotações mentais de lugares para visitar mais tarde. Ele já conhecia bem o Porto e sabia que só havia uma loja digna de se visitar primeiro, antes de começar a gastar créditos por aí.

Chegou a um estabelecimento cuja fachada não era tão sofisticada quanto a dos outros. A placa acima da entrada tinha sido aproveitada de um circuito quebrado. Algumas peças de sucata foram enfiadas no circuito para formar as letras. "O Balde Enferrujado", dizia a placa. E, em letras menores: "Loja de reparos e trocas". Além disso, em letras ainda menores: "Donos: Sálvia e Azul".

Jenks ficou na ponta dos pés para olhar por cima do balcão. Sálvia estava debruçada sobre uma bancada de trabalho, de costas para ele, falando sozinha. Ergueu a mão para coçar a parte de trás da cabeça humana careca, deixando uma mancha de graxa. Se reparou na sujeira, não deu importância a ela.

"Ei, moça!", gritou Jenks. "Sabe onde posso conseguir uns estimbôs por aqui?"

Sálvia se virou, sem nem tentar esconder a irritação com a pergunta idiota. Seu rosto se iluminou ao perceber de quem a pergunta tinha vindo. "Jenks!", disse, limpando as mãos no avental e contornando o balcão. "O que está fazendo aqui?" Ela se ajoelhou para lhe dar um abraço amigável. O abraço foi caloroso, mas os seus braços eram magros. Magros demais. Desde que Jenks conhecia Sálvia, seus abraços sempre lhe provocavam uma pontada de pena.

Sálvia e seu companheiro, Azul, tinham escapado de um dos planetas à margem chamado Aganon, um dos últimos bastiões do movimento pela Humanidade Elevada. Excluídos da Diáspora e da Comunidade Galáctica sem possibilidade de retorno, as colônias Elevadas geravam a própria população em câmaras gestacionais, baseando o seu genótipo em cálculos sobre o que seria necessário na sociedade quando alcançassem a maturidade. Os genes eram, então, modificados de maneira radical, até ficarem irreconhecíveis, melhorando a saúde, a inteligência e as habilidades sociais — o que quer que fosse necessário para os empregos que as pessoas estavam destinadas a ter. Trabalhos menores eram realizados por indivíduos criados sem alterações genéticas além de duas: infertilidade e calvície (para serem facilmente reconhecíveis). Os Elevados tinham tanta certeza da sua superioridade em relação à classe trabalhadora que estavam completamente despreparados para a surpreendente fuga de Sálvia, que começou no fim da infância quando ela escapou de uma das fábricas de tecnologia e culminou em um imenso depósito de ferro-velho que se tornou o seu lar temporário. Lá, em meio a inúmeras outras coisas jogadas fora, Sálvia encontrou um tesouro escondido: um ônibus interestelar abandonado. Usando apenas as sucatas que encontrava no local, Sálvia consertou, fez gambiarras e tentou de tudo para trazer o ônibus de volta à vida. Ela levou seis padrões para consertá-lo e quase mais um até roubar combustível suficiente. O custo da sua liberdade foi a desnutrição, que quase a matou antes do ônibus ser encontrado por uma nave patrulheira da CG. Já havia oito padrões que ela morava em Porto Coriol, tempo suficiente para se tornar um membro importante da comunidade modificadora, e a sua saúde tinha sido bem cuidada nesse período. Embora Sálvia amasse comer (tinha adotado esse nome depois de descobrir as alegrias dos temperos), o metabolismo dela nunca se adaptou. Seu corpo magrelo continuaria assim para sempre.

O fato de Jenks e Sálvia estarem no mesmo cômodo — ela vinda de um mundo onde a genedificação era obrigatória; ele nascido de uma mãe que rejeitou por completo os cuidados médicos tradicionais — era prova de como o Porto era aberto a todos, e também de como a humanidade era estranha. Devia ser por isso que ele e Sálvia se davam tão bem, por compaixão ou divertimento. Bem, por isso e por seu profundo e inesgotável amor por todas as coisas digitais. Isso com certeza ajudava.

"Como está a *Andarilha*?", perguntou Sálvia. Essa era sempre a primeira pergunta dela, e não era só para jogar conversa fora. O interesse na nave dele (em todas as naves, aliás) era sincero.

"Voando bem, como sempre. Acabamos de fazer um furo às cegas para Bottas Welim."

"É a nova colônia aeluoniana, não é?", perguntou Sálvia.

"Isso mesmo."

"Como foi?"

"Tudo nos conformes. Só que a nossa nova guarda-livros não gostou muito da subcamada. Blergh!" Ele gesticulou, imitando uma explosão saindo da sua boca.

Sálvia riu. "Ah, quero ouvir todas as fofocas. Você tem tempo para tomar uma xícara de mek depois de fazermos negócios? Construí um infusor que vai mudar a sua vida."

"Então não posso recusar."

"Ótimo. E agora? Vocês já têm um próximo trabalho?"

"Na verdade, sim", disse Jenks, orgulhoso. "Ficou sabendo da aliança com os toremis?"

Sálvia revirou os olhos. "Sinceramente, não sei de onde tiraram que essa vai ser uma boa ideia."

Jenks riu. "Também não sei, mas nós arrumamos um ótimo trabalho com isso. De Tokath para Hedra Ka. Nós vamos furar."

"Mentira!", disse Sálvia, boquiaberta. "Vocês vão para o Núcleo?"

"Vamos. Com um furo ancorado, por sinal."

"Caramba, sério? Vai ser uma viagem longa. Quanto tempo vai levar?"

"Quase um padrão. Com tudo pago pela CG. Só precisamos chegar lá e furar de volta."

Sálvia sacudiu a cabeça. "Bom para vocês, mas fico feliz de não ser eu." Ela riu. "Caramba, eu ia ficar doida presa em uma nave por tanto tempo. Mas mesmo assim. O Núcleo. Quantas pessoas podem dizer que já estiveram lá?"

"Pois é."

"Nossa. Bem, isso explica o que você está fazendo aqui. Imagino que tenha uma lista de itens para mim."

"Sim, a maioria dos pedidos é de Kiz. Ela foi comprar outras coisas menores." Jenks lhe entregou o scrib.

"Avisa para Kiz que é melhor ela aparecer por aqui antes de vocês saírem de órbita. Não vou deixar ela ir embora sem me dar um 'oi'."

"Até parece que ela ia deixar isso acontecer. Podemos encontrar você e Azul no lado escuro mais tarde, se estiverem livres. Jantar ou algo assim. Afinal, acabei de receber."

"Gostei muito da ideia. Especialmente se você vai pagar." Ela foi lendo a lista, bem devagar. Ler não era o seu forte. "Certo, moduladores de corrente. Procure Pok, o quelin lá no beco dos robôs. Sabe quem é?"

"Já ouvi falar. Aquele cara é esquisito."

"Isso eu não posso negar, mas não é mau sujeito, e não embala os seus produtos em grax que nem os outros. Vai por mim, os moduladores dele são os melhores."

"Qual o problema de usar grax?"

"É uma proteção boa e barata para eletrônicos, mas afeta os receptores se ficarem embalados por muito tempo."

"Sério?"

"Bem, o pessoal que vende grax discorda, mas juro que os meus componentes têm funcionado melhor desde que parei de comprar coisas embaladas em grax."

"Acredito em você."

Sálvia continuou olhando a lista. "Para os acopladores de interruptores, procure Hish."

"Hish?"

"Na Circuito Aberto. Ela é a dona."

"Ah, tá. Nunca fui na Circuito Aberto. Sempre comprei na Estrela Branca."

"Lá é mais caro que na Estrela Branca, mas as mercadorias são melhores. Diz para Hish que eu falei isso, talvez você ganhe uns créditos de desconto." Voltou à lista. "Circuitos de seis entradas. Esses eu tenho, desde que não se importe se forem usados." Ela pegou um pacote de circuitos embalados à mão em uma prateleira e os colocou sobre o balcão.

"Os seus usados costumam ser melhores do que os novos", respondeu Jenks. Estava sendo sincero. Sálvia fazia milagres quando se tratava de recuperar eletrônicos.

Ela sorriu. "Você é muito gentil." Voltou a atenção para o scrib. "Revestidores de bobina... Hum, acho que tenho aqui em algum lugar..." Tateou os produtos e jogou uma sacola de pequenos componentes metálicos no balcão. "Aí estão. Revestidores de bobina."

"Quanto custam?" Jenks empurrou o protetor de pulso.

Ela balançou a mão, dispensando a pergunta.

"Você vai pagar um jantar para nós. Estamos quites."

"Tem certeza?"

"Tenho."

"Muito bem." Jenks pigarreou e baixou a voz. "Sálvia, estou procurando uma coisa que não está na lista."

"Pode falar."

"Só por curiosidade, nada sério." Era, claro, um pedido muito sério, mas precisava ter cuidado, mesmo com uma amiga como ela.

Sálvia assentiu devagar, compreendendo. Apoiada na bancada, inclinou-se para a frente, falando em sussurros. "Está me perguntando hipoteticamente. Entendi."

"Isso." Ele fez uma pausa. "O que você sabe sobre kits corporais?"

Sálvia ergueu as sobrancelhas. Ou a parte do rosto onde as suas sobrancelhas estariam se ela tivesse pelos. "Caramba, você vai direto ao ponto, hein?"

"Olha, sei que esses kits são difíceis de encontrar..."

"Difíceis de encontrar? Jenks, essa tecnologia é tão proibida que na prática não existe."

"Mas tem que haver alguém que faça. Algum modificador em um abrigo subterrâneo em algum lugar..."

"Ah, aposto que sim. Mas não conheço ninguém assim, de cara." Ela analisou o seu rosto. "Para que quer um kit corporal?"

Jenks brincou com o alargador na orelha esquerda. "Se eu dissesse que é pessoal, poderíamos parar por aí?"

Sálvia não respondeu, mas Jenks podia ver nos seus olhos que ela já estava matando a charada. Sabia com o que ele trabalhava. Já tinha ouvido Jenks falar sobre Lovey, embora apenas por alto. Ele sentia que estava começando a suar. *Estrelas, eu devo parecer ridículo*, pensou. Mas Sálvia apenas sorriu e deu de ombros.

"Como quiser." Ela ficou pensativa, o rosto sério. "Mas, vou falar uma coisa, como amiga. Se você conseguir um kit corporal... e sim, se por alguma sorte astronômica eu encontrar um fornecedor, entrarei em contato... Espero que saiba mesmo o que está fazendo."

"Vou tomar cuidado."

"Não, Jenks", disse Sálvia. Não estava aberta a discussões. "Não estou falando de você ser preso. Estou falando de você fazer algo perigoso. Odeio essa coisa de olha-como-o-meu-passado-é-triste, mas ouça: sou o produto final de pessoas estúpidas e bem-intencionadas que acharam que redefinir a humanidade era uma ótima ideia. Não começou de forma grande. Uma mudança aqui, um ajustezinho ali. Mas foi crescendo, como sempre acontece, até virar algo completamente ensandecido. É por isso que kits corporais são banidos. Algumas pessoas que entendem muito mais de ética do que eu ou você decidiram que a CG não estava pronta para sustentar uma nova forma de vida. Sim, do jeito que as coisas estão agora, IAs são tratadas como merda. Sabe que eu sou a favor de que elas tenham direitos. Mas é uma questão complicada, e, embora eu deteste dizer isso, os kits corporais talvez não sejam a solução. Então, mesmo que as suas intenções sejam inocentes, pense bem no que está fazendo. Pense se está pronto para esse nível de responsabilidade." Ela ergueu as mãos magras. Suas palmas eram marcadas por cicatrizes, o resultado de uma década revirando um ferro-velho cheio de sucatas afiadas. Lembranças da fome, do medo e de um mundo que deu errado. "Pense nas possíveis consequências."

Jenks considerou bastante o assunto. "Se você tem uma opinião tão formada", perguntou, por fim, "por que me falaria se encontrasse um fornecedor?"

"Porque você é meu amigo", disse, e não havia mais rispidez na voz. "E é isso que faço, ponho as pessoas em contato. E, se está mesmo decidido a seguir em frente, prefiro que consiga o kit comigo, não com um charlatão qualquer. Mas, verdade seja dita, estou torcendo para que, até eu encontrar alguém, você tenha decidido que eu estou com a razão e que esta é uma péssima ideia." Sálvia pôs uma pequena placa no balcão: *Estou nos fundos, grite se precisar de alguma coisa*. "Vamos lá, a gente precisa de um pouco de mek. E quero ouvir mais sobre essa novata espaceada."

Ashby estava sentado no quarto de hotel pelo qual havia pagado uma hora antes. Estava pensando em aquabol. Não que ligasse muito para o esporte, mas era mais fácil do que a alternativa. Quando acordara naquela manhã, estava preparado para um dia de pechinchar e gastar créditos, cujo ponto alto poderia ser tomar umas bebidas e fazer uma boa refeição em um bar tranquilo. Agora, estava no lado escuro de Coriol, cercado por grossos travesseiros e paredes cheias de pinturas horrendas, à espera de Pei, que não só estava sã e salva, mas por perto e interessada em fazer sexo com ele. Aquabol era mais fácil de processar.

*Tudo bem. Os finalistas da Copa dos Titãs, ano 303. Vamos ver. Os Toucas Brancas deviam estar jogando, pois Kizzy ficou maluca quando Kimi St Clair rompeu um ligamento. Os Estreláticos também estavam disputando, certo? Estavam, você deu um casaco dos Estreláticos para Aya de aniversário. Ela tinha falado que eles eram o seu time favorito.*

Se deixados correr livres, seus pensamentos mais pareciam uma cápsula de subcamada, indo e vindo antes que ele pudesse se focar em um e resolvê-lo. Tinha muitos sentimentos vindo à tona ao mesmo tempo. Alívio por Pei estar segura. Alegria, pois a veria a qualquer momento. Uma preocupação sem sentido de que os seus sentimentos por ele teriam desaparecido. Também estava determinado a seguir a deixa dela (só as estrelas sabiam como Pei estaria se sentindo depois de tantas decanas perto dos conflitos). E havia o medo. O medo que sentia sempre que se encontravam. Medo de que nas decanas seguintes, depois que ela retornasse a uma área mais perigoso, esse "olá" acabasse sendo um "adeus".

*Não, não, os Estreláticos devem ter sido em 302, não 303. Foi nesse aniversário que a Aya ganhou o primeiro scrib, o que quer dizer que ela estava começando na escola. Ou seja, 302.*

Também havia uma vaga ansiedade, a preocupação de que dessa vez seriam pegos. Não achava que tivesse esquecido nenhuma das precauções. Os dois já estavam craques no esquema para evitar chamar atenção. Ele sempre encontrava um hotel — nada muito chique, um pouco fora do caminho e de preferência onde jamais tivessem estado antes. Ele deixava claro na recepção que precisava descansar e que não queria ser perturbado por motivo algum. Quando pegava um quarto, mandava uma mensagem para Pei apenas com o nome do hotel e o número do quarto, que ela deletava depois de ler. Duas horas mais tarde, uma demora suficiente para não levantar suspeitas, ela chegaria ao hotel e pediria o quarto ao lado do dele. Isso não era difícil, pois a numerologia complexa era parte da cultura tradicional aeluoniana. Havia tantos sistemas conflitantes para encontrar sentidos em sequências numéricas que, independente do quarto de Ashby, Pei sempre conseguia achar uma justificativa para o número que escolhia. Um atendente não aeluoniano partiria do pressuposto de que Pei queria um quarto com um número que simbolizasse paz ou saúde, enquanto um aeluoniano apenas a consideraria meio conservadora para a idade (e talvez um pouco boba). Depois de se acomodar no seu quarto, Pei dava uma batida na parede. Ashby verificava se o corredor estava vazio, então ia para o quarto dela. E pronto.

Era um caminho tortuoso só para poderem se ver, mas era necessário. Embora aeluonianos fossem generosos e tolerantes com os vizinhos galácticos, casais interespécies ainda eram um tabu. Ashby não entendia a lógica por trás disso — a maioria dos humanos não ligava para essa questão, ao menos quando se tratava de espécies bípedes —, mas entendia o perigo para Pei. Ao se relacionar com um alienígena, um aeluoniano poderia perder a família e os amigos. Ela poderia perder o emprego, ainda mais por trabalhar com o governo. E, para alguém como Pei, que se orgulhava do seu trabalho duro e da sua competência, esta seria uma grande humilhação.

*Ashby, concentre-se. Os Toucas Brancas... Os Martelos... Os... os Falcões? Não, eles não chegam à semifinal desde que você trabalhava na* Amanhecer. *Mas e o... ah, pelas estrelas, Ashby. Vamos lá. Aquabol.*

Além de todas as distrações emocionais que tentava evitar, Ashby estava travando uma batalha interna entre cérebro e biologia. Era quase certo que os dois iriam transar, mas não queria ser presunçoso. Não fazia ideia do que ela havia passado antes desse encontro, então, até saber direito como ela estava, ia esperar até que Pei tomasse a iniciativa. E mesmo que ela quisesse o mesmo que ele... bem, ele ainda tinha boas maneiras. Mesmo que o corpo estivesse com pressa.

*Ashby. As semifinais de aquabol. Ano 303. Os Paraquedistas venceram. Quem mais...*

Uma batida na parede, baixa mas inconfundível.

Deixou a Copa Titã para lá.

"Sabão!", exclamou Kizzy, apontando para uma barraca de produtos para banho. "Olha só! Parecem bolos!" Saiu correndo, a gigantesca bolsa de compras batendo nas suas costas.

"Até que eu estou precisando de um esfoliante de escamas", disse Sissix. Ela e Rosemary seguiram a técnica mecânica, que já estava investigando as cestas à mostra.

A venda pertencia a um mercador harmagiano, cujos produtos atendiam a diferentes espécies. Escovas ásperas e conjuntos de ervas para as saunas aandriskanas, barrinhas efervescentes e bálsamos térmicos para as gélidas imersões de banheira tão amadas pelos aeluonianos, raspadores de pele e tônicos purificadores para harmagianos e uma modesta mas interessante seleção de sabonetes humanos, xampus e dezenas de jarras, garrafas e latas que Rosemary não soube identificar. As espécies sapientes da galáxia conseguiam achar muitas semelhanças culturais, mas poucos temas eram tão controversos quanto a maneira apropriada de se limpar.

O harmagiano — a cor das manchas nas suas costas indicava que era macho — se aproximou em seu carrinho guinchante quando as três se aproximaram. "Um agradabilíssimo dia para vocês, prezadas convidadas", cumprimentou, os tentáculos no queixo se enroscando alegremente. "Estão apenas dando uma olhada ou têm algo especial em mente?" As clavas dos seus três tentáculos frontais se abriram em um gesto prestativo. Era velho, a pele pálida e amarela que cobria o seu corpo amorfo não tinha a umidade característica da juventude.

Rosemary já conhecera harmagianos — seu professor de hanto, por exemplo, e vários outros que o pai dela sempre convidava para jantar —, mas sempre achava difícil aceitar que uma raça com aquela aparência tinha uma história tão incrível. A pessoa diante dela, como todos os da sua espécie, era uma massa como a de um molusco incapaz de ser mover rapidamente sem a ajuda de um carrinho. Não tinha dentes ou garras. Não tinha nem *ossos*. Ainda assim, de alguma maneira, houve uma época em que sua espécie tinha o controle de uma área significativa da galáxia (e ainda controlava, caso você analisasse para onde iam os créditos, mas ao menos pararam de dominar os sapientes nativos de outros planetas). Certa vez, Rosemary lera um artigo escrito por um historiador aeluoniano que afirmava que a fragilidade física dos harmagianos fora justamente o que os ajudara a desenvolver uma tecnologia superior às das outras espécies. "Vontade e inteligência", escrevera o historiador, "são uma combinação perigosa".

Quando considerou o contexto histórico, Rosemary achou que a presença delas na sua loja era uma imagem curiosa: um harmagiano (o filho idoso de um antigo império), uma aandriskana (cujo povo tinha mediado as conversas que levaram à independência das colônias harmagianas e, em última análise, à fundação da CG) e duas humanas (uma espécie insignificante que teria sido o alvo perfeito caso houvesse sido descoberta na época das conquistas harmagianas). Todos juntos, discutindo a venda de sabonetes. O tempo era um equalizador curioso.

Kizzy estava fuçando os produtos. "Você tem... ah! Posso perguntar em hanto? Estou fazendo um curso pela Rede e queria praticar."

Sissix olhou Kizzy com ceticismo. "Desde quando?"

"Não sei, uns cinco dias?"

As fendas nas pontas dos tentáculos do harmagiano se enrugaram, mostrando seu divertimento. "Por favor, quero ouvir."

Kizzy limpou a garganta e tossiu algumas sílabas capengas. Rosemary se encolheu. Não só o que Kizzy falara não tinha feito sentido como, sem os gestos que deveriam acompanhar os sons, a tentativa saíra bem rude.

O harmagiano apenas gargalhou, porém. "Ah, prezada convidada", disse, os tentáculos tremendo. "Me perdoe, mas a sua pronúncia foi a pior que já ouvi."

Kizzy abriu um sorrisinho envergonhado. "Ai, droga." E começou a rir.

"Não é culpa sua", falou o harmagiano. "Humanos têm muita dificuldade de imitar as nossas mudanças tonais.

Rosemary pôs a mão perto da clavícula e balançou os dedos, como fizera muitas vezes. Era uma imitação tosca dos tentáculos, mas era o melhor que um humano podia fazer. "*Pala, ram talen, rakae'ma huk aesket'alo'n, hama t'hul basrakt'hon kib* — disse. *Talvez, prezado anfitrião, porém, com algum esforço, podemos nos comunicar com as suas refinadas palavras.*

Kizzy e Sissix se viraram para Rosemary ao mesmo tempo, como se a estivessem vendo pela primeira vez. O harmagiano flexionou os tentáculos com respeito. "*E se comunicou muito bem, cara convidada!*", disse ele, usando o seu idioma. "*Você é mercadora espacial?*"

Rosemary esticou os dedos. "*Não sou mercadora, e só recentemente me juntei aos espaciais. Nós três fazemos parte da tripulação de uma nave de perfuração de túneis.*" As palavras eram verdadeiras, mas ainda soavam estranhas, como se pertencessem à vida de outra pessoa. "*Minhas amigas e eu viemos ao Porto para comprar suprimentos.*"

"*Ahhh, uma nave de perfuração! É uma vida repleta de viagens. Vão precisar de muitos suprimentos para se manterem limpas durante a jornada.*" O harmagiano esticou os tentáculos de modo brincalhão. As fendas dos olhos se dilataram quando se virou para Kizzy. "Gostou de alguma coisa?", perguntou em klip.

Kizzy segurou uma barra de sabão vermelho-sangue. "Eu preciso disso", disse, encostando o sabonete no nariz e respirando fundo. "Estrelas, o que é esse cheiro?"

"Esse é feito com fruta-doce", explicou o harmagiano. "Um aroma muito popular na minha terra natal. Claro que lá nós não o misturamos com sabão. Isso que você tem em mãos é uma bela combinação das nossas culturas."

"Vou levar." Kizzy entregou o sabão ao harmagiano. Ele o segurou com os seus dois tentáculos menores, envoltos em uma espécie de luva para proteger a pele delicada. Foi para trás do balcão e começou a embrulhar a compra com papel e fita.

"Aqui está, prezada convidada", disse ao entregar o belo embrulho. "Corte um pedacinho de cada vez; dessa forma, a barra vai durar mais."

Kizzy enfiou o nariz na embalagem mais uma vez. "Nossa, que cheiro bom. Sente só, Rosemary."

Rosemary não pôde deixar de sentir o aroma quando Kizzy enfiou a barra de sabão na sua cara. O cheiro era doce e enjoativo, como bolo. Usar aquele sabonete seria como tomar banho de merengue.

"São oitocentos e sessenta créditos, por favor. Obrigado", disse o harmagiano.

Kizzy estendeu a mão para Rosemary. "Posso usar a ficha?"

Rosemary não soube o que dizer, sem saber se tinha entendido errado. "Você quer a ficha da nave?"

"É, para o sabonete", disse Kizzy. "A gente pode usar para comprar sabonete, não pode?"

Rosemary limpou a garganta e olhou para o seu scrib. Não, ela não podia usar para comprar sabonete, pelo menos não sabonetes chiques, mas como negaria um pedido de Kizzy? Rosemary tinha chegado à nave dela, e a técnica mecânica a recebera de braços abertos, lhe pagara bebidas (até demais) e era bem mais experiente em perfurar túneis e fazer compras em portos neutros. Mas, mesmo assim...

"Sinto muito, Kizzy, mas só podemos usar a ficha para sabonete comum. Se quiser um sabão especial, vai ter que sair do seu bolso." Odiou as palavras assim que elas saíram da sua boca. Parecia uma estraga-prazeres.

"Poxa...", começou Kizzy.

Sem dizer nada, Sissix agarrou o pulso de Kizzy e o pressionou no escâner do mercador, que emitiu um bipe, indicando que a conta havia sido aceita.

"Ei!", protestou Kizzy.

"Você tem dinheiro", disse Sissix.

"Foi um prazer fazer negócios com vocês", disse o mercador. "Por favor, nos visitem de novo quando voltarem ao Porto." Sua voz era amigável, mas Rosemary podia ver, pelos tentáculos se retorcendo, que a discussão sobre o pagamento o deixara desconfortável. Ela gesticulou, pedindo desculpas silenciosamente. Ele flexionou os tentáculos de modo respeitoso e foi atender outros clientes.

Sissix franziu a testa para Kizzy quando se afastaram da venda. "Kiz, se estivermos passando por uma área turbulenta e eu falar para todo mundo largar o que está fazendo e apertar os cintos, o que você faz?"

"Hã?" Ela parecia confusa.

"Responde logo."

"Eu... paro o que estou fazendo e ponho o cinto."

"Mesmo se for inconveniente?"

"É."

"E se você precisar que todo mundo pare de usar as torneiras porque tem que consertar um cano, o que é *muito* inconveniente, o que fazemos?"

Kizzy coçou a ponta do nariz. "Vocês param de usar as torneiras."

Sissix apontou para Rosemary. "Essa mulher tem o pior trabalho de todos nós. Ela tem que morar na nave com a gente, um bando de teimosos cabeça de poeira, e dizer quais dos nossos velhos hábitos são contra os regulamentos. Isso me parece bem assustador, mas ela vem fazendo isso sem parecer a mãe de uma ninhada recém-chocada. Então, mesmo que nem sempre seja conveniente, temos que ouvi-la quando ela precisa fazer o trabalho dela, porque nós esperamos que ela faça o mesmo pela gente." Ela olhou para Rosemary, que estava ocupada torcendo para que o chão a engolisse. "E você, Rosemary, tem o direito de dar um esporro na gente em situações assim, porque não passar em uma inspeção ou ter a licença suspensa por não pagar uma fatura trazem tantos problemas para a tripulação quanto o resto das coisas."

"Deixar de pagar uma fatura não vai fazer a gente ser sugado pelo espaço", murmurou Kizzy.

"Você entendeu o que eu quis dizer", disse Sissix.

Kizzy suspirou. "Rosemary, me desculpe por ser uma idiota", falou, olhando para os próprios pés. Ergueu a barra de sabonete como se estivesse oferecendo-a a uma rainha. "Por favor, aceite este sabonete como um pedido de desculpas."

Rosemary riu. "Não tem problema", disse, aliviada por ela não ter sido considerada a idiota. "Pode ficar com o sabonete."

Kizzy pensou no assunto. "Posso pelo menos pagar o seu almoço?"

"É sério, não precisa."

"Deixa ela comprar comida para você", disse Sissix. "Ou ela vai aparecer com algum outro presente ridículo para se redimir."

"Ei, você gostou dos Doze Dias de Bolos de Geleia!"

"Gostei mesmo", admitiu a aandriskana. "Queria que você quebrasse o meu scrib mais vezes."

"Eu derrubei em um caldeirão de sopa", confessou Kizzy.

"E enfiou o braço lá dentro para tentar pegá-lo", contou Sissix.

"Foi por reflexo!"

"E aí passou a hora seguinte na enfermaria tratando as queimaduras."

"Que seja. Você ganhou os seus bolos de geleia, não precisa ser má."

Sissix apontou para o scrib de Rosemary. "A gente precisa de mais alguma coisa neste distrito antes de ir comer?"

Rosemary deu uma olhada na lista. "Acho que não. Mas você não disse que queria esfoliante de escamas?"

"É, mas não gostei dos produtos dele. Vocês se importam se a gente continuar procurando?"

As três foram de barraca em barraca atrás do esfoliante. Após diversas negativas e pedidos de desculpas, um olhar confuso e um laruano de pescoço comprido que jurou que seus sais holísticos do deserto funcionariam tão bem quanto o esfoliante, Kizzy deu um puxão no traje de Sissix. "Aposto que aquela mulher tem", disse ela, apontando.

"Onde?" Sissix se virou. A expressão dela se tornou mais suave quando viu a vendedora, uma velha aandriskana sentada sob um pequeno toldo de tecido, cercada dos três lados por mesas cheias de produtos artesanais. Suas penas eram desbotadas e não tinham muito volume. Sua pele estava toda rachada, parecendo couro velho, e apesar de as vestes simples — calças folgadas — serem coloridas e limpas, seus ombros curvados lhe davam um ar solene.

Sissix murmurou algo em reskitkish. Rosemary não entendeu as palavras sibilantes, mas viu Kizzy erguer as sobrancelhas. Sissix tocou rapidamente as suas companheiras. "Desculpe, gente, esperem um segundo. Vou tentar não demorar." Ela foi na direção da mulher, que estava distraída mexendo uma caneca de alguma bebida quente e ainda não tinha reparado em Sissix.

Rosemary e Kizzy se entreolharam.

"Você entendeu o que ela disse?", perguntou Rosemary.

"O meu reskitkish é péssimo. Mas ela parecia chateada. Não sei o que vai fazer." Kizzy indicou um banco próximo com a cabeça. "Acho que vamos ter que esperar um pouco."

Elas se sentaram. Diante delas, a mercadora olhou para Sissix. A velha aandriskana sorriu, mas parecia hesitante, como se estivesse com vergonha de alguma coisa. Rosemary conseguia ver a boca de Sissix se mover, mas não ouvia nada (não que fosse entender a língua, de qualquer forma). Conforme falava, Sissix gesticulava de modo sutil, movendo as mãos como pequenos bandos de pássaros voando juntos. As mãos da mulher mais velha começaram a se mover em resposta. No começo, os gestos eram diferentes, mas, conforme a conversa avançou, passaram a se tornar iguais.

"Você entende os gestos aandriskanos?", perguntou Rosemary.

Kizzy desviou os olhos da mecha de cabelo que estava trançando. "Não muito. Sis me ensinou alguns, mas só os básicos, tipo 'oi', 'obrigada', 'gosto da sua companhia, mas não estou interessada em sexo'.".... Olhou para Sissix e a vendedora. Então balançou a cabeça. "Não faço ideia. Elas são muito rápidas. Mas Sissix também está falando em voz alta, o que é interessante."

"Por que ela está falando se está usando linguagem de sinais?"

"Não, não é uma linguagem de sinais. Os gestos não são uma forma de reskitkish."

Rosemary ficou confusa. "Eu sei que é uma pergunta idiota, mas o que eles são, então? São tipo expressões faciais? Ou os gestos de hanto?"

"Não." Kizzy tirou um laço do bolso e amarrou na trança. "Os gestos são para coisas básicas ou pessoais demais para perder tempo com palavras."

"Pessoais demais?"

"É, as coisas que são importantes ou difíceis de dizer. Coisas que você ama, ou odeia, ou tem medo. Sabe quando tem que falar algo importante para alguém e aí começa a gaguejar ou fica na frente de um espelho praticando o que vai dizer? Os aandriskanos não perdem tempo com isso. Eles deixam os gestos cuidar dos embaraços. Acham que os sentimentos mais profundos são universais o suficiente para ser definidos por um movimento da mão ou coisa do tipo, mesmo que os acontecimentos que provocam esses sentimentos sejam únicos."

"Isso deve economizar um bom tempo", comentou Rosemary, pensando em quanto da sua vida tinha sido gasta tentando achar as palavras certas em uma conversa difícil.

"É mesmo. Mas antigamente eles também usavam os gestos enquanto falavam. Serviam para enfatizar o que estava sendo dito, assim as pessoas sabiam que você estava sendo sincero. Sissix diz que ainda dá para usar assim, mas é algo antigo, e só fazem isso em circunstâncias especiais." Ela olhou para a barraca, onde as duas aandriskanas gesticulavam em sincronia. "Isso que Sissix está fazendo quer dizer que ela está sendo muito respeitosa. E sincera."

"Mas ela não conhece a mercadora, conhece?"

"Não sei. Acho que não. Mas a mulher tem mais idade, então talvez Sissix esteja sendo tradicional por causa dela."

Rosemary ficou observando as aandriskanas. Suas mãos se moviam em uma rápida dança graciosa. "Como elas conseguem fazer exatamente os mesmos gestos?"

Kizzy deu de ombros. "Acho que estão concordando com alguma coisa." — A mecânica ergueu as sobrancelhas. "Ah. Talvez com *aquilo*."

Sissix se sentou com as costas apoiadas em uma das mesas, afastando as pernas. A outra mulher se sentou entre as pernas abertas de Sissix, com as costas apoiadas na barriga da aandriskana mais jovem. Elas ajustaram os rabos. A desconhecida apoiou a cabeça no peito de Sissix, fechando os olhos. A piloto pôs a palma da mão sobre a barriga da outra mulher, aconchegando-a. Ela ergueu a outra mão, abrindo bem os dedos, e começou a acariciar a cabeça da outra aandriskana, correndo-os pelas suas penas. Para olhos humanos, as duas pareciam duas amantes se reencontrando entre quatro paredes, não duas estranhas em um mercado a céu aberto. Mesmo do outro lado da rua, era fácil decifrar a expressão da desconhecida: estava em êxtase.

Rosemary ficou perplexa. Sabia que aandriskanos eram desinibidos (pelos padrões humanos, lembrou a si mesma), mas isso ia além das suas expectativas.

"Hã... Então..."

"Não faço ideia", disse Kizzy. "Aandriskanos, hein? Não faço a menor ideia." Ficou em silêncio por alguns segundos. "Você acha que elas vão...?", perguntou, inclinando-se para a frente com curiosidade infantil. "Aposto que sim. Caramba, será que é permitido aqui? Tomara que elas não façam."

Contudo, as aandriskanas não copularam, embora tenham continuado a demonstração de intimidade espontânea por mais uma meia hora, acariciando penas e esfregando bochechas, sem ligar para os transeuntes. Em determinado momento, dois aandriskanos passaram sem nem olhar na direção delas, como se não houvesse nada de mais na cena. Rosemary não sabia se devia desviar os olhos ou não. Era óbvio que Sissix não estava preocupada com quem estava olhando. Conforme Rosemary continuava a observá-las, a estranheza do ato começou a se dissipar. Era diferente, sim, e ocorrera muito de repente, mas não lhe causava desconforto agora. Havia uma beleza estranha naquele ato, algo sobre a maneira como as mãos se moviam, a naturalidade com que tocavam uma à outra. Embora fosse desconcertante, Rosemary começou a sentir uma pontinha de inveja — não sabia se da mulher ou de Sissix. Queria que alguém lhe desse tanta atenção assim sem motivo. Queria ser confiante o suficiente para retribuir um gesto daqueles.

Finalmente, a mulher mais velha moveu uma das mãos. Sissix a soltou e a ajudou a se levantar. Começaram a olhar os produtos. Sissix escolheu um pote de esfoliante de escamas. Escaneou o seu pulso. As duas trocaram mais algumas palavras, sem gestos dessa vez. Apenas uma discussão normal entre cliente e vendedora, ainda mais surreal considerando-se o que havia acabado de se passar entre elas.

A mulher mais velha ergueu a mão e, com uma careta de dor, arrancou uma das suas penas. Ela estendeu a pena — um azul esmaecido — para Sissix, que a pegou, inclinando respeitosamente a cabeça. Sua expressão era grata.

"Uau, nossa", disse Kizzy, pondo as mãos sobre o peito. "Ainda não sei bem o que está acontecendo, mas fiquei derretida agora."

"Por quê?" Rosemary continuou encarando as aandriskanas, como se pudesse entender a situação se as olhasse por tempo suficiente. "O que isso significa?"

"Você já viu o quarto de Sissix?"

"Não."

"Então, na parede dela tem uma moldura chique bem grande com um monte de penas aandriskanas penduradas. Todo aandriskano tem um desses, até onde eu sei. É que se você é um aandriskano e alguém toca a sua vida de alguma maneira, você dá uma das suas penas àquela pessoa. E você guarda as penas que recebeu dos outros como um símbolo de quantos caminhos já cruzou. Ter um monte de penas na sua parede mostra que você teve um impacto em bastante gente. Essa é uma prioridade na vida de muitos aandriskanos. Mas eles não dão penas por nada, tipo, só porque alguém ajudou você a carregar compras ou lhe pagou uma bebida. Tem que ser uma experiência inesquecível, mas pode ser entre estranhos. Ih, olha lá." Kizzy apontou com o queixo para Sissix, que estava dando uma das suas penas à mulher.

"Sissix já deu uma pena para você?", perguntou Rosemary.

"Já, faz um tempo, depois que ela recebeu a notícia de que um dos seus pais do ninho morreu. Ele já era velho, mas ela ficou bem chateada. Coloquei ela no nosso ônibus e fomos até o meio de uma nebulosa, aí deixei ela gritar por algumas horas. Ganhei uma pena na manhã seguinte. Acho que todo mundo na tripulação já ganhou uma pena de Sissix. Bem, acho que Corbin não. Provavelmente não."

Sissix se afastou da mulher e foi até o banco onde elas estavam sentadas, trazendo o pote de esfoliante de escamas. Ela olhou de Kizzy para Rosemary. "Eu... acho que devo uma explicação."

"É, acho que sim", disse Kizzy. "Uma explicação seria ótimo."

Sissix indicou a rua com um movimento da cabeça, querendo que as duas a seguissem. "Uma pessoa da idade dela já deveria estar com a família do lar, criando uma ninhada."

Rosemary tentou se lembrar de tudo o que já lhe haviam dito sobre a estrutura familiar dos aandriskanos. Os mais jovens eram criados pelos mais velhos da comunidade, não pelos pais biológicos. Até aí ela sabia. Havia vários estágios familiares pelos quais aandriskanos passavam com a idade. Mas não conhecia mais detalhes além disso.

"Talvez ela não queira", disse Kizzy. "Talvez ela prefira ficar por aqui."

"Não", disse Sissix. "É porque ela não consegue socializar muito bem."

"Ela é tímida?", perguntou Rosemary.

"Ela é uma *rashek*. Não tem uma palavra para isso em klip. Ela tem uma doença que dificulta a interação com outros. Tem dificuldade de entender a intenção das pessoas. E fala de um jeito diferente, isso ficou claro quando me aproximei dela. Eu me ofereci para copular, mas ela não quis ir tão longe. Então sim, ela é tímida, mas também tem dificuldade de ler as pessoas. Isso a faz agir de um jeito meio... bem, por falta de palavra melhor, *esquisito*."

"E por que você ficou deitada abraçada com uma pessoa esquisita?"

"Só porque ela é esquisita não significa que não mereça companhia. Se ela administra uma venda em vez de estar morando em uma fazenda, então *não tem* uma família do lar. E, tudo bem, alguns idosos escolhem não ter uma família do lar, mas ela não tem nem mesmo uma família de penas. E isso é..." Sissix teve um calafrio. "Estrelas, não consigo imaginar nada pior do que isso."

Rosemary olhou para Sissix. Não tinha entendido os termos familiares, mas, mesmo assim, algo fez sentido. "Você estava consolando ela. Só isso. Queria que ela soubesse que alguém se importa."

"Ninguém deveria ficar sozinho", disse Sissix. "Ficar sozinha, sem jamais ser tocada... não há punição pior. E ela não fez nada de errado. Só é diferente."

"Tem um monte de aandriskanos por aqui. Por que eles não fazem nada por ela?"

"Porque não querem", disse Sissix, a voz se tornando raivosa. "Você viu os dois que passaram quando eu estava com ela? Aposto que são daqui. Eles a conheciam, deu para ver pelo olhar deles. E não estão nem aí. Ela é uma inconveniência." As penas de Sissix estavam arrepiadas. Ao falar, ela mostrava as presas afiadas.

"Não se deixe enganar pela conversa calorosa e os abraços", disse Kizzy para Rosemary. "Os aandriskanos também podem ser babacas."

"Ah, nós podemos, com certeza", disse Sissix. "De qualquer forma, desculpa ter deixado vocês esperando. Espero não tê-las deixado sem graça. Sei que os humanos..."

"Não. Foi muita bondade sua." Rosemary observou a aandriskana enquanto ela andava ao seu lado. Seu corpo era estranho, seus hábitos eram estranhos, mas, apesar disso tudo, Rosemary sentia profunda admiração por ela.

"Sim, maravilha, viva Sissix", disse Kizzy. "Mas agora estou morrendo de fome. O que vocês querem comer? Macarrão? Espetinhos? Sorvete? Nós somos adultas, podemos almoçar sorvete se a gente quiser."

"Melhor não", disse Sissix.

"Ah, é, tinha esquecido", disse Kizzy, rindo. "Sorvete deixa a boca dela mole."

Sissix moveu a língua com desaprovação. "Não consigo entender por que alguém ia querer fazer uma comida *congelada*."

"Ah! Que tal um nhoto?", sugeriu a técnica mecânica. "Eu adoraria um agora. Hum, pimenta, cebola crocante e um pãozinho tostado..." Olhou para Rosemary com olhos suplicantes.

"Nem lembro a última vez que comi um nhoto", disse Rosemary. Era mentira. Nunca tinha comido um. Hambúrgueres de gafanhoto eram comida de rua, um tipo de gastronomia com a qual não estava familiarizada. Tentou imaginar como a mãe reagiria se a visse comendo um sanduíche de inseto embrulhado em papel gorduroso, dividindo a mesa com modificadores, contrabandistas e ladrões de braços com implantes. Sorriu. "É uma ótima ideia."

Ashby correu a mão pelo torso nu pressionado contra o seu. Já tivera muitas pessoas antes dela. Já sentira diferentes peles. Mas nenhuma como a dela. Pei era coberta de pequenas escamas — não uma camada grossa como a de Sissix, mas lisas, interligadas. Sua pele era prateada, a ponto de quase refletir a luz, como um peixe em um rio. Não importava quanto tempo já passara olhando para ela, não importava quão à vontade ele se sentia em sua presença, ainda havia momentos em que olhava para ela e ficava sem palavras.

Era pura sorte, claro, que os aeluonianos com frequência tivessem todas as características que constavam na lista do que os humanos costumam achar atraentes. Em escala galáctica, a beleza era um conceito relativo. Todos os humanos concordavam que os harmagianos eram horrorosos (a recíproca também era verdadeira). Quanto aos aandriskanos, aí já dependia da pessoa. Alguns gostavam das penas, outros não conseguiam ignorar os dentes e as garras. Os rosks, com as suas perninhas deslizantes e os seus dentes irregulares, já pareceriam saídos de um pesadelo mesmo se não tivessem o hábito de bombardear as colônias na fronteira. Mas os aeluonianos, por algum acaso feliz da evolução, tinham uma aparência que fazia a maioria dos humanos ficar de queixo caído, levantar as mãos para o céu e dizer "tudo bem, vocês *são* uma espécie superior". Os braços e as pernas compridos, assim como os longos dedos, eram inegavelmente alienígenas, mas se moviam com uma graciosidade fascinante. Seus olhos eram grandes, mas não grandes demais. Suas bocas eram pequenas, mas não pequenas demais. Na experiência de Ashby, era difícil achar um humano que não fosse apreciar a beleza aeluoniana, mesmo que apenas em termos estéticos. As mulheres não tinham seios, mas, depois de conhecer Pei, Ashby descobriu que podia viver sem eles. Seu eu adolescente teria ficado horrorizado.

Deitado ao seu lado, Ashby se sentia um monstro cabeludo e desajeitado. Entretanto, considerando o que tinham passado as últimas duas horas fazendo, concluiu que ela não podia achá-lo tão nojento assim. Ou talvez ela não ligasse para ele ser cabeludo e desajeitado. Por ele, tudo bem.

"Está com fome?", perguntou Pei, embora sua boca não tivesse se mexido. Como todos os aeluonianos, sua "voz" era um som computadorizado que vinha de uma caixa-falante instalada na base da garganta. Ela controlava o aparelho com impulsos neurais, um processo que ela comparava com pensar palavras ao digitá-las. Aeluonianos não tinham audição e não precisavam de uma linguagem falada entre eles, pois se comunicavam por cores — mais especificamente, por manchas iridescentes em suas bochechas, que brilhavam e se moviam como uma bolha. Quando começaram a interagir com outras espécies, a comunicação verbal se fez necessária, e assim foram inventadas as caixas-falantes.

"Morrendo de fome", disse Ashby. Ele sabia que, quando falava, os sons saídos da sua boca eram coletados pelo implante disfarçado de joia na testa dela. Como seu cérebro não tinha como processar sons, o implante traduzia as palavras dele para impulsos neurais que ela conseguia entender. Ele não compreendia direito como isso funcionava, mas podia dizer o mesmo de quase todas as tecnologias. Funcionava. Era tudo que precisava saber. "No seu quarto ou no meu?", perguntou. Aquele era outro dos procedimentos de rotina: ter sempre apenas um deles ali quando o serviço de quarto chegava.

"Primeiro vamos ver o que eles têm." Ela pegou um cardápio de uma mesa próxima à cama. "Quais as nossas chances?"

Era uma piada interna antiga, perguntar quais seriam as chances de cada um encontrar algo de que gostasse no cardápio do serviço de quarto. Os cardápios multiespécies tinham boas intenções, mas nem sempre eram bem-sucedidos.

"Setenta a trinta", respondeu ele. "A seu favor."

"Por quê?"

Ele apontou para o cardápio. "Porque eles têm uma seção inteira de ovas."

"Ah, é verdade."

Os olhos de Ashby percorreram o corpo de Pei enquanto ela lia a seção de ovas de peixe. Viu algo no quadril dela — a pontinha de uma cicatriz, grossa e branca. Ele não tinha notado antes, mas estivera um pouco distraído.

"Essa é nova."

"O quê?" Ela virou o pescoço para olhar. "Ah, isso. É." Ela voltou ao cardápio.

Ashby suspirou, um nó familiar surgindo no seu estômago. Pei tinha muitas cicatrizes: várias linhas sobrepostas nas costas, feridas de bala cicatrizadas nas pernas e no peito e até seu implante ficara torto depois de ser atingido por um rifle de pulsação. Seu corpo era uma tapeçaria de violências. Ashby não tinha ilusões quanto aos riscos que a capitã de um cargueiro enfrentava, mas, de alguma forma, suas roupas impecáveis, sua nave cinza polida, sua perspicácia e sua voz suave faziam a atividade parecer muito civilizada. Era só quando via a prova física de que alguém a tinha ferido que ele se lembrava como a vida de Pei era perigosa. A vida que não podiam dividir.

"Devo perguntar?", disse Ashby, correndo o dedo pela pele descolorida. Ela estava deitada em uma posição que o impedia de ver a cicatriz por inteiro, mas ela ia até as costas, ficando cada vez mais larga. "Caramba, Pei, é enorme."

Ela posou o cardápio sobre o peito e olhou para ele. "Você quer mesmo saber?"

"Quero."

"Não vou contar se isso só vai deixar você mais preocupado."

"Quem disse que estou preocupado?"

Ela acariciou as rugas na testa dele com a ponta do dedo. "Você é um amor, mas mente muito mal." Pei se virou, aproximando o rosto do dele. "Houve um... incidente em uma das áreas de descarga."

"Um incidente."

Seu segundo par de pálpebras tremeu, e as bochechas dela ficaram de um amarelo pálido salpicado de vermelho. Ashby jamais conseguiria entender as nuances da sua linguagem de cores, mas estava familiarizado o suficiente a ponto de distinguir emoções. Essa, por exemplo, era algo entre exasperação e vergonha.

"Vai soar muito pior do que realmente foi."

Ashby tamborilou os dedos no quadril dela, aguardando.

"Ai, tá bom. Nós fomos surpreendidos por um esquadrão, bem pequeno, devo dizer, dos rosks. O alvo deles era a base, não a gente, mas acabamos no meio do conflito. Resumindo, acabei na cabeça de uma das suas..."

"Você *o quê*?" Soldados rosks eram feitos para o combate. Isso estava até nos seus genes. Eram três vezes maiores do que um ser humano. Uma massa veloz de pernas e espetos, tudo revestido de queratina. Se fosse com ele, não conseguiria deixar de sair correndo caso se visse diante de uma soldada rosk vindo na sua direção, que dirá *subir na cabeça dela*.

"Já falei que ia parecer ruim. Enfim, a penúltima coisa que ela fez foi se sacudir e me jogar em cima de uma pilha de engradados. Quando eu estava caindo, ela aproveitou para me morder. Eu estava com uma boa armadura protetora, mas a mandíbula de um rosk..." Ela sacudiu a cabeça. "Essa cicatriz no meu quadril foi de quando uma das mandíbulas dela atravessou. Mas isso acabou sendo bom para mim, porque me deu uma boa posição para encontrar um lugar macio para atirar."

Ashby engoliu em seco.

"Então você...?"

"Não, não foi o suficiente para matá-la. O segundo tiro do meu piloto, no entanto, foi." Ela inclinou a cabeça de leve, o segundo par de pálpebras deslizando lateralmente. "Você ficou chateado."

"É difícil não ficar."

"Ashby." Ela tocou a bochecha dele. "Você não devia ter perguntado."

Ele pôs a mão nas costas dela, puxando-a para mais perto. "Quero tanto que essa guerra acabe logo."

"Sabe, a maior parte das minhas cicatrizes" — ela pegou a mão dele e a conduziu pelas marcas na sua pele — "aconteceu no território da CG. Esta aqui foi de um akarak que tentou abordar a minha nave. Esta foi de um contrabandista que não queria que eu o reportasse às autoridades quando descobri os seus robôs falsificados. E esta aqui foi de um genedificador maluco que estava tendo um dia ruim. Ninguém me protege quando estou em espaço não disputado. Ninguém além de mim. No ramo militar, eu ganho escoltas quando saio em espaço aberto, além de guardas armados quando estou descarregando em algum planeta. Em vários aspectos, o trabalho com os militares é mais seguro. E paga melhor. Não é como se me mandassem para o meio de um combate. Assim que descarrego a mercadoria, dou meia-volta e venho para casa."

"Esses... incidentes acontecem com frequência?"

"Não." Ela estudou o rosto dele. "Você está mais incomodado por eu ter sido atacada ou por ter atirado em alguém?"

Ashby fez silêncio por alguns instantes. "De você ter sido atacada. Não ligo de você ter atirado na rosk."

Ela esticou a perna e a passou pela dele. "Não é algo comum de um exodoniano dizer." Pei, como todos os povos da CG, sabia que os exodonianos eram pacifistas. Antes de deixar a Terra em busca do espaço aberto, os refugiados tinham decidido que o único jeito de sobreviver era permanecendo unidos. No que lhes dizia respeito, a história sangrenta e cheia de guerras da sua espécie terminava com eles.

"Não sei se consigo explicar. Gostaria que não houvesse guerra, mas não julgo as outras espécies por entrarem em conflitos. Não consigo me opor ao que você faz. Os rosks matam inocentes em territórios que não pertencem a eles e não estão abertos ao diálogo. Odeio ter que dizer isso, mas, nesse caso, acho que a violência é a única opção."

As bochechas de Pei ganharam um tom laranja solene. "E é mesmo. Só estou nas margens do conflito, mas pelo que vi... acredite em mim, Ashby, esta é uma guerra que precisa ser travada." Ela soltou o ar, pensativa. "Você pensa mal de mim por... não sei, por aceitar fazer negócios com soldados?"

"Não. Você não é uma mercenária. Só leva suprimentos às pessoas. Não há nada de mau nisso."

"Mas e quanto a ter atirado na rosk? A que me mordeu? Você sabe que essa não foi a primeira vez que precisei... me defender."

"Eu sei. Mas você é uma boa mulher. As coisas que precisa fazer não mudam isso. E a sua espécie... vocês sabem como terminar uma guerra. Definitivamente. Não é uma questão passional. Vocês fazem o que precisa ser feito e param por aí."

"Nem sempre", disse Pei. "Temos tantos períodos sombrios na nossa história quanto qualquer outra espécie."

"Talvez, mas não que nem a gente. Os humanos não sabem lidar com a guerra. Tudo que sei sobre a nossa história mostra que a guerra desperta o que há de pior em nós. Não temos... maturidade suficiente, ou algo assim. Quando começamos, não conseguimos parar. E já senti isso em mim, sabe, essa inclinação a agir por impulso quando estou com raiva. Não como as coisas que você viu. Não vou fingir que sei como é a guerra. Mas nós, humanos, temos algo perigoso dentro da gente. Quase nos destruímos por causa disso."

Pei correu os longos dedos pelos cachos de Ashby. "Mas não se destruíram. E aprenderam com a experiência. Estão tentando evoluir. Acho que o restante da galáxia subestima o que isso diz sobre vocês." Ela fez uma pausa. "Bem, pelo menos sobre os exodonianos." Suas bochechas ficaram de um verde malicioso. "As motivações dos solários são mais questionáveis."

Ele riu. "Você não é nem um pouco parcial, claro."

"Se sou, a culpa é sua." Ela ergueu um pouco o corpo, apoiando-se no travesseiro. "Não mude de assunto. Você não concluiu o seu pensamento."

"Qual?"

"O que está incomodando você."

"Ah, tá." Ashby suspirou. Quem era ele para falar sobre guerra com ela? O que sabia sobre o assunto, além do que via nas notícias e nos arquivos de referência? A guerra não passava de uma história para ele, algo que acontecia com pessoas que não conhecia em lugares onde nunca estivera. Parecia um insulto dizer a Pei como ele se sentia sobre o assunto.

"Pode falar", insistiu ela.

"A rosk que mordeu você. Ela morreu."

"Sim." A resposta foi dada com toda a naturalidade. Não havia remorso ou orgulho.

Ashby assentiu. "É isso que me incomoda."

"Que... uma rosk morreu?"

"Não." Ele bateu no próprio peito. "Isto. Este sentimento aqui. É isso que me incomoda. Quando escuto que você atirou em alguém e fico *feliz*. Feliz por você ter parado ela, antes que a rosk pudesse machucá-la ainda mais. Feliz por ela ter morrido, pois isso significa que você ainda está aqui.

E o que isso diz sobre mim? O que isso diz sobre mim, esse alívio por você ser capaz de fazer aquilo que me faz condenar a minha própria espécie?"

Pei passou um bom tempo olhando para ele. Chegou mais perto. "Isso significa", disse, a testa dela contra a dele, as pernas e os braços compridos envolvendo-o, "que você entende mais de violência do que pensa." Ela tocou a bochecha do homem e o seu rosto assumiu uma expressão preocupada. "E isso é bom, considerando o lugar para onde você vai."

"Não vamos para uma zona de combate. O Conselho diz que a situação é perfeitamente estável."

"Ah, claro", disse, sem emoção. "Nunca olhei um toremi nos olhos, mas eles não me parecem lá muito estáveis. A espécie deles já mandava nossos exploradores de volta em pedaços antes de os humanos saberem que o resto de nós estava por aqui. Não confio nessa aliança e não gosto dessa história de você ir para lá."

Ashby riu. "Olha só quem está falando."

"É diferente."

"Ah, é?"

Ela desviou o olhar, contrariada. "Sim. Eu sei usar uma arma. Você se recusa a sequer tocar em uma." Ela soltou o ar, as bochechas ficando de um laranja pálido. "Desculpa, isso foi injusto. O que quero dizer é... eu conheço você. Sei que já deve ter pensado bem no assunto. Mas não conheço os toremis. Só de ouvir falar e as coisas que... Por favor, Ashby, tome cuidado."

Ele beijou a testa dela. "Agora você sabe como me sinto sempre que você vai embora."

"É uma sensação horrível", disse ela com um sorriso. "E eu gostaria que você não se sentisse assim também. Mas acho que é bom, de certa forma. Quer dizer que você se importa comigo tanto quanto eu me importo com você." Ela pôs a mão dele no seu quadril. "Eu gosto disso."

Eles adiaram o serviço de quarto por mais uma hora.

Dia 180, Padrão 306 da CG

## a

# míngua

Sentados em segurança atrás da janela do seu aposento, Ohan olharam para o buraco negro. Com algum esforço, podiam se lembrar da aparência que a galáxia tinha durante a infância de seu Hospedeiro, antes da infecção. Plana. Vazia. Sem cor. Tanto da existência passava despercebida por uma mente intocada pelo Sussurro. Seus companheiros alienígenas tinham tais mentes. Ohan sentiam pena deles.

Observando apenas com os seus olhos, as bordas do disco de acreção do buraco negro não eram muito diferentes para Ohan do que para o restante da tripulação. Um bando de drones autônomos chegava tão perto do horizonte de eventos quanto era seguro, no limiar do campo gravitacional. Deslizavam pelo turbilhão de sedimentos e, para o observador comum, pareciam não fazer nada além de deixar trilhas de poeira com os seus braços em forma de pente. Porém, se Ohan olhassem com a mente, mapeassem tudo com os números e os conceitos corretos, o espaço lá fora se tornaria um lugar majestoso e violento. Ao redor dos braços dos drones, a energia bruta avançava e fervia, como um mar trazendo os restos de um naufrágio. Pequenos tentáculos da substância envolviam os pentes, arqueando e se contorcendo enquanto eram obrigados a entrar nos funis coletores. Ou era assim que Ohan imaginavam. Eles chegaram mais perto da janela, admirados diante da tempestade à sua frente. Mais uma vez, pensaram no que veriam os outros membros da tripulação: um vazio, mais preto do que o preto, e pequenos drones coletando uma carga invisível.

*Como o universo deve ser calmo para os olhos deles*, pensaram Ohan. *Como deve ser silencioso.*

Era aquela carga invisível que o capitão deles viera comprar. Ashby provavelmente estava pechinchando o preço de partículas de ambi naquele exato momento. Ambi bruto — a substância que Ohan imaginaram se torcendo em volta dos pentes dos drones — era difícil de coletar. Ambi podia ser encontrado em qualquer lugar e em tudo, mas a maneira como formava uma tessitura em volta da matéria comum dificultava a extração. Com a tecnologia certa, era possível separá-lo, mas o processo era tão lento e a produção tão pequena, que não valia a pena. Era muito mais fácil coletar ambi em algum lugar onde a matéria já estivesse sendo rasgada por forças maiores do que qualquer coisa que um sapiente pudesse construir — como um buraco negro. Os buracos negros eram sempre cercados por mares turbulentos da substância, mas chegar perto o suficiente para coletá-la obviamente representava um risco. Para os comerciantes de ambi, o risco valia a pena, até porque lhes permitia cobrar uma taxa extra. Por mais caro que fosse, ambi era o único combustível capaz de alimentar a broca interespacial da *Andarilha*. Era uma despesa necessária para uma nave como a deles, mas que sempre deixava o capitão um pouco pálido. Ohan tinham lido sobre naves alimentadas inteiramente por ambi, mas achavam difícil conceber uma vida em que tal extravagância era acessível.

Ohan pegaram o barbeador ao lado da bacia aos seus pés. Ficaram estalando a língua em um ritmo irregular enquanto aparavam os padrões no pelo. As espirais desenhadas e o estalar da língua não significavam nada para o restante da tripulação, mas significavam tudo para Ohan. Cada padrão representava uma verdade cosmológica, cada estalo ritmado, uma abstração da matemática oculta do universo. Eram símbolos e sons que todo Sianat Par conhecia. Usavam as camadas do universo na pele, marcavam o seu ritmo com a língua.

Um espasmo repentino tomou o seu pulso e, por um segundo, Ohan perderam o controle da mão. O barbeador escorregou, cortando a pele. Eles soltaram um grito, mais de surpresa do que de dor. Envolveram o corte com os dedos da outra mão, se balançando para a frente e para trás até a dor diminuir. Soltaram o ar. Olharam para o corte. Sangue escorria da ferida, manchando um pouco o pelo. No entanto, a lâmina não tinha entrado muito fundo. Ohan se levantaram, rígidos, e foram até a cômoda à procura de um curativo.

Era o primeiro estágio da Míngua: rigidez e espasmos musculares. Com o passar do tempo, a dor chegaria aos ossos, e os músculos ficariam cada vez mais difíceis de controlar. A dor desapareceria por completo, mas era um alívio enganador, pois significava que os nervos de Ohan tinham começado a morrer. A morte viria depois, no seu tempo.

A Míngua era inevitável na vida dos Sianat Pares. Apesar de o Sussurro abrir a mente do Hospedeiro, ele também encurtava as suas vidas. Sabia-se que os Solitários — os Hospedeiros blasfemos que evitavam a infecção, um crime punido com o exílio — chegavam a viver mais de cem padrões, enquanto nenhum par passava dos trinta. De vez em quando, médicos alienígenas se apresentavam, oferecendo ajuda para curar a Míngua, mas eles sempre recusavam. Não poderiam arriscar um tratamento que danificasse a estabilidade genética do Sussurro. A infecção era sagrada. Não podiam mexer com ela. A Míngua era um preço justo a se pagar pela iluminação.

Ainda assim, Ohan ficavam com medo. Podiam se desligar do medo, mas ainda assim o sentimento persistia, como um gosto desagradável no fundo da garganta. Medo. Uma emoção ancestral, que servia para fazer as formas de vida primitivas se afastarem de potenciais predadores. A constante universal da vida. O medo de rejeição, de críticas, de fracasso ou de perda — todos eram causados pelo mesmo reflexo arcaico de sobrevivência. Ohan sabiam que o seu medo da morte não passava de uma sinapse primitiva disparando dentro do cérebro do Hospedeiro, o equivalente emocional de afastar a mão depressa ao tocar uma superfície quente. Quando buscavam a parte mais alta da sua mente, sabiam que a morte não era algo a ser temido. Por que deveriam ter medo de uma coisa que chegava para todas as formas de vida? De certa forma, ter chegado à Míngua era um conforto. Significava que tiveram sucesso em evitar um fim prematuro.

Ashby e Dr. Chef eram os únicos que sabiam que Ohan tinham entrado na Míngua. O capitão tentava agir normalmente, apesar de ficar perguntando a eles em voz baixa como estavam se sentindo e se havia algo que ele podia fazer. Dr. Chef, uma criatura bondosa, tinha se dado ao trabalho de contatar médicos sianat para aprender mais sobre os efeitos da Míngua. Alguns dias depois de a *Andarilha* deixar Coriol, Dr. Chef os presenteou com uma variedade de extratos e chás feitos com ervas recomendadas para aliviar a dor. Ohan tinham ficado tocados, embora, como sempre, não soubessem como agradecer de modo adequado. Dar presentes não fazia parte da cultura sianat, e Ohan não tinham os meios de expressar a gratidão que sentiam por tal gesto. Achavam que Dr. Chef entendia essa limitação social. De certa forma, ele conseguia ver o coração das pessoas tão bem quanto Ohan conseguiam ver o universo. Ohan muitas vezes se perguntavam se Dr. Chef sabia que dádiva enorme era aquela.

Quando puseram o curativo e limparam o sangue, Ohan voltaram para a janela. Pegaram o barbeador, fazendo barulhos com a língua nas bochechas enquanto arrastavam a lâmina por cima dos pelos. Enquanto isso, pensaram no conceito de propósito. O propósito de Dr. Chef era curar e nutrir. O propósito de Ashby era manter a tripulação unida. Aceitar a Míngua ia contra esses propósitos. Para eles, aceitar a morte de um membro da tripulação era difícil. Ohan esperavam que eles soubessem como apreciavam esse esforço.

O propósito de Ohan era o de Navegador, desvendando o universo para os que eram cegos a ele. Depois da sua morte, Ohan não poderiam mais seguir esse propósito, e não conseguiam negar que isso os deixavam tristes. Pelo menos haveria tempo para um último trabalho, o novo túnel em Hedra Ka. A Míngua estava ainda no seu primeiro estágio. Havia tempo para mais um túnel antes de sucumbirem. Ohan esperavam que Ashby não fosse se incomodar em deixá-los aceitarem o estágio final da Míngua a bordo da *Andarilha*. Não conseguiam pensar em nada mais apropriado que morrer no lugar que abrigara o seu propósito.

Ohan olharam de novo para o buraco negro. Fecharam os olhos, imaginando grandes amostras de matéria fragmentada, caindo e avançando indefinidamente. *Larab*, eles a chamavam na língua natal deles, uma palavra para descrever a forma. E *gruss*, também, o termo usado para a cor da matéria invisível. Não havia palavras em klip para as cores e formas além da visão. Eles tinham tentado explicar esses conceitos à tripulação da *Andarilha*, mas não havia palavras ou abstrações capazes de abrir as mentes limitadas dos demais tripulantes. Ohan preferiam olhar a vista a sós, ainda mais agora. Um buraco negro era o lugar perfeito para contemplar a morte. Não havia nada no universo que pudesse durar para sempre. Nem as estrelas. Nem a matéria. Nada.

O barbeador os cortou. Seu pulso doeu. O céu se turvou, não visto.

Fonte: Museu de Ciências Naturais Reskit — Arquivo da Biblioteca
 (Público/Reskitkish)
Título: Pensamentos sobre a Galáxia — Capítulo Três
Autor: oshet-Tekshereket esk-Rahist as-Ehas Kirish isket-Ishkriset
Criptografia: 0
Traduções: [Reskitkish:Klip]
Transcrição: 0
Nodo de identificação: 9874-457-28, Rosemary Harper

Ao encontrar um indivíduo de outra espécie pela primeira vez, não há sapiente na galáxia que não faça imediatamente uma lista mental das diferenças fisiológicas entre si e o novo ser. São sempre as primeiras coisas que vemos. Em que nossas peles diferem? Ele ou ela tem uma cauda? Como se move? Como segura objetos? O que come? Esse ser tem habilidades que não tenho? Ou vice-versa?

Todas essas distinções são relevantes, mas a comparação mais importante é a que fazemos a partir daí. Depois de terminarmos as nossas listas mentais de diferenças, começamos a traçar paralelos — não entre o alienígena e nós mesmos, mas entre o alienígena e os animais. A maioria de nós tem sido ensinada desde a infância que expressar essas comparações em voz alta é ofensivo e, de fato, muitos dos insultos racistas no uso coloquial não são nada mais do que nomes de espécies ou até mesmo classes não sapientes (por exemplo, o termo humano *réptil*, para descrever aandriskanos; o termo quelin *tik*, para descrever seres humanos; o termo aandriskano *sersh*, para descrever quelins). Embora tais termos sejam ofensivos, examiná-los de modo objetivo revela uma questão interessante do ponto de vista biológico. Se desconsiderarmos as implicações depreciativas, nós, aandriskanos, realmente lembramos algumas das espécies de répteis nativas da Terra. Os seres humanos de fato parecem versões maiores e bípedes dos primatas sem pelos que infestam o esgoto das cidades quelins. Os quelins, por sua vez, têm certa semelhança com os crustáceos que se encontram em Hashkath. Ainda assim, evoluímos separadamente, em mundos diferentes. Meu povo e os répteis da Terra não compartilham uma árvore filogenética, nem os humanos e os tiks, nem os quelins e os sersh. Nossos pontos de origem estão espalhados pela galáxia. Viemos de sistemas que permaneceram isolados por bilhões de anos, com relógios evolutivos que começaram em momentos diferentes. Como é possível que, ao nos depararmos com os nossos vizinhos galácticos pela primeira vez, todos nos lembremos imediatamente das criaturas de casa — ou, em alguns casos, de nós mesmos?

A questão se torna ainda mais complexa quando deixamos de olhar nossas diferenças superficiais e passamos a examinar a riqueza de semelhanças. Todas as espécies sapientes têm cérebros. Vamos analisar esse fato aparentemente óbvio por um momento. Apesar dos caminhos evolutivos isolados, todos desenvolvemos um sistema nervoso central. Todos nós temos órgãos internos. Compartilhamos pelo menos alguns dos mesmos sentidos: audição, tato, paladar, olfato, visão, eletrorecepção. A grande maioria dos sapientes tem quatro ou seis membros. O bipedalismo e os polegares opositores, embora não universais, são vistos com uma frequência chocante. Somos todos formados a partir de cromossomos e DNA, que, por sua vez, são formados a partir de um seleto conjunto de elementos-chave. Todos precisamos de água e oxigênio para sobreviver (embora em quantidades variáveis). Precisamos de comida. Sucumbimos sob atmosferas muito densas ou campos gravitacionais muito fortes.

Perecemos em ambientes de frio ou de calor extremo. Todos nós morremos, ponto final.

Como isso é possível? Como a vida, à primeira vista tão diversa, seguiu os mesmos padrões em toda a galáxia — e não apenas na era atual, mas várias e várias vezes? Encontramos o mesmo padrão nas ruínas da civilização arkânica, em Shessha, e nos fósseis do agora inóspito mundo de Okik. Esta é uma pergunta que as comunidades científicas têm feito a si mesmas há séculos, e parece improvável que uma resposta se apresente no futuro próximo. Há muitas teorias — como os asteroides que carregam os aminoácidos ou as supernovas que espalham matéria orgânica para os sistemas vizinhos. E sim, há a história fantástica de uma raça sapiente enormemente avançada que "semeia" material genético pela galáxia. Admito que a hipótese do "Jardineiro Galáctico" serviu de inspiração para algumas das minhas simulações favoritas de ficção científica, mas, do ponto de vista da ciência, isso não passa de uma vontade de crer. Não há teoria sem provas, e não há absolutamente nenhuma evidência que comprove essa hipótese (não importa o que digam os teóricos da conspiração que espreitam a Rede).

Na minha opinião, acho que a melhor explicação é a mais simples. A galáxia é um lugar de leis. A gravidade segue leis. Os ciclos de vida das estrelas e dos sistemas planetários seguem leis. As partículas subatômicas seguem leis. Sabemos as condições exatas que vão levar à formação de uma anã vermelha, ou um cometa, ou um buraco negro. Então, por que não podemos reconhecer que o universo também segue leis rígidas da biologia? Descobrimos vida apenas em luas e planetas de tamanhos parecidos, orbitando dentro de uma determinada margem habitável em torno de estrelas. Se todos evoluímos nesses mundos similares, por que é tão surpreendente que os nossos caminhos evolutivos tenham tanto em comum? Por que não podemos concluir que a combinação correta de fatores ambientais específicos resultará sempre em adaptações físicas previsíveis? Com tantas pistas bem debaixo do nosso nariz, por que esse debate continua?

A resposta, é claro, é que as leis da biologia são quase impossíveis de testar — e os cientistas odeiam isso. Podemos lançar sondas para testar teorias da gravidade e do espaço-tempo. Podemos colocar pedras em panelas de pressão e dividir átomos nas salas de aula. Entretanto, como testar um processo tão longo e multifacetado quanto a evolução? Existem laboratórios hoje que têm dificuldade de encontrar financiamento para manter um projeto em execução durante três padrões — imagine o financiamento necessário para um projeto de milênios! Na atual conjuntura, não há maneira de se testar de modo eficiente as condições que produzem adaptações biológicas específicas, ao menos não além das observações mais rudimentares (climas aquáticos produzem barbatanas, climas frios produzem pele ou gordura etc). Houve tentativas mais ousadas de criar programas de computador capazes de prever com precisão os possíveis caminhos evolutivos, como o Projeto Tep Preem, financiado pelos aeluonianos (que, embora bem-intencionado, ainda não conseguiu desvendar os mistérios das leis biológicas). O problema com tais esforços é que há variáveis demais para se considerar, muitas das quais desconhecemos. Simplesmente não temos dados suficientes, e os dados que possuímos ainda estão além da nossa compreensão.

Somos especialistas da galáxia física. Vivemos em mundos terraformados e em gigantescos habitats orbitadores. Criamos túneis através da subcamada para pular entre sistemas estelares. Escapamos da gravidade planetária com a mesma facilidade com a qual caminhamos pela porta da frente. Porém, quando se trata de evolução, não passamos de uma ninhada recém-saída do ovo, tateando por aí com os nossos brinquedos. Acredito que é por isso que muitos dos meus colegas ainda adotam teorias sobre materiais genéticos espalhados por asteroides e supernovas. De certa forma, a ideia de um estoque compartilhado de genes que flutuam através da galáxia é muito mais fácil de aceitar do que a noção assustadora de que talvez nenhum de nós tenha a capacidade intelectual de entender como a vida de fato funciona.

Dia 245, Padrão 306 da CG

# introdução
# à história
# colonial
# harmagiana

Sissix espiou o corredor do lado de fora. Estava vazio. Se fosse rápida, talvez conseguisse chegar à enfermaria sem ser vista.

Abraçou o roupão — que pegara emprestado de uma pilha de roupas limpas de Kizzy —, fechando-o melhor, e partiu a passos rápidos. Quando começou a andar, a coceira se espalhou das suas coxas para o umbigo. Esfregou a palma das mãos pelo tecido, mal resistindo à tentação de se coçar com as garras. Queria arrancar o roupão e rolar pela grade de metal, ou se esfregar em uma árvore grossa, ou em um bloco de areia, qualquer coisa, desde que conseguisse se livrar daquela maldita coceira infernal que não parava.

"Caramba, Sis", disse Jenks, parando de andar quando se viram cara a cara em um corredor. "Quase me atrope..." O homem parou de falar quando olhou melhor para ela. "Puta merda, você está com uma cara péssima."

"Obrigada, Jenks, já ajudou bastante", respondeu ela, continuando a andar. Não estava envergonhada, disse a si mesma, só estava com raiva. Sim, com raiva de isso estar acontecendo, com raiva de quantas vezes na sua vida tivera que aturar isso, com raiva das *pessoas que não a deixavam em paz.*

"Oi, Sissix", disse Rosemary, saindo por uma porta, o scrib em mãos. "Estava indo ver v... ah."

Seus olhos idiotas e úmidos de mamífero se arregalaram. Ela levou a mão à boca.

"Eu estou bem", disse Sissix, sem diminuir o passo. Com uma nave grande que nem a *Andarilha*, ela achava que teria sido possível ir do ponto A para o B sem encontrar a tripulação intei... "Vai se foder, Corbin!", gritou ela para o humano rosado que tinha acabado de subir do deque inferior. Ele parou diante da escada, parecendo idiota e confuso quando Sissix passou por ele, apressada.

Entrou correndo na enfermaria e fechou a porta atrás de si. Dr. Chef levantou os olhos da mesa. Deu um murmúrio de compaixão.

"Ah, pobrezinha. Está trocando de pele."

"E mais cedo do que deveria." Ela olhou para o seu reflexo no espelho. Pedaços de pele morta tinham caído do seu rosto em rasgos irregulares. "Achei que ainda faltavam umas três decanas, e ainda nem... aaargh!" A coceira recomeçou, embora nunca tivesse parado por completo. Era como se tivesse um monte de moscas no seu rosto. Ela cedeu à tentação e começou a se coçar com as garras.

"Ei, nada disso", disse Dr. Chef, segurando os pulsos dela. "Vai se machucar."

"Não vou, não", teimou Sissix. Estava sendo infantil, mas não ligava. Sua cara estava prestes a cair. Tinha o direito de dar respostas atravessadas.

"É mesmo?", disse Dr. Chef, puxando a manga dela. Ele ergueu o braço da aandriskana para poder examinar os leves arranhões na pele descamada. Um pouco de sangue seco ainda cobria o arranhão onde as garras tinham coçado fundo demais durante a noite.

"Pelas estrelas, você é tão paternal de vez em quando", resmungou Sissix.

"Eu alimento e trato vocês, o que mais eu poderia ser? Tire esse roupão, vamos cuidar de você."

"Obrigada." Tirou o roupão enquanto Dr. Chef abria um armário. Pegou um borrifador e a *riksith*, uma pequena tábua com um lado áspero que Kizzy certa vez chamara de "lixa de unhas para o corpo inteiro".

"Onde está pior?", perguntou.

Sissix se deitou na mesa de exames. "Tudo." Ela suspirou. "Acho que os braços."

Dr. Chef ergueu gentilmente o braço direito dela, o que tinha o corte com sangue seco, e borrifou o remédio. A pele seca ficou translúcida, levantando-se nas pontas. Ele começou a lixá-la com a *riksith*, tirando os pedaços úmidos. Sissix respirou um pouco melhor, pedindo ao resto do corpo para ser paciente. Dr. Chef segurou um dos seus dedos, examinando-o.

"Como está a pele aqui?"

"Justa. Acho que não está na hora ainda."

"Ah, eu acho que está. Só que ela ainda não sabe disso." Ele borrifou mais remédio e, mantendo uma pressão constante, massageou a mão do pulso até as garras. Depois de alguns minutos, Sissix sentiu uma ponta se levantar no pulso. Dr. Chef pôs os dedos por baixo, com cuidado, e segurou a ponta entre o polegar e o indicador. Em um movimento fluido, arrancou a pele morta da mão inteira, como se estivesse puxando uma luva.

Sissix soltou um grito de surpresa e, em seguida, um gemido de prazer. A pele nova era sensível, mas a coceira tinha passado. Soltou a respiração.

"Estrelas, você é bom nisso."

"Tenho certa prática", disse, continuando a lixar o braço dela com a *riksith*.

Sissix virou a cabeça para conferir se a porta estava bem fechada. "Você não fica cansado de humanos?"

"Às vezes. Acho que é normal para qualquer um que vive com outras raças. Aposto que eles também ficam cansados da gente."

"Eu estou muito cansada deles hoje", disse Sissix, voltando a deitar a cabeça. "Cansada daquelas caras gorduchas. Daqueles dedos lisos. De como eles pronunciam os *Rs*. Da falta de olfato deles. De como eles são apegados a filhotes que nem são deles. De como eles são neuróticos com nudez. Eu tenho vontade de dar uns tapas na cara de cada um deles, até entenderem como complicam tudo sem necessidade, as famílias, as vidas sociais... *tudo*!"

Dr. Chef assentiu. "Você os ama e os compreende, mas, de vez em quando, queria... assim como eu e Ohan, aposto... que eles fossem mais normais."

"Exatamente." Ela suspirou, a frustração diminuindo. "E não é nem como se eles tivessem feito alguma coisa errada. Você sabe o quanto essa tripulação significa para mim. Mas hoje... não sei. É que nem ter um monte de companheiros de ninhada mais novos que não largam os seus brinquedos. Eles não estão quebrando nada e você sabe que só estão tentando agradar, mas são tão pequenos e irritantes que você só quer que caiam todos dentro de um poço. Só por um tempo."

Dr. Chef deu uma das suas risadinhas estrondosas. "Parece que o seu diagnóstico é mais complicado que uma mudança de pele antes da hora."

"Como assim?"

Ele sorriu. "Você está com saudades de casa."

Ela suspirou de novo. "É."

"Vamos fazer uma parada em Hashkath antes do fim do padrão, não vamos? Não falta tanto assim", disse ele, dando tapinhas reconfortantes na cabeça de Sissix. Parou e esfregou uma das penas dela. "Você tem tomado os seus suprimentos minerais?"

Ela desviou o olhar. "Às vezes."

"Tem que tomar *sempre*. Suas penas estão meio caídas."

"É por causa da troca de pele."

Dr. Chef franziu a testa. "Não é por causa disso. É porque você está deixando de consumir os nutrientes básicos de que todo aandriskano precisa. Se não começar a tomar os seus minerais regularmente, vou fazer você comer pasta de musgo."

Ela fez uma careta. A mera menção daquele troço lhe trouxe memórias da infância: um gosto amargo, seco, que custava a sair da boca.

"Tá bem, pai do ninho, como quiser."

Dr. Chef bramiu baixinho, pensativo.

"Que foi?"

"Nada. A frase só me pareceu meio estranha", disse, a voz leve. "Eu só fui mãe na minha vida."

"Me desculpe. Eu não quis..."

"Não se preocupe. É verdade." Ele olhou de volta para ela, os olhos brilhando de novo. "Além do mais, se você pensa em mim como um pai, talvez me escute e comece a tomar os malditos minerais."

Ela riu. "Duvido muito. Teve uma época, quando eu era pequena, em que a minha família do ninho não conseguia me fazer comer nada além de fruta-crocante." Ela soltou um silvo quando ele começou a esfregar a *riksith* em um pedaço resistente no seu ombro.

"Pelo menos fruta-crocante faz bem para você. E, por algum motivo, não estou nem um pouco surpreso em saber que você era uma criança teimosa", disse ele, pensando em voz alta. "Aposto que era bem difícil."

"Claro que era", respondeu Sissix, sorrindo. "Ainda não era uma pessoa."

As bochechas de Dr. Chef tremeram em discordância. "Essa é uma coisa que nunca vou entender sobre a sua espécie."

Ela soltou um suspiro simpático. "Você e o resto da galáxia."

Sinceramente, ela não entendia por que aquele era um conceito tão difícil para os outros compreenderem. Nunca, jamais veria sentido na ideia de que uma criança, ainda mais um bebê, tinha mais valor do que um adulto que já adquirira todas as habilidades necessárias para beneficiar a comunidade. A morte de um recém-nascido era tão comum que não causava surpresa. A morte de uma criança prestes a ter penas, aí sim era algo triste. A verdadeira tragédia, porém, era a morte de um adulto com amigos, amantes e uma família. Jamais conseguiria compreender esse raciocínio de que a perda de algo *potencial* era pior que a perda de *conquistas e conhecimento*.

Dr. Chef olhou por cima do ombro, apesar de ninguém ter entrado na sala. "Ei, posso confessar uma coisa?"

"O quê?"

"Nunca contei isso para ninguém. É segredo. Segredo absoluto." Ele tinha baixado a voz o máximo que conseguia.

Sissix assentiu com seriedade exagerada. "Não vou contar para ninguém."

"Lembra quando disse que os humanos não têm olfato?"

"Sim."

"Você já deve ter notado que os humanos a bordo desta nave não são tão fedidos quanto os outros."

"É. Já me acostumei com o cheiro deles."

"Nada disso." Ele fez uma pausa dramática. "Eu costumo misturar um poderoso pó antiodores nas saboneteiras dos chuveiros. E também esfrego um pouco no sabonete em barra de Kizzy."

Sissix ficou olhando para ele por um momento antes de explodir em uma gargalhada.

"Ai", disse, sem fôlego. "Mentira."

"Verdade", disse, inflando as bochechas. "Comecei a fazer isso na minha primeira decana trabalhando aqui. E sabe qual é a melhor parte?"

"Eles nem sentem a diferença?"

Dr. Chef soltou uma harmonia de sons divertidos. "Eles nem sentem a diferença!"

Os dois ainda estavam rindo quando Ashby entrou na sala. Seu cabelo estava molhado. Com certeza ele havia acabado de tomar um banho. Sissix e Dr. Chef fizeram silêncio. E então voltaram a gargalhar, ainda mais do que antes.

"Eu quero mesmo saber por que estão rindo?", perguntou Ashby, olhando de um para o outro.

"Estamos rindo dos humanos", explicou Sissix.

"Entendi. Então não quero saber." Ashby se virou para ela. "Começou a trocar de pele mais cedo?"

"É."

"Sinto muito. Eu cubro o seu turno de limpeza."

"Ah, você é o máximo."

Era uma notícia maravilhosa. Produtos de limpeza e pele nova não combinavam.

"Lembre-se disso da próxima vez que estiverem rindo de nós, primatas inferiores."

Rosemary estava examinando alguns arquivos na sua sala — bem, o que funcionava como a sua sala. Antes de ela chegar, aquele local era um depósito. Tecnicamente, ainda era, considerando-se os engradados empilhados junto à parede mais distante. O lugar era bem diferente da mesa sofisticada que havia ocupado na Transportadora Pedra Vermelha, embora fosse apenas uma estagiária lá, mas preferia a bancada de lanches de Dr. Chef à lanchonete austera da antiga empresa. Além disso, Rosemary não precisava de nada muito chique para fazer o seu trabalho. Tinha uma mesa simples e um grande painel de interface, além de uma pequena planta de pixels que Jenks lhe dera para compensar a falta de janela (por que as pessoas que trabalham com números sempre acabavam enfiadas nas salas dos fundos?). A planta não se parecia nem um pouco com uma planta real, claro. O rosto sorridente e as pétalas que mudavam de cor não lembravam nada que existia na natureza. A planta tinha um programa de reconhecimento comportamental que identificava quando Rosemary havia passado muito tempo sem se levantar, beber água ou fazer um intervalo, então, emitia lembretes animados de acordo com a situação: "Ei, você precisa se hidratar!", "Que tal fazer um lanche agora?" ou "Vá dar uma volta! Não se esqueça de se alongar!". Era um pouco cafona e, às vezes, lhe dava uns sustos quando estava concentrada no trabalho, mas Rosemary agradecia a boa intenção.

Tomou um gole do chá chato enquanto tentava desvendar uma das planilhas de despesas de Kizzy. A técnica mecânica tinha o hábito de fazer anotações abreviadas que só ela entendia. No começo, Rosemary tinha imaginado que se tratava de um jargão técnico, mas não, Jenks confirmara que era o jeito especial dela de manter a ordem. Rosemary estreitou os olhos para a tela: *5500 créditos (+ou-) — F.* Rosemary agitou a mão esquerda, abrindo um arquivo nomeado como "Kizzynês", a cola dela dos acrônimos que já havia decifrado. CM (Coisas do Motor). FA (Ferramentas e Acessórios). CRCT (Circuitos). Mas não, F não estava na lista. Fez uma anotação mental para perguntar a Kizzy mais tarde.

A porta se abriu de repente e Corbin entrou na sala. Antes mesmo que Rosemary pudesse saudá-lo, ele pôs uma peça mecânica preta sobre a mesa dela.

"O que é isso?", perguntou ele.

O coração dela começou a martelar, como costumava acontecer quando Corbin vinha vê-la. Falar com ele sempre lhe fazia sentir que estava sofrendo uma emboscada, e não tendo uma conversa. Rosemary olhou para o objeto. "É o filtro de salinidade que encomendei para você."

"Exatamente. Não reparou em nada?"

Rosemary engoliu em seco. Olhou para o filtro com mais atenção. Ela só havia reconhecido a peça por causa da foto na página do vendedor na Rede. Deu um sorriso amarelo. "Não entendo muito de tecnologia de algas", disse, tentando manter a voz despreocupada.

"Ah, isso está bem claro." Corbin virou o filtro e apontou para a etiqueta. "Modelo 4546-C44." Olhou para ela com expectativa.

*Ah, não.* A mente de Rosemary disparou, tentando se lembrar do formulário do pedido. Havia tantos...

"Não era esse que você queria?"

A expressão azeda de Corbin respondeu à pergunta. "Eu pedi especificamente o C45. O C44 tem a porta de entrada mais estreita que o conector do tanque. Vou ter que colocar um adaptador para poder encaixar o filtro."

Rosemary estivera pegando os formulários arquivados enquanto Corbin falava. Ali estava ele: filtro de salinidade avançado Tritão, modelo 4546-C45. *Merda.*

"Sinto muito, Corbin, não sei o que aconteceu. Devo ter selecionado o modelo errado. Mas pelo menos esse vai funcionar, não é?" Assim que as palavras saíram da sua boca, Rosemary soube que tinha cometido um erro.

"Não é esse o ponto, Rosemary", disse o homem, como se estivesse falando com uma criança. "E se eu tivesse pedido algo mais importante que um filtro de salinidade? Você mesma falou que não entende muito do assunto. Talvez esses erros pudessem passar no seu empreguinho fácil em um planeta qualquer, mas não são aceitáveis em uma nave que faz viagens de longa duração. Aqui, o menor componente pode ser a diferença entre chegar a um porto em segurança ou sofrer uma descompressão em espaço aberto."

"Sinto muito", repetiu Rosemary. "Vou tomar mais cuidado da próxima vez."

"Espero que sim." Corbin pegou o filtro e foi até a saída. "Não é tão difícil assim." A porta se fechou atrás dele.

Rosemary ficou encarando a mesa. Sissix havia lhe dito para não deixar Corbin afetá-la, mas ela tinha pisado na bola dessa vez e completamente por descuido. Descompressão não lhe parecia um destino tão mal.

"Ah, não é tão ruim assim!", disse a planta de pixels. "Dê um abraço em si mesma!"

"Ah, cala essa boca", respondeu Rosemary.

Ashby tropeçou em um tubo comprido enquanto caminhava pela sala do motor. "O quê...?" Espiou o outro corredor e avistou uma avalanche de cabos saindo da parede. O painel inteiro fora removido. Foi andando na ponta dos pés por entre a confusão de tubos embolados, tomando cuidado para não pisar em nenhum que transportasse líquidos. Quando chegou à parede aberta, ouviu alguém fungar.

"Kizzy?"

A técnica mecânica estava sentada dentro da parede, abraçando os joelhos, as ferramentas espalhadas ao seu redor. Seu rosto estava sujo de graxa, como sempre, mas uma ou duas lágrimas tinham deixado rastros limpos nas suas bochechas. Ela ergueu os olhos para Ashby, arrasada. Até as fitas no seu cabelo pareciam murchas.

"Estou tendo um dia ruim."

O capitão se curvou para dentro do painel aberto. "O que aconteceu?"

Ela fungou outra vez, esfregando o nariz com as costas da mão.

"Dormi muito mal, tive um pesadelo atrás do outro, e quando finalmente consegui pegar no sono, meu alarme tocou, então o dia já tinha começado idiota, mas aí eu pensei: 'Ah, ainda tenho uns bolinhos de geleia', o que me animou um pouco, mas quando cheguei na cozinha, alguém tinha comido o último ontem à noite. E nem me pediram, sabe? E eu ainda nem sei quem foi. Aí fui tomar um banho e bati o joelho na pia, porque sou um gênio, e agora ele está todo roxo, e na hora eu estava com um monte de dentibôs na boca e acabei engolindo alguns. Dr. Chef disse que não tinha problema, mas fiquei com dor na barriga, que nem ele disse que ia acontecer, aí finalmente fui tomar o meu banho idiota e reparei que a pressão da água estava meio esquisita, então fui dar uma olhada no sistema de tratamento, e deu para ver que tem um cano inteiro com problema, mas ainda não consegui encontrar qual é, e agora o chão está uma bagunça e ainda nem comecei as coisas que tinha para fazer hoje, daí me lembrei que é aniversário do meu primo Kip, que sempre dá as melhores festas, e dessa vez eu vou ficar de fora." Kizzy fungou de novo. "Eu sei que parece idiota, mas não estou bem hoje. Nem um pouco."

Ashby pôs as mãos sobre as dela. "Todo mundo tem dias assim."

"É, acho que sim."

"Mas sabe, não é nem hora do almoço. Ainda dá tempo de melhorar."

Ela assentiu, lúgubre. "É."

"O que estava na sua lista de afazeres de hoje?"

"Tenho que limpar coisas, principalmente. Os filtros de ar têm que ser desinfetados. Tem uma lâmpada solar lá no Aquário que necessita de fios novos. E tem um painel solto no chão do quarto de Ohan."

"Alguma dessas coisas é urgente?"

"Não, mas precisam ser feitas."

"Conserte só o cano de água hoje. O resto pode esperar." Ele apertou a mão dela. "Sei que não posso fazer nada sobre o aniversário do seu primo, mas entendo como é difícil. Sinto muito por estarmos em uma viagem tão longa dessa vez."

"Ah, não vem com essa. Estamos ganhando um montão de dinheiro e eu amo esse trabalho. Não é como se eu estivesse aqui sob servidão por contrato ou coisa do tipo. Foi escolha minha ir embora de casa."

"Só porque você foi embora não significa que parou de se importar. Ou que não sinta saudade. E a sua família sabe que você se importa. Eu fico de olho no tráfego da Rede, sabe? Vejo quantos pacotes de vids você manda para a sua família."

Kizzy deu uma fungada ainda mais alta e apontou para o corredor. "Você tem que ir embora agora. Porque eu preciso trabalhar e você está me fazendo chorar ainda mais. Não de um jeito ruim. Mas está me deixando toda derretida e se eu der um abraço em você, vou sujar a sua camisa bonita, que, aliás, ajuda a destacar a cor dos seus olhos."

"Ei, pessoal", disse Lovey pela vox mais próxima. "Temos um drone de correio se aproximando com encomendas a bordo para Ashby, Corbin, Jenks, Dr. Chef e Kizzy. Vai chegar em dez minutos."

"Oba!", exclamou ela. "Correio! Um drone de correio!" Kizzy pulou para fora da parede e disparou pelo corredor, os braços abertos como as asas de um ônibus. "As maravilhas interestelares estão chegaaaando!"

Ashby sorriu. "Eu falei que o dia ainda ia melhorar", gritou para ela. Mas Kizzy estava ocupada demais fingindo voar e não respondeu.

A escotilha do porão se encolheu até se ajustar à portinhola de entregas do drone do correio. Ashby e os outros estavam aguardando quando Sissix entrou pela porta. Tinha vestido calças, e pelo visto Dr. Chef havia cuidado do seu problema de pele.

"Oi", cumprimentou Ashby. "Está melhor?"

"Muito." A pele de Sissix tinha um tom estranhamente vivo e ainda restavam alguns pedaços de pele seca, mas pelo menos ela não parecia mais uma cebola descascando.

"Acho que não chegou nada para você."

"E daí?" Sissix deu de ombros com um sorriso. "Sou curiosa."

"Só um momento", pediu Lovey. "Estou escaneando a correspondência para ter certeza de que não está contaminada."

"Aiaiai!", disse Kizzy "É o meu aniversário!"

"Seu aniversário é só no meio do ano", disse Jenks.

"Mas sinto como se fosse o meu aniversário. Eu amo receber correspondência."

"Devem ser só aqueles clipes trava-queixo que você pediu."

"Jenks, você não sabe que clipes trava-queixo são maravilhosos? Não há nada que eles não prendam direito. Nem o meu cabelo consegue escapar deles, o que diz muito."

Ashby olhou por cima do ombro na direção de Kizzy. "Vou fingir que não ouvi você falando que usa as ferramentas mecânicas que compro para você como prendedores de cabelo."

Kizzy comprimiu os lábios. "Só em emergências."

"Correspondência liberada", disse Lovey. A escotilha se abriu com um silvo. Uma bandeja deslizou até eles, trazendo um grande engradado lacrado. Ashby deslizou o seu implante de pulso no escâner da tranca. O engradado emitiu um bipe de confirmação. Um bipe idêntico veio do drone de correio do outro lado do casco. A bandeja foi recolhida e a escotilha se fechou. Houve um clangor abafado quando o drone se soltou da nave, partindo em busca do próximo destinatário.

Ashby tirou a tampa e começou a examinar os pacotes do lado de dentro. Todas as embalagens eram simples, mas, mesmo assim, havia um certo charme em um monte de caixas e tubos com etiquetas com o nome da sua tripulação. A sensação era realmente de uma data comemorativa.

"Aqui, Kizzy", disse, entregando um pacote grande para ela. "Antes que você exploda."

Os olhos da mulher se arregalaram. "Não são os clipes trava-queixo! Não são clipes trava-queixo! Eu sei quem faz etiquetas assim!" Ela abriu a tampa e deu um grito de felicidade. "É dos meus pais!" Ela se sentou no chão de pernas cruzadas e tirou a tampa. Por cima do conteúdo do pacote (lanches e miudezas, ao que parecia), havia uma ficha de informação. Kizzy pegou o scrib no seu cinto de ferramentas, inseriu a ficha e começou a ler o texto que surgiu na tela. Sua expressão indicava que tinha ficado tocada. "Eles me mandaram só 'por mandar'. Eles são incríveis. *Incríveis!*" Ela abriu um dos pacotes de camarão e continuou a ler.

Ashby pegou um pequeno recipiente em forma de domo que piscava com avisos de perigo biológico. "Eu quero saber o que tem aqui?"

As bochechas de Dr. Chef se inflaram. "Minhas novas sementes. São inofensivas, garanto. Precisam colocar esses avisos em qualquer forma de vida."

"Eu sei, mas... dá agonia."

Dr. Chef se inclinou para perto de Ashby, um brilho no olhar.

"Não conte para Rosemary, mas, se for o que estou pensando, essas são as minhas *Rosmarinus*."

Ashby girou uma caixa com a logo de uma marca familiar, a mesma que já vira nos equipamentos para algas. "Corbin", disse, entregando a caixa. "Parece que este é para você."

Ele abriu a caixa e pegou uma bomba de circulação. Examinou a etiqueta e assentiu com a cabeça. "Parece que a nossa guarda-livros é capaz de ler os formulários, no fim das contas", disse, já se encaminhando para a saída.

"Bem... que bom", disse Ashby, evasivo. Tirou uma caixa minúscula do engradado. "Jenks."

Jenks abriu a caixa e pegou uma ficha de informação. "O que é isso?", perguntou Sissix.

"Sálvia me mandou", disse ele. Ficou olhando para a ficha por um segundo. "Ah, devem ser as especificações para aqueles circuitos laterais que ela mencionou da última vez que nos vimos."

"Sim, pareciam bem legais", disse Kizzy. Então franziu a testa. "Por que ela não enviou direto para o seu scrib?"

Jenks deu de ombros, guardando a ficha no bolso. "Você sabe como Sálvia é. Ela gosta de fazer as coisas do jeito dela."

Ashby se debruçou sobre o engradado do correio. Havia um último envelope pequeno, endereçado a ele. A etiqueta não indicava um remetente, mas ele precisava escanear o implante de pulso para abri-lo. Quando o fez, uma das abas se soltou, e um frágil objeto retangular caiu na sua palma aberta.

"O que é isso?", perguntou Sissix.

Jenks assobiou com admiração e se aproximou dele. "Isso é *papel*."

Kizzy ergueu a cabeça na mesma hora. "Caramba", disse ela, arregalando os olhos. "Isso é uma carta? Física?" Ela se pôs de pé. "Posso pegar?"

Jenks deu um tapa na mão dela. "Seus dedos estão sujos de farelo de camarão."

Kizzy enfiou o dedo na boca, limpando-o com a saliva, e depois o secou no macacão.

Jenks deu outro tapa na sua mão. "Agora os seus dedos estão sujos de migalhas *e* cuspe. Uma carta não é que nem um scrib, Kizzy, não dá para lavar depois."

"É tão frágil assim?"

"É feito com lâminas bem finas de polpa de árvore seca. O que acha?"

Ashby correu os dedos pelas pontas parecidas com folhas, fazendo o possível para agir com naturalidade. Aquilo fora enviado por Pei, só podia ser. Quem mais teria tanto trabalho apenas para enviar uma mensagem que não podia ser monitorada? Ele virou a carta nas mãos. "Como eu... hã..."

"Eu mostro", disse Jenks, estendendo a mão. "Minhas mãos estão limpas." Quando Ashby lhe entregou a carta, ele perguntou: "Kiz, você tem um estilete?"

Kizzy pegou um no cinto e o entregou a Jenks. Seus olhos se arregalaram quando ela percebeu o que o amigo estava prestes a fazer. "Espera aí, você vai cortar isso?"

"É assim que você tira a carta de um envelope." Ele estendeu a lâmina. "Quer que eu acabe rasgando?"

Kizzy pareceu horrorizada.

Jenks cortou o envelope com destreza. "Minha mãe me dava cartas em ocasiões especiais quando eu era pequeno. Ocasiões *muito* especiais. Papel é algo caríssimo." Ele ergueu uma sobrancelha para Ashby. "Alguém deve gostar muito de você para mandar algo assim."

"Quem?", perguntou Kizzy.

Jenks levou o punho a boca e tossiu exageradamente.

"Aaaahhh", disse Kizzy em um sussurro teatral. "Vou voltar para os meus lanches, então." Ela se afastou com uma risadinha.

Ashby olhou para os outros. Sissix estava sorrindo. Os bigodes de Dr. Chef se agitavam, indicando o seu divertimento.

"Tá bem, podem calar a boca, todos vocês." Ele se afastou, deixando os outros examinarem os seus novos pertences enquanto lia a carta em paz.

Olá, Ashby. Antes que fique muito impressionado com a minha
capacidade de escrever à mão, saiba que escrevi tudo isso no meu

scrib antes. E rasguei uma das folhas na primeira tentativa que fiz. Não entendo como a sua espécie se comunicou dessa forma por milênios sem acabar toda estressada... Pensando bem... Deixa para lá.

Parece que faz uma eternidade desde Porto Coriol. Sinto falta das suas mãos. De dividir uma cama. E das histórias. Nunca vou entender como você consegue ser tão paciente com alguém que pode passar várias decanas sem dar notícias. Não sei se alguém do meu povo teria continuado comigo nessas circunstâncias. Vocês humanos e sua teimosia cega... Acredite, fico—

"Jenks, Ashby, Sissix, alguém", chamou Lovey. Parecia desesperada. "Estamos com problemas."

Todos no porão pararam e olharam para a vox. Em espaço aberto, "problemas" significavam algo ainda pior que em terra firme.

"O que houve?", perguntou o capitão.

"Tem uma nave, outra nave, e ela está vindo na nossa direção. Eles conseguiram bloquear as minhas varreduras com um campo de dispersão. Ashby, me perdoe..."

"Não é culpa sua, Lovey", disse Jenks. "Fique calma."

"Que tipo de nave?", perguntou Ashby.

"Não sei", respondeu Lovey. "Menor que a gente, com um drive de agulha. Acho que é uma nave residencial bem pequena, mas não sei por que uma nave residencial iria..."

Corbin voltou correndo para o porão. "Uma nave", disse, sem fôlego. "Na janela..."

A *Andarilha* inteira balançou. Vários objetos caíram no corredor. Todos começaram a gritar. Ashby sentiu um nó na barriga. Algo os atingira.

"Lovey, o quê...?"

"Eles nos acertaram com uma arma explosiva. Nossa navegação parou de funcionar."

Sissix soltou alguns palavrões. Kizzy assentiu para Jenks e se pôs de pé de um salto.

"Vamos!"

"Não", disse Lovey. "Consigo pôr a gente em movimento em cinco minutos, mas a central primária de navegação está fundida. Não sei para que lado ir."

"Fundida?", gritou Kizzy. "Com que porra de arma eles nos acertaram? Lovey, você tem certeza?"

Sissix olhou para Ashby. "Posso navegar do jeito tradicional, mas não em cinco minutos, pelo menos não de um jeito seguro."

"Piratas", disse Jenks. "Lembra, Kiz, no noticiário, aqueles malditos piratas seguindo os drones do correio, usando rajadas de explosões para fritar os sistemas de navegação..."

"Ai, não", gemeu Corbin.

Ashby olhou para Jenks. "Lovey, quanto tempo até eles nos alcançarem?"

"Meio minuto. Não há nada que eu possa fazer. Sinto muito."

"Isso não pode estar acontecendo", falou Kizzy. "Eles não podem fazer isso."

"Merda", disse Jenks. "Rápido, pessoal, escondam as suas coisas!" Ele puxou um engradado aberto e jogou a encomenda de Kizzy lá dentro. Dr. Chef o imitou. Houve um impacto horrível, o som de metal sendo arranhado e retorcido, bem nas portas do porão. Corbin pulou para trás de um engradado e cobriu a cabeça.

"Eles estão hackeando os códigos da porta", disse Lovey. "Ashby, eu..."

"Tudo bem, Lovey", falou Ashby. "Nós cuidamos desse problema." Ele não fazia ideia de como fariam isso.

"Ah, merda", disse Kizzy, puxando algumas mechas do cabelo. "Merda, merda, merda."

"Fique calma." Dr. Chef passou o braço por cima dos ombros de Kizzy. "Todo mundo fique calmo."

Ashby andou alguns passos na direção da porta, pasmo. Aquilo não estava acontecendo. Não podia estar acontecendo. Porém, um zumbido do outro lado indicava o oposto. As portas se abriram. Sissix foi para o lado dele, as costas retas, as penas arrepiadas.

"Não sei o que fazer", disse ela.

"Nem eu", respondeu o capitão. *Pense, caramba!* Sua mente considerou algumas opções: encontrar uma arma, sair correndo, se esconder, bater neles com... alguma coisa. Mas não dava mais tempo. Quatro sapientes em trajes mecânicos pesados entraram pela porta, todos armados com rifles de pulsação. Seus trajes eram grandes, maiores que um humano, mas as criaturas no interior eram pequenas e magricelas, parecidas com pássaros.

Akaraks.

Ashby já vira akaraks antes, em Porto Coriol. Todo mundo sabia como os harmagianos os haviam tratado no período colonial. Seu mundo fora completamente devastado, todas as fontes de água poluídas e as florestas, desmatadas. Seu planeta natal não lhes oferecia mais nada, assim como o restante da galáxia. Não eram vistos com muita frequência, mas ainda podiam ser encontrados aqui e ali, trabalhando em ferros-velhos ou mendigando pelas ruas.

Ou, quando eles ficavam sem opção, abordando naves e tomando o que queriam.

Ashby pôs as mãos para cima. Os grasnados dos akaraks saíam de pequenas voxes logo abaixo do capacete, mas elas não estavam emitindo sons em klip.

"Não atirem", disse Ashby. "Por favor, não estou entendendo. Klip? Vocês falam klip?"

Não houve qualquer resposta que conseguisse decifrar, apenas mais guinchos, estalos e armas sendo brandidas raivosamente. As palavras não faziam sentido para a tripulação da *Andarilha*, mas as armas, sim.

Ashby sentiu o suor pingando da testa. Passou a mão pelo rosto.

"Escutem, nós vamos cooperar, só..."

O mundo explodiu em dor quando um akarak acertou o seu queixo com a coronha do rifle. Os akaraks, o porão, os gritos de Sissix, o berro de Kizzy, os xingamentos de Jenks, tudo desapareceu por trás de uma cortina de luz vermelha. Os joelhos dele cederam. O chão se aproximou rapidamente do seu rosto. E então, nada.

Rosemary não sabia o que estava esperando ver quando saiu correndo até o porão, mas havia muitas coisas acontecendo ao mesmo tempo para ela conseguir pensar com clareza. As portas do porão de carga foram abertas à força. Quatro akaraks armados — *akaraks?* — com trajes mecânicos estavam gritando com todo mundo em algum dialeto incompreensível inspirado na língua harmagiana. Ashby estava inconsciente (ou assim Rosemary esperava) no chão, e Kizzy o abraçava, chorando. O resto da tripulação estava de joelhos com as mãos para cima. Rosemary mal teve tempo de registrar a cena quando os akaraks, sobressaltados pela aparição repentina, apontaram as armas para ela, falando em palavras estranhas que teriam soado furiosas em qualquer idioma.

"Eu...", gaguejou Rosemary, levantando as mãos. "O quê...?"

O akarak mais próximo — seu traje mecânico tinha acabamentos azuis — correu até ela, grasnando o caminho inteiro. Aproximou a arma do seu rosto. Jenks começou a gritar com os demais akaraks.

"Ela está desarmada, seus animais de merda, deixem ela em paz..."

O maior akarak do grupo, o triplo do tamanho de Jenks graças ao seu traje, sacudiu a arma na direção do técnico de computação e a apontou para Ashby. A ameaça era clara: *fique quieto ou o mesmo vai acontecer com você*. As mãos de Jenks se fecharam, formando um punho. Houve um zumbido quando os rifles dos akaraks começaram a ser carregados.

*Será que eu vou morrer agora?*, perguntou-se Rosemary. O pensamento era chocante.

"Rosemary", disse Sissix por cima do barulho. "Hanto. Tente hanto."

Ela umedeceu os lábios, fazendo o seu melhor para ignorar a arma debaixo do seu nariz. Seus olhos encontraram os de Sissix, assustados, mas insistentes e encorajadores. Cravou as unhas na palma da mão, para que não pudessem ver que estavam tremendo. Olhou para o cano da arma. Então disse:

*"Kiba vus hanto em?"*

Os akaraks fizeram silêncio. Todos ficaram imóveis.

*"Sim"*, disse Traje Azul. O akarak se virou para os demais e apontou para Rosemary. *"Finalmente."* Não afastou a arma.

O akarak maior foi até ela a passos rápidos. *"Vamos levar a comida e todos os suprimentos que nos sejam úteis. Se não obedecerem, vamos matar vocês."*

*"Nós obedeceremos"*, disse Rosemary. *"Não precisam ser violentos. Eu me chamo Rosemary. Podem me chamar de Ros'ka."* Esse fora o nome que ela havia escolhido na sua aula sobre harmagianos no ensino médio. *"Vou repassar as suas exigências para a tripulação."*

Traje Azul afastou a arma, mas a manteve apontada para Rosemary. Os akaraks trocaram grasnados entre si.

O akarak maior gesticulou que havia compreendido.

*"Sou o capitão. Você não conseguiria pronunciar o meu nome e não vou fingir que tenho outro. Há mais alguém a bordo da nave?"*

*"Nosso Navegador está no aposento dele. É um homem pacífico e não representa perigo."* Rosemary achou melhor não complicar as coisas com os pronomes plurais de Ohan.

Capitão Gigante soprou o ar de modo irritado.

*"Se isso for algum tipo de truque, vou atirar em você."* Virou-se e começou a grasnar ordens para um dos akaraks, que subiu as escadas correndo.

"O que está acontecendo?", perguntou Sissix.

"Estão indo buscar Ohan", respondeu ela. "Expliquei que eles não são uma ameaça e que estamos todos dispostos a cooperar." Limpou a garganta e voltou a falar hanto. *"Minha tripulação concordou em ajudar. Por favor, diga do que precisa.*

*"Comida"*, respondeu Traje Azul. *"E equipamentos."*

Algo ocorreu a Rosemary. Ela não sabia muito sobre a cultura akarak, mas, pelo que tinha lido, sabia que valorizavam muito conceitos como equilíbrio e justiça. A ideia de levar mais do que o necessário jamais havia sequer lhes ocorrido até a chegada dos harmagianos. Ouvira dizer que esses valores ainda perduravam, e isso estava aparente até mesmo na escolha de palavras de Capitão Gigante: *Vamos levar a comida e todos os suprimentos que nos sejam úteis.* Em hanto, a semântica daquelas palavras deixava implícito um *"e nada mais"*. A mente de Rosemary disparou, enquanto considerava se valia a pena apostar naquela migalha de informação. Grande parte dela só queria saber de autopreservação — *cala a boca, entregue tudo para eles logo, você vai acabar levando um tiro —*, mas a parte mais corajosa venceu: *"Quantas pessoas há na sua nave? Há crianças a bordo?"*

Traje Azul rosnou e ergueu a arma de novo.

*"Que diferença faz quantos nós somos? Você vai fazer o que a gente mandar!"*

Rosemary mexeu os dedos em um gesto tranquilizador. *"Vou. Mas se puderem nos deixar com comida suficiente para a viagem até o próximo mercado, ficaremos humildemente gratos. Assim como vocês, não queremos morrer aqui. Além disso, já li que akaraks jovens têm necessidades nutricionais específicas. Se tiverem crianças a bordo, precisamos ter certeza de que a comida tenha todos os nutrientes necessários."*

Capitão Gigante pensou no assunto.

*"De fato, temos crianças a bordo"*, disse, por fim. Rosemary achou que era um bom sinal. A não ser pelo rosto machucado de Ashby e os rifles de pulsação, os akaraks não pareciam pessoas violentas. *"E sim, as necessidades delas são especiais. Talvez não encontremos o que precisamos na sua nave."*

*"Então deixe-me fazer uma oferta"*, falou Rosemary, com cuidado. *"Um de nós mostrará a nossa despensa. Pelo que sei, o mercado de Kesh To'hem fica a menos de uma decana daqui. Não iremos nessa direção, pois não podemos nos desviar da nossa rota. Levem apenas o necessário para a sua jornada até Kesh To'hem e nós lhes daremos créditos e suprimentos valiosos para que possam comprar a comida apropriada. Assim, seus jovens vão ter o que precisam, e nós não morreremos de fome na nossa jornada."*

Os akaraks começaram a conversar entre si. Rosemary cravou ainda mais as unhas na palma da mão, torcendo para que a dor fosse aquietar os tremores sob a pele. Sua oferta consistia em uma ínfima informação possivelmente falsa que tinha guardada da aula de um semestre sobre Introdução à História Colonial Harmagiana. Se estivesse errada... bem, logo descobriria. Pelo menos ainda estavam todos respirando. Ashby estava respirando, certo?

*"Rosemary?"*, perguntou Sissix. *"Como estamos nos saindo?"*

*"Bem"*, disse Rosemary. *Espero.* *"Aguente firme."*

*"A proposta é aceitável"*, disse Capitão Gigante. *"Que tipo de combustível vocês usam?"*

*"Alga."*

*"Também vamos levar parte dele."*

*"Eles estão perguntando sobre combustível?"*, indagou Corbin. *"Porque colhi a superfície do tanque ontem e essa leva demorou cinco decanas para..."*

*"Corbin"*, disse Dr. Chef com uma calma mortal. *"Fique quieto."*

E, pela primeira vez na vida, Corbin não teve mais nada a dizer.

*"O que o homem rosa disse?"*, perguntou Capitão Gigante.

"*É o nosso algaísta*", disse Rosemary. "*Está apenas... preocupado com o produto que trabalhou tanto para cultivar. Mas você terá o combustível. Não há problema.*"

Dentro do traje, Capitão Gigante bateu no próprio queixo, pensando.

"*Se levarmos dez barris, vocês vão ter o suficiente para alcançar o próximo destino?*"

Rosemary traduziu a pergunta a Corbin, que assentiu, contrariado.

"*Sim, dez barris não serão problema.*"

A conversa tinha passado de assustadora a bizarra. As inflexões usadas por Capitão Gigante não tinham uma tradução exata em klip, mas em hanto eram praticamente educadas. Teria esperado ter uma conversa desse tipo em uma loja ou um restaurante, não sob a mira de uma arma. Era como se os akaraks pensassem nela como uma mercadora, mas usando a ameaça de violência como moeda.

"*Também precisaremos de certas peças*", disse Capitão Gigante. "*Nossos motores necessitam de reparos.*"

Rosemary fez um gesto compreensivo. "Kizzy, você sabe alguma coisa sobre a nave que eles estão usando? Nossas peças são compatíveis?"

"Talvez algumas. Não sei."

"*Nossa técnica acredita que algumas das nossas peças possam ser compatíveis, mas não tem como saber ao certo. Ela vai ajudar a encontrar o que você precisa.*"

"*Muito bem. Você vai me acompanhar, junto com a técnica, para traduzir os meus pedidos. Ela*" — Capitão Gigante indicou Traje Azul — "*vai buscar comida junto com um dos seus tripulantes. O restante de nós ficará aqui com a sua tripulação. Vocês parecem pessoas razoáveis, mas não hesitaremos em atirar caso tentem nos enfrentar.*"

"*Vocês têm a nossa cooperação*", disse Rosemary. "*Não queremos que nada de mal aconteça com nenhuma das duas tripulações.*"

Rosemary começou a explicar o acordo para o restante da tripulação. Todos assentiram, parecendo um pouco menos tensos, embora continuassem temerosos. O zumbido das armas parara. *Nós podemos sair dessa*, pensou ela, um momento antes de o quarto akarak reaparecer e empurrar Ohan para o porão.

Os outros akaraks foram à loucura. Começaram a conversar, frenéticos, atropelando uns aos outros, enquanto Rosemary tentava responder.

"O que está acontecendo?", perguntou Sissix.

"Eles querem levar Ohan", explicou Rosemary.

A tripulação da *Andarilha* explodiu.

"O quê?", disse Kizzy.

"De jeito nenhum!", protestou Jenks.

"Por quê?", perguntou Sissix.

"Para vendê-los", respondeu Rosemary.

"*O quê?*", gritou Kizzy.

"Um par pode ser muito valioso no planeta certo", disse Dr. Chef.

"Se for para manter vocês seguros...", Ohan começaram a dizer.

"Não", disse Jenks. "De jeito nenhum. Rosemary, diga para esses pássaros de merda nesses trajes de merda para enfiarem essas exigência no..."

"Jenks, cala a boca, porra!", gritou Kizzy, segurando a cabeça de Ashby de modo protetor. O sangue dele cobria as mãos da técnica mecânica.

"Parem com isso, todos vocês parem com isso, desse jeito vão acabar matando a gente", bradou Corbin.

"Cala a boca você também, Corbin."

"*Acalme a sua tripulação*", falou Capitão Gigante. "*Ou seremos violentos.*"

"Calem a boca, todo mundo, calados!", gritou Rosemary. Ela se virou para Capitão Gigante. "*Ohan são parte da nossa tripulação. Nós cooperamos com todas as suas outras exigências, mas...*"

"*Este homem pode nos tirar da pobreza*", disse Capitão Gigante. "*Ele seria muito útil para nós. Você faria a mesma coisa no nosso lugar.*"

"*Não, não faria.*"

Capitão Gigante considerou a resposta.

"*Talvez não. Mas, de qualquer forma, você não tem escolha.*"

"Ofereça outra coisa", pediu Sissix.

"O quê?", perguntou Rosemary.

"Ambi", sugeriu Kizzy. "Ofereça as partículas de ambi."

Os akaraks ficaram imóveis. Enfim uma palavra em klip que eles entendiam.

"*Vocês têm ambi a bordo dessa nave?*"

"*Sim*", disse Rosemary. "*Nós lhe daremos o ambi se não levar o nosso Navegador.*"

"*E o que nos impede de levar o ambi e o Navegador?*", perguntou Traje Azul, erguendo o rifle.

Rosemary sentiu um nó no estômago. Aquela era uma boa pergunta.

"Eles querem saber por que não podem levar o ambi *e* Ohan."

"Merda", disse Jenks.

"Por que eu fui falar nisso?", gemeu Kizzy.

"Diga que Ohan não têm valor para eles", falou Dr. Chef.

Rosemary traduziu. Os akaraks perguntaram o motivo.

"Por quê?", indagou Rosemary a Dr. Chef.

"Porque Ohan estão morrendo."

A tripulação da *Andarilha* se virou para olhar para Dr. Chef. Ohan fecharam os olhos e não disseram nada. Rosemary se recompôs. Era apenas um blefe, com certeza. Ela informou os akaraks.

Os akaraks se afastaram. O que tinha empurrado Ohan para o porão se encolheu.

"É contagioso?"

"*Acho que não*", disse Rosemary, sem ter certeza. "Dr. Chef, me ajude aqui."

"Ohan estão no estágio final da vida de um Sianat Par", explicou o médico. "Não têm mais que um ano de vida." Ele fez uma pausa e, por fim, acrescentou: "Qualquer possível comprador estaria suficientemente familiarizado com a espécie para identificar os sintomas."

Rosemary traduziu a resposta.

"*Você pode estar mentindo*", disse Capitão Gigante. "*Mas o risco de desperdiçar combustível e comida em uma carga inútil não vale a pena, ainda mais com o ambi. Não vamos levá-lo, então, mas vocês têm que nos dar a carga inteira de ambi.*"

Rosemary concordou. "Ohan podem ficar", informou à tripulação.

"Ah, estrelas", disse Kizzy.

"Mas eles querem todo o ambi."

"Tudo bem", falou Sissix.

"Ainda bem que a CG é que vai pagar a conta", disse Jenks.

Rosemary e Capitão Gigante acertaram os últimos detalhes. As duas tripulações se dividiram. Jenks, Ohan e um Ashby meio consciente — estrelas, os olhos dele finalmente tinham voltado a se abrir — ficaram sob guarda no porão. Rosemary segurou a mão de Kizzy quando saíram pela porta com Capitão Gigante. Kizzy apertou a mão dela com tanta força que um dos dedos de Rosemary estalou.

A voz de Jenks as seguiu: "Divirtam-se roubando as nossas coisas, seus babacas! Rosemary, não vai traduzir isso para mim?"

Ela deixou essa passar.

Ashby estava deitado na sua cama na enfermaria, tentando se mover o mínimo possível. As duas mãos estavam ocupadas. A direita encontrava-se debaixo do escâner médico, onde um grosso feixe de luz indicava onde devia posicionar o seu implante de pulso. Dr. Chef estava sentado do outro lado do escâner, zumbindo baixinho enquanto fornecia as instruções para os imunobôs de Ashby. Em algum lugar sob a pele do humano, dois pelotões de robôs haviam se separado das suas patrulhas diárias para reparar a fratura na mandíbula e o hematoma no cérebro. Dr. Chef tinha falado muito sobre uns tais de "tecido de granulação" e "osteoblasto", palavras que já não teriam feito sentido algum para Ashby mesmo que ele não estivesse cheio de analgésicos. No entanto, tinha entendido bem a parte de ficar deitado e não mover o queixo. Ele dava conta.

Sua outra mão estava sendo apertada entre as garras de Sissix. Ela estava sentada ao seu lado, contando tudo o que tinha acontecido depois de ele apagar. De vez em quando, ela soltava a mão dele para deixá-lo digitar uma pergunta no scrib. Dr. Chef o tinha proibido de falar por enquanto.

Ninguém mais ficara ferido. O ambi, a comida, nada disso importava. Eram apenas coisas, e coisas podiam ser substituídas — a tripulação, não. O alívio que sentira ao saber que fora o único a acabar na enfermaria superara até o efeito dos analgésicos.

*Onde está todo mundo agora?*, escreveu ele.

"Kizzy e Jenks estão consertando as portas do porão de carga. Falaram que os danos são superficiais. Já substituíram a central de navegação, que está funcionando de novo. Corbin começou a preparar uma leva de algas para substituir a outra assim que os akaraks foram embora. Acho que Rosemary está contabilizando as perdas." Ela sorriu. "E adivinha onde estão Ohan?"

*Nos aposentos?*

Sissix balançou a cabeça. "Estão lá no porão com os técnicos."

Ashby apenas a encarou, sem reação.

"Eu sei. Não estão batendo papo nem nada, só ficaram sentados em um canto, distraídos, como sempre. Mas ainda nem estiveram nos seus aposentos, e chegaram até a seguir Kizzy quando ela foi buscar umas ferramentas. Nunca pensei que fosse dizer isso, mas Ohan não querem ficar sozinhos."

Ashby continuou sem palavras.

*Nossa*, escreveu.

Uma hora se passou. Dr. Chef assentiu satisfeito e virou o monitor para o capitão poder ver a tela, que mostrava as imagens capturadas por um dos seus imunobôs, que estava fazendo... alguma coisa com uma grande parede branca e esponjosa (seu maxilar, ele supunha). Outros robôs passaram correndo pelos cantos da imagem, como aranhas nadadoras.

"Você está se recuperando bem", disse Dr. Chef. O capitão resolveu acreditar nele. Não fazia ideia do que estava acontecendo ali dentro, e sempre ficava desconcertado quando via o interior do seu corpo. "Você já pode falar, mas não abra muito a boca. A fratura ainda não sarou completamente. E o cérebro podia estar melhor."

"Que novidade", brincou Sissix.

"Muito obrigado", disse Ashby, movendo a boca com cuidado. "Agradeço muito a compaixão." Passou a língua nos lábios. Estava com um gosto ruim na boca. "Posso beber um pouco d'água?"

Sissix encheu um copo na pia. Ela o levou aos seus lábios, ajudando--o a beber.

"Precisa de mais alguma coisa?"

"Não. Ah, espera. Pode chamar Rosemary?"

Sissix inclinou a cabeça em direção à vox.

"Lovey, você ouviu?"

"Vou chamá-la para você", respondeu a IA. "É bom ouvir a sua voz de novo, Ashby."

"Obrigado, Lovey."

Alguns minutos depois, uma cabeça com cabelos cacheados espiou da porta.

"Você me chamou?"

"Oi, Rosemary", disse Ashby. "Sente-se." Os analgésicos deixavam a fala dele embolada, como se tivesse bebido demais. Torcia para não estar babando.

Rosemary puxou um banquinho, sentando-se ao lado de Sissix. "Você está bem?"

"Estou. O desgraçado ferrou com o meu queixo, mas é melhor que levar um tiro." Encostou a cabeça no travesseiro, tentando pensar direito, mesmo com a concussão e o efeito dos remédios. "Não sei nem por que aquele cara me bateu." Ele esfregou os olhos, tentando afastar o cansaço.

"Deve ter sido para assustar a gente", sugeriu Sissix. "Mostrar quem é que manda. Só sei que *eu* fiquei assustada." Ela apoiou a cabeça no braço de Ashby.

Rosemary estudou o rosto dele. Algo chamava a atenção dela.

"O que foi?", perguntou ele.

"Você tocou no seu rosto enquanto estava falando com o capitão akarak? Como está fazendo agora?

"Hã, acho que sim, talvez." Ashby lutou contra os pensamentos enevoados, tentando se lembrar. "Não sei, tudo aconteceu muito rápido."

"Talvez algo assim?" Rosemary esfregou os olhos com a palma da mão, como se estivesse com dor de cabeça.

"É possível. É, é, acho que sim."

Rosemary fez uma careta. "Então isso explica. Olha, *isto*". Ela ergueu a palma da mão, pondo o polegar escondido atrás dos outros dedos, em uma imitação das clavas dos tentáculos harmagianos, então flexionou as mãos duas vezes sobre os olhos "é um gesto muito ofensivo para os harmagianos. E os gestos e dialetos akaraks eram *muito* influenciados por eles."

"E o que significa?"

Rosemary pigarreou. "Significa que você preferiria esfregar merda nos próprios olhos a continuar falando com os akaraks."

Ashby ficou sem reação por um momento. Então, ele e Sissix começaram a gargalhar.

"Ai", disse, agarrando o queixo. "Ai, ai." Seu queixo ainda não estava preparado para gargalhadas.

"Cuidado", disse Dr. Chef. "Se não sarar direito, vamos ter que fazer tudo de novo."

Sissix ainda estava rindo para Ashby. "Eu também teria batido em você."

"É", concordou Ashby. Manteve os lábios quase fechados, tentando não mexer demais o queixo. "Eu também."

"Pelo menos você deu um fora neles."

"Claro", disse, com um sorriso contido. "Aposto que o meu insulto acidental feriu muito os sentimentos deles."

"Falando nisso", disse Rosemary, estendendo o scrib. "Já contabilizei as nossas perdas e reportei o que houve. Agora estou rascunhando uma lista para o Conselho de Transportes cobrir..."

Ashby balançou a mão pedindo silêncio. "A gente pode falar disso depois. Não foi por isso que chamei você."

"Ah."

"Quero lhe agradecer. Sem você, não sei se as coisas teriam terminado tão bem."

Rosemary pareceu envergonhada. "Não sei. Tive sorte. Há muitas culturas sobre as quais não sei nada."

"Talvez, mas foi boa sorte, coisa que não teríamos tido sem você. O mais importante foi que ficou calma e manteve todo mundo em segurança. Hoje teria sido muito pior se não estivesse aqui." Ele segurou a mão dela. "Fico feliz em tê-la na minha tripulação."

Rosemary começou a formular uma resposta, mas o que acabou saindo foi "Ai, não". Ela levantou a mão para secar uma lágrima escorrendo pela bochecha.

"Ah, estrelas. Desculpe", disse ela. Outra lágrima caiu. E então mais outra. Rosemary escondeu o rosto nas mãos. A represa se rompeu.

"Ah, que isso...", disse Sissix com uma risada gentil, passando o braço pelos ombros trêmulos de Rosemary. "Você ainda não teve tempo de ficar desesperada?"

Ela balançou a cabeça, apertando o nariz com uma das mãos. Seu rosto inteiro estava vazando. *Coitadinha*, pensou Ashby. Não a culparia se, depois dessa, ela quisesse um emprego seguro em algum planeta. Até *ele* via certo apelo na ideia.

"Ah, esses humanos...", disse Sissix para Dr. Chef. "Eu separei uns minutos para surtar. E você?"

"Óbvio que sim", disse Dr. Chef, entregando um lenço limpo para Rosemary. "Depois de medicar Ashby e ativar os robôs, me tranquei na minha sala e passei uns dez minutos gritando."

"Ah, então era isso?" Ashby tinha uma vaga lembrança de uma eufonia impressionante que ouvira apesar de toda a dor. "Achei que você estava cantando. Foi bem bonito."

Dr. Chef deu uma risada curta e alta.

"Ashby, se os akaraks acham que esfregar merda nos olhos é ruim, as coisas que falei na minha sala os teriam traumatizado para o resto da vida." Ele resmungou e arrulhou ao mesmo tempo. "Mas Sissix tem razão, querida", disse, pousando a mão na nuca de Rosemary. "Sua espécie tem tendência a reprimir as emoções. E, como médico, devo dizer que ir direto para a papelada depois de negociar sob a mira de uma arma não foi uma escolha muito saudável."

Um dos soluços de Rosemary se transformou em riso. "Não vou esquecer da próxima vez."

"Nada de 'próxima vez', por favor", disse Sissix. "Não quero passar por isso de novo."

"Nem eu", concordou Dr. Chef. Ele olhou para o monitor dos robôs. "Ashby, mais duas horas e você vai estar novo em folha. Só o que pode fazer é ficar aqui deitado, sem fazer esforço."

"Tudo bem", disse Ashby. "Uma soneca cairia bem." Os remédios o tinham deixado com sono, e a conversa acabara com as suas forças.

"E um pouco de comida também. As senhoritas gostariam de me acompanhar até a cozinha? Vamos ver se conseguimos preparar uma refeição bem gostosa e aconchegante com o que os akaraks deixaram para trás." Ele deu alguns tapinhas nas costas de Rosemary. "Recebi umas sementes que acho que vão botar um sorriso no seu rosto."

Rosemary respirou fundo, recompondo-se. "Só mais uma coisa. Aquilo sobre Ohan."

"Ah", disse Dr. Chef. "Sim."

"Era...?"

"Verdade? Sim, infelizmente. E sinto muito por ter precisado desrespeitar a privacidade de Ohan daquele jeito, mas foi a única coisa que me veio à cabeça na hora."

"Estrelas", disse Rosemary. "Eu não fazia ideia."

"Também fiquei sabendo agora", disse Sissix, franzindo a testa para Ashby. "E ainda não entendi por quê."

Ashby suspirou. "Depois nós conversamos sobre isso, Sis. Não estou conseguindo pensar direito."

"Tudo bem", disse ela. "Você pode usar a desculpa de estar de cama." Ela bateu de leve no peito dele com a garra. "Depois conversamos."

Quando ficou sozinho na enfermaria, Ashby pegou a carta de papel no bolso. Obrigou-se a resistir às drogas que o faziam querer dormir só por mais alguns minutos.

Acredite, fico feliz por esse traço de vocês.

Não sei quanto tempo essa viagem vai levar (é uma viagem delicada) e sei que você não vai voltar ao espaço Central até o padrão que vem. Mas tenho mais papel, então pelo menos posso dar oi quando parar para reabastecer no mercado. Também vou mandar uma carta pelo scrib assim que estiver liberada. Este papel não tem espaço suficiente para escrever tudo o que gostaria de dizer, mas quero que saiba de uma coisa: eu te amo e estou sempre pensando em você.

Boa viagem.

Pei

Depois que as portas foram consertadas e a refeição foi consumida, Jenks fez várias coisas. Primeiro, tomou um banho. A nave inteira lhe parecia suja agora, depois de ver aqueles desgraçados com trajes mecânicos andando por todo o lado. Não podia esfregar a nave inteira, mas ao menos podia se limpar. Ignorou a regra do banho de quinze minutos. Não seria assim tanto trabalho extra para o sistema de tratamento de água, e Kizzy o perdoaria em um dia daqueles.

Quando voltou ao quarto, pegou a ficha de informação no bolso das suas calças largadas no chão. Ainda nu, sentou-se na cama, enfiou a ficha no scrib e começou a ler.

E aí, cara? Encontrei um fornecedor para atualizar aquele programa sobre o qual a gente conversou. Ele está disposto a encontrar o kit inteiro para você, mas quer receber adiantado e não aceita devoluções. Sem exceções. Você sabe como esses técnicos de produtos especiais são.

Você precisa falar com o sr. Crisp. Já ouvi o nome dele por aí. A reputação é boa. Tem o próprio asteroide e tudo. É um excelente programador e também é bom com produtos personalizados. Está aguardando o seu contato. A informação dele segue abaixo. Por favor, não repasse para ninguém.

E pense no que eu falei. Tem certeza de que essa atualização é a melhor para você?

Venha nos visitar de novo. Dessa vez, eu faço o jantar. Ou pelo menos pode ser por minha conta.

Sálvia

Seus olhos se demoraram na palavra "kit". Sabia do que Sálvia estava falando. Pensou no que ela dissera em Porto Coriol, a responsabilidade e as consequências. Pensou no assunto tempo suficiente para poder dizer que tinha pensado. Vestiu uma calça e foi até o núcleo de Lovey.

Conversaram por horas. Todos os riscos e perigos já haviam sido mencionados antes, dezenas de vezes. No entanto, como sabiam técnicos de computação e IAS, a redundância em nome da segurança era sempre uma boa ideia.

"Tem duas coisas que me incomodam", falou Lovey. "Não o suficiente para dizer não, mas precisamos tomar uma decisão sobre elas."

"Diga."

"Primeiro, se eu me transferir para um kit, a nave ficaria sem um sistema de monitoramento. Já que, na prática, vou deixar um emprego com o qual me importo muito, quero ter certeza de que vou arrumar uma boa substituta."

Jenks tamborilou os dedos nos lábios enquanto pensava. "Não sei por quê, mas instalar uma nova IA me parece estranho, consideradas as circunstâncias. Você acha que ela ficaria com inveja, se visse você andando por aí enquanto ela viveria no seu antigo núcleo?"

"Depende da IA e se ela tem ou não interesse em um corpo, para início de conversa. Mas acho que poderia causar problemas. Digamos que ela me veja andando pela nave e queira saber por que não pôde ter a mesma oportunidade. Por que eu tive escolha e ela, não."

"É uma boa consideração", disse Jenks, franzindo a testa. "E não seria justo." Ele suspirou. "Então..."

"Calma, não desista, ainda não terminei. E se um modelo não consciente me substituir?"

Jenks ficou sem reação. Um modelo não consciente poderia desempenhar o trabalho de Lovey, com algumas alterações pesadas, mas nunca seria alguém com quem pudessem ter uma conversa real. Nunca faria parte da tripulação de verdade.

"Isso não incomodaria você?"

"Por que deveria?"

"Conviver com uma IA que foi *desenvolvida* para ser menos inteligente que você, só o suficiente para fazer o trabalho, mas não o bastante para crescer além disso? Sei lá, sempre fiquei meio em cima do muro em relação a isso."

"Você é um amor, mas está sendo bobo."

Ele sorriu. "Por quê?"

Lovey fez uma pausa. "Você se incomoda com animais de carga? Cavalos puxando carroças, esse tipo de coisa?"

"Não, por mim tudo bem, desde que não sejam maltratados."

"Bem, então pronto."

"Hum." Ele precisaria pensar mais a respeito. "No fim, a decisão seria de Ashby."

"Essa é a segunda coisa que me incomoda. Nós nunca falamos muito sobre o que Ashby vai fazer quando souber dos nossos planos."

Jenks soltou um suspiro pesado. "Não sei mesmo. Ele não vai ficar feliz. Mas acho que também não vai nos denunciar. Não faz o estilo dele. Na melhor das hipóteses, ele vai me dar uma bronca, mas vai nos deixar ficar. Na pior, teremos que ir embora."

"A pior hipótese não é tão improvável. Ele poderia perder a licença se encontrassem tecnologia ilegal na nave dele."

"É, mas com que frequência fazem essas buscas na *Andarilha*? E quando fazem, não é como se..."

"Jenks."

"O quê? A chance de sermos descobertos..."

"Existe. Eu estou disposta a correr o risco. Ashby pode não estar. Você está preparado para isso? Não vou fazer você perder o seu emprego e o seu lar por minha causa. A escolha é sua, não minha."

Ele apoiou a cabeça no núcleo dela. "Eu sei. Amo esta nave. Amo esse emprego. Amo a tripulação." Ele correu a mão pela curva lisa, perfeita. "E não quero ir embora. Mas não vou ficar na *Andarilha* para sempre. Um dia, quando for a hora certa, vou fazer outras coisas. Se essa hora não for escolhida por mim, então... tudo bem."

"Tem certeza?"

Ele ficou sentado, pensando, enquanto olhava a luz dela brilhando por entre os seus dedos. Pensou no interior familiar das paredes da nave, a maneira como Ashby confiava nele para alterá-las do jeito certo. Pensou no sulco no seu colchão onde apenas ele cabia. Pensou nos momentos bebendo mek no Aquário, Sissix rindo, Dr. Chef zumbindo. Pensou em Kizzy, com quem, Jenks sabia, ele se sentaria em algum bar suspeito do espaço, sessenta anos mais tarde, os dois velhos e falando alto demais.

"Tenho", respondeu em voz alta. "Sim, tenho certeza."

Lovey fez uma pausa. "Mesmo que chegasse a esse ponto, eles não odiariam você. Essas pessoas sempre vão ser suas amigas."

"E suas também."

"Não tenho tanta certeza."

"Eu tenho." Ficou em silêncio. "E aí? Vamos mesmo fazer isso?"

"É o que parece." Ela falara com um sorriso. Um sorriso que ele mal podia esperar para ver.

"Está bem." Ele assentiu, rindo. "Uau. Está bem. Vou falar com o cara amanhã."

Ele dormiu no fosso da IA aquela noite, a cabeça apoiada no frio painel de interface. Podia sentir o metal deixando marquinhas na sua pele. Pegou no sono pensando em braços macios envolvendo o seu peito, um hálito quente na sua bochecha.

Dia 249, Padrão 306 da CG

# grilo

Aquele era um nome estranho para uma lua. Chamar de colônia era um exagero. Ashby contou dez prédios próximos, além de alguns assentamentos solitários pontilhando as colinas e os penhascos mais além. As estradas eram pouco mais que uma faixa de terra achatada. Havia luzes de voo e caminhos para pedestres, mas tudo parecia ter sido feito de improviso. O céu tinha cor de sulfúreo, o chão, de ferrugem. Um lodo fino já cobria as ranhuras das suas máscaras respiratórias e dos seus óculos de proteção. Não havia outros sapientes à vista.

Ashby ergueu a mão para bloquear a claridade do sol branco.

"Sissix?"

"Hum?" Sua voz, como a dele, estava abafada pela máscara.

"Por que estamos aqui?"

"Esta é uma pergunta filosófica ou...?"

Ele lhe lançou um olhar irritado. "Por que estamos aqui, nesta plataforma, neste exato momento?"

A plataforma em questão consistia em uma espessa chapa de metal industrial, com as juntas alaranjadas, sustentada por vigas de apoio duvidosas. Kizzy e Jenks estavam sentados na borda da plataforma, discutindo sobre alguma simulação de ação enquanto a técnica mecânica torcia pedaços de metal quebrados para formar animais. Rosemary estava em um quiosque próximo, discutindo com um IA defeituosa sobre os custos de atracagem. Um cartaz desbotado pendia do telhado do quiosque: BEM-VINDO A GRILO. Logo abaixo, havia um longo aviso sobre como implantes subdérmicos ilegais tendiam a disparar os detectores de armas.

Sissix ajustou os óculos de proteção. "Se me lembro bem, Kizzy falou: 'Sabe do que a gente precisa?'. E você perguntou: 'O quê?'. E ela respondeu: 'Armas', e você disse: 'Nada de armas', mas aí ela falou: 'Então uma blindagem' e começou a explicar que tinha uns amigos que poderiam nos ajudar e que não ficavam muito fora da rota..."

"Dessa parte eu me lembro. Acho que a minha verdadeira pergunta é: por que concordei com isso?"

"Você tinha sofrido uma concussão e estava sob efeito de sedativos."

"Ah. Isso explica."

"Mas devo dizer, Ashby, ter algumas armas a bordo para este trabalho talvez não seja uma má ideia. Ainda mais depois do que aconteceu."

"Não me venha com essa você também. Foi só uma coincidência infeliz. Passei a vida inteira voando e isso nunca aconteceu comigo antes. Não vou encher a minha nave de armas só porque ficamos um pouco abalados."

"Ashby, nós estamos indo para o que costumava ser uma zona de guerra até bem pouco tempo. Você não acha que pode haver outras pessoas desesperadas e perigosas por lá também?"

Ele tocou o queixo. As manchas roxas do rifle dos akaraks ainda estavam sumindo. Voltou a pensar naqueles momentos terríveis no porão de carga, lembrando-se de como fora horrível ter estranhos dentro da sua casa. Recriou o ocorrido, imaginando uma arma na sua mão. Teria atirado? Não sabia dizer. Mas imaginar a posse de uma arma naquele cenário o fazia se sentir mais seguro. Não se sentia mais indefeso. Sentia-se poderoso. E era justamente isso o que o assustava.

"Não vou comprometer os meus princípios. Já tomei a minha decisão."

"Malditos exodonianos", respondeu Sissix, mas estava sorrindo.

Ashby soltou uma risada. "Kizzy disse a mesma coisa. Ela fala como se a gente precisasse do arsenal de um planeta inteiro preso no nosso casco."

"Ela ficou assustada, Ashby. Todos nós ficamos. Ainda estamos." Sissix segurou a mão dele e esfregou a bochecha no seu ombro.

Rosemary bateu a porta do quiosque atrás de si. "IA fajuta idiota!" Furiosa, ela tentava limpar um grumo de poeira teimoso dos óculos de proteção. "Pelo preço que cobram para atracar aqui, podiam *ao menos* ter um atendimento decente!"

"Quanto foi?", perguntou Ashby.

"Sete mil e quinhentos créditos", disse Rosemary. "Mais as taxas administrativas. Não que eu esteja vendo qualquer administrador por aqui."

O capitão assobiou. "Caramba. É melhor esses amigos de Kizzy valerem a pena."

Rosemary estava inquieta. "Ashby, este lugar é meio suspeito. Não me incomodo com um ou outro documento falsificado, mas..."

"Não se preocupe", disse ele. "Não vou trazer nenhum equipamento ilegal a bordo, ainda mais quando estamos tão perto do território quelin. Tenho certeza de que os amigos de Kizzy são confiáveis."

"Há quanto tempo você conhece Kizzy?", perguntou Sissix.

Ashby seguiu o olhar dela e viu um esquife barulhento vindo em direção à plataforma. O motorista se levantou do seu assento, apesar de o veículo ainda estar em movimento. Era um humano forte, mais jovem que Ashby, nu da cintura para cima a não ser pela máscara de ar, alguns colares com pendentes esculpidos e um pequeno lançador de mísseis pendurado no ombro. Seu cabelo, de um cobre escuro, era desgrenhado e caía pelos ombros como uma capa. Tinha uma barba à altura, cortada rente na linha da mandíbula e presa em uma trança comprida abaixo do queixo. Sua pele era bem bronzeada, mas o subtom pêssego indicava que descendia de uma das colônias à margem, isolada da mistura dos povos exodonianos. Os músculos esculpidos eram cobertos de portas conectoras e tatuagens intrincadas, e o seu antebraço esquerdo fora substituído por um apêndice de ferramentas que parecia de fabricação própria. Conforme o esquife se aproximava, Ashby pôde ver as cicatrizes feias ligando o braço do homem ao antebraço mecânico. Teve a impressão de que a cirurgia também fora feita em casa.

"Ah, que ótimo." Ele suspirou. Uma blindagem era uma boa ideia. Um modificador picareta com um parafuso solto depois de tanta genedificação era outra história. Como podia ter concordado com uma coisa daquelas?

"Kizzy!", exclamou o motorista, felicíssimo. Ele abriu bem os braços, erguendo-os bem alto.

"Urso!", gritou ela, jogando um coelho de metal torcido para trás. O fragmento passou voando por uma placa instruindo os usuários das docas sobre a maneira adequada de descartar o lixo. Kizzy correu para a escada da plataforma, descendo dois degraus de cada vez. "Urso, Urso, Urso, urso!" Ela pulou nos braços dele, fazendo os dois caírem de volta no assento. Jenks foi atrás dela em um passo mais relaxado, todo sorridente. Ele e Urso deram um aperto de mão caloroso enquanto Kizzy continuava agarrada à cabeça do amigo, comemorando com um "Vivaaa!".

Rosemary se virou para Ashby. "*O nome dele é Urso?*", perguntou em ensk.

"*É o que parece*", respondeu Ashby.

"'Urso' significa alguma coisa?", perguntou Sissix. A palavra em ensk soou estranha em klip, ainda mais com o sotaque dela. "O que é um urso?"

Ashby começou a andar. Com um movimento de cabeça, indicou o enorme homem peludo esmagando a técnica mecânica nos seus braços gigantescos. "*Aquilo* é um urso."

"Bem-vindos a Grilo!", gritou Urso, acenando para todos. Pelo menos era amigável.

Ashby estendeu a mão depois de descer os degraus.

"Olá. Sou Ashby Santoso."

"Ah, o capitão!" Urso apertou a mão dele, que tentava não ficar olhando para o outro braço, com as cicatrizes e os fios. "Kizzy fala muito bem de você." A mulher corou. "Shhh. Ele vai achar que eu pedi para você ser puxa-saco."

"Você deve ser Sissix", disse Urso, apertando as garras dela. "É um prazer conhecê-la." Ele ficou a encarando, segurando as suas garras por tempo demais. Sacudiu a cabeça, como se estivesse se obrigando a voltar ao presente. "Desculpe", falou, visivelmente constrangido. "Não viajo muito, e não temos tantos visitantes de outras espécies por aqui."

"Sem problemas", respondeu Sissix, parecendo um pouco confusa. Ela não devia nem ter reparado que o aperto de mão durara tempo demais.

"E..." Urso ficou pensando. "Rosie? É isso?"

"Rosemary", disse ela com um sorriso, apertando a sua mão.

"Rose*mary*. Agora gravei. Ei, por acaso foi você que eu vi saindo do quiosque agora há pouco?"

"Sim. Não é nada barato atracar aqui."

Ele sacudiu a cabeça. "Vou devolver os créditos para você. O palhaço do Mikey colocou esse troço aí para ganhar uns créditos fáceis de visitantes desavisados. É um golpe. Vou falar que vocês são da família. É quase verdade."

"Ahhh", disse Kizzy, apertando Urso.

"Muito bem, pessoal, podem entrar", disse ele. "Vai ficar meio apertado, espero que não se importem." O esquife não fora feito para acomodar cinco passageiros (ainda mais quando um deles tinha uma cauda), mas, depois de se espremerem um pouco, conseguiram caber no veículo sujo e amassado. "Kizzy, música para a estrada, por favor." Urso indicou um sistema de som improvisado que consistia em uma gambiarra com um scrib e três pequenas caixas de som aparafusadas juntas. O tamanho diminuto das caixas de som enganava. Todos se sobressaltaram quando os primeiros acordes de uma banda de tecnomax começaram a tocar no último volume. Os três técnicos assentiram com aprovação e o esquife partiu.

Com a música pesada e o barulho do vento, não havia muito como conversarem. Do seu lugar apertado, Ashby ficou olhando o mundo passar. Quando chegara, tinha pensado que talvez houvesse uma colônia de verdade escondida atrás de alguns dos penhascos mais altos, mas não, Grilo era uma lua vazia. O terreno escarpado e pedregoso era pontilhado por um ou outro *bunker* residencial. Cactos teimosos podiam ser vistos aqui e ali, mas Ashby não identificou sinais de agricultura — e nem de fontes de água, aliás. Devia haver água em algum lugar. Gravidade favorável e uma atmosfera tolerável não eram suficientes para fundar uma colônia, a menos que se tivesse recursos para importar água de outros planetas. Pelo pouco que vira, não achava que a população de Grilo fosse muito rica.

À distância, algo se enfiou em uma das rachaduras do solo. O esquife estava indo rápido demais para Ashby ver direito, mas, o que quer que fosse, era do tamanho de um cachorro grande. Talvez o lançador de mísseis de Urso não fosse só para compor o figurino.

O esquife seguiu pela estrada sinuosa que subia por um dos penhascos. Era larga o bastante para o esquife, mas por pouco. Ashby olhou para baixo e se arrependeu na mesma hora. Como muitos espaciais que haviam passado a vida inteira em naves, ele não tinha apreço por lugares altos em terra. Um planeta visto da órbita não era problema, pois, lá em cima, cair significava flutuar. Dentro de uma nave, se você por acaso caísse de um lugar alto — dentro do fosso do motor de uma nave residencial grande, por exemplo —, teria tempo de gritar "Caindo!". Esse grito levaria a IA a desligar a rede de gravidade artificial local. A queda seria interrompida na hora e você poderia flutuar até o parapeito mais próximo. Sim, qualquer um bebendo mek ou trabalhando com peças pequenas na mesma área ficaria bem irritado, mas era um preço justo a se pagar para salvar vidas (esse mecanismo de segurança era muito explorado por crianças, que achavam engraçadíssimo pôr um fim na gravidade de uma passarela movimentada ou uma sala de aula). Nos planetas, entretanto, não havia redes de gravidade artificial. Até mesmo uma queda de três ou quatro metros poderia significar a morte, caso você caísse de mau jeito. Ashby não gostava muito de gravidade que não podia ser desligada.

Depois de uma curva, surgiu uma residência construída sobre um afloramento plano. Uma estrutura de placas metálicas bem alta cercava tudo menos a saliência, protegendo a construção no interior. O esquife passou por um portão automático, e então a residência pôde ser vista sem obstáculos. Fora construída, em parte, a partir de um pequeno cargueiro aterrado permanentemente. Havia um apêndice sem cor na habitação, como um bulbo brotando de uma semente feia. No topo do telhado repousava uma antena parabólica com uma luz piscante que servia de alerta aos veículos aéreos. A uma distância segura da nave, dois drones de entrega estavam parados em uma plataforma de lançamento. A nave tinha um certo ar industrial, de fortaleza, mas também havia algo cativante naquela construção típica de humanos.

"Lar, doce lar", disse Urso, estacionando ao lado de um outro esquife. "Vamos lá para dentro. Ah, podem tirar as máscaras aqui. Tem um campo dentro da cerca que está cheio de ar respirável." Ele tirou a máscara. "Ah, bem melhor."

Ashby se desdobrou e saiu do banco traseiro. Sissix grunhiu.

"Minha cauda está dormente", disse ela com uma careta, mexendo o rabo de um lado para o outro.

Seguiram Urso até a porta da frente. Ashby reparou em uma imensa lata de lixo ao lado da nave residencial, tão cheia que a tampa estava aberta. Forçou a vista. Por cima da sucata mecânica, havia um pedaço de casca orgânica, frágil e translúcida. Lembrava as carapaças dos insetos que vira na lixeira de Dr. Chef na cozinha. Só que maiores. Muito maiores.

"Uau", disse Rosemary, olhando para as paredes da nave residencial. "Você mesmo construiu esse lugar?"

Ashby duvidava que Rosemary já tivesse visto uma comunidade de modificadores ao vivo. De certa forma, era tocante que a galáxia fosse uma novidade tão grande para ela. E também um pouco triste. Ainda bem que ele não crescera tão superprotegido.

"A maior parte não", respondeu Urso. Pressionou a palma mecânica em um painel na parede. A porta da frente se abriu com um *tunc*. "Eu e o meu irmão... tirem os sapatos, por favor... compramos esse lugar faz uns cinco anos. Isso dá... hã... uns três padrões, mais ou menos? Nunca consigo me lembrar do tempo da CG. Enfim, era de uma técnica de computação mais velha que resolveu... podem pendurar as máscaras no cabideiro... que resolveu se mudar para mais perto dos netos. Como o lugar já vinha com uma oficina e bastante espaço de armazenamento, não precisamos fazer muitas reformas, só a plataforma de lançamentos, a antena parabólica e um ou outro conforto..."

"Olá!" Outro homem entrou no cômodo. A semelhança com Urso era assustadora, então provavelmente se tratava do irmão já mencionado. A pele dele também era coberta de portas cutâneas e tatuagens, mas seu cabelo estava preso e a barba era aparada. Usava uma camisa de botão de bom gosto por cima das calças formais. Uma placa óptica revestia a sua cavidade ocular direita. A superfície do escâner no interior estava úmida, como o interior de uma concha. Ele também estava armado, embora tivesse feito escolhas mais sutis: duas pistolas de energia idênticas, cujos coldres ficavam no seu colete. Trazia um scrib em mãos, junto do corpo, como se estivesse lendo antes de se levantar. O homem tinha um distinto ar acadêmico. Ashby pôde ver na mesma hora que ele era um daqueles modificadores mais intelectuais, que tinham prazer em aprender informações obscuras e estudar a história da invenção.

"Nib!", comemorou Kizzy, correndo para abraçá-lo. "Ah, estrelas, como você está?"

"Muito bem", disse o homem. Não retribuiu o abraço com o mesmo entusiasmo que Urso, mas o seu sorriso mostrava uma afeição à altura da do irmão. "Você passou muito tempo fora."

"É mesmo."

"E eu não ganho um oi também?", resmungou Jenks.

Nib olhou para todos os lados de modo exagerado, então finalmente olhou para baixo, na direção de Jenks. "Ah, Jenks! Não vi você aí embaixo."

"É o que sempre dizem os idiotas que atiram no próprio olho", respondeu Jenks, sorrindo. Os dois homens riram. Ashby ficou surpreso. Jamais o vira esboçar qualquer reação a piadas sobre a sua altura que não um silêncio desaprovador. Nib com certeza ganhara alguns pontos com Jenks no passado. No entanto, Ashby também reparou que Urso não achou graça na troca de insultos. Pelo visto, o homem peludo não gostava de caçoar dos amigos.

As apresentações foram feitas e todos trocaram apertos de mãos. Saíram do hall de entrada atrás de Nib e foram para a sala de estar. Ashby sorriu assim que pôs o pé no cômodo. Já estivera em casas assim — moradias robustas e antigas montadas a partir do que quer que os colonos trabalhadores conseguissem arrumar. Tapeçarias desbotadas baratas cobriam as paredes, mal conseguindo esconder o revestimento industrial. Cadeiras e sofás descombinados estavam apinhados na sala, em torno de um projetor de pixels (que, pelo menos, parecia novo). As plantas do pixel descansavam no peitoril da janela ou estavam penduradas no teto, suas folhas digitais ondulando de modo hipnótico, como se estivessem respirando. A avó de Ashby tinha plantas de pixel como aquelas, alegres e acolhedoras. O ar que vinha da ventilação no teto estava limpo e fresco, mas havia um cheiro persistente de fumaça velha — uma fuligem amadeirada. Atrás de um dos sofás havia uma bancada de trabalho, tomada por caixas e frascos com rótulos escritos à mão. Alguém abrira espaço em um dos bancos para um jarro de mek, uma garrafa de gasosa de frutas vermelhas e vários copos. Ao lado das bebidas havia um braço mecânico não terminado.

"Esse é um projeto que nunca vai ser concluído", comentou Urso ao notar o olhar de Ashby. Ele ergueu o próprio braço mecânico. "Este aqui é rápido, mas não consegue carregar tanto peso quanto eu gostaria. Aquele ali é um protótipo. Estou tentando chegar ao equilíbrio perfeito entre força física e bons reflexos."

"Boa sorte", disse Kizzy, rindo. "Só dá para ter um ou outro."

Jenks se aproximou de Rosemary para explicar. "Se os sinais biotécnicos forem rápidos demais para serem processados pelos seus nervos, o resto do corpo não consegue se preparar para levantar o peso. Assim você acaba rompendo os músculos."

Urso franziu a testa para o protótipo. "Tem que haver um jeito."

"Se você encontrar um, vai ser o técnico mais rico da CG", disse Jenks.

"Eu não ligo para isso", falou Urso. "Só quero ser capaz de pegar um ketling com a minha mão."

Kizzy, Jenks e Nib riram. Ashby ia perguntar o que era um ketling, mas Nib falou primeiro: "Gostariam de beber alguma coisa? Não temos muito, mas os amigos de Kizzy merecem toda a nossa hospitalidade."

"É muita gentileza sua. Eu aceito um pouco de gasosa", respondeu Ashby. Seu nariz já estava animado com o cheiro de mek que vinha da jarra, mas ele não queria ficar relaxado demais. Estava ali para comprar um equipamento, afinal. Preguiça e créditos raramente eram uma boa combinação.

A porta da frente se abriu no momento em que Nib distribuía as bebidas.

"Ei!", disse uma voz feminina no hall de entrada. Parecia jovem. "Eles já chegaram?"

"Estamos aqui!", gritou Kizzy. "E aí, lindona?"

"Oi!", cumprimentou a voz.

"Oi!", respondeu Jenks.

"Vocês precisam ver o que eu acabei de pegar. Ai, *merda*."

"Ember", disse Nib em um tom que só poderia pertencer a um irmão mais velho. "Seja lá o que tiver aí, não..."

"Não vou levar para dentro, idiota. Acertei a bolsa de gosma. Essa porcaria verde está vazando e sujando tudo. Venham aqui fora, vocês têm que ver isso."

Urso e Nib se entreolharam. "Caramba, a gente já conversou com ela sobre isso", disse Urso, indo em direção à porta.

Nib suspirou e entregou o restante das bebidas. "Nossa irmã adora ir atrás de problemas. Ainda mais quando envolve ketlings."

Rosemary foi mais rápida que Ashby: "O que são ketlings?"

"Venham comigo", disse Nib. "Tragam as bebidas, vou mostrar. Espero que tenham estômago forte."

Foram para o lado de fora, seguros sob o campo de ar respirável. O corpo inerte de uma criatura jazia no solo, caído em uma poça dos próprios fluidos. Ao seu lado, uma jovem com um rifle... ou seria uma garota? Ashby não sabia. Não podia ter mais que vinte anos. Ao contrário dos irmãos, ela não tinha portas conectoras ou outros implantes à vista. Os cabelos longos e encaracolados eram despenteados como os de Urso, e o rosto tinha certa beleza severa. Os braços eram musculosos, a pele bronzeada. Ashby achava que ele mesmo nunca tinha estado tão em forma.

A criatura, por sua vez, estava em silêncio e era aterrorizante. Para Ashby, lembrava um gafanhoto, mas com presas pontudas e espinhos nas costas. As várias asas finíssimas estavam caídas e quebradas, assim como as pernas, algumas delas torcidas para dentro, em ângulos estranhos. Tinha pelos finos em volta da boca e na barriga, o que, de alguma forma, causou mais calafrios em Ashby do que o resto. A bolsa de gosma sob sua mandíbula não estava vazando da maneira que Ember dissera. Era mais como se jorrasse em câmera lenta. Um líquido verde pegajoso, oleoso e fedido se acumulava em torno daquela cabeça que parecia saída de um pesadelo.

"Olhem só essa porra!", disse Ember, a felicidade em pessoa. "É tão grande quanto eu!" Ela olhou em volta. "Além disso, olá, pessoas que não conheço. Eu apertaria a mão de vocês, mas..." Ela ergueu uma das mãos envoltas por uma luva suja de gosma verde.

"Uau", disse Sissix. Ela se abaixou para examinar a criatura mais de perto, tomando um gole da sua gasosa de frutas vermelhas. Não pareceu notar (ou se importar) que Ember a estudava com a mesma atenção. "Imagino que isso seja um ketling?"

Ember deu uma risadinha surpresa. "Você nunca viu um antes?"

"Por que ela teria visto?", disse Urso. "Ela nunca esteve em Grilo." Ele se virou para o grupo. "Aliás, foi assim que a lua ganhou esse nome. Por conta *dessas pragas*."

Nib examinou a presa de Ember. "Onde você o encontrou?", perguntou, a voz calma demais.

O sorriso de Ember vacilou por um segundo antes de se recuperar com uma rapidez decorrente da prática. "Hã, sabe quando, de vez em quando, tem uns solitários perto dos poços..."

"Mentirosa", disse Urso, cruzando os braços. "Onde?"

Ember engoliu em seco. "Na Garganta Seca", respondeu. "Mas foi tudo bem, eu nem cheguei tão perto assim."

Urso suspirou com impaciência e olhou para o céu. Nib franziu a testa.

"Ember, você sabe que não deveria ir até lá", disse o mais velho.

As bochechas dela ficaram vermelhas. Ember deu de ombros de má vontade. "Ele morreu, não morreu?"

"Não é essa a...", falou Urso.

"Vamos conversar sobre isso depois", interrompeu Nib, olhando de relance para os convidados.

Jenks examinou a cabeça da criatura, virando-a na sua direção. Ao se mover, ela fez um barulho como se algo estivesse sendo esmagado.

"Puta merda", disse Jenks. "Você acertou bem na cabeça. Olha, Kizzy." Ele apontou para dois furos, um na lateral do queixo e outro perto dos olhos sem pálpebras.

Ember deu de ombros de novo, mas os cantos da sua boca traíam certa satisfação. "É. Estava correndo na direção do esquife, então precisei ser rápida."

"Caramba", disse Urso, sacudindo a cabeça, mas foi tudo o que disse.

"Acho que eu não teria conseguido fazer nada se um monstro desses estivesse vindo na minha direção", disse Kizzy, apontando para a carapaça partida. Ela olhou para Ember. "Estrelas, eu queria dar um abraço em você, mas tenho medo dessa gosma verde me envenenar ou algo assim."

"Não é venenosa", disse Ember. "Só grudenta."

"Também não quero ficar toda melada."

Ashby olhou para Rosemary, que estava de braços cruzados.

"Tudo bem?", perguntou para ela.

"Tudo", respondeu ela, sacudindo a cabeça. "A boca dessa coisa é tão..." Ela estremeceu.

"Você está certa", disse Urso. "Quando eles mordem, não soltam mais, especialmente se estiverem com raiva. Se eles pegarem na garganta ou na barriga, já era. E eles mastigam qualquer coisa quando entram na época de procriação. Paredes, esquifes, sucata, tubos de combustível, bombas de poço, *qualquer coisa*."

"É por isso que são um problema tão grande quando formam nuvens", disse Nib. "No seu estado dormente, ficam aglomerados nos rochedos. Só saem quando ficam putos porque alguém chegou perto demais." Ele lançou um olhar significativo para Ember. "Mas a cada um ou dois anos, voam em nuvens, largando os ovos por tudo quanto é lado e mastigando o que encontram pela frente. Só dura uns dois dias, mas, se você não proteger a sua propriedade, pode perder tudo. Foi o que aconteceu com os primeiros colonizadores daqui. Eles vieram para cá durante o período de dormência e estavam completamente despreparados para a primeira nuvem."

Ashby começou a se perguntar por que os colonizadores se deram ao trabalho de reconstruir, mas já sabia a resposta. Para alguns humanos, a promessa de um pedaço de terra valia qualquer esforço. Era um comportamento estranhamente previsível. A longa história da humanidade era muito rica em momentos em que humanos se enfiavam em lugares onde não tinham o direito de estar.

"Viu como a bolsa está cheia de gosma?", perguntou Ember. "Esse aí com certeza estava pronto para procriar."

Nib assentiu em concordância. "A próxima praga já está bem atrasada."

Ember quis logo explicar: "A gosma vira ovo quando é fertilizada. Eles guardam perto da mandíbula para ficar bem protegida. É muito nojento. Ficam voando por aí por dias, montando nas cabeças uns dos outros."

"Ember", disse Urso, agarrando o ombro dela. "Eles são *visitas*."

A jovem o ignorou, falando com um prazer horrorizado: "E aí, quando terminam, vomitam a gosma *pela boca*. Aposto que vai ter uma nuvem na decana que vem."

"O que vocês fazem quando eles formam nuvens?", perguntou Sissix.

"A gente busca abrigo e fica esperando passar", respondeu Urso. "Nib e eu atualizamos o campo de todo mundo na colônia quando viemos para cá. Os ketlings não conseguem passar quando o pessoal ativa o campo. Isso também quer dizer que nós não conseguimos sair. A época das nuvens é ótima para botar os vids em dia."

"E os ovos?"

"Atiramos neles ou tocamos fogo. Parece maldade, mas vai por mim, não faz diferença. Na vez seguinte, surgem milhares deles de novo. E não é como se eles fossem racionais."

Nib indicou o ketling com a cabeça. "Você devia limpar antes que estrague", falou para Ember.

"Era esse o plano", respondeu ela, puxando uma faca grande do cinto. "Só queria mostrar para vocês antes de pôr em estase."

Os olhos de Rosemary estavam fixos nas poças grudentas sob a cabeça danificada. "Vocês vão comer isso?"

"Não é muito diferente dos insetos menores", disse Ember. "E é mais fácil de limpar." Sem aviso, ela desceu a faca, cortando a cabeça do ketling. A carapaça era grossa, e Ember teve que torcer a cabeça, pendurada por um pouquinho de pele, até que se soltasse.

Os cantos da boca de Rosemary se moveram.

Nib deu uma risadinha, dando alguns tapas amistosos no ombro dela.

"Se ficar para o jantar, talvez a gente consiga fazer você mudar de ideia."

"Ah, sim, por favor!", disse Kizzy. "Eu tenho um milhão de histórias para contar."

Urso sorriu para o grupo. "Todos são bem-vindos, se quiserem ficar. Minha marinada é uma delícia, se estiverem a fim de um churrasco." Ele olhou para Ember, que estava admirando a cabeça nojenta do ketling. Suspirou, resignado. "Quer um espeto? Temos algumas estacas sobrando lá na oficina. Você pode afiar uma ponta com o amolador de metal."

"Com certeza!" Ember abriu um sorriso. "Mas antes preciso terminar de cortar."

"Vamos deixar você em paz, então", disse Nib, olhando de relance para Rosemary. "Acho que os nossos convidados já viram o bastante para uma tarde."

Ember sorriu e assentiu. Assim que deram as costas e se afastaram alguns passos, um som úmido de algo sendo partido veio de onde estava a garota. Ashby não olhou para trás. Não tinha um estômago sensível, mas havia certas coisas na galáxia que não precisava ver.

"Caramba, ela é valente", comentou Kizzy. "Eu ainda me lembro de quando Ember não conseguia atirar nem em *uma pedra*. E ela já teve *metade do meu tamanho!*"

"E daí?", disse Jenks. "Eu sempre tive metade do seu tamanho."

"Você me entendeu."

"Ela tem uma mira melhor do que a minha", falou Urso. "E é forte para caramba. Eu adoraria que ela passasse mais tempo na oficina com a gente, mas hoje em dia Ember só quer saber de escalar e correr por aí."

"E não há nada de errado nisso", disse Nib. "Mas vamos precisar ter outra conversa sobre não provocar os ketlings."

"Sim, claro, porque com certeza ela vai ouvir dessa vez."

Nib franziu a testa. Ashby já tinha quase certeza de que ele era o mais velho.

"Quero que ela chegue aos dezessete anos inteira."

Ashby arquejou, surpreso. "Ela tem *dezesseis anos?*" A surpresa justificava olhar para trás. A garota esquartejava o ketling com segurança, cantando para si mesma enquanto arrancava as pernas.

"O que isso significa?", perguntou Sissix. "Coloque em um contexto aandriskano."

"Ela só tem metade das penas e está trocando de pele toda hora."

Sissix fez uma expressão de surpresa. "Me lembre de nunca arrumar encrenca com ela."

"Bem", disse Nib, "que tal falarmos sobre o que trouxe vocês aqui hoje?"

Ele os conduziu até a porta do cargueiro aterrado. Pressionou a palma da mão na fechadura eletrônica e as portas se abriram com um rangido. Alguns pequenos globos de luz revelavam um espaço abarrotado de ferramentas industriais. Mais adiante, uma pequena floresta de prateleiras que iam do chão ao teto, armazenando geradores de campos de todos os formatos e tamanhos.

"Cadê as coisas divertidas?", perguntou Jenks.

"Fora do caminho", disse Urso.

"Ah, vamos lá", disse Kizzy. "Queremos ver coisas que explodem."

Ashby franziu a testa. Não queria ser desrespeitoso com o trabalho dos irmãos, mas... "Espero que Kizzy tenha deixado claro que estou procurando apenas por uma blindagem."

Nib sorriu. "Foi o que entendi da mensagem", disse, piscando para Kizzy. "Não se preocupe, não vamos tentar empurrar nada. Não somos mercadores de armas, tecnicamente. Blindagens personalizadas são o nosso ganha-pão. As armas que desenvolvemos são apenas um passatempo. Mas estão disponíveis, se mudar de ideia." Ele fez um gesto para o painel de controle. Houve um clangor metálico acima das suas cabeças. Grandes suportes baixaram do teto, com armas pendendo deles como uma árvore cheia de frutos perigosos. Ashby olhou, admirado. Aquilo era suficiente para armar um esquadrão aeluoniano, com folga. Ficou imaginando o que Pei pensaria.

"Uau", admirou-se Sissix.

"Não é?", disse Jenks.

"E isso é só para vocês?"

"É o nosso passatempo", repetiu Urso. "Só vendemos para vizinhos ou amigos de confiança. Não trabalhamos abastecendo criminosos. Mas, se você quiser intimidar os criminosos... aí podemos ajudar."

Rosemary não disse nada, mas a expressão dela era tensa. Ashby compreendia o seu desconforto. Estavam em um cargueiro cheio de coisas desenvolvidas para matar. Duvidava muito que a tímida guarda-livros sequer já tivesse *visto* uma arma antes dos akaraks.

"É um pouco demais à primeira vista, eu sei", disse Nib com orgulho.

Ele parecia um cara legal, então Ashby resolveu ser sincero. "Sem ofensa, mas realmente não quero armas à bordo da minha nave."

"Deixa eu adivinhar. Você vem da Frota?"

"É tão óbvio assim?"

"Um pouco", disse Nib, sorrindo. "Temos filosofias diferentes, você e eu, mas entendo o seu ponto de vista. A violência é sempre desconcertante, mesmo que seja apenas a *possibilidade* de violência. Mas depois dos apuros pelos quais passaram, sem falar da área para onde estão indo, acho que algumas ferramentas básicas de autodefesa poderiam ser úteis. Se isso se resume apenas a uma blindagem, tudo bem. Mas você precisa de *alguma coisa*."

"Tipo aquilo ali", disse Jenks. "Gosto daquilo." Ashby seguiu o olhar dele até uma arma... Não, não era bem uma arma. Era um pequeno canhão com alças. O cano era grande o suficiente para um bebê caber nele.

"Chamamos esse daí de Porrete", falou Urso. "É bem potente. Duvido muito que você precise de um."

"Ah, preciso sim", respondeu Jenks. "Preciso desesperadamente de um."

Urso riu. "Podemos ir atirar nos penhascos mais tarde com ele, se você quiser."

Jenks olhou para Kizzy. "A gente precisa vir aqui mais vezes."

Enquanto Kizzy e Jenks se maravilhavam diante da variedade absurda de armas, Ashby e Sissix foram olhar as blindagens. Todas as dúvidas que o capitão tinha sobre comprar produtos de um modificador desapareceram conforme Nib falava sobre a sua tecnologia. Nib já tinha as especificações da *Andarilha* em mãos, mas queria saber mais do que apenas as informações do motor e as dimensões do casco. Queria detalhes. Queria saber a idade da nave, com o que fora construída, se os materiais utilizados nos alojamentos diferiam da estrutura original. Ele queria saber que espécie de algas usavam como combustível e quanto ambi carregavam a bordo de cada vez (Ashby encolheu-se por dentro ao se lembrar das partículas roubadas; a CG estava cobrindo o prejuízo, mas, mesmo assim, fora um desperdício terrível). Nib fez perguntas cuidadosas a Sissix sobre as suas técnicas de pilotagem, e assentiu a cada explicação dela, considerando bastante as respostas. Urso se juntou à conversa depois de um tempo, e os irmãos debateram animadamente diferentes mecanismos de blindagem. No fim, Urso e Nib decidiram desmontar vários modelos existentes e recombinar os componentes em algo que servisse às necessidades únicas da *Andarilha*. Ashby se sentiu como se estivesse comprando roupas sob medida. Os modificadores não eram meros técnicos. Eram artistas. E, apesar de terem tanto a oferecer, estavam cobrando apenas o equivalente a um dia de trabalho e uma quantia de créditos que, Ashby suspeitava, cobririam pouco mais do que os componentes. Ele fez uma anotação mental para agradecer a Kizzy por ser amiga daqueles dois.

Ele se virou a tempo de ver Jenks entregar uma pequena pistola de energia a Rosemary. A arma parecia deslocada nas mãos dela, como um aandriskano nascido no deserto tentando segurar um peixe.

"Viu, não dá tanto medo quando é você que está segurando a arma", disse Jenks, mas Rosemary não parecia muito convencida.

Urso abriu um largo sorriso. "Quer experimentar?"

A mulher engoliu em seco. "Não sei atirar."

"Podemos ensinar", falou Urso. "É moleza. Não precisa aprender nada complicado."

"E é divertido", disse uma voz atrás deles. Ember, coberta pela gosma verde, carregando a cabeça do ketling, entrou no cargueiro e começou a mexer em uma pilha de estacas de metal. Segurava a cabeça pelas antenas, colocando-a sob cada uma das estacas para ver qual tinha a melhor espessura para ser cravada.

"Ember", disse Nib. "Por favor, não me diga que você largou um ketling estripado no sol."

"Já guardei a carne na estase", respondeu.

Urso lhe lançou um olhar significativo. "Por favor, não me diga que largou as entranhas no sol."

A irmã mais nova largou a estaca que tinha em mãos, abriu um sorriso culpado e voltou para a porta na ponta dos pés, de modo bem exagerado.

Urso revirou os olhos, suspirando. "Mal posso esperar para ela sair da adolescência."

"Eu posso", disse Nib. "Já pensou como vai ser difícil mandar nela aos vinte anos?"

"Tenho uma pergunta", disse Sissix. "Sobre outro assunto."

"Pode falar."

"Um dos nossos estabilizadores rotacionais foi danificado quando os akaraks nos atingiram. Íamos comprar um substituto na nossa próxima parada para compras, mas odeio passar tanto tempo sem um. Vocês por acaso têm algo do tipo?"

"Não temos, mas não somos os únicos técnicos nesta lua. Você devia falar com Jess e Mikey", respondeu Urso.

"O mesmo Mikey com o golpe da IA?"

"Esse mesmo. Mas não o leve a mal. Esses dois entendem do assunto. São técnicos de nave das antigas. Estão aposentados, mas ainda passam bastante tempo na oficina. São gente boa. Vivem a uma hora daqui. Se quiser, posso fazer uma ligação e ver se estão em casa. Você pode pegar um esquife emprestado, dar um pulo lá e voltar a tempo do jantar."

Ashby olhou para Sissix. Ela assentiu.

"Não custa nada, se já estamos aqui", disse ele. O capitão se virou para os irmãos. "Não tem problema mesmo a gente usar um dos esquifes?"

"Não, imagina. Se vocês conseguem fazer um furo no espaço, confio em vocês para trazer o esquife de volta inteiro."

"Ei!", gritou Ember lá de fora. "Alguém quer ver a coluna nervosa de um ketling?"

"Não!", berrou Urso.

"Não, ninguém quer!", gritou Nib.

"Eu meio que quero", disse Jenks.

E correu lá para fora, arrastando Kizzy junto.

O olhar de Nib para Ashby foi de quem pedia desculpas.

"Desculpe pela bagunça", disse ele.

"Sem problemas", respondeu Ashby. Do lado de fora do cargueiro, Kizzy e Jenks soltavam exclamações de nojo e divertimento. "Já estou acostumado."

Rosemary tinha a sensação de que Ember sabia muito mais sobre a vida do que ela, mas a garota se enganara sobre uma coisa. As nuvens não esperaram alguns dias. Cerca de uma hora depois de Urso pôr o ketling limpo e temperado no fogo, os companheiros da sua espécie surgiram dos rochedos em fúria. O céu enegreceu em questão de minutos. À distância, as nuvens agitadas de insetos pareciam até aglomerados de pixels com defeito. Os ketlings voavam alucinados pelos céus, fertilizando, matando e até devorando uns aos outros. Houve uma sucessão rápida de flashes de luz no horizonte conforme o povo de Grilo ligava os campos que envolviam as suas casas. Os ketlings batiam de cabeça nos campos, aparentemente sem motivo. Era a mesma coisa com pedras, plantas, veículos abandonados e até mesmo outros ketlings. Parecia que os insetos detestavam qualquer coisa que se colocava no seu caminho.

Ashby e Sissix ainda estavam fora quando a nuvem chegou. Rosemary fez contato pela rede vid do seu scrib. Ninguém teve escolha, todos tiveram que bancar os convidados que apareceram de surpresa e passar a noite onde estavam. Nenhum dos anfitriões pareceu se importar. Pelo contrário, Jess e Mikey estavam felicíssimos em receber os forasteiros. Ashby contou que os dois haviam lhes oferecido vários quitutes escondidos em armários e, depois que Sissix descobriu que o velho casal falava um pouco de reskitkish, tinham ficado amigos na mesma hora. Rosemary ouviu as mulheres conversando no fundo durante a transmissão de vid — Sissix falando devagar, enquanto Jess vacilava nos sons sibilantes. Pelas risadas, Rosemary imaginou que a conversa estava boa.

Os irmãos modificadores ficaram igualmente felizes.

"Não há o que possamos fazer sobre as nuvens", disse Nib. "Vamos ter a chance de passar mais um ou dois dias com os nossos amigos."

Os irmãos tratavam aquele miasma de insetos agressivos e vomitadores de ovos como um feriado. Ember e Kizzy foram buscar um engradado de coice caseiro lá na adega (como quase tudo em Grilo, a bebida tinha sido feita por um vizinho). Urso assou a caça de Ember sob a segurança do campo. Era uma cena curiosa: um homem de avental passando a marinada em um assado no espeto enquanto bestas saltavam furiosamente em direção à bolha de energia acima deles. Os insetos não se detinham diante da cabeça fincada em uma estaca ao lado do portão de entrada.

No começo, Rosemary se sentiu pouco à vontade por estar presa na casa dos modificadores, e não apenas pela nuvem de insetos lá fora. Kizzy e Jenks eram bons amigos da família, enquanto ela era uma desconhecida. O pensamento de impor a sua presença a esses estranhos por um ou dois dias — comer a sua comida, dormir no seu sofá velho, ouvir as suas piadas internas — a deixava sem jeito. Contudo, a simpatia dos irmãos acabou vencendo esses sentimentos. Urso em especial se esforçou para incluí-la na conversa e explicar as situações quando Rosemary não entendia alguma história (a maioria das histórias se encaixava em uma das duas categorias: "aquele dia em que a gente construiu aquela coisa muito maneira" ou "aquela vez em que a gente fumou muito estouro e fez aquela coisa idiota"). Quando conseguiu deixar de lado a lembrança da carcaça gosmenta de ketling, começou a achar que o inseto desfiado e tostadinho, envolto em um macio pão redondo de levedura, acompanhado do coice revigorante, era uma refeição bem agradável. Quando o jantar terminou, Rosemary ficou inesperadamente à vontade. A poltrona onde estava sentada era velha e estava empoeirada. A planta pixel ondulando ali perto era bastante cafona. Não tinha nada a acrescentar à conversa entusiasmada sobre tecnologia e modificações. Porém, por mais que nada ali fosse familiar, estava óbvio que os seus companheiros se sentiam em casa. De barriga cheia e rindo, ela podia fingir que o seu lugar era ali também.

Nib trouxe um bule de mek fresco para os hóspedes e os irmãos, todos sentados em volta do projetor de pixels. Urso estava sentado no chão, as costas apoiadas no sofá. Kizzy estava sentada atrás dele, fazendo pequenas tranças na sua cabeleira despenteada. Jenks estava por perto, fumando palha-vermelha, parecendo satisfeito. Ember estava sentada diante de uma bancada de trabalho, a testa franzida diante de um painel de circuitos.

"Sabe", disse a garota quando o irmão entrou na sala. "Tem um jeito de esse projeto andar muito mais rápido."

"É mesmo?", perguntou Nib, sem emoção. Olhou para Rosemary, erguendo o bule e as sobrancelhas ao mesmo tempo. "Mek?"

"Sim, por favor", disse ela. Uma xícara calmante de mek depois de encher a barriga seria perfeito. Era quase suficiente para fazê-la esquecer o ruído abafado chegando através das paredes externas.

"É sério", disse Ember. "Esses pinos conectores são impossíveis de enxergar. Se eu tivesse..."

Urso olhou para a irmã. "Se começa com 'I' e termina com 'mplante ocular', a resposta é não."

"Pare de se mexer, Ursinho", disse Kizzy. "Suas tranças vão ficar todas tortas."

Ember suspirou com o enfado extremo único dos adolescentes. "Hipócritas."

"Quando você parar de crescer e a química do seu cérebro estiver em equilíbrio, vai poder botar todos os implantes que quiser", disse Nib. Seu tom era o de um pai. O que pareceu irritar a irmã dele ainda mais.

"Odeio ficar como vilão, mas Nib está certo", disse Jenks. "Se colocar implantes cedo demais, vai acabar mal. Eu conhecia um cara que pôs um conector cranial aos quinze anos. Quando cresceu, a espinha dele se alongou e a interface ficou toda esculhambada. Teve que fazer tudo de novo. O cara trabalhando nele era um picareta, e o garoto acabou com uma infecção na medula espinhal. Quase morreu. Teve que trocar os braços e as pernas para poder voltar a se mover."

"Que tipo de idiota coloca um conector cranial em um garoto dessa idade?", perguntou Urso.

"Pare de se mexer", falou Kizzy.

Urso resmungou. "Ember, é sério, se você algum dia encontrar um modificador que aceite pôr implantes em adolescentes, passe longe. Modificar não é só costurar uns equipamentos legais no corpo, é orquestrar um equilíbrio entre o sintético e o orgânico. Se você não preza pelo equilíbrio do orgânico, então... ai!" Ele soltou uma exclamação de dor quando Kizzy puxou o seu cabelo.

"Pare. De. Se. Mexer."

"Eu já sei", disse Ember para Urso. "Me poupe desses lugares-comuns."

"Você é nova demais para usar expressões como 'lugar-comum'", falou Jenks. Ember mostrou a língua para ele, que imitou o gesto.

"Além disso, querida", disse Kizzy. "Seus olhos são tão bonitos. Por que botar um implante completo quando pode usar uma capa?"

"Ele tem um implante completo", argumentou Ember, apontando para Nib.

"Ele também teve um 'pequeno acidente'", disse Jenks, fingindo disparar uma arma no seu próprio rosto, mexendo a mão para imitar a explosão do seu olho. Ele soprou a fumaça da palha-vermelha pelo nariz ao rir.

"Fico tão feliz por você passar a noite aqui", observou Nib.

Jenks ergueu a caneca em uma saudação debochada.

Nib olhou de relance para o relógio na parede. "Já devem ter carregado as notícias. Alguém se incomoda de assistir?"

Todos balançaram a cabeça em negativa.

"Nib sempre vê as últimas notícias, não perde uma", explicou Urso para Rosemary. "E também não perde as notícias passadas. Ou qualquer tipo de notícia, na verdade", disse Kizzy.

"Sério?", perguntou Rosemary. "Voluntário?"

Nib assentiu. "Algumas pessoas tricotam, outras estudam música, eu vasculho arquivos antigos para ter certeza de que estão corretos." Ele se deixou cair em uma cadeira quando os pixels do projetor ganharam vida. "Gosto de me manter informado."

Rosemary ficou impressionada. Arquivistas eram apaixonados pelo ofício, e alguns deles dedicavam a vida à busca por informações não tendenciosas. Por conta da imensa quantidade de informações que precisavam ser catalogadas, os arquivistas profissionais dependiam da ajuda de voluntários para manter os arquivos públicos atualizados. Rosemary sempre os imaginara como guardiões de um vid de fantasia, defendendo a galáxia contra inverdades ou dados questionáveis.

"No que você está trabalhando, se é que posso perguntar?", disse Rosemary.

"Faço parte de uma das equipes de história interespécie. O trabalho é fascinante, mas pode ser um pé no saco às vezes. É inacreditável a quantidade de besteira especista que aparece para a gente."

"Queremos exemplos", disse Kizzy.

Nib suspirou e coçou a barba. "A melhor coisa que vi recentemente foi um artigo dizendo que a Frota do Êxodo não teria capacidade de sustentar tantos humanos por tanto tempo e que, portanto, a raça humana não teria se originado na Terra."

Jenks levantou a cabeça. "Então de onde a gente veio?"

Nib abriu um largo sorriso. "Nós somos um experimento de genedificação desenvolvido pelos harmagianos."

Jenks caiu na gargalhada. "Ai, minha mãe teria um infarto se tivesse lido isso."

"Que coisa mais idiota", falou Ember. "E todas as ruínas terráqueas e tal? Aquelas cidades antigas?"

"Eu sei, eu sei", disse Nib, dando de ombros. "Mas ainda temos que seguir o processo de refutar as ideias objetivamente. Esse é o nosso trabalho."

"Por que alguém se daria ao trabalho de tentar provar algo assim?", indagou Kizzy.

"Porque são um bando de idiotas", respondeu Urso. "Por falar nisso, o noticiário começou."

Nib fez um gesto na direção dos pixels, aumentando o volume. Um Quinn Stephens pixelado estava à sua mesa, como sempre. Rosemary nunca acompanhara o noticiário exodoniano antes de viver a bordo da *Andarilha*, mas pegara o hábito de Ashby. Era reconfortante saber que, não importava o sistema em que você se encontrava, Quinn estaria sempre lá para lhe trazer as notícias. Os pixels tremeram por conta da atenuação do sinal. Estavam bem longe da Frota.

O âncora já tinha começado a notícia: "... em Marte, o julgamento que ficou conhecido como o escândalo do século foi encerrado hoje. Quentin Harris III, ex-diretor-executivo da Combustíveis Phobos, recebeu a sua sentença."

A sensação agradável e confortável desapareceu imediatamente. *Ai, não.* Rosemary cravou as unhas nas dobras das calças, tentando manter o rosto inexpressivo conforme o âncora prosseguia.

"Harris foi considerado culpado de todas as acusações, incluindo extorsão, fraude, contrabando e crimes contra os sapientes."

*Respire. Não pense nisso. Pense nos insetos lá fora. Qualquer coisa.*

"Ainda bem que foi considerado culpado", comentou Jenks. "Que babaca."

"Quem?", perguntou Urso, erguendo o queixo de modo interrogativo.

"Cabeça baixa", murmurou Kizzy, segurando vários elásticos de cabelo com a boca.

"O cara da Phobos", respondeu Nib. "Que vendeu armas para os toremis."

"Ahhh, sei", disse Urso. "*Esse* babaca."

"Não sei de quem estão falando", disse Ember.

"Já ouviu falar da Combustíveis Phobos? Uma distribuidora bem grande de ambi?"

*A segunda maior no espaço controlado por humanos*, pensou Rosemary.

"Acho que sim", respondeu Ember.

Urso apontou para os pixels.

"Bom, parece que o dono da empresa vendia armas ilegalmente. Era daí que vinha a fortuna dele."

"Você tem armas ilegais."

Nib cruzou os braços. "Ember, tem uma grande diferença entre desenvolver armas por diversão e vender armas genéticas para os dois lados de um conflito interestelar bem sangrento."

A adolescente ergueu as sobrancelhas. "Armas genéticas? Nossa, é um negócio horrível mesmo, então."

"Pois é", disse Urso. "Agora ele e os amiguinhos vão passar o resto da vida vendo o sol nascer quadrado."

Jenks balançou a cabeça. "Por que as pessoas não se contentam com balas e explosões de energia?"

"Porque elas são babacas", disse Urso de cabeça baixa, obediente. "Noventa por cento de todos os problemas são causados por pessoas sendo babacas."

"E os outros dez por cento?", perguntou Kizzy.

"Catástrofes naturais", falou Nib.

O projetor mostrou Quentin Harris iii, algemado e humilhado, sendo conduzido ao tribunal por um agente da polícia. A expressão dele era indecifrável, o terno, imaculado. Manifestantes raivosos se esmagavam contra as barreiras de energia em volta do tribunal, brandindo cartazes baratos. "você tem sangue nas mãos", dizia um. Outro manifestante estava com uma placa de pixels que mostrava um toremi carregando um corpo mutilado. Abaixo da imagem, o slogan da Phobos: "mantendo a galáxia em movimento". Outros cartazes eram mais simples: "carniceiro", "traidor", "assassino". As barreiras que os seguravam mais pareciam bolsos cheios demais.

O repórter continuou a narrar com toda a calma aquela notícia sobre guerras biológicas e ganância. Rosemary concentrou toda a sua energia nos olhos. *Não chore. Não chore. Você não pode.*

"Tudo bem, Rosemary?", perguntou Jenks.

Ela não sabia muito bem o que tinha respondido — que estava bem e que só precisava de ar fresco, algo assim. Pediu licença, seguiu a passos firmes pelo corredor e saiu da nave.

Lá fora, os ketlings continuavam a dança caótica. O sol estava se pondo atrás deles, transformando a cena em um macabro show de sombras de marionetes. Rosemary não lhes deu atenção. Não pareciam reais. A nave residencial, os irmãos, a lua sob os seus pés, nada daquilo parecia real. Só conseguia pensar no rosto pixelado no projetor, que a fizera viajar a galáxia para escapar dele. Tentou respirar devagar, tentou resistir ao sofrimento sufocante que desabrochava no peito. Sentou no chão de terra e ficou olhando para as próprias mãos. Rangeu os dentes. Tudo aquilo que ela se esforçara tanto para reprimir quando deixara Marte ameaçava voltar à superfície, e não sabia se conseguiria impedir a torrente de emoções. Mas precisava. Tinha que conseguir.

"Rosemary?"

Ela se sobressaltou. Jenks estava parado ao seu lado. Ela não ouvira a porta ou os passos dele. Mal ouvia os ketlings voando.

"O que aconteceu?", Jenks estava com as mãos enfiadas nos bolsos, a testa franzida.

Quando o olhou nos olhos, algo dentro dela se partiu. Sabia que podia lhe custar a boa-vontade da tripulação e o seu emprego na *Andarilha*, mas Rosemary não conseguia mais. Não conseguia continuar mentindo.

Ela desviou o olhar, voltando a atenção para além dos ketlings, além dos rochedos, em direção ao sol pouco familiar. A luz laranja e pesada ficou gravada na sua retina, mesmo depois que ela fechou os olhos. "Jenks, eu não... não... estrelas, vocês vão todos me odiar." Odiariam mesmo. E Ashby iria demiti-la, e Sissix nunca mais ia falar com ela.

"Duvido muito", falou Jenks. "A gente gosta bastante de você." Ele se sentou ao lado dela e bateu com o cachimbo na bota. As cinzas se soltaram e caíram no chão.

"Mas vocês não sabem... não consigo fazer isso." Ela se curvou para a frente, apoiando a testa nas mãos. "Sei que vou ser expulsa da nave, mas..."

Jenks parou de brincar com o cachimbo. "Bem, agora você precisa me contar", disse ele, a voz severa mas calma. "Leve o tempo que precisar, mas vai ter que me contar."

Ela respirou fundo. "Sabe aquele cara no noticiário? Quentin Harris?"

"Sei."

"É o meu pai."

Jenks não respondeu. Respirou fundo. "Puta merda. Nossa, Rosemary, eu... caramba. Sinto muito." Ele fez outra pausa. "Porra, eu não imaginava."

"Essa era a ideia. Não era para ninguém saber. Eu não deveria nem estar aqui. Eu não sou... eu menti, Jenks. Menti, fiz coisas ilegais, e não aguento mais, não..."

"Espera aí, calma, uma coisa de cada vez." Ele ficou quieto, pensativo. "Rosemary, preciso perguntar, e você tem que me dizer a verdade, está bem?"

"Sim."

Seu queixo estava tenso, os olhos, cautelosos. "Você estava envolvida... no que ele fez? Mesmo que em uma atividade menor, como falsificando documentos, mentindo para a polícia ou algo...?"

*Não.*" Era verdade. "Eu não sabia de nada. Só descobri quando os detetives apareceram no meu apartamento e passaram a manhã me fazendo perguntas. Sabiam que eu não tinha nada a ver com isso e me falaram que eu não era obrigada a participar do julgamento. Eu não era nem obrigada a continuar em Marte."

Ele examinou o rosto dela, então assentiu. "Ok, tudo bem." Ele riu. "Estrelas, que alívio. Cheguei a pensar que fosse mesmo odiar você." Ele deu alguns tapinhas na perna dela. "Certo, você é inocente, então..." Ele pareceu confuso. "Rosemary, me desculpe, mas qual é o problema?"

Ela ficou chocada. "O quê?"

"Quer dizer, tudo bem, eu entendo que você esteja passando por um momento bem difícil... e *por um momento bem difícil* quero dizer uma merda emocional que só vai ser processada depois que a gente tomar várias garrafas de coice... mas por que mentiu? Se não estava envolvida, por que a gente se importaria com isso?"

Rosemary não estava preparada para essa resposta. Todos aqueles meses, preocupada, sofrendo, e ele *não se importava*? "Você não entende. Em Marte, não estavam nem aí se eu era inocente. Todo mundo sabia quem eu era. Em todos os portais de notícia, só se falava da história da nossa família, mostravam até fotos das nossas férias e coisas do tipo. O foco era o meu pai, claro, mas eu também aparecia, criança, sorrindo e acenando ao lado dele. Não sei nem como eles conseguiram tudo aquilo. E além disso, todos aqueles médicos especialistas explicando os efeitos das armas genéticas, e todos os repórteres gritando sobre corrupção. Você sabe como são os portais de notícia, depois que começam, não param mais. Meus amigos deixaram de falar comigo. As pessoas gritavam quando eu saía na rua: 'Ei, seu pai é um assassino!', como se eu não soubesse o que ele tinha feito. Na época eu estava procurando emprego, mas ninguém me dava retorno. Ninguém queria que o seu negócio tivesse qualquer relação com a minha família."

"Mas o seu nome é Harper", falou Jenks.

Ela pressionou os lábios.

"O que você faria se quisesse escapar? Escapar de verdade, de modo que ninguém soubesse quem você era antes?"

Jenks ficou pensativo, então assentiu, devagar. "*Ah*. Entendi." Ele estendeu a mão. "Deixa eu ver."

"Ver o quê?"

"Seu implante."

Hesitante, Rosemary pôs o pulso direito na palma da mão dele. Empurrou o protetor de pulso, expondo o implante sob ele. Jenks aproximou o rosto, olhando-o com atenção.

"Caramba, é muito bem-feito", disse por fim. "Só dá para ver que é novo por causa da cicatrização. Se eu não soubesse a verdade, diria que o seu implante antigo deu pau e esse é um substituto legítimo."

"É porque é mesmo legítimo", disse Rosemary. Engoliu em seco. Era difícil falar.

Jenks ficou confuso.

"Como você...?" Ele entendeu. "Ah, Combustíveis Phobos. Você tem dinheiro. Muito dinheiro."

"Eu *tinha* dinheiro. Antes..."

"Antes de subornar alguém. Para dar um novo arquivo de identidade para você. Caramba, Rosemary, deve ter custado uma fortuna para eles ficarem de bico calado."

"Todas as minhas economias. A não ser para o transporte e os hotéis, esse tipo de coisa." Ela riu sem achar graça. "Minha família pode não ter me ensinado muito sobre a galáxia, mas comprar os outros? Isso nós sabemos fazer muito bem."

"Mas você é realmente uma guarda-livros, não? Sabe lidar com os formulários e é óbvio que fez faculdade. Essa parte é verdade, não é?"

Ela assentiu. "O oficial que me ajudou mudou todos os meus registros para que tudo o que já fiz constasse no meu novo arquivo. Os diplomas, os certificados, as cartas de recomendação, tudo isso é meu. O único jeito de alguém descobrir que o arquivo de identidade foi alterado seria ir para Marte e perguntar de mim para um dos meus amigos. Imaginei que trabalhar em espaço aberto fosse diminuir o risco de esbarrar em um conhecido. Dessa forma, pus o meu nome na fila de empregos em naves que fazem jornadas de longa duração e aqui estou."

Jenks esfregou a barba. "Então qual o problema? Se fez o curso e aprendeu as habilidades necessárias, então merece o emprego. Por que a gente a expulsaria da nave?"

"Porque eu menti, Jenks. Menti para Ashby sobre quem eu sou. Menti para todos vocês a cada vez que fizeram perguntas sobre a minha vida em Marte. Me mudei para a sua nave e contei uma mentira atrás da outra sobre mim."

"Rosemary." Jenks pôs a mão sobre o ombro dela. "Não vou insultar você fingindo que entendo o que está passando. Se alguém na minha família fizesse uma coisa dessas... estrelas, não sei como eu ia reagir. Não tenho nenhum conselho, mas se precisar de um ombro para chorar, estou aqui. E quanto a quem você é... Seu nome é mesmo Rosemary, não é? Bem..." Ele indicou a nave residencial com a cabeça. "Sabe por que os modificadores humanos escolhem nomes estranhos para si mesmos?"

Ela balançou a cabeça.

"É uma prática bem antiga, das redes de computadores da era pré-Colapso. Antiga *de verdade*. As pessoas escolhiam nomes para si mesmas que só usavam dentro de determinada rede. Às vezes, esse nome se incorporava tanto a elas que até os amigos no mundo real começavam a chamá-las assim. Para alguns, esse nome se tornava uma nova identidade. Sua identidade real, até. Não há nada mais importante para os modificadores do que a liberdade individual. Dizem que ninguém pode definir você além de você mesmo. Então, quando Urso se deu um novo braço, não fez isso porque não gostava do corpo com o qual havia nascido, mas porque sentia que o novo braço lhe caía melhor. As modificações corporais são sobre deixar o seu eu exterior em harmonia com o eu interior. Não que você *precise* das modificações para se sentir assim. No meu caso, gosto de decorar a minha pele, mas meu corpo já reflete quem eu sou. Porém, alguns modificadores vão continuar com essas transformações pela vida toda. E nem sempre dá certo. De vez em quando, eles fazem um grande estrago. Mas é um risco que você aceita quando tenta ser mais do que a caixinha em que nasceu. Mudar é sempre perigoso." Ele bateu de leve no braço dela. "Você é Rosemary Harper. Escolheu esse nome porque o antigo não combinava mais com você. Tá, precisou quebrar algumas leis. Grande coisa. A vida não é justa e as leis, em geral, também não. Você fez o que precisava fazer. Eu entendo."

Rosemary mordeu o lábio inferior. "Ainda assim, eu menti para vocês."

"É, foi mesmo. E agora vai ter que contar a verdade. Não para as pessoas de fora da nave, se não quiser, mas quem vive com você precisa ficar sabendo. Só assim pode se redimir e seguir em frente."

"Ashby..."

"Ashby é o homem mais razoável que já conheci. Claro, ele não vai ficar *feliz* com isso." Ele fez uma pequena pausa. Rosemary pôde ver que Jenks se distraíra com outro assunto. Ele pigarreou e voltou ao presente. "Mas você tem feito um ótimo trabalho e é uma boa pessoa. Para ele, isso vai ser mais importante que qualquer outra coisa."

Rosemary olhou para o amigo e lhe deu um abraço bem apertado. "Obrigada." As lágrimas escorreram pelo seu rosto. Passavam uma sensação limpa.

"Imagina. Nós somos da mesma tripulação. E você vai superar isso. Eu sei que vai." Ele fez uma pausa. "Me desculpe por ter chamado o seu pai de babaca."

Rosemary olhou para ele, chocada.

"Jenks, meu pai vendeu armas biológicas para os dois lados de uma guerra civil de outras espécies, só para ter acesso ao ambi no território delas. Acho que 'babaca' é até bem leve."

"Bem... ok, faz sentido." Ele esfregou a barba. "Pelas estrelas, eu queria saber o que dizer. Quando voltarmos para a nave, você precisa ter uma conversa com Dr. Chef. A sós."

"Sobre o quê?"

"Sobre a espécie dele."

Dia 251, Padrão 306 da CG

a

última

guerra

Havia poucas coisas que Dr. Chef apreciava mais do que uma boa xícara de chá. Ele fazia chá para a tripulação todo dia no café da manhã, claro, mas isso consistia apenas em jogar um montão de folhas em uma máquina grandona. Uma única xícara exigia mais cuidado, uma combinação escolhida para combinar com o seu dia. O ritual tinha um efeito relaxante: aquecer a água, medir as folhas e as frutas secas com uma pequena cestinha, tirar o excesso delicadamente com a ponta dos dedos, começar a infusão e ficar olhando a cor se espalhar pela água, como uma fumaça. Chá era uma bebida voluntariosa.

Não havia chá no seu planeta natal. Água quente era apenas para dormir, não para beber. Tinham perdido a oportunidade de experimentar tantas coisas maravilhosas, só porque jamais pensaram em fazer infusões. Não havia chá, sopa, mek — bem, não estavam perdendo nada por não ter mek. Ele não compartilhava o amor da tripulação por aquela bebida escura. Algo nela o fazia lembrar terra molhada, não em um bom sentido.

Estava sentado em um dos bancos do jardim do Aquário, o chá esfriando enquanto ele pensava profundamente. Rosemary estava sentada diante dele, segurando a xícara dela com as suas mãos humanas ossudas. Ela estava em silêncio enquanto ele pensava em voz alta. Sabia como eram estranhos um para o outro — ele por nunca pensar em silêncio, ela por não emitir qualquer som ao pensar. Dr. Chef sabia que Rosemary já entendia os seus barulhos. Saber disso fazia o silêncio dela confortável.

Os pensamentos que ocupavam a sua mente eram antigos, guardados com muito cuidado. Kizzy já o havia acusado de "reprimir sentimentos", mas este era um conceito humano, essa crença de que era possível esconder os sentimentos e fingir que eles não existiam. Dr. Chef sabia muito bem onde estava cada um dos seus sentimentos, cada alegria e cada sofrimento. Não precisava revisitá-los para saber onde se encontravam. A preocupação humana com "ser feliz" era algo que ele jamais fora capaz de entender. Nenhum sapiente poderia ser feliz o tempo inteiro, assim como ninguém podia viver sempre com raiva, tédio ou de luto. Luto. Sim, esse era o sentimento que Rosemary precisava que ele encontrasse hoje. Dr. Chef não fugia do seu luto, nem negava a sua existência. Podia estudá-lo à distância, como um cientista observando animais. Ele o abraçava e o aceitava, reconhecia que jamais desapareceria. Era tão parte dele quanto qualquer sentimento mais agradável. Talvez até mais.

Ele arrulhou que estava pronto e se concentrou nas suas cordas vocais, obrigando-as a trabalhar em uníssono. Olhou para os olhos úmidos de Rosemary e começou a falar.

"Nossas espécies são muito diferentes. Você tem duas mãos, eu tenho seis. Você dorme em uma cama, eu, em uma banheira. Você gosta de mek, eu não. São inúmeras pequenas diferenças. No entanto, há uma grande semelhança entre gruns e humanos: nossa capacidade de ser cruel. Isso não quer dizer que sejamos maus. Acho que as duas espécies têm boas intenções. Mas quando sucumbimos às nossas paixões, somos capazes de coisas terríveis. Os humanos só não matam uns aos outros em quantidades tão grandes quanto costumavam fazer porque o seu planeta morreu antes que pudessem exterminar a si mesmos. Minha espécie não teve a mesma sorte. Você nunca viu um grum antes porque só restam trezentos de nós."

Rosemary levou a mão à boca. "Sinto muito", disse ela. Era tão humano expressar pesar com um pedido de desculpas.

"Eu não", disse Dr. Chef. "Foi culpa nossa. A extinção dos gruns não foi provocada por um desastre natural ou por um lento desdobramento evolutivo. Nós nos matamos." Ele pensou em voz alta por um momento, tentando encaixar as peças. "Por gerações, minha espécie esteve em guerra consigo mesma. Eu não saberia nem dizer por quê. Ah, existem historiadores com muitas explicações e teorias. É a mesma coisa de sempre, porém. Crenças diferentes, culturas diferentes, territórios que todo mundo queria. Nasci na guerra. E, quando estava tudo preparado, participei como médica.

"Eu não era médica como sou hoje. Não fazia amizade com os meus pacientes. Não tinha longas conversas sobre a sua alimentação ou que tipo de imunobôs deveriam entrar na sua próxima atualização. Meu trabalho consistia em tratar as soldadas moribundas o mais rápido possível para que pudessem voltar logo para a matança.

"No fim, os Forasteiros... era mais ou menos assim que chamávamos os outros... começaram a usar esses projéteis chamados..." — ele ficou zumbindo, pensativo, tentando encontrar uma analogia em klip — "...

talha-órgãos. Veja bem, fazia tanto tempo que os Forasteiros tinham se separado de nós, da minha *facção*, que eles haviam se tornado geneticamente diferentes. Os talha-órgãos eram programados para se afiar diante dos nossos marcadores genéticos. Se atingissem um Forasteiro por engano, até provocavam ferimentos, mas nada muito grave, era o mesmo que levar um tiro comum. Quando acertavam um de nós, entretanto, isso desencadeava o verdadeiro efeito dos talha-órgãos."

"Que efeito era esse?", perguntou Rosemary, temerosa.

Ele olhou pela janela, mas não viu as estrelas.

"Eles se entranhavam. Os talhadores continuavam se espalhando até atingirem um órgão vital. Só paravam quando a vítima morria. Então, digamos que uma soldada fosse atingida em um dos membros. Isso seria um ferimento menor no caso de uma bala normal. Com os talha-órgãos, porém, a pessoa morria em meia hora. E meia hora pode não parecer muito tempo, mas quando há um pedacinho de metal rasgando você por dentro..." As lembranças tentaram agarrar Dr. Chef, querendo tirá-lo da sua segurança de observador distante. Elas insistiam, implorando para que cedesse. Mas ele se recusava. Não era prisioneiro dessas lembranças. Era o seu guardião. "Dia após dia, eles me traziam soldadas com talhadores ativos ainda se entranhando, e cabia a mim persegui-los. Muitas vezes, eu era lenta demais. Assim como todos os médicos. Os talhadores emitiam um ruído de interferência que os tornava invisíveis aos nossos escâneres. Tínhamos que procurá-los manualmente. No fim, era mais rápido, mais misericordioso, realizar a eutanásia nas pacientes assim que elas chegavam." Ele sugou o interior das bochechas com desgosto, lembrando-se das cenas sangrentas. "Eu odiava os Forasteiros por causa dos seus talhadores. Mais que isso. Era um sentimento feio dentro de mim. Eu considerava os Forasteiros uns animais. Monstros. Algo... *inferior* a mim. Sim, inferior. Eu realmente acreditava que nós éramos melhores, apesar de todo o sangue nas nossas mãos, pois pelo menos não tínhamos nos rebaixado tanto. Mas acho que você já sabe o que está por vir, não é?"

"O seu lado também começou a usar talhadores?"

"Sim. Só que foi pior. Descobri que os talhadores tinham sido uma tecnologia nossa, na verdade. Os Forasteiros roubaram a ideia antes de completarmos o projeto. Eles apenas tinham feito com a gente o que planejávamos fazer com eles. Houve um momento em que eu não sabia mais quem eram os animais. Não queria mais costurar nossas soldadas para que elas pudessem usar os talhadores e..." Dr. Chef tentou achar as palavras, "... o fogo-colante e as bombas de germes. Eu queria curá-las. *Curar* de verdade. Às vezes, eu olhava para a pilha de corpos e reconhecia alguém que eu ajudara a tratar poucos dias antes. Isso fazia eu ficar me perguntando qual era o sentido naquilo tudo." Ele parou, zumbindo em pensamentos por um longo tempo. A lembrança à qual estava chegando tentou se agarrar a ele e derrubá-lo, mas Dr. Chef manteve o controle. "Certa noite, uma das médicas entrou no meu abrigo. Ela me disse para ir com ela, rápido. Eu a segui até a sala de cirurgia, e lá, sendo destrinchada por um talhador, *nossa própria tecnologia*, estava a minha parida mais jovem. Minha filha. Eu nem sabia que ela estava lutando ali perto."

"Ah, não", disse Rosemary, tão baixinho que a sua voz soara como um farfalhar de folhas.

Dr. Chef balançou a cabeça para cima e para baixo, o gesto afirmativo dos humanos. "Tinham administrado as drogas para impedir a dor e estavam preparando... não sei como chamar. A injeção. A última que dávamos às pessoas que eram atingidas pelos talhadores. Uma injeção que parava o coração. Empurrei a médica que a estava atendendo. Segurei o rosto da minha filha. Ela mal estava consciente, mas acho que sabia quem eu era. Falei que a amava e que a dor logo iria passar. Eu mesma dei a injeção. Eu sabia que era a coisa certa a fazer, que deveria ser eu a tirá-la do mundo ao qual a trouxera. Ela era a minha última filha. Eu tinha cinco, todas lindas meninas salpicadas de cinza. E todas se tornaram soldadas, como faziam a maioria das nossas meninas. Morreram em campos de batalha longe de casa. Nenhuma delas foi mãe. Nenhuma viveu até a fase masculina. Não amava a minha última filha mais ou menos do que as outras, mas saber que todas elas estavam mortas foi a gota d'água para mim. Não pude mais me distanciar do meu luto. Meus pensamentos ficaram grandes demais. Eu tinha que parar de ser médica. Passei o resto da guerra em uma... casa de repouso. Um lugar para descansar. Reaprendendo a estabilizar a mente."

"Dr. Chef, eu..." Rosemary balançou a cabeça de um lado para o outro. Seu rosto estava úmido. "Não consigo nem imaginar."

"Ainda bem", disse ele. "Eu não gostaria que conseguisse. Alguns anos depois, não havia filhas suficientes de nenhum dos dois lados para continuar a luta. As bombas de germes tinham sofrido mutações e nós não conseguíamos mais curá-las. Nossas fontes de água estavam envenenadas. As minas e as florestas foram exauridas. A guerra não acabou, exatamente, apenas se esgotou."

"Vocês não podiam reconstruir? Encontrar uma colônia e começar de novo?"

"Poderíamos. Mas escolhemos não fazer isso."

"Por quê?"

Ele murmurou, tentando organizar uma explicação. "Somos uma espécie antiga, Rosemary. Havia gruns muito antes de os humanos existirem. Depois de tudo o que fizemos, todos os horrores que criamos, os dois lados decidiram que talvez fosse a hora de parar. Desperdiçamos o nosso tempo e achamos que não precisávamos de outra chance, ou que talvez não merecêssemos uma. A guerra terminou há trinta padrões, mas continuamos a morrer das doenças que criamos ou dos ferimentos que voltaram para nos assombrar. Até onde sei, já faz décadas que não nasce um grum. Talvez ainda nasçam em algum lugar remoto, mas não vai ser suficiente. A maioria fez o mesmo que eu. Foram embora. Quem quer ficar em um planeta envenenado cheio de filhas mortas? Quem quer ficar cercado de outros da nossa espécie, sabendo o que cada um de nós teve que fazer? Não, é melhor ficar sozinho e morrer com dignidade."

A mulher pensou em silêncio. "Para onde você foi?"

"Para a estação espacial mais próxima e convenci a me aceitarem em uma nave de comércio. A tripulação era mista. Ficávamos saltando para colônias da fronteira ou de modificadores. Ganhei alguns créditos como ajudante de cozinha. Comecei na limpeza, mas o cozinheiro viu que eu tinha interesse no assunto e atendeu ao meu desejo de aprender mais. Quando juntei dinheiro suficiente, saí dessa nave e me mudei para Porto Coriol. Tinha uma pequena barraca de sopa perto do distrito familiar. O cozinheiro me ensinou a fazer sopas, sabe. Não era nada chique, mas eram refeições rápidas, baratas e que faziam bem, e os mercadores apressados adoram comida rápida, barata e que faça bem. Havia um médico humano que morava na vizinhança, um homem chamado Drave, que vinha sempre. Eu gostava muito dele, mas tinha inveja da sua profissão. Era um médico de família. Via os seus pacientes crescerem até a vida adulta e terem os próprios filhos. Parecia uma grande alegria, ver as pessoas envelhecerem e ajudá-las a fazer isso de modo saudável. Um dia, finalmente criei coragem de contar a ele que já tinha sido médica e que queria usar essas habilidades para o bem. Fizemos um acordo: eu podia trabalhar na clínica de Drave três dias por decana, e ele teria sopa de graça sempre que quisesse. Eu acho que saí na vantagem! Essa foi a minha vida por seis padrões: preparar as sopas, trabalhar na clínica e fazer aulas sobre anatomia alienígena na Rede. Ah, e as ervas, foi nessa época que eu as descobri. Drave foi um bom amigo. Ainda é, nós escrevemos um para o outro de vez em quando. O neto dele assumiu a minha barraca de sopa quando comecei a me tornar macho. É uma época ruim para trabalhar. Para fazer qualquer coisa, na verdade. A transição não é fácil." Ele murmurou. Seus pensamentos estavam se desviando. Zumbiu e tentou se concentrar. "Algum tempo depois, esse humano chamado Ashby parou na clínica para atualizar os seus imunobôs. Conversamos bastante e, uns dias depois, ele voltou para me dizer que estava montando uma tripulação para a sua nave de perfuração de túneis, e me propôs um emprego maravilhoso. Dois, na verdade! Foi triste me despedir de Drave, mas Ashby me ofereceu exatamente o que eu precisava. É muito tranquilo aqui em espaço aberto. Tenho amigos, um jardim nas estrelas e uma cozinha cheia de guloseimas. Eu curo pessoas agora. Não posso fingir que a guerra nunca aconteceu, mas parei de resistir há um bom tempo. Não fui eu que comecei a guerra. Nunca deveria ter participado dela." Ele afundou um pouco para poder olhar Rosemary nos olhos. "Não podemos nos culpar pelo que os nossos pais começaram. Às vezes, o melhor que podemos fazer é ir embora."

Rosemary ficou em silêncio por um bom tempo. "Os talhadores foram uma coisa horrível", disse ela. "Mas, de certa forma, entendo por que o seu povo fez uso deles. Estavam em guerra e se odiavam. Meu pai não é um soldado. Ele nunca esteve na guerra. Não odeia os toremis. Não sei se ele sequer já conheceu um. Nós tínhamos tudo em Marte. *Tudo*. Ele permitiu que essas armas fossem desenvolvidas e comercializadas, até *estimulou* isso, e por quê? Mais dinheiro? Quantas pessoas morreram por causa dele? Quantos filhos?"

Dr. Chef se pôs em quatro apoios. "Como você disse, ele tinha tudo. Isso o fez se sentir seguro e poderoso. As pessoas podem fazer coisas horríveis quando se sentem seguras e poderosas. Seu pai deve ter tudo o que quis por tanto tempo que pensou que era invencível, o que é um sentimento perigoso. Acho que ninguém nesta nave a culpa por querer colocar o máximo de distância de uma pessoa assim."

"Ashby não ficou muito feliz."

"Só com a mentira. Não por quem você é." Ele olhou para trás, para a cozinha e o corredor vazios. "E, aqui entre nós, ele entende. Não culpa você. Mas ele também é o seu chefe, e de vez em quando precisa fazer com que a gente não se esqueça disso." Dr. Chef zumbiu, pensando. "De certa forma, você deve estar se sentindo como eu quando soube de onde os talhadores vinham. Descobriu algo sombrio dentro da sua própria casa e deve estar se perguntando até que ponto isso a influenciou também."

Rosemary começou a concordar com a cabeça, mas depois a balançou em negação. "Não é a mesma coisa. O que aconteceu com você, com a sua espécie... Nem se compara."

"Por quê? Porque foi pior?"

Ela assentiu.

"Mas claro que se compara. Se você quebrar um osso e eu já tiver quebrado todos os ossos do meu corpo, isso anula a sua fratura? Por acaso faz passar a dor, saber que eu sofri mais?"

"Não, mas não é a mesma..."

"É sim. Os sentimentos são relativos. No fundo, são todos iguais, mesmo que venham de experiências distintas e existam em intensidades diferentes." Ele examinou o rosto dela, que não parecia muito convencida. "Sissix entenderia. Vocês humanos ficam cegos com essa crença de que todos pensam de um jeito único." Ele chegou mais perto. "Seu pai, a pessoa que a criou, que ensinou para você como o mundo funcionava, fez algo terrível. Não só participou, mas justificou esses atos para si mesmo. Quando ficou sabendo o que o seu pai tinha feito, você acreditou?"

"Não."

"Por que não?"

"Não achei que ele fosse capaz."

"Por que não? Ele era, obviamente."

"Mas não *parecia* ser. O pai que eu conheci jamais teria feito aquilo."

"Ah. Mas ele *fez*. Então você começa a se perguntar como podia estar tão enganada sobre ele. Começa a revirar as suas lembranças atrás de indícios. Começa a questionar tudo, até as partes boas. Fica se perguntando quanto daquilo era mentira. E, o pior de tudo, já que ele teve um papel tão importante em fazer de você a pessoa que é hoje, você começa a se perguntar do que *você* é capaz."

Rosemary o encarou. "Sim."

Dr. Chef balançou a cabeça para cima e para baixo. "E é nisso que as nossas espécies são tão parecidas. A verdade, Rosemary, é que você é capaz de qualquer coisa. Boa ou ruim. Sempre foi e sempre será. Sob determinadas circunstâncias, você também seria capaz de coisas terríveis. Essa escuridão existe dentro de todos nós. Você acha que todas as soldadas que seguraram uma arma talha-órgãos eram pessoas más? Não. Só estavam fazendo a mesma coisa que a soldada ao seu lado e assim por diante. E aposto que maioria... não todos, mas a maioria... dos gruns que sobreviveram ficou tentando entender o que tinha feito. Perguntando-se como foram capazes. Perguntando-se quando matar tinha se tornado tão fácil."

As bochechas sardentas de Rosemary ficaram um pouco pálidas. Dr. Chef pôde ver a sua garganta se mover quando ela engoliu em seco.

"Tudo o que você pode fazer, Rosemary, assim como todos nós, é trabalhar para se tornar uma força positiva. É a escolha que todo sapiente deve fazer todos os dias da sua vida. O universo é aquilo que fazemos dele. Cabe a você decidir que papel quer desempenhar. E o que vejo diante de mim é uma mulher que sabe muito bem o que quer ser."

Rosemary deu uma risada curta. "Na maioria das vezes, eu acordo sem saber o que diabos estou fazendo."

Ele inflou as bochechas.

"Não estou falando dos detalhes práticos. Isso ninguém sabe. Estava me referindo à coisa mais importante. O que eu também precisei fazer." Ele soltou uma risada. Sabia que ela não ia entender, mas veio naturalmente. O tipo de som que uma mãe fazia quando a filha aprendia a ficar de pé. "Você está tentando ser uma boa pessoa."

Dia 335, Padrão 306 da CG

# kédrio

Kizzy acordou atrasada, como sempre. Aquele era o procedimento padrão, desde que ela era criança. Quando pequena, seu pai, *papa*, a botava na cama com uma história, um beijo e um abraço de Bulício, seu sapo de pelúcia. Logo depois de as luzes se apagarem, os dedos do pé dela começavam a se agitar, e, em seguida, o traseiro, e não muito tempo depois, a ideia de ficar parada, que dirá dormir, parecia uma grande injustiça. A intervalos regulares, papa entrava no quarto, obrigava-a a se afastar dos blocos de brinquedo e a colocava de volta na cama, a voz paciente cada vez mais exausta. Por fim, seu outro pai, *baba*, voltava para casa depois do turno da noite na estação de água, e dizia: "Kizzy, querida, *por favor*, vá dormir. Os blocos vão continuar aí amanhã de manhã, juro." Embora fosse verdade, aquela não era a questão. Embora os blocos em si fossem continuar onde ela os havia deixado, seu cérebro estava sempre cheio de novas ideias para montá-los. Se não as experimentasse antes de dormir, teria esquecido tudo pela manhã, distraída pela promessa de panquecas.

Já adulta, Kizzy encontrou formas melhores de lidar com os diagramas no seu cérebro. Dormia com o scrib ao lado da cama para poder rascunhar ou fazer anotações sem sair de debaixo dos cobertores quentinhos. No entanto, ainda assim, projetos não concluídos às vezes a deixavam acordada até mais tarde. Tudo começava com *só mais um circuito*, que depois virava *aposto que consigo consertar isso* e *estou quase terminando* e, quando via, já era hora do café.

Porém, nas decanas seguintes ao que acontecera com os akaraks, Kizzy estava tendo dificuldade de dormir por outros motivos. Seu cérebro ainda estava cheio de ideias, mas a técnica vinha tentando se manter ocupada mesmo depois que elas acabavam. Essa noite, por exemplo, estava tirando a poeira das junções da interface de um conduíte de energia sobressalente. Não era um trabalho importante. Não era nem mesmo necessário. Mas era algo para fazer.

Dr. Chef lhe dera algumas gotas para ajudá-la a dormir, mas Kizzy não tinha gostado. Elas a deixavam sonolenta de manhã, e, além do mais, não queria ser o tipo de pessoa que precisava de remédio para dormir. Não, apesar do cansaço dolorido que começava a tomar conta do seu corpo, conseguiria se virar sem as gotas. Daria um jeito de descobrir como deitar na cama sem ficar pensando naquele dia no porão, as armas apontadas para o seu rosto, Ashby sangrando no seu colo. Desde então, não passara uma noite sem ficar pensando se outra nave os pegaria de surpresa enquanto ela dormia. Imaginava akaraks invadindo o quarto dela com as suas armas e aquelas vozes estridentes. Imaginava acordar com um rifle de pulsação apontado para a sua cara, ou talvez nem acordar. Lembrava-se de como as portas haviam rangido quando foram arrombadas. Lembrava-se do fino jato vermelho que esguichara da boca de Ashby quando o akarak o acertara com a arma. Em uma noite dessas, ela encontraria uma forma de parar de lembrar. Por enquanto, havia muitas junções para espanar.

"Oi, Kizzy", disse Lovey pela vox. "Desculpe incomodar, mas você é a única pessoa acordada."

"O que aconteceu, meu bem?"

"Uma nave está se aproximando. Estão a uma hora de distância."

Ela derrubou o pano de limpeza. Ai, estrelas. Os akaraks tinham voltado. Deviam ter dado meia-volta. Bem, dessa vez não ia ser tão fácil para aqueles filhos da puta. Kizzy se esconderia atrás de um dos painéis nas paredes, soldando-o do lado de dentro, assim ninguém descobriria. Ela andaria pelas paredes como um rato, sabotando cada um dos malditos magricelas até a morte. Podia levar decanas, mas tudo bem. Ela teria que se esgueirar até a cozinha de vez em quando para roubar comida. Ela poderia viver nas paredes. Aquela nave era *dela*, e... e quem ela estava querendo enganar? Não tinha como fazer uma coisa dessas. Eles iam todos morrer. Por que Ashby não tinha comprado umas armas lá em Grilo? Exodoniano cabeça de poeira, até *uma* arma seria...

Lovey continuou: "Eles estão fazendo contato. É o sinal de socorro da CG."

Kizzy voltou a respirar. Sentiu-se um pouco culpada por ficar aliviada por outras pessoas estarem com problemas, mas... paciência. Ela apoiou o scrib em um carretel de arame. "Pode transferir para a minha rede vid."

O scrib se ligou. Uma aeluoniana olhou para ela. Como todos os membros da sua espécie, era *linda*. Pele prateada, pescoço gracioso, olhos suaves, tudo de bom. Na mesma hora, Kizzy se deu conta do macacão sujo, da mesa bagunçada, das — droga, *migalhas*, sua camisa estava cheia de migalhas de bolo, e uma caneta de pixels estava enfiada no seu cabelo —, bem, agora já era.

A aeluoniana com certeza já tinha visto uma técnica humana antes. Não podia culpar Kizzy por ter um trabalho em que se sujava ou ser de uma espécie feia.

"Oi", disse Kizzy, se ajeitando. "Eu me chamo Kizzy Shao. Qual o problema?"

Foi então que notou os trajes da aeluoniana. À primeira vista, era apenas um visual elegante, mas a técnica mecânica já tinha jogado simuladores de ação suficientes para reconhecer uma armadura quando via uma — não a versão pesada dos humanos, e sim a feita para se misturar com o restante das roupas. A aeluoniana estava sentada, mas Kizzy viu a pontinha de uma pistola de energia enfiada no seu cinto. E aquilo em volta do seu pulso, não era um gerador de escudo pessoal? E parecia novo. Essa aeluoniana era coisa séria. Seríssima. Não era apenas uma armadura protetora. Era uma armadura tipo *vou botar para quebrar porque sou eu que mando*. Kizzy lamentou Jenks não estar acordado.

A aeluoniana sorriu (ou fez algum movimento facial que chegava perto).

"Olá, Kizzy. Sou a capitã Gapei Tem Seri. Gostaria de falar com o seu capitão, ele está disponível?"

"Ele está dormindo, mas se quiser, posso..."

"Não, não, não é necessário incomodá-lo. Você tem permissão para autorizar atracagens não programadas?"

*Permissão para autorizar atracagens não programadas?* Estrelas, aquela mulher não estava de brincadeira.

"Hã, claro, acho que sim", disse Kizzy. *Atracagens não programadas* jamais haviam sido discutidas a bordo da *Andarilha*. Se uma nave aliada precisava de ajuda, você ajudava. Simples assim.

A aeluoniana assentiu. Parecia ter praticado o sinal. Ela claramente sabia como falar com humanos. "Nossos sistemas de suporte de vida foram danificados. Ao que tudo indica, a última remessa que recebemos tinha uma mina de efeito retardado. Só explodiu quando estávamos em espaço aberto."

"Caramba, que merda! Vocês estão bem?"

"Reparos paliativos estão sendo feitos e estamos relativamente bem depois de três dias. Mas estamos a caminho de espaço aeluoniano e não sei se esses consertos de emergência vão durar muito. Precisamos fechar o núcleo por completo e deixar os reparabôs fazerem o seu trabalho."

"E precisam de um lugar para ficar enquanto isso. Sem problemas, temos ar de sobra. Mas espera... vocês não têm um técnico?"

As bochechas da aeluoniana escureceram para um verde-acinzentado. "Tivemos problemas na última parada. Nosso técnico..." Ela soltou o ar. "Não sobreviveu. Eu... ainda não tive chance de contratar um novo."

"Estrelas. Lamento muito." O que diabos aquela mulher fazia que envolvia minas, e que tipo de problemas causavam a morte de um técnico?

A aeluoniana não tocou mais no assunto. "De qualquer forma, se pudéssemos ficar a bordo só até os reparabôs..."

"Por que não deixam a gente cuidar disso? Sou a técnica mecânica daqui, e o nosso técnico de computação entende bem de sistemas de suporte de vida. Somos melhores que reparabôs e, dependendo do tipo de dano, talvez nem precise deixar os sistema off-line."

A capitã considerou a ideia. "Você conhece tecnologia aeluoniana?"

"Ah, não assim na prática, mas tecnologia é tecnologia. A gente pode pelo menos dar uma olhada. Juro que não vou mexer em nada que não saiba para que serve."

"Então, se vocês não se incomodarem, ficaremos gratos pela ajuda."

"Beleza. Combinado."

"Nossa nave está a menos de uma hora da sua, mas podemos reduzir para meia hora se quiserem nos encontrar na metade do caminho."

"Claro, sem problema."

O rosto da aeluoniana se iluminou. "Ótimo." As luzes no teto da nave refletiam na sua pele de escamas, como a luz do sol em uma onda. Por que tudo que os aeluonianos faziam era tão bonito? "Minha tripulação tem seis... hã, cinco membros, mais dois soldados." *Caramba, comandos aeluonianos. Jenks vai mijar nas calças.* "Vamos tentar ao máximo não incomodar."

"Ah, imagina, não precisa se preocupar", disse Kizzy. "Tenho certeza de que Dr. Chef vai querer alimentar vocês. Ele é o nosso cozinheiro." Nossa, ela parecia uma idiota. Por que não podia ser legal uma única vez na vida?

"Sim, eu sei. Seu capitão e eu nos conhecemos, na verdade. De qualquer forma, obrigada, Kizzy. Não sei o que faríamos se não tivéssemos encontrado vocês."

*De onde ela conhece...?* O pensamento foi interrompido de repente. Todas as peças se encaixaram. "Ah, que isso, é um prazer ajudar. Desculpe, mas como é mesmo o seu nome?"

"Gapei Tem Seri. Você precisa que eu mande a minha identidade...?"

"Não, eu só... Hã... Você é *Pei*?"

A aeluoniana parou de falar e olhou por cima do ombro. "Sou." Sua caixa-falante baixara o volume, tentando fazer segredo. "É um apelido que os meus amigos usam. Incluindo Ashby."

O sorriso de Kizzy foi tão largo que ela ficou com medo do seu rosto se partir. Essa aeluoniana — linda e destemida, que tinha pistolas de energia e falava sério quando mencionava minas — era Pei. Ashby não só *conhecia* essa aeluoniana. Ele *transava* com ela.

"Capitã, hã... desculpe, não sei qual nome usar." Os aeluonianos tinham dois nomes, um de família e outro que indicava o lugar de onde vieram. Ela não sabia qual era qual.

"Capitã Tem está ótimo."

"Bem, capitã Tem, acho que falo pelo meu capitão e todo o resto da tripulação quando digo que vocês são bem-vindos a bordo pelo tempo que quiserem."

"Obrigada, Kizzy." A capitã Tem fez outra pausa. "Não sei bem como dizer isso..."

Kizzy a entendia. A capitã Tem era aeluoniana, com uma tripulação aeluoniana e soldados aeluonianos a bordo, prestes a ficar na nave do seu namorado humano. Kizzy se inclinou para a frente, tirando o sorriso do rosto.

"Sim, nós sabemos... ser educados." Ou seja, *ficar de boca calada*. "Especialmente perto de soldados."

A capitã Tem pareceu grata. "Obrigada, Kizzy, eu agradeço muito. Entrarei em contato novamente quando chegarmos às coordenadas."

"Tudo bem. Até logo." O painel da rede vid no seu scrib se apagou. Kizzy começou a rir. *Nossa, como você é maneira, Kizzy*. "Ei, Lovey", disse ela para a vox. "Acorde Jenks. E Sissix também. Preciso falar com eles agora mesmo."

"E Ashby?"

"Não. Quero ir lá pessoalmente para ver a cara dele."

"Enxerida."

"Se você diz..."

A ia riu. "Você acha mesmo que a capitã Tem vai deixar Jenks ir a bordo da nave dela? Ele ia adorar."

"Lovey, estou com um pressentimento de que este pequeno encontro vai ser maravilhoso para todo mundo."

O cérebro de Ashby não estava funcionando direito. Para início de conversa, não tinha dormido nem três horas quando foi acordado de repente por Kizzy, que decidira que a melhor forma de despertá-lo era hackear a fechadura do seu quarto e entrar acendendo todas as luzes. Então ela lhe dera uma notícia que não fazia o menor sentido: Pei logo estaria a bordo. *Pei*. Ali. Na sua nave. E ela estivera falando justamente com Kizzy.

"Você faz ideia do que Kizzy disse a ela?" Ele estava no banheiro, tomando a chuveirada mais rápida da sua vida.

"Não faço ideia." Sissix estava do outro lado da cortina. Ele conseguia ouvir o divertimento na voz dela. Era o som do olhar que ela estava lhe dando nos últimos dez minutos. "Mas no começo Kizzy nem percebeu que se tratava dela. Acho que a sua reputação está intacta."

Ele desligou o chuveiro, secou-se e amarrou a toalha na cintura. Saiu do boxe e pegou um pacote de dentibôs da cesta comunitária. Viu o seu reflexo de relance no espelho.

"Estou com uma cara horrível." Ele abriu o pacote e espremeu o gel na língua. Jogou a embalagem vazia fora e fechou bem os lábios. Conseguia sentir o gel se espalhar pela boca enquanto os pequenos robôs partiam à caça de placas bacterianas.

Sissix apoiou as costas na parede, segurando uma xícara entre as garras. "Não está, mas mesmo que estivesse, duvido que ela fosse se importar."

"Hum mm hum."

"O quê?"

Ashby revirou os olhos e deixou os robôs fazerem o seu trabalho, desejando que eles fossem um pouco mais rápidos. Depois de mais ou menos um minuto, o gel ficou mais líquido, indicando que os robôs estavam se dissolvendo. O capitão cuspiu a pasta com um leve sabor de menta na pia e ligou a água.

"Falei que *eu* me importo."

"Eu sei. É muito fofo."

Ele apoiou a mão na beirada da pia e olhou para o espelho. Seus olhos estavam levemente vermelhos e o cabelo dele já vira dias melhores. Ashby suspirou. "Não quero estragar as coisas para ela."

Sissix se aproximou e pôs a mão no seu ombro. "Você não vai. E nem a gente. Nada de piadas e insinuações. Nós sabemos que é sério." Ela apontou para a pilha de roupas na bancada. "Essas foram as calças menos amarrotadas que consegui encontrar." Ela entregou uma xícara para ele. "E pedi para Dr. Chef fazer esse troço horrível para você."

O cheiro chegou às suas narinas antes mesmo de ele aproximar a xícara do rosto. Café. "Você é incrível." Tomou um golinho da bebida. Escura, amarga e forte. Já se sentia melhor.

Sissix deu tapinhas amistosos no seu braço. "Vamos lá. Ponha as calças. Quero conhecer a mulher que vai tirá-las mais tarde."

Pouco tempo depois, ele estava na frente da câmara de despressurização, cercado por um comitê voluntário de boas-vindas: Sissix, Dr. Chef e os técnicos. Cafeína, adrenalina e o cansaço lutavam ferozmente pela liderança do seu corpo. Sentia-se péssimo.

"E aí, Ashby?", disse Jenks. "Não vai contar como foi que se conheceram?"

Ashby suspirou. "Agora não."

Jenks abriu um largo sorriso. Estava fazendo isso com certa frequência naquela manhã. "Eu posso esperar." Ele tirou a lata de palha-vermelha do bolso.

Dr. Chef o cutucou. "Nada de fumar. Os aeluonianos costumam ser alérgicos."

Jenks fechou a lata. "Alérgicos de verdade ou que nem o Corbin?"

Dr. Chef soltou um coro de risadas. "De verdade."

"A nave aeluoniana está estendendo a ponte de atracagem", informou Lovey. Ashby conseguia ouvir os sons metálicos no casco. "A escotilha deles foi aberta. Vou dar início aos protocolos de descontaminação."

Ashby ouviu os passos atrás da escotilha. *Ah, estrelas, ela está logo ali. Atrás dessa porta.* Ele soltou a respiração.

Sissix esfregou a bochecha no ombro dele. "Está nervoso?"

"Por que pergunta?"

Sissix apoiou o queixo junto ao pescoço dele e apertou o seu braço. A boca de Ashby ficou tensa. Ele sabia que era um gesto amigável e reconfortante, e Pei provavelmente conhecia os aandriskanos o suficiente para saber que Sissix não tinha segundas intenções. Ainda assim, seu cérebro humano ficava tenso ao pensar em Pei chegar e vê-lo com outra mulher pendurada no seu ombro. Ele baixou a voz. "Sissix, desculpe, mas será que poderia...?"

"Hã?" Seus olhos amarelos examinaram o rosto dele, confusos. "Aaah, entendi. Entendi." Ela recuou um passo e pôs as mãos para trás. Não disse outra palavra, mas Ashby percebeu seu olhar divertido.

"Ashby, tem algo estranho", disse Lovey.

"O que houve? Algum vírus?"

"Não, nenhum contaminante, mas estou confusa. Os implantes de pulso deles foram lidos com sucesso, mas deveria haver dois soldados na tripulação. E só registrei implantes de civis."

"Devem ser agentes secretos", respondeu Ashby. "Pode deixar eles entrarem, Lovey. Confio neles."

"Que maneiro", sussurrou Jenks para Kizzy. Os dois deram risadinhas como crianças na escola. *Estrelas e fogo, vocês dois se comportem.*

A porta deslizou, se abrindo. A câmara estava cheia, mas Ashby só tinha olhos para uma pessoa. Estava completamente desperto agora.

Pei deu um passo à frente. "Permissão para subir a bordo?", perguntou, encarando profundamente os olhos de Ashby. O ar entre eles parecia carregado. Pei precisava bancar a capitã, mas ele percebeu que havia muitas coisas que ela queria dizer.

Ele assentiu. Entendia. "Deixem o espaço e se abriguem no nosso lar." Era uma expressão exodoniana, usada com viajantes que acabavam de atracar. "É bom vê-la." Ele estendeu a mão. Era uma piada que nenhuma das tripulações entenderia. Ele sabia muito bem que aeluonianos se cumprimentavam pressionando palma com palma, mas ele não fazia ideia disso quando conheceu Pei, e ela, por sua vez, também não soubera o que fazer com a mão dele depois de segurá-la.

"É bom vê-lo, velho amigo." Ela apertou a mão dele, não dando qualquer sinal de reconhecer o gesto além de um brevíssimo movimento nas pálpebras. Nossa, ela era boa nisso. Se Ashby não entendesse a necessidade de manter segredo, poderia ter ficado ofendido com a indiferença.

Todos foram apresentados. Pei apertou a mão dos técnicos, pressionou a palma contra a de Sissix (claro que Sissix sabia como agir) e riu com Dr. Chef enquanto tentavam se resolver com os pés-mãos dele. Ashby cumprimentou cada um dos membros da tripulação de Pei, fingindo não saber os seus nomes, as suas personalidades e as suas histórias de vida. Sabia que dois deles, Sula e Oxlen, conheciam a história entre ele e Pei. Suas pálpebras também se moveram com sutil reconhecimento quando foram apresentados. Até onde Ashby sabia, eram os únicos aeluonianos na galáxia cientes do caso deles. E ele faria o possível para que continuassem assim.

Os dois soldados, embora vestidos com trajes civis, foram fáceis de localizar. Primeiro porque estavam com mais armas do que o restante da tripulação (o que Ashby achou inquietante), segundo porque eram perfeitamente musculosos. Um deles, uma fêmea, tinha um implante ocular. A ponta de uma cicatriz antiga era visível logo abaixo dele. O macho era jovem, mas parecia cansado. Ashby se perguntou há quanto tempo ele estava na guerra e se ficava feliz pela breve pausa em um cargueiro.

O capitão olhou de relance para Pei, que conversava agradavelmente com a tripulação dele. Já a imaginara na sua nave muitas vezes, mas os seus devaneios tinham sido diferentes. Pei entraria pela escotilha com uma bolsa e um sorriso no olhar. Ele colocaria o braço ao redor da cintura dela e a apresentaria aos demais. Sissix não precisaria conter o impulso de dar um abraço caloroso. Eles iriam ao Aquário, onde todas as pessoas de que Ashby mais gostava poderiam se conhecer melhor enquanto apreciavam um dos jantares festivos de Dr. Chef. Beberiam mek e ririam, relaxando no jardim. A união harmoniosa das duas metades da sua vida. Porém, ali, diante da escotilha, a separação era clara. Militares e civis. Aeluonianos e uma tripulação misturada. Tecnologia avançada e o-melhor-que-dava-para-fazer. Ainda assim, ela estava na nave dele, falando com a tripulação dele. A barreira entre as suas vidas se tornou mais tênue. Ele podia senti-la puxando-o para o outro lado.

"Não acredito na nossa sorte de encontrar vocês por aqui", disse Pei. "Espero não estar atrapalhando."

"Pode ficar o tempo que precisar." *Ou simplesmente ficar.* "Fiquei sabendo que os técnicos se ofereceram para ajudar nos reparos."

"Estamos prontos", disse Kizzy, as mãos no cinto de ferramentas. "Basta dizer para onde devemos ir."

"Oxlen pode acompanhá-los", disse Pei.

"Não sou técnico", disse Oxlen, o piloto de Pei, um macho alto de olhos claros. "Mas sei dizer o que é o quê."

A soldado fêmea — Tak, se Ashby se lembrava bem — falou: "Gostaria de saber se podemos ter acesso aos seus escâneres e ansible. Duvido muito que a gente encontre inimigos aqui, mas considerando o que aconteceu com a nossa nave, é bom tomar cuidado."

"Sissix pode lhes mostrar a sala de controle", disse Ashby. "A não ser que vocês prefiram o controle manual do núcleo da nossa IA." Pelo canto do olho, Ashby viu Jenks ficar tenso. *Calma, Jenks, eles não vão quebrar nada.*

"A sala de controle já basta", respondeu Tak. Ela assentiu para Sissix, que seguiu na frente até o corredor. Ashby não teria conseguido imaginar um par mais estranho: a aeluoniana caolha armada e a aandriskana com calças folgadas e garras pintadas recentemente.

"Quanto ao restante de nós, temo que tudo que possamos fazer é esperar", disse Pei.

"Ah, não vai ser tão ruim assim", falou Dr. Chef. "Já está na hora de eu começar a preparar o café. Devo avisar que as minhas receitas não foram feitas com aeluonianos em mente. Talvez esse seja o pior café da manhã da vida de vocês."

"Você só diz isso porque nunca comeu comida do exército", disse o soldado, rindo.

"Ah, não tenha tanta certeza..." As bochechas de Dr. Chef se inflaram. Poucas coisas o deixavam tão feliz quanto alimentar pessoas famintas. "Venham comigo. Vamos dar uma olhada no que temos em estase para ver se achamos algo de que gostam."

"Por favor, diga que vocês têm mek de verdade a bordo", disse um dos tripulantes de Pei. A arma presa nas suas costas teria feito Urso e Nib ficarem mordidos de inveja. Eles precisavam mesmo andar armados ali?

"Temos mek de sobra", disse Kizzy. "Caixas e caixas."

"Ah, estrelas, que notícia maravilhosa. Se eu tiver que beber mais uma xícara de mek instantâneo, vou vomitar."

"Apenas uma xícara para cada um", falou Pei. "Não quero voltar para a nossa nave com uma tripulação caindo pelas tabelas."

"Vamos lá, pessoal", disse Dr. Chef, andando em dois apoios, na frente do grupo. "Não vou deixar ninguém ir embora com fome."

Animados, os aeluonianos restantes o seguiram.

"Deixem um pouco para mim", gritou Oxlen enquanto voltava para a sua nave com os técnicos. Kizzy deu uma última olhadela na direção de Pei, então ergueu as sobrancelhas maliciosamente para Ashby. Ele revirou os olhos e gesticulou para que ela fosse embora logo. Kizzy saiu dando risadinhas.

Esperaram até os corredores estarem silenciosos. E mesmo então, Ashby não sabia o que dizer. Queria beijá-la, abraçá-la, ir logo para o seu quarto e deixá-la rasgar as suas roupas. De alguma maneira, conseguiu se conter. "Então. Que surpresa."

Ela o encarou. Suas pálpebras secundárias se fecharam devagar. As bochechas ganharam um tom amarelo de desagrado. "Vi marcas de um tiro de dispersão no seu casco."

"Você sempre diz coisas tão românticas."

"Ashby." Ela olhou feio para ele. "Na sua última mensagem, você falou que a sua nave tinha sido abordada e que alguns suprimentos tinham sido roubados. Não mencionou nada sobre tiros. Alguém se feriu?"

"Não." Ele fez uma pausa. "Só eu. Mas estou bem."

As bochechas dela ganharam tons exasperados. "Por que não falou nada?"

"Porque não queria que você ficasse preocupada."

Ela inclinou a cabeça para o lado. "Parece que trocamos de lugar."

"Eu não acho. Quem foi que apareceu na minha porta falando de minas?"

"Era só uma, e ninguém se feriu. Aparentemente, alguém no terminal de carga tinha... uma opinião *própria* sobre a guerra."

Ashby balançou a cabeça. "Os rosks estão atacando as colônias na fronteira. Como...?"

"Eu sei, eu sei. As pessoas são doidas." Ela franziu a testa. "Falando nisso, quanto mais eu escuto sobre essa história dos toremis, menos gosto."

"Você não gostou desde o começo."

"Ashby, ouça o que eu digo. Conheci a capitã de um reboque de agulha que tem levado diplomatas para a região. Os toremis são... estranhos."

"Eles são de uma espécie diferente. Todos nós somos estranhos uns para os outros. *Você* é estranha para mim às vezes."

"Não, eu quis dizer de um jeito perigoso. Estranhos de uma maneira incompreensível. Ela falou que não entendia como a CG tinha conseguido negociar uma aliança com eles. Os diplomatas não paravam de falar como era difícil se comunicar com os toremis. Não era uma questão de linguagem, os toremis *pensam* diferente. Eles todos tentam pensar do mesmo jeito, o que por si só já é maluquice, mas quando não entram em consenso, é um desastre. A capitã me contou que há alguns padrões, quando a CG finalmente conseguiu começar as negociações, alguns toremis se mataram com as próprias mãos. E eu estou falando literalmente, Ashby, *durante a conferência*, só porque não conseguiam concordar se os harmagianos eram ou não sapientes."

"A essa altura já devem ter se resolvido nessa parte."

"Talvez. Só sei que ela ouviu várias histórias sobre como algum representante toremi não concordou com os seus superiores durante uma reunião e nunca mais foi visto. Ela detesta ir lá. Disse que fica com medo sempre que uma das naves deles se aproximava. Não confia neles. E eu também não."

"Você nunca nem conheceu um toremi. Pei, eles não mandariam a gente para o Núcleo se não achassem que podem manter a gente em segurança. Vamos ficar bem, não se preocupe."

As bochechas dela ganharam um pálido tom roxo de frustração. "Não consigo manter nem a minha tripulação segura. Como posso não me preocupar com você?"

Ele olhou para o corredor, só para ter certeza. Segurou a mão dela. "Kizzy disse que você perdeu alguém."

Ela fechou os olhos. "Saery."

Ashby apertou a mão dela, resistindo à tentação de abraçá-la. "Estrelas. Pei, sinto muito."

"Foi tão sem sentido, Ashby, tão sem motivo. Ele foi atacado em um beco quando estávamos em Dresk. Cortaram o seu implante e roubaram as peças que ele tinha acabado de comprar. Se não tivesse ido sozinho..."

"Pei." Ele estendeu a mão para tocar o rosto dela. Dane-se todo mundo. "Ah, Pei. Não fique pensando nisso."

Ela pressionou a bochecha contra a mão dele, apenas por um momento, então se afastou, olhando de relance para o corredor. "Estava com tanta saudade", começou ela. "Essas últimas decanas... Eu queria escrever, mas..."

"Eu sei." Ele sorriu. "Vamos lá. Vou mostrar a nave para você, então podemos conversar. Fazer um tour pela nave é uma atividade respeitável, não é?"

As bochechas dela ficaram verdes por um momento, indicando divertimento. "É."

"O que você falou para eles? Sobre nós dois?"

"Que nos conhecemos em Porto Coriol, pouco depois de eu comprar a minha nave. Conheci você enquanto comprava suprimentos e, vez ou outra, quando acabamos na mesma doca, a gente se encontra para tomar uma bebida."

"Ah. A verdade, então."

"Bem, pelo menos a parte inocente. Para ser sincera, foi meio estranho." Suas bochechas ficaram amarelas. "Já me acostumei a mentir sobre você."

"Eu sinto que devia ter tirado os meus sapatos na porta", disse Jenks para Kizzy enquanto seguiam Oxlen pelos corredores da fragata aeluoniana.

Kizzy concordou. Ela já tinha visto naves aeluonianas atracadas nas docas, além de fotos do seu interior na Rede, mas estar dentro de uma... era como andar por uma obra de arte. As paredes acinzentadas eram imaculadas, sem um parafuso ou painel à vista. Não via lâmpadas, apenas faixas contínuas de uma luz suave vinda do teto curvo. Não via molduras nas janelas, nenhum filtro de ar. A nave era tão lisa quanto uma rocha. E silenciosa. Apesar de os aeluonianos terem encontrado uma maneira de processar sons e linguagem verbal, só precisavam dessas habilidades para se comunicar com outras espécies. No interior das suas naves, não precisavam de sons. Não havia voxes, alarmes ou painéis que apitavam e tiniam. Até mesmo o ruído dos sistemas de suporte de vida e das redes de gravidade artificial eram tão baixos que Kizzy mal podia distingui-los (embora duvidasse muito que isso fosse proposital, a tecnologia é que era apenas muito bem-feita). A ausência de som fazia a nave parecer ainda mais sagrada, como um templo construído para honrar a boa tecnologia. As botas pesadas e os cintos de ferramentas sacolejantes dela e de Jenks pareciam uma intrusão. Ainda bem que tivera tempo de pôr um macacão relativamente limpo.

"O suporte de vida fica aqui", disse Oxlen. Ele pressionou a palma da mão na parede, e um pedaço dela se derreteu, abrindo uma passagem. Quando Kizzy seguiu pela abertura, viu a moldura da porta, as bordas predefinidas, sólidas como acrílico bem grosso.

"Caramba, isso é feito de quê?", perguntou Kizzy, passando a mão pela parede. Era fria e firme, mas ela sentiu certa maleabilidade por baixo. "Um polímero reativo?"

"Exatamente. Ele é sustentado por uma treliça eletroestática que reage aos sinais bioelétricos da nossa pele."

"Uau!" Kizzy chegou mais perto da parede, estreitando os olhos. "E qual o material?"

"Isso... está fora da minha especialidade. Você deve conseguir verificar na Rede." Eles entraram em um cômodo com uma confusão de aparatos eletrônicos. Muito mais bonitos do que aqueles com os quais Kizzy estava acostumada, mas ainda podiam ser reconhecidos. Oxlen gesticulou para uma máquina maior, o coração gigantesco de uma rede de tubos e canos. "Esse é..."

"O seu regulador atmosférico." Kizzy pôs as mãos nos quadris e assentiu enquanto o examinava. "Bem parecido com o nosso."

"Só que muito mais bonito", disse Jenks. "Dá uma olhada nesses estabilizadores."

"Nossa!", admirou-se Kizzy. "Olha só como os lacres se interligam. Incrível. Incrível, incrível, incrível." Ela se virou para Oxlen. "Onde estava a mina?"

"No canto superior esquerdo. Escondida atrás do...", Oxlen fez um gesto vago. "Daquela protuberância com o botão pequeno."

Kizzy escalou a lateral do regulador, tomando cuidado para se apoiar apenas nos canos mais resistentes. Atrás da caixa de abastecimento — a protuberância com o botão pequeno —, o metal havia sido despedaçado graças a uma violenta descarga de energia. Ela pegou as lentes do cinto e as colocou na cabeça. Baixou as lentes de aumento, ergueu um pedaço de metal e examinou o interior. "Nossa. Todas as junções foram queimadas. Os filtros de abastecimento foram para as cucuias. Seus reparabôs até fizeram uns bons remendos, mas vai ser preciso mais do que... puta merda, olha isso! Caramba!" Ela ergueu as lentes, pôs as luvas e estendeu a mão para o buraco.

"Que foi?", perguntou Jenks.

Kizzy tateou dentro do buraco, passando os dedos enluvados pela máquina estraçalhada. "O eixo regulador está sem cobertura nenhuma. Foi sério mesmo."

"Será que eu devia buscar umas placas de enchimento?"

"É, e aproveita para pegar as suas ferramentas pequenas. Tem um painel de circuitos que você vai ter que refazer do zero. E uns lanches também, Jenks. A gente vai precisar de muita comida." Ela esfregou o olho esquerdo, tentando afastar o sono. Estava começando o dia sem dormir, mas isso não era novidade. Tinha uma garrafa térmica de chá feliz no cinto e um pacote de estimulantes no bolso caso a situação ficasse muito difícil.

"Então vocês conseguem consertar?", perguntou Oxlen.

"Ah, sim." Kizzy olhou para os olhos dele e pôs a mão no peito. "Acredite em mim, não há nada que eu gostaria mais de fazer do que consertar isso aqui."

Rosemary estava sentada em uma pilha de caixotes de legumes vazios, beliscando os seus salgadinhos de pimenta. Sissix estava com ela, apoiada em um dos tanques de reprodução de insetos do Dr. Chef. A cortina que separava a despensa da cozinha estava aberta, mas não por completo. A estase zumbia. Os insetos farfalhavam baixinho. Era um bom lugar para fofocar.

"Eles são tão bonitos", disse Rosemary, olhando para os aeluonianos à mesa de jantar, enchendo a pança alegremente. "Eu queria ter escamas."

"Você diz isso, mas devia ficar feliz por não ter uma pele que descama de uma vez só."

"Os aeluonianos trocam de pele?"

"Não. Malditos." Ela pegou alguns dos salgadinhos da tigela no colo de Rosemary.

"O que acha deles? Eu sei que beleza é algo relativo."

"Pode ser, mas os aeluonianos são a exceção universal. Eles são estupidamente bonitos." Sissix mastigou os salgadinhos.

"Os harmagianos devem discordar."

"A opinião deles não conta."

"Por quê?"

"Porque não têm ossos e são cobertos de gosma."

Rosemary riu. "Não é culpa deles."

"Mas não deixa de ser verdade." Sissix sorriu. "Olhe só para eles." Ela indicou os aeluonianos com um movimento de cabeça. "Olha só como se movimentam. Até nas pequenas coisas. Aquela ali, por exemplo, viu como ela pegou o copo? Eles não se mexem. Eles *dançam*." Ela pegou outro punhado de salgadinhos. "Eles fazem eu me sentir que nem... ai, como se chamam aqueles répteis feiosos que vocês tinham lá na Terra? Os extintos?"

"Hã..." Rosemary tentou se lembrar. "Não sei. Iguanas?"

"Nem sei o que é isso. Não estou falando dos que foram extintos no Colapso. Estou falando daqueles muito antigos, de milhões de anos atrás."

"Dinossauros."

"Esses!" Sissix se agachou, encolhendo os braços e exagerando o ângulo das pernas levemente dobradas. Ela saiu pisando forte pela despensa, de modo desajeitado.

Rosemary caiu na gargalhada. "Você não é um dinossauro."

"Você não sabe. Não estava lá. Talvez alguns deles tenham construído naves e se mandado."

Rosemary examinou Sissix. Escamas verdes lustrosas. Penas alegres. Espirais pintadas com habilidade nas suas garras. A forma como as calças se prendiam aos seus estranhos quadris. Mesmo quando ficava de palhaçada em meio aos caixotes e insetos comestíveis, era encantadora. "Você é bonita demais para ser um dinossauro", disse, sentindo as suas bochechas corarem. Torcia para que não desse para reparar.

"Ainda bem", respondeu Sissix, endireitando-se. "Eles não tiveram muita sorte, se me lembro bem. O que aconteceu mesmo? Uma erupção de raios gama?"

"Um meteoro."

"Que pena. A galáxia precisava de mais répteis."

"Bem, para ser sincera, eles terem morrido abriu espaço para a gente, bichos peludos e estranhos."

Sissix riu, dando um aperto amigável no ombro de Rosemary. "E eu gosto muito de vocês, seus bichos peludos e estranhos."

Rosemary sorriu e se levantou. "Quer uma garrafa de gasosa?", ofereceu, indo até o refrigerador.

"Quero sim, obrigada. Esses salgadinhos são meio picantes." Sissix ficou observando os aeluonianos enquanto Rosemary procurava as bebidas. "Ouvi dizer que é muito assustador enfrentá-los em combate. Nada de gritos ou barulhos. Só um monte de pessoas silenciosas vindo matar você."

"Argh." Rosemary entregou a Sissix uma garrafa gelada de gasosa de melão. "Que assustador."

"Você já ouviu falar da batalha de Tkrit?", perguntou Sissix. Olhou para a garrafa na sua mão. "Vou precisar de um copo próprio para aandriskanos."

"Ah, sim, desculpe", disse Rosemary. Passou pela porta e abriu o armário da cozinha, em busca de algo que alguém sem lábios pudesse usar para beber. Viu Corbin do outro lado da cozinha, parado no balcão. Ele olhou de relance para elas enquanto se servia uma xícara de chá do decantador compartilhado. Sissix não disse nada para ele, mas Rosemary viu que as penas dela se arrepiaram bem de leve. "O que foi a batalha de Tkrit?"

"Uma disputa por território de antes da CG, quando ainda estávamos tomando posse de planetas habitáveis o mais rápido possível. Uma das poucas vezes em que aeluonianos e aandriskanos se enfrentaram. Só uma briguinha, na verdade. Nunca entramos em guerra oficialmente. Contam que, tarde da noite, três grupos de soldados aeluonianos se infiltraram na base em Tkrit. Completamente silenciosos, como falei, vindos de todas as direções."

"O que os aandriskanos fizeram?", perguntou Rosemary, entregando o copo a Sissix.

Ela abriu um sorriso. "Desligaram as luzes. Aeluonianos não enxergam em infravermelho."

Rosemary imaginou estar dentro de um prédio completamente escuro, cheio de soldados silenciosos sendo atacados por garras escondidas na escuridão. Sentiu um calafrio.

"Falando em aeluonianos", disse Sissix. "Queria muito saber onde está o nosso capitão." Ela se virou para a vox. "Ei, Lovey."

"Não", disse a IA.

Sissix e Rosemary trocaram olhares divertidos.

"Não?", repetiu Sissix.

"Você me ouviu. De jeito nenhum."

"Por favor? Não precisa me dizer o que estão fazendo, só me diga onde..."

"Ah, não! Estou... com... um... circuito... defeituoso. Não posso mais falar." A vox foi desligada.

Rosemary e Sissix começaram a rir, mas a diversão acabou quando Corbin se aproximou da despensa. "Você sabe quando Kizzy e Jenks voltam?" Ele se dirigiu apenas a Rosemary. "Já faz cinco horas que estão lá."

"Desculpe, não sei."

"Não tem nem uma estimativa?"

"Realmente não faço ideia."

Corbin bufou com impaciência. "O misturador que eles trocaram decana passada emperrou de novo e os sensores não estão funcionando. Um dos tanques está prestes a enviscar."

Rosemary sentiu vontade de lembrar que os aeluonianos tinham uma nave que estava *ficando sem ar*, mas se Sissix conseguia morder a língua, ela também era capaz. "Se eu os vir primeiro, vou pedir para procurarem você."

"Eu agradeço." Ele assentiu uma vez e foi embora.

Rosemary se virou para Sissix, que fitava o seu copo, muito concentrada. "Que foi?"

A aandriskana suspirou, como se estivesse deixando de lado pensamentos profundos. "Ah, estava só considerando a ideia de dizer aos aeluonianos que Corbin é um espião rosk."

Rosemary riu. "Aposto que eles tratam bem os prisioneiros."

"Aí é que está. Duvido muito que uma nave civil tenha como transportar um espião prisioneiro." Ela tomou um gole da sua bebida. "Mas aposto que podiam fazer um bom uso daquela escotilha."

A chave de porca escorregou da mão de Kizzy e caiu atrás do regulador, fazendo bastante barulho durante a descida. "Oops." Ela desceu pelos canos, indo até o espaço vazio entre a máquina e a parede.

"Quer que eu pegue?", ofereceu Jenks.

"Não, tem muito espaço aqui atrás." Kizzy pulou para o chão e começou a procurar a ferramenta fugitiva. Deu alguns passos e parou. Havia algo estranho. Ela se virou e examinou a parede. Viu uma escotilha, mas ela não estava se fundindo corretamente à parede ao redor. A junção entre as duas piscava, como se alguém estivesse ativando e desativando a porta mais rápido do que ela conseguia responder.

"Ei, Oxlen", chamou Kizzy.

"Pois não?"

"Tem um quadro elétrico aqui atrás?"

"Acho que sim, por quê?"

"Parece estar com defeito." Kizzy pensou sobre o funcionamento das paredes. "É possível que alguma coisa esteja interferindo com a treliça estrutural? Um circuito meio folgado ou coisa parecida? Algo que geraria um sinal?"

"Suponho que sim, mas não sei dizer com certeza. Você acha que a mina danificou a porta?"

Kizzy olhou de novo para o regulador. A caixa de abastecimento estava bem mais acima. Balançou a cabeça. "Duvido muito. Nada aqui embaixo foi danificado." Kizzy pressionou a mão contra o painel. Sentiu o polímero sob seus dedos se liquefazer, embora essa não fosse a palavra certa, já que a parede não ficou molhada, apenas... fluida. Ela deu uma risadinha. "Que maneiro." O painel se derreteu, abrindo passagem. As bordas tremeram, mas continuaram no lugar. Ela enfiou a cabeça lá dentro e ligou os dois globoluzes nas suas lentes.

A parede abrigava conduítes elétricos, tubos de combustível e canos de esgoto, ou seja, tudo o que se esperava encontrar no interior da parede de uma nave. Ela entrou. Havia um corredor bem estreito, com espaço suficiente para um único técnico. O corredor continuava para cima, desaparecendo no interior escuro da nave. Ela olhou em volta, à procura de um circuito faiscante ou algum tubo vazando.

Um pequeno flash amarelo chamou a atenção de Kizzy. Acima da cabeça dela, ao alcance da mão, um estranho objeto estava preso a um emaranhado de tubos de combustível. Era preto, redondo e achatado. Parecia uma água-viva metálica, com os tentáculos bem presos. Claramente, o aparato fora produzido por um fabricante que não o da nave, mas Kizzy não sabia quem. Outro flash. E uma pausa. Mais um flash.

"Mas quê...?", murmurou, estendendo a mão na direção do objeto. Antes dos seus dedos encostarem nele, ela parou. Viu mais um flash com o canto do olho. Virou a cabeça na direção do corredor. Havia outro objeto a alguns passos dela. E mais outro. E outro.

Ela desligou os globoluzes. Presas a intervalos regulares, até desaparecerem no interior da nave, as pequenas luzes amarelas piscavam no mesmo ritmo.

Com um horror crescente, percebeu o que eram.

Kizzy se jogou para trás, batendo na parede oposta, como se tivesse se queimado. *Corra*, pensou. *Corra*. Mas não correu. Apenas ficou olhando.

"Kizzy?", chamou Jenks. "Tudo bem aí?"

Ela engoliu em seco, tentando fazer a saliva voltar à boca. "Minas."

"O quê? Não ouvi."

"Minas", repetiu, mais alto. "A parede. A parede inteira está cheia de minas." E eram das grandes. Mais cedo, ela havia encontrado o invólucro da que danificara o regulador atmosférico. Inteira, devia ter a largura do seu dedo mindinho. As da parede eram do tamanho da sua mão aberta. Não tinham sido projetadas para danificar um sistema isolado. Minas daquele tamanho foram feitas para causar uma explosão monumental.

Do outro lado da parede, Jenks e Oxlen haviam começado a fazer barulho, falando um por cima do outro, ligando para os seus respectivos capitães. Para Kizzy, eles pareciam muito distantes. Ela ouvia as batidas do próprio coração. Seus músculos começaram a tremer. Seu corpo implorava para que ela fosse embora. Mas um pensamento solitário atravessou o pânico, mantendo-a firme. *Quanto tempo até explodirem?* Ficou pensando sobre isso. Se estivessem programadas para explodir em segundos, sair correndo não faria diferença nem para ela, nem para o cargueiro e nem para a *Andarilha*. No entanto, se tivesse mais tempo, mesmo que só um ou dois minutos, talvez... será que conseguiria?

Olhou para a maligna água-viva de metal mais próxima. Explosiva ou não, ainda era uma máquina. E ela entendia de máquinas. Máquinas obedeciam a leis.

"Oxlen", disse ela. "Algum dos seus soldados por acaso é técnico de armas?"

"O quê? Não, são apenas guardas, não temos ninguém..."

Kizzy ignorou o resto da frase. Soltou o alicate do cinto, ligou as globoluzes de novo e subiu para ver mais de perto.

"Kizzy", disse Jenks. "Kizzy, preciso que você saia daí."

"Quieto. Me dê um minuto."

"Talvez a gente não tenha um minuto, Kizzy. Saia daí!"

"Se não temos um minuto, não vai fazer diferença onde estou."

"Kizzy...", falou Oxlen.

Ela pôs as lentes de escaneamento. "Calem a boca, os dois. Deixem comigo. Só... calem a boca."

Como se estivesse muito distante, ela ouviu mais gritos e um clangor metálico — provavelmente Jenks estava escalando os canos para vir buscá-la. Ignorou o barulho e observou a parte de dentro da mina pelas lentes. No interior, havia apenas material explosivo — kédrio, a julgar pela densidade —, o que na verdade era uma ótima notícia. Para começar, isso significava que os mecanismos de ativação estavam do lado de fora da mina, então Kizzy não precisava se preocupar com surpresas do lado de dentro. E, ainda melhor, ela conhecia kédrio. Na adolescência, ficou de castigo as férias de verão inteiras depois que ela e uns amigos explodiram um esquife caindo aos pedaços com um bloco de kédrio. Era um explosivo barato, usado em pedras. Dava para encontrar em qualquer mercado. Se a mina usava kédrio, então havia dois gatilhos: o primeiro do dispositivo de aquecimento e o segundo para detonar o material quando estivesse quente e reativo. Ela tirou as luvas e tocou a mina. Estava fria. Era um bom sinal. Correu o dedo pela lateral. Ali. Mudou de posição para se agachar entre os tubos de combustível. Dali, conseguia ver o pequeno gatilho na parte de trás, um botão com pingos de selante em volta. Não era algo sofisticado, do nível da tecnologia militar. Fora feito mal e porcamente.

Ela segurou o alicate entre os dentes e pegou uma sovela térmica no cinto. O selante derreteu e afinou com o calor da sovela. Ela voltou à lente de aumento. *Certo, esse parece ser o gatilho primário, então, se eu conseguir soltar...* — A luz amarela piscava, inalterada. *Aqui está o aquecedor. E aqui...* — Ela prendeu a respiração e puxou o botão, separando-o da lateral. Um fio bem fino veio junto. Deixou a sovela cair no chão e tirou o alicate da boca. A mão começou a tremer. O alicate também. Ela cortou o fio.

A luz se apagou.

"Kizzy."

Ela tirou o detonador de dentro da armação da mina. Caiu na mão dela. Pesado. Frio. Inofensivo. Soltou a respiração. Ficou tonta. Deixou-se cair pela parede até o chão, levando a palma da mão à testa.

"Puta merda", disse Jenks, desabando contra a porta. "Você conseguiu."

Kizzy respirou fundo. A tremedeira aumentou. Ela começou a rir.

Um dos problemas das caixas-falantes era que exigiam muita concentração para ser usadas. Se o usuário estivesse distraído ou incapacitado, as palavras computadorizadas jorrariam de modo confuso. Era o caso de

Pei naquele momento. Ashby nunca a vira tão chateada. Estava furiosa, parada diante da mina desarmada por Kizzy, que a técnica deixara sobre a mesa de jantar. Suas bochechas estavam roxas de raiva, escuras como um machucado.

"Não consigo... malditos... o que podia... arrastei vocês... sinto tanto por..."

"Pei", disse Ashby, tomando cuidado com o seu tom de voz. Estavam cercados pela tripulação dela e pela dele. Ele estava chocado, ela, surpresa, e a tripulação, assustada. Era o tipo de situação em que um deles poderia escorregar. "Tente ir mais devagar."

Ela respirou fundo. O roxo das suas bochechas se intensificou, depois voltou ao tom de antes. "Saery. Não foi coincidência."

"Como assim?", perguntou um dos membros da sua tripulação. Sula, a fêmea mais baixa.

"Pense bem. Se os aeluonianos o deixassem puto, e você quisesse causar um estrago, por que derrubar um mero cargueiro quando pode destruir uma doca central? Ou uma estação de reparos?"

As bochechas de Oxlen escureceram. Havia muitos rostos roxos ao redor da mesa. "Eles destruíram um sistema vital para que fôssemos obrigados a parar para o conserto. Imaginaram que a gente atracaria em algum porto. É por isso que as minas ainda não tinham detonado. Programaram para que explodissem depois de algumas decanas, o tempo que levaria até alcançarmos uma doca. Não contaram com a possibilidade de acharmos ajuda no caminho."

Os olhos de Sula se estreitaram. "E quiseram garantir que a gente não tivesse um técnico para fazer o reparo. Ele não foi assaltado. Deviam estar vigiando Saery."

Pei andou até a janela, as mãos cerradas em punhos. Ashby enfiou as mãos no bolso e fincou os pés no chão. Sissix olhou para o capitão. Disfarçadamente, fez para ele o gesto aandriskano de compaixão.

"Podemos ficar com raiva mais tarde", disse Pei, virando-se para eles. As bochechas dela haviam se suavizado, passando a um azul-crepúsculo. "Agora temos um problema maior. Ashby, não acredito que meti vocês nisso. Sinto muito."

"Eu não", respondeu ele. "Se não fosse por Kizzy, vocês poderiam não ter percebido que havia algo errado."

"É por isso que reparabôs são uma idiotice", disse a técnica mecânica. "Há várias coisas que eles..."

"Agora não, Kizzy", disse Jenks, pondo a mão no braço dela.

Tak pegou um dos pedaços da mina. "Deve ter sido um dos carregadores da doca. Passou despercebido enquanto os outros levavam a carga. Foi culpa nossa. Devíamos ter sido mais atentos."

"Ninguém esperava por algo assim", falou Pei. "Trabalho com carregamentos há dez padrões e sempre que alguém quer algo de mim costumam me atacar diretamente. Nunca sofri um atentado tão furtivo."

As pálpebras secundárias de Tak se fecharam e abriram. "Não entendo por que usaram uma tecnologia tão grosseira depois de se darem ao trabalho de se infiltrar na nossa nave."

"Se vocês fossem para um porto público, seria a única maneira de dar certo", disse Jenks: "Como eles conseguiriam passar pela segurança com explosivos já montados? Era mais fácil entrar com as peças separadamente e montar as minas em um armário qualquer. Kédrio tem vários usos legítimos. Seria fácil passar despercebido com um carregamento. E o resto é fácil de encontrar em qualquer lugar."

"Fiquem felizes por elas terem sido feitas assim", disse Kizzy. "Ou eu não teria dado conta. Eles deviam ter contratado técnicos mais competentes." Ela olhou de relance para os soldados aeluonianos. "Hã, quer dizer..." Ela pegou um biscoito de um prato próximo e enfiou na boca.

Pei tamborilou os dedos na mesa. "Tem certeza de que não estão em nenhum outro ponto da nave?"

"Absoluta", disse Oxlen. "Fiz um escaneamento completo depois de saber o que procurar."

As bochechas da capitã começaram a trocar de cor. Ashby sabia o que isso significava. Estava hesitante. "Kizzy. Não queria ter que pedir isso, mas..."

"Sim, eu posso", disse ela. Olhou Ashby nos olhos antes que ele tivesse a chance de dizer alguma coisa. "Eu consigo. Dei uma fuçada no cronômetro e a mina estava programada para ser detonada em três dias. É tempo de sobra."

"Não estou duvidando da sua capacidade", falou Ashby. "Mas só porque você deu conta de uma, não quer dizer que as outras não possam detonar."

"Se não tomarmos uma atitude, *todas* vão detonar."

"E isso seria algo tão ruim assim?", disse Corbin, do seu lugar estratégico na bancada da cozinha. "Essa... situação põe todos nós em risco. Sem ofensa, capitã Tem, mas não é problema nosso." Sissix abriu a boca, mas Corbin continuou. "Tenho certeza de que poderíamos deixá-los em algum lugar e de lá vocês pegariam um transporte para o seu destino final. Por que não considerar a nave perdida e nos deixar levar vocês? Podemos até ter espaço para parte da sua carga, desde que vocês levem apenas o que for prioridade."

Pei olhou para os dois soldados. Suas bochechas começaram a trocar de cor rapidamente, como um caleidoscópio.

Um minuto se passou em silêncio.

"Hã... então...", disse Kizzy.

"Eles estão conversando, Kizzy", falou Jenks, franzindo a testa.

"Ah." Ela cobriu a boca com ambas as mãos. "Ah, tá."

Pei respirou fundo. "Sinto muito. O problema é que a nossa carga é... importante. Os soldados acham que, se houver alguma chance de salvá-la, então devemos tentar." Ela olhou Ashby nos olhos. "Eu me sinto péssima por dizer isso, mas tendo a concordar. Não só porque é a minha nave e quero ser paga. Mas o nosso carregamento... poderia realmente ajudar. Sinto muito..." Ela olhou para os soldados. "Não posso entrar em mais detalhes."

Ashby olhou para Kizzy. "Não vou obrigar você a fazer isso."

A técnica mecânica assentiu com mais compostura do que Ashby jamais vira.

"Já falei, eu consigo." Pegou o detonador. "Eu estava desesperada quando desmontei esse daqui. Estou cem por cento calma agora. Se consegui desmontar um quando estava quase tendo um chilique, então tenho certeza de que vou conseguir agora." Ela sorriu para Rosemary, que estava mordendo o lábio, nervosa. "Eu dou conta."

"Eu vou junto", disse Jenks. "Vai ser mais rápido com duas pessoas."

"Não", respondeu Kizzy. Então disse mais baixo. "Algo ainda pode dar errado."

"Por isso mesmo você precisa de ajuda."

"Por isso mesmo você deveria ficar aqui." Ela mexeu nervosamente na carga. "Se algo der errado, a *Andarilha* ainda vai precisar de um técnico."

Jenks encarou Kizzy. "Não fale assim." Todos à mesa podiam ouvi-lo, mas havia uma urgência suave na sua voz que era apenas para os ouvidos de Kizzy.

"Devíamos afastar as naves o máximo possível", disse Corbin. "Se algo der errado, precisamos proteger a nossa nave."

Pei assentiu. "É uma precaução sensata. Minha tripulação vai ficar aqui enquanto Kizzy cuida das minas. Eu vou com ela."

"Por quê?", perguntou Ashby, falando sem pensar. Mas ele não era o único a se opor. As bochechas dos outros aeluonianos piscaram com urgência.

"Eu vou", disse Tak. "Estou aqui para defender a carga."

"É a minha nave."

"Você é uma civil."

"É a minha nave." Pei se inclinou, as bochechas piscando furiosamente. O que quer que tenha dito, foi suficiente para fazer Tak recuar. Ela se virou para Kizzy. "Não vou pedir para alguém de outra tripulação pôr em risco algo que não estou disposta a arriscar eu mesma." Pei olhou para Ashby. "Não se preocupe. Se encontrarmos algo e não formos capazes de resolver, vamos abandonar a nave bem rápido. Vou tomar conta dela."

Ashby suspirou e deu o sorriso mais corajoso que conseguiu. "Sei que vai", respondeu. *Mas quem vai tomar conta de você?*

Kizzy estava parada na frente do painel de serviços, ferramentas em mãos, olhando para o nada. Pequenas luzes amarelas piscavam na escuridão. Estavam esperando por ela. Kizzy não se moveu.

Pei pôs a mão no seu ombro. "Está reunindo coragem?"

A técnica mecânica balançou a cabeça. "Não. Estou bem."

Pei piscou as suas estranhas pálpebras laterais. "Esse não é um daqueles momentos em que os humanos fingem que não estão com medo, é?"

"Não, é sério. Estou bem." Ela subiu, entrando na parede. Pei a seguiu, parando no painel de acesso. Kizzy foi até a mina mais próxima. Parecia menor que a primeira. Ligou os globoluzes e começou o trabalho, de mãos firmes e respiração normal. "São só os humanos que fazem isso? Não é todo mundo que faz?"

"Não, são só os humanos mesmo. Está vendo?" Pei apontou para as próprias bochechas com pequenas escamas coloridas.

Kizzy deixou a mina de lado e olhou para ela. "Eu... não sei o que isso significa." Tentou desculpar-se com o olhar. "Desculpa, não conheço nenhum aeluoniano."

"Elas estão vermelhas? Com um pouquinho de amarelo?"

"É. Tipo uns redemoinhos."

"Pois é. Estou com medo." Ela inclinou a cabeça. "E também um pouco curiosa para saber por que você não está."

Kizzy franziu os lábios e olhou de volta para o explosivo armado. "Não sei. Estava apavorada quando encontrei as minas, mas agora nem tanto. Talvez um pouco nervosa, mas não mais do que quando trabalho no casco externo ou preciso apagar um circuito que pegou fogo. Existe um problema e ele é sério, mas tudo bem. Não sei por quê, mas é isso."

"Você examinou a situação e está confiante de que consegue resolvê-la. Faz sentido."

"Acho que sim." As duas ficaram em silêncio enquanto Kizzy trabalhava na mina, derretendo o selante e cortando os cabos. Quando o detonador caiu na mão dela, Pei exalou audivelmente. Era estranho ouvir um som saído da sua boca em vez da caixa-falante.

"Estrelas", disse Pei. "Eu me sinto tão inútil sem poder ajudar, mas, ao mesmo tempo, não sei se conseguiria."

"Sério?", Kizzy avançou mais alguns passos no corredor. "Você lida com esse tipo de coisa o tempo todo. Gente apontando armas para você, caras malvados na sua nave, tudo isso."

"Armas e... caras malvados, sim. Mas isso", ela indicou as minas "não é algo com que eu lide o tempo todo. Não é algo que eu consiga resolver. E é isso que me assusta. Há poucas coisas tão inquietantes quanto não ter controle em uma situação que não é familiar."

Kizzy pegou as ferramentas e o silêncio voltou. A humana se aproximou para examinar o selante. Franziu a testa e baixou uma das lentes de aumento.

"Merda."

Ela praticamente conseguiu ouvir Pei ficar tensa.

"Qual o problema?"

"Não se preocupe, nada de mais." Ela forçou a vista, depois revirou os olhos. "Esse bando de incompetentes. Acabaram botando selante no buraco do fio."

"Isso é ruim?"

"Não, é só idiota. Vou ter que derreter com uma temperatura bem baixa para o kédrio não ficar quente demais."

"Isso é ruim, não é?"

"Poderia ser, mas não vai ter problema. Só vai levar um tempão. Idiotas." Kizzy suspirou e pôs uma ponta melhor na sovela térmica e baixou a temperatura. Por um tempo, continuaram caladas. O pescoço dela já começava a doer por causa da posição. "Hã, escuta, eu não conheço você direito, mas posso fazer uma pergunta?"

"Considerando o que está fazendo pela minha nave, eu diria que tem o direito de perguntar o que quiser."

"Justo." Manteve os olhos fixos no selante. "Certo, a questão das armas. Você já falou que acontece muito."

"De eu usar as armas ou de alguém apontar uma para mim?"

"Acho que as duas coisas. Mas eu quis dizer mais uma situação em que as pessoas estão com raiva e há armas envolvidas."

"Não sei se acontece *muito*, mas, sim, ocorre com uma frequência maior que o comum."

"Suficiente para você não ter mais medo."

"Eu nunca disse isso."

"Disse, sim."

"Eu falei que era algo *familiar*. É bem diferente."

"Mas como você para de sentir medo? Tipo, na hora em que está acontecendo?"

"Acho que não estou compreendendo."

A parte de cima do selante começou a brilhar.

"Bem, você deu a entender que era algo que dava para controlar. Quer dizer, se você está apontando uma arma para alguém e eles tão fazendo a mesma coisa, você precisa não estar assustada o bastante para lidar com a situação antes deles, não?"

"Não é bem assim que funciona." Pei fez uma pausa. "Essa pergunta é por causa dos akaraks?"

"Você ficou sabendo?"

"Fiquei. Ainda está incomodando você?"

Kizzy lambeu os lábios. *Que se dane. Daqui a uma hora eu posso estar morta.* "Não tenho conseguido dormir direito desde que aconteceu e não sei como conversar com a tripulação sobre o que houve. Estou cansada, exausta, mas sinto tanto medo de acordar com estranhos apontando uma arma para mim que não consigo pegar no sono. Ou preciso me apagar com as gotas, ou trabalhar até cair. E eu sei que é idiotice. Que o que aconteceu conosco tem pouquíssima chance de se repetir. Mas tenho mais medo de outro assalto do que desta parede da morte para a qual estou olhando agora. Eu... Nada disso faz sentido, e estou com raiva de mim mesma por causa dessa situação." Sentiu o cheiro acre de selante derretido. Cutucou a substância com a ponta dos dedos. Estava amolecida, mas continuava prendendo a bomba. Fez cara feia. "Estrelas, derrete logo." Pôs uma mecha de cabelo para trás da orelha. "Me desculpe. Não deveria estar descarregando isso em você. Devo parecer uma idiota."

"Não. Só estou me perguntando por que está falando *comigo* sobre isso."

"Porque você entende dessas situações. Achei que talvez... Só quero saber como viver sabendo que essas coisas acontecem e não ficar com medo."

Pei não respondeu de imediato. "Kizzy, eu tenho medo de tudo, o tempo inteiro. Medo de que alguém atire na minha nave quando tenho que pousar em algum planeta. Medo de que a minha armadura se quebre no meio de uma briga. Medo de que, da próxima vez que eu sacar a minha arma, o outro cara seja mais rápido. Medo de cometer erros que possam fazer a minha tripulação se ferir. Medo de um biotraje vazar. De vegetais que não tenham sido bem lavados. Medo de peixe."

"Peixe?"

"Você nunca viu os peixes do meu planeta natal. Têm dentes afiadíssimos."

"Mas como você lida com isso?"

"Com o quê?"

"Sentir medo de todas essas coisas."

"Você está querendo saber por que eu consigo dormir e você não. É isso que está perguntando?"

"É."

"Não sei. Talvez seja diferente para nós. Somos de espécies diferentes, afinal." Ela fez uma pausa. "Ou talvez porque eu nunca tenha pensado em perguntar para ninguém o que você me perguntou. Nunca pensei em medo como algo que possa simplesmente *desaparecer*. Ele está lá, só isso. O medo me lembra de que eu quero continuar viva. Não me parece algo ruim."

"Espera aí, rapidinho." O selante derretido começou a pingar no chão. *Até que enfim.* Pegou um alicate bem fino no cinto e puxou o cabo pela gosma incolor. Pôs a lente de volta e examinou o detonador. Estava quente, mas não o suficiente para causar problemas. Assentiu, satisfeita, cortou o fio e limpou a gosma nas calças. "Ok, tudo certo." Ela olhou para o corredor, onde mais luzinhas amarelas piscavam, à espera. "Isso vai soar estranho, mas é bom saber que você tem medo de peixes. E de todas aquelas outras coisas."

Kizzy não achava fácil ler a expressão de Pei, mas ela parecia ter achado divertido.

"Fico feliz, mas não sei se estou entendendo. Acho que não respondi à sua pergunta."

"Respondeu sim." Kizzy estalou os dedos e tirou o detonador. "É muito ruim que a gente tenha se conhecido nesse momento. Ainda mais considerando as circunstâncias." Olhou para Pei. "Sei que é difícil, mas você pode ficar com a gente sempre que quiser. Conheço um certo capitão exodoniano que iria adorar."

"Eu também gostaria muito." Ela ficou quieta. Suas bochechas se tornaram laranja. "Talvez um dia." Respirou fundo e indicou o resto do corredor. "Mas, primeiro, vamos impedir a minha nave de explodir."

Jenks se inclinou para trás, apoiando o peso da tina de parafusos no peito. Seus braços queimavam enquanto ele carregava a tina até o elevador de carga, depois pelo corredor até o Aquário. Ashby estava sentado em um banco no jardim, olhando pela janela para o pontinho que era a nave de Pei. Jenks contornou o banco, parando onde o capitão podia vê-lo.

"Oi."

"Oi." Ashby se virou para ele.

Jenks virou a tina de cabeça para baixo. Os parafusos se derramaram pelo chão como chuva pesada. "Tem centenas de parafusos aí. Todos de diferentes tipos e tamanhos. Kizzy sempre deixa todos juntos. Isso me deixa louco."

Ashby ficou sem reação. "Por que você jogou tudo no chão?"

"Porque nós vamos separar os parafusos. Vamos dividi-los em pequenas pilhas organizadas. E depois vamos pegar os parafusos e guardar cada montinho em tinas menores, assim, quando eu precisar de um parafuso, não tenho mais que ficar procurando nessa tina enorme."

"Entendi." Ashby ainda parecia não saber como reagir. "E por que vamos fazer isso?"

"Porque algum babaca jogou tudo no chão e agora eles precisam ser recolhidos. E já que têm que ser recolhidos, é melhor aproveitar e separar logo por tipo." Jenks se sentou, recostando-se confortavelmente em um dos vasos. Começou a catar os parafusos. "Sabe, minha melhor amiga na galáxia inteira está em outra nave, dentro de uma parede, desarmando explosivos caseiros. Está escuro lá, seus dedos devem estar doendo a essa altura, depois de cortar tantos fiozinhos, e estou me cagando de medo de que algo dê errado, porque não sei o que faria sem ela. E não posso ajudar. Não tem nada que eu possa fazer. Nada mesmo. Sei que ela é a pessoa mais indicada para cuidar disso e que ela não precisa da minha ajuda. Mas, ao mesmo tempo, ela está enfrentando algo perigoso e estou de mãos atadas. Quero fazer alguma coisa e estou ficando maluco por não poder. Não posso nem fumar, porque temos aeluonianos por aí. Então, tudo bem. Vou separar os parafusos." Ele olhou para Ashby. "E acho que alguém com sentimentos parecidos deveria se juntar a mim."

O capitão esfregou a barba. "Por quê?"

Jenks afastou um monte de parafusos com uma das mãos, abrindo espaço para trabalhar. "Porque vai levar horas e pelo menos vamos ter algo para fazer. É melhor que ficar olhando pela janela."

Ashby ficou sentado em silêncio. Então se inclinou para a frente, unindo as mãos como um homem de negócios. "Vamos separar por tamanho ou formato?"

"Primeiro por formato. Depois a gente faz pilhas menores por tamanho."

"Devo pegar um pouco de coice para a gente?"

"Acho que seria bom."

Cerca de duas horas depois, Kizzy e Pei voltaram à *Andarilha*. Havia quarenta e seis minas atrás da parede, todas desmontadas agora. Tinham descartado o kédrio no espaço, para desgosto de Kizzy, e Pei fizera mais duas varreduras na nave, só para ter certeza. Os dedos da técnica mecânica doíam, assim como as costas, e estava com dor de cabeça por ficar forçando a vista no escuro. Ela ficou feliz em voltar para casa.

Todos haviam pulado nela quando entrou pela escotilha. Sissix esfregou o rosto na cabeça de Kizzy com tanta força que desfez o seu penteado, Rosemary ficou com os olhos marejados e Jenks lhe deu o melhor abraço de todos. Lovey ficou tagarelando sobre o quanto estivera preocupada e até Ohan apareceram, mancando nas suas pernas fracas, para assentir respeitosamente com a cabeça.

Ela se sentiu uma heroína.

Dr. Chef preparou um enorme banquete para todos — baratas-da-costa-vermelha, raiz-comprida frita e ervilha-de-sal, bem apimentadas e crocantes. De início, os aeluonianos haviam estranhado um pouco as baratas — afinal, para eles, eram uma praga —, mas acabaram gostando, nem que fosse pela novidade. Todos estavam contando histórias durante a refeição e, depois de um tempo, dava até para esquecer que, em um universo paralelo, poderiam estar todos mortos.

Chegou um momento em que Sissix e Oxlen começaram a olhar a hora nos seus scribs com aquela cara de "precisamos ir" que todos os pilotos faziam. Eles se despediram. Kizzy ficou de coração partido ao ver Pei e Ashby trocarem um aperto de mão amigável de despedida. *Deixa eles se beijarem em paz!* Não era justo. Oxlen viu o olhar dela e assentiu a cabeça discretamente de modo significativo. Talvez nem todos os aeluonianos fossem um bando de pudicos.

Quando a nave deles partiu, Kizzy pediu licença. Tomou um longo banho, dando a si mesma vinte e dois minutos em vez dos quinze que exigia de todo mundo. Decidiu que mereceria sete minutos extras, e que os filtros aguentariam. Depois, foi para o seu quarto. Dr. Chef havia deixado uma xícara de chá e dois bolinhos para ela. Kizzy sorriu, botou seu confortável pijama e foi para a cama com os lanches. Escreveu uma carta para os seus dois pais, só para dizer que os amava. Comeu os bolinhos. Bebeu o chá. Ficou olhando as estrelas. Sem fazer esforço algum, adormeceu.

---

Mensagem recebida
   Criptografia: 0
   Traduções: 0
   De: Nib (caminho 6273-384-89)
   Para: Rosemary Harper (caminho: 9874-457-28)
   Assunto: Re: Pergunta sobre os arquivos dos toremis

Oi, Rosemary! Que bom ter notícias suas. Nós gostamos muito da sua visita, mesmo que não tivesse sido planejada a permanência de vocês aqui.

Não é problema algum! É um prazer responder perguntas sobre arquivos (e recrutar novos voluntários...?). Eu sei, os arquivos sobre os toremis não têm muito detalhes. Não faço parte do projeto, mas alguns amigos meus que trabalham nele estão arrancando os cabelos. Qualquer coisa sobre os toremis tem recebido muitas visitas nos últimos tempos. O problema é que não temos como verificar boa parte das informações, então não dá para aprovar muita coisa para o público.

Porém, se prometer manter segredo, consegui reunir algumas coisas para você. Nada foi verificado com a rigidez dos nossos padrões por enquanto, mas é o melhor que a nossa equipe sobre os toremis conseguiu reunir até agora. Aqui está o que sabemos:

Os toremis são obcecados por padrões. Não os geométricos. Eles acreditam que o universo inteiro segue um caminho complexo, ou talvez uma série deles. Ninguém sabe muito bem qual é, até onde sei.

A questão é que eles estão tentando desvendar esse padrão e fazer as vidas deles se enquadrarem nele. Aparentemente, é por isso que eles circulam o Núcleo desde sabe-se lá quando. A galáxia gira, então eles também precisam girar. E é aí que entram os clãs. Cada um tem a própria teoria de como os padrões funcionam, e eles ficam muito violentos por causa disso. Os clãs podem mudar bem depressa quando novas ideias chegam. Eles parecem um povo meio compulsivo. A única coisa sobre a qual os clãs concordam é essa história de ficar rodeando o Núcleo. Ou ao menos concordavam. O que nos leva ao segundo ponto...

Você pode já ter ouvido esse, mas ainda estou empolgado. Falando em termos gerais, os toremis são uma raça com dois sexos que faz reprodução sexuada. Mas alguns deles começaram a se tornar partenogenéticos. Não é incrível? No entanto, por mais fascinante que isso seja, para eles foi um caos. Você se lembra de toda aquela história de padrão? Pois é, cada clã tem uma explicação diferente do significado desse novo caminho evolutivo. Alguns deles passaram a venerar as "Novas Mães", que agora ocupam posições de poder. Outros fazem o contrário, dominando-as e escravizando-as. E outros as matam. Os Toremi Ka, nossos aliados, fazem parte do primeiro grupo (felizmente).

Os toremis começaram a brigar por causa de território do nada porque o aumento da partenogênese feminina foi a maior mudança no seu padrão em muito tempo. Eles chamam de yegse, uma mudança que domina tudo. Quando uma yegse ocorre, os toremis param tudo o que estão fazendo para descobrir o que está se passando. Para eles, isso significa desligar os motores e se apossar de terra firme. Faz séculos que esse tipo de coisa não acontecia. Talvez até milênios.

Hedra Ka — ou Hedra, já vou falar nisso — é um planeta muito jovem em um sistema estelar relativamente novo. Os toremis querem tanto esse planeta porque ele também está mudando. Acham que o universo quer eles lá. Não que ele possa ser terraformado ou habitado. É um inferno, pelo que li. Quanto ao nome, Hedra é como se chama o planeta. O "Ka" só diz a que clã ele pertence.

Isso é tudo o que tenho por enquanto, mas fique à vontade para fazer outras perguntas. Mantenho você informada se encontrar mais alguma coisa. Sei que a equipe encarregada dos toremis vai continuar pressionando os delegados da CG para mais informações. Bando de mesquinhos.

Bom voo,

Nib

Dia 397, Padrão 306 da CG

# do ninho,
# das penas,
# do lar

Rosemary entrou na sala de controle e olhou pela janela. Apenas Theth e os seus anéis no meio do vasto espaço sideral. Havia algumas luas espalhadas por perto, fora do alcance da poeira interestelar violenta que cercava o planeta. A *Andarilha* estava indo em direção à quinta lua à esquerda: Hashkath. Rosemary ergueu a mão e cobriu a terra natal aandriskana com o polegar. Era difícil acreditar que aquela bolinha de gude verde era maior que Marte. Por outro lado, o espaço tinha a capacidade de pôr as coisas em perspectiva, nem sempre de um jeito agradável. Olhou para a piloto.

"Algum problema?"

As mãos de Sissix voavam pelo painel de navegação. "Não, por quê?"

"Porque você está voando no modo manual. Quando faz isso tão longe de órbita é porque, em geral, tem algum problema." Pedras. Nuvens de gás. Detritos. Outras naves. Mais pedras. As pedras no espaço eram infinitas.

"Estou voando para casa", respondeu Sissix. "É algo que preciso fazer eu mesma."

Rosemary se sentou ao lado dela. "Por quê?"

"Quando os aandriskanos começaram a explorar o espaço, usávamos umas cápsulas com velas solares. Eram coisas horrorosas, muito instáveis, e só cabia uma pessoa. Não era para os claustrofóbicos."

"As nossas também. Não tínhamos velas, mas ainda assim. Eram minúsculas." Ela teve um calafrio.

"Só que vocês tiveram sorte. Não tem nada flutuando ao redor da Terra, só as coisas que vocês mesmos colocaram lá. Podiam ficar orbitando em círculos para sempre. É uma viagem tranquila. Mas a nossa lua tem as suas próprias luas e orbita um planeta com anéis. É preciso fazer umas manobras bem complicadas, ainda mais quando se está em uma latinha de metal com velas frágeis. E isso foi antes da tecnologia de gravidade artificial chegar até nós, então ficávamos flutuando por aí, torcendo para um dia tocar terra firme de novo. Poder dizer que você foi até o espaço e voltou em segurança transformava a pessoa em herói. Significava que era forte, habilidoso, tinha se esforçado ao máximo para que a família não o perdesse."

"Ah", disse Rosemary. "Então é uma questão de orgulho."

"Acho que sim." Sissix fez uma pausa antes de continuar. "É mesmo. De uma maneira positiva."

A vox mais próxima foi ligada. "Sissix", falou Kizzy. Soava meio tímida. "Você sabe que eu te amo, não sabe?"

A aandriskana suspirou. "O que você fez?"

"Você me odiaria muito se eu e Jenks não fôssemos jantar com a sua família hoje?"

"Muito, por toda a eternidade", respondeu Sissix em um tom que sugeria o contrário. "Por quê?"

"Ah... agora estou me sentindo mal..."

Ouviu-se um ruído vindo da vox. Jenks tomou o lugar de Kizzy. "Sissix, a gente acabou de ficar sabendo que o Banheira Estratégica está fazendo um tour e vai ter um espetáculo hoje à noite naquele estádio gigante em Reskit."

"No Aksisk?" Sissix pareceu impressionada. "Gente, eu os odiaria se vocês *não* fossem."

"Tem certeza?", perguntou a técnica mecânica. "Porque não é tão importante assim..."

"Kizzy. Pode ir."

"Você é o máximo." A vox foi desligada.

"Pode ir com eles, se quiser", falou Sissix. "O Aksisk é um lugar incrível."

"Não sou muito chegada em tecnomax", disse Rosemary. "Além disso, jantar com a sua família parece um programa legal. Estou empolgada para ver de onde você vem."

"Olha, é bem menos empolgante que o Aksisk, mas no mínimo vai ser agradável." As mãos dela voaram pelos comandos. A nave virou para a esquerda. "Você nunca esteve em um lar aandriskano, certo?"

"Não." Ela pigarreou. "E, se você não se importar, gostaria de ter uma aula."

Sissix riu. "Vocês, humanos, são uma gracinha." Ela fez contato visual com Rosemary e sorriu. "Não se preocupe, todos vocês levam uma vida para entender direito como funciona. Enfim, vamos lá." Ela tirou uma das mãos dos controles e começou a contar nas garras. "Família do ninho, das penas e do lar. Me diga o que sabe sobre isso."

Rosemary se recostou no assento. "Família do ninho é a em que você nasce."

"Isso."

"Aí você cresce e vai para a sua família das penas."

"Um minuto. Não é como se você fosse embora no momento em que ganha penas. Você parte depois que acha uma boa família de penas ou quando encontra outros adultos com quem vale a pena formar uma família das penas."

"Uma família das penas é composta por amigos e amantes, certo?"

"Isso. Pessoas com as quais você pode contar emocionalmente."

"Mas a família das penas muda com frequência, não é?"

"Não necessariamente. Talvez para os seus padrões. As pessoas mudam de família das penas quando precisam de outras coisas em momentos diferentes das suas vidas. É raríssimo um aandriskano ficar com as mesmas pessoas a vida inteira. Talvez dois ou três indivíduos, mas não um grupo inteiro. Os grupos mudam com frequência."

"Então as famílias das penas costumam ser formadas por pessoas da mesma idade?"

"De jeito nenhum. Os aandriskanos mais jovens tendem a formar grupos, no início, mas quando se tornam mais confiantes e experientes, ficam mais abertos. Não ligamos tanto para a diferença de idade quanto as outras espécies. Se você já tem penas, tudo bem. E pode ser uma ótima experiência para os jovens formarem um grupo com pessoas mais velhas. Eu era a mais nova da minha segunda família das penas e" — Sissix soltou uma risadinha, o olhar perdido — "sim, aprendi *muito*."

"Você..." Rosemary sentiu que estava corando. "Todo mundo em uma família das penas... hã... você sabe..."

"Faz sexo? Em certa medida, sim, mas de um jeito diferente do que você imagina. Pelo menos uma vez, com certeza. Mas nem todo mundo dentro de uma família das penas tem sentimentos românticos por todos os outros indivíduos. É uma teia de sentimentos diferentes. Então, sim, há bastante sexo, especialmente nas datas especiais, já que ninguém passa um feriado sem *tet*." Rosemary já conhecia a palavra. A tradução literal era "farra", mas a palavra era usada coloquialmente para indicar algo bem menos casto. "No entanto, muitos dos membros são apenas amigos. Eles têm mais contato físico do que os humanos, mas ainda não chega a ser uma cópula. Se bem que, às vezes, acaba sendo. Tendemos a pensar no assunto da mesma maneira que... hum, deixa eu ver... que se pensa em boa comida. É algo de que todos gostam, que todo mundo precisa e aprecia. No mínimo, é um conforto. No máximo, uma experiência transcendental.

Da mesma forma que comer uma refeição, é algo que pode ser feito em público, com amigos ou estranhos. Mesmo assim, é melhor quando é dividido com alguém com quem se tenha um envolvimento romântico."

"Acho que entendi." Rosemary assentiu. "Então, a família do lar. Essa é a que cria os filhotes. Mas eles não são os próprios filhos, certo?"

"Isso. Nós podemos procriar assim que a nossa cabeça se enche de penas, mas nem pensamos em criar filhos até ficarmos mais velhos. É aí que formamos as nossas famílias do lar. Em geral, ela é composta pelos membros mais velhos de uma família das penas, que decidem criar raízes juntos. Às vezes, eles procuram também pessoas mais queridas de famílias das penas anteriores, para ver se querem se juntar a eles. E não se engane, as famílias do lar também mudam de vez em quando. Podem ser mais velhos, mas ainda são aandriskanos." Ela riu.

"Então os aandriskanos mais jovens dão os ovos para uma família do lar."

"Isso."

"Eles encontram uma família do lar com quem tenham parentesco?"

"É bom quando acontece, mas normalmente você escolhe quem for mais conveniente. Quando uma mulher põe ovos fecundados, que nós chamamos de *kaas*, ela os registra e encontra uma boa família do lar que tenha espaço livre."

"E se ela não encontrar ninguém para ficar com eles?"

"Então os enterra. Lembre-se de que a maioria morre, de qualquer jeito. Grande parte dos filhotes não chega nem a sair do ovo. Não é que não sejam saudáveis. É assim que as coisas são. Estrelas, não consigo nem imaginar quantos aandriskanos existiriam se todos os ovos chocassem. Seria gente demais." Ela estremeceu.

Rosemary pensou no assunto. "Espero que a pergunta não soe muito ignorante, mas por que as famílias das penas não criam os próprios filhos? Não há pessoas suficientes para ajudar?"

"Não é uma questão de recursos ou apoio. É uma questão do momento da sua vida. No início da idade adulta, espera-se que a pessoa viaje, estude, e já tratam com naturalidade a gente trocar de família com a idade. Os mais velhos não são tão inquietos. São mais estáveis. E, mais importante, têm experiência. São sábios. Sabem das coisas." Ela sorriu. "Nunca vou entender por que as outras espécies esperam que jovens adultos sejam capazes de ensinar às crianças como se tornar gente."

"É... um bom ponto." Rosemary fechou os olhos, tentando organizar as informações. "Então a família do lar se torna a família do ninho para esses ovos."

"Exatamente. Uma família do lar em geral dá conta de duas gerações de ovos. É comum a primeira geração de adultos levar os seus próprios ovos para a família que os criou. Foi o que eu fiz."

Rosemary se endireitou na cadeira. "Espera aí, você tem *filhos*?" Sissix jamais mencionara isso.

A aandriskana riu. "Eu tive *ovos fecundados*."

"Quando?"

"Há uns três padrões. Fiquei sabendo que dois sobreviveram. Mas isso não faz de mim uma mãe." Ela piscou. "Ainda não tenho idade para isso."

Rosemary olhou pela janela. Recriminou a si mesma por ser tão humanocêntrica, mas a nova informação a fez ver Sissix de outra maneira. Ficou surpresa ao se dar conta de como o seu conceito humano de maternidade era arraigado, a ideia de que procriar causava uma mudança fundamental. Contudo, ela era de uma espécie mamífera. Se escolhesse ter filhos, isso significaria passar grande parte de um ano vendo o próprio corpo se esticar e mudar, então mais um ano, talvez mais, com uma criaturinha frágil que não entendia os próprios membros se alimentando através do seu corpo. Aandriskanos se desenvolviam em um objeto externo e saíam do ovo já andando. Embora entendesse as diferenças biológicas, tinha dificuldade de aceitar a ideia de procriar como algo tão natural, não mais complicado que pôr ovos em uma cesta, entregá-los para outra pessoa e continuar o dia. Eles usavam cestas? Ela não sabia, mas não conseguia parar de imaginar uma cesta branca de vime cheia de ovos pintados, com um laço em tom pastel amarrado na alça.

"Você fala com eles?"

Sissix lhe deu um sorriso exasperado. "Não. Não esqueça, eles não são pessoas ainda, não de acordo com os nossos padrões. E não fazem parte da minha família. Sei que isso deve soar frio para você, mas pode acreditar, eles são amados pelos idosos que cuidam deles. Dito isso, os idosos não se *apegam* aos filhotes, não até verem quem eles se tornaram. Essa é a grande alegria das famílias do lar. Ver as crianças que criaram voltar como adultos já com as penas completas, com histórias, ideias e personalidade."

"Como você está fazendo agora."

"Isso."

"Você já conheceu... os seus pais biológicos?"

"Minha mãe de ovo, uma vez. O nome dela é Saskist. Ela é muito engraçada. Fico feliz por ter puxado as penas dela. Nunca conheci o meu pai de ovo, mas sei que ele mora em Ikekt com a sua família das penas. Ou pelo menos morava, da última vez que olhei. Já faz um tempo, ele pode ter se mudado."

Rosemary pensou no que Lovey dizia se você tentava lhe dar uma tarefa quando a IA já estava no seu limite: *Me desculpe, isso vai ter que esperar um pouquinho. Se eu colocar mais alguma coisa no meu banco de dados, meu processamento de fluxos vai ficar lento. E odeio quando isso acontece.*

"Como você consegue acompanhar todas essas mudanças de família?"

"O nosso governo tem um banco de dados. Todas as famílias das penas são registradas, e os arquivistas acompanham cada mudança. Você pode buscar o nome de alguém e ver quem eram os seus pais de ovo, quem os criou e para onde foram os seus ovos."

"Deve ser um banco bem complicado. Por que se dar ao trabalho de fazer tudo isso?"

"Pelo mesmo motivo pelo qual incluímos as informações sobre as famílias nos nossos nomes completos." Ela olhou para Rosemary a fim de dar ênfase ao que ia dizer: "Porque cruzamento entre parentes é nojento."

A rampa do ônibus espacial desdobrou, deixando a luz do sol entrar. Rosemary ajeitou a bolsa atravessada no ombro ao seguir Sissix e Ashby até o chão. Suas pernas vacilaram, protestando diante da mudança da gravidade artificial para a verdadeira. A de Hashkath era um pouquinho mais forte do que estava acostumada. Olhou para o céu. Viu Theth, gigante, com os seus anéis e as suas nuvens mais parecendo uma imagem desbotada no céu azul nublado. A vista estava desobstruída, sem torres geradoras de campo ou tráfego de ônibus no caminho. Um céu aberto.

Haviam aterrissado em Sethi, uma pequena comunidade na região desértica a oeste de Hashkath. Bem, Sissix a chamava de desértica. Não era como qualquer deserto que Rosemary já tivesse visto. Marte era um deserto, árido e ressecado. Os jardins e as praças cheias de verde eram construções fechadas sob domos, abastecidas com água reciclada. Ali, no entanto, o chão estava vivo, com grama em vários pontos e árvores retorcidas, estendendo-se da área plana onde haviam pousado até as montanhas pontudas no horizonte. E, além disso, havia flores por toda parte. Não eram as flores viçosas, produtos de genedificação, como as que encontrava nas estufas do seu planeta natal, ou as trepadeiras elegantes do jardim de Dr. Chef. Eram flores silvestres, brotando triunfantes da terra cinza, crescendo emaranhadas em aglomerados pelo chão, em tons de laranja, amarelo e roxo. As árvores retorcidas se erguiam sobre elas, cobertas de espinhos e cachos de frutas vermelhas. Havia bastante vegetação em uma longa faixa à frente, uma linha verde que sugeria um córrego escondido.

Depois da área esverdeada, havia a comunidade, uma concentração preguiçosa de fazendas e residências abraçando o solo. Eram espalhadas o suficiente para dar às famílias espaço para cultivar alimentos, mas próximas o bastante para não ficarem isolados dos vizinhos. Sethi era um lugar tranquilo. Fora do caminho. Modestamente próspero. Descomplicado. Nada de centros de jogos ou lojas pré-fabricadas. Não havia nem mesmo uma doca para ônibus espaciais, apenas uma grande área desocupada que servia para pousar naves menores ou drones com suprimentos. Ao olhar em volta, Rosemary entendeu por que um jovem adulto iria querer deixar um lugar assim e por que um idoso gostaria de voltar a ele.

Tocou o nariz nu, apreciando a novidade de ser capaz de respirar sem máscara ou atmosfera artificial. A última vez em que estivera sem uma das duas coisas fora em Porto Coriol, o que parecia fazer uma eternidade. O ar no porto estivera carregado dos cheiros de alga e de comércio. O ar em Hashkath era limpo, seco, rico em oxigênio e perfumado pelas flores do deserto sob o sol quente. Era um bom ar.

Sissix claramente concordava. Abriu os braços e jogou a cabeça para trás assim que as suas garras tocaram o chão. "Lar", disse, parecendo ter voltado à superfície depois de nadar debaixo d'água por um bom tempo.

"Nossa", falou Ashby. "Tinha esquecido de que seria primavera aqui."

Sissix respirou bem fundo, como se estivesse livrando os pulmões do ar reciclado da *Andarilha*. Olhou para baixo, para o próprio corpo. "Ah, de jeito nenhum." Ela desamarrou o cordão da calça, deu um passo para o lado quando elas caíram no chão e as jogou para dentro da nave. Fez o mesmo com a túnica. Nua, começou a andar em direção ao lugar onde crescera, as escamas brilhando sob o sol.

Enquanto caminhavam, Ashby pegou o tradutor na bolsa. Prendeu a fina faixa de metal na cabeça. A tela ocular foi ligada.

"Achei que você falasse reskitkish", disse Rosemary.

"Eu *entendo* reskitkish", corrigiu Ashby. "Mas quando falo, estou muito longe de ser fluente. Como não pratico muito, é bom ter uma mãozinha."

"O seu sotaque é melhor do que o da maioria dos humanos que conheço", disse Sissix. "Sei que é difícil para você falar durante a inspiração."

"O pior não é falar na inspiração. É ter que falar na expiração *na mesma frase*." Ele fechou a bolsa. "Sério, quem faz isso?"

Rosemary pegou o seu tradutor na bolsa. "É bem difícil." Seu conhecimento de reskitkish era quase nulo, mas as poucas frases que tentara dizer tinham deixado Rosemary tonta. "Não sei como vocês conseguem falar sem hiperventilar."

"É que os nossos pulmões são melhores." Ela bateu no peito com o punho.

"Ah, é? Nós temos sangue quente", disse Ashby. "Acho que nos demos melhor."

Sissix riu. "Você não faz ideia. Eu ficaria com os seus pulmões fracos e os seus narizes inúteis na hora para não ter que passar pelos torpores matinais."

Ashby olhou para Rosemary. "Não sei se isso foi um elogio ou não." Ele se virou de volta para Sissix. "Ei, Ethra ainda está aqui?"

"Até onde sei, sim."

"Não faça nenhum trocadilho perto dele", avisou Ashby para Rosemary. "Ele me humilhou na última visita. E tem um arsenal de piadas com humanos que pode causar danos permanentes."

Sissix deu uma risadinha. "Ele não pega leve nem com a própria espécie. Qual foi aquela... ai, como era mesmo? Alguma coisa horrível sobre rabos."

Ashby começou a rir. "Um humano, um quelin e um harmagiano entram em uma *tet*..."

"Não, pare." Sissix indicou algo mais adiante com o queixo. Haviam chegado às margens cheias de arbusto do córrego desértico. Duas crianças aandriskanas brincavam na água, aos gritos. Uma mensagem apareceu no tradutor de Rosemary: *Falha ao processar conversa. Por favor, aproxime-se do(s) falante(s)*. Não tinha referenciais para determinar a idade das crianças, mas a julgar pelo tamanho e pela brincadeira, Rosemary pensou nelas como crianças humanas no início da escola primária. Bem, talvez. Uma parecia mais jovem que a outra. Achava difícil identificar qualquer outra coisa sobre elas. O sexo aandriskano era fácil de determinar nos adultos, principalmente pela diferença de tamanho, mas, nessa idade, eram andrógenos, até porque aandriskanos machos não tinham genitália externa. Categorias à parte, havia algo frágil naqueles dois. As escamas pareciam delicadas como papel. Agora entendia por que nunca tinha visto crianças aandriskanas pelo espaço. Nem os conhecia e já queria protegê-los. Seus pais deviam se sentir dez vezes pior. *Pais do ninho*, lembrou a si mesma. *Pais do ninho*.

"Desde quando aandriskanos não falam em *tets* perto de crianças?", perguntou Ashby em voz mais baixa.

"A gente fala", respondeu Sissix. "Mas vocês devem ser os primeiros humanos que eles veem e não quero que cresçam achando que a sua espécie é burra." Ela se aproximou das crianças com um cumprimento sem fôlego.

Elas ergueram as cabecinhas sem penas. A menor gritou alguma coisa. A tradução apareceu na tela de Rosemary. "*Alienígenas! Os alienígenas chegaram!*" Os dois saíram apressados do córrego, as garras escorregando tamanha a empolgação.

Sissix se abaixou para esfregar o seu rosto no das crianças. Rosemary já a vira fazer a mesma coisa com Ashby, mas com ele o gesto era mais afetuoso, mais natural. Havia algo formal dessa vez. Era bondoso e sincero, mas com certeza não tinha tanto apego.

A criança mais velha falou. "*Você é Sissix.*"

"Isso mesmo."

"Você é a minha mãe de ovo."

Sissix sorriu. Não parecia surpresa.

"Você deve ser Teshris." Ela olhou para o outro. "Então você é Eskat?"

"Não", falou a criança, rindo.

"Não, agora que percebi. É jovem demais." Ela deu tapinhas amigáveis na cabeça careca. "Não que isso seja ruim."

Ashby sussurrou no ouvido de Rosemary: "Teshris é menina. O amigo dela é menino."

"Obrigada", respondeu Rosemary, perguntando-se como ele conseguia ver a diferença. "Eskat é irmão dela?"

"Irmão do ovo, sim. Eu não sabia o nome deles até agora."

Sissix disse algo para Teshris na sua linguagem de sinais. Ashby sussurrou de novo: "Aquele movimento é específico para pais do ovo. Ela está dizendo que está feliz por Teshris estar saudável e... bem, por existir, basicamente." A menina aandriskana respondeu, os gestos mais desajeitados e inexperientes: "Ela está agradecendo Sissix por ter lhe dado a vida." As duas aandriskanas sorriram uma para a outra e esfregaram o rosto uma última vez. E foi isso. Nada de abraços ou olhares demorados. Sissix não precisou de um tempo para processar o pensamento de ter uma filha com quem nunca falara. Naquele momento, Rosemary entendeu. Teshris não era filha de Sissix, não no sentido humano. Elas compartilhavam genes e respeito, nada mais.

Sissix se virou para o companheiro de Teshris.

"Qual é o seu nome?"

"Vush."

"Você veio dos ovos de quem?"

"Teker e Hasra."

Sissix riu.

"Não conheço Hasra, mas Teker era minha irmã do ninho."

Irmã do ninho, não do ovo. Rosemary sentia-se como se precisasse começar a desenhar um diagrama.

Sissix sorriu para as crianças.

"Quando estávamos crescendo" — o tradutor adicionou a tradução literal "virando pessoas" entre parênteses —, "ela sempre dizia que não queria pôr ovos fecundados, e que aguentaria ficar sem copular enquanto fosse fértil. Ela mudou de ideia rapidinho quando as penas começaram a crescer. No primeiro cio de Teker, eu a encontrei escondida em uma vala perto de uma pedra. Achei que ela fosse sufocar, estava tão" — o tradutor pulou a última palavra e ofereceu uma explicação: [não há analogia disponível: uma mistura de excitação, frenesi e inexperiência, geralmente típica da adolescência]. Sissix riu de novo, e as crianças riram também. Rosemary ergueu a sobrancelha. Que idade tinham aquelas crianças? Ela olhou de relance para Ashby. Ele também parecia um pouco desconfortável. Pelo menos não era a única.

Depois que parou de rir, Vush falou.

*"Eu queria tocar os humanos, mas Ithren disse que eles não gostam."*

*"Ele está certo, nem todos os humanos gostam. Mas acho que esses dois aceitariam. Vocês só precisam pedir primeiro."* Ela apontou para trás, para os seus companheiros. *"Essa é Rosemary e aquele é Ashby. São boas pessoas."*

As crianças olharam para eles, imóveis. Rosemary se lembrou de quando tinha quatro anos e viu um harmagiano pela primeira vez e não havia conseguido parar de olhar para os tentáculos onde seu queixo deveria estar. Era estranho estar do outro lado.

Ashby se abaixou e sorriu. As crianças estavam um pouco rígidas, mas chegaram mais perto. Rosemary levou um momento para perceber que os seus músculos não estavam tensos de medo, mas sim por estarem tentando resistir ao instinto de tocá-los. Ashby começou a falar em reskitkish. As consoantes eram mais hesitantes que as de Sissix, e a respiração mais exagerada, mas ele era bom o suficiente para ser entendido pelo tradutor.

*"Meu nome é Ashby. É um prazer conhecê-los. Vocês podem tocar em mim."*

As crianças dispararam. Esfregaram o rosto no dele para uma saudação rápida, só por educação, e aí foram ao que interessava: cutucar Ashby.

*"É tão macio!"*, disse Vush, pressionando a palma da mão no cabelo encaracolado de Ashby. *"Não tem penas!"*

*"Você troca de pele?"*, perguntou Teshris, examinando o antebraço de Ashby.

*"Não, mas..."* O capitão hesitou e trocou para klip, dirigindo-se a Sissix: "Você pode explicar pele seca para eles?"

*"A pele deles descama em pedaços bem pequenos, não de uma vez só. Eles nem reparam"*, Sissix explicou para as crianças.

*"Que sorte"*, disse Teshris. *"Odeio trocar de pele."*

Vush, um pouco menos contido do que a sua irmã do ninho, já tendo obtido permissão, foi até Rosemary e esfregou o rosto no dela. *"Posso tocar você também?"*

Rosemary sorriu e assentiu, antes de perceber que o menino não entenderia o que o gesto significava.

"Diga sim para ele", pediu Rosemary a Sissix, que traduziu a mensagem. Vush franziu a testa.

*"Por que ela mesma não disse sim?"*

*"Rosemary não fala reskitkish"*, Sissix explicou. *"Mas esse aparelho que ela está usando permite que leia tudo o que você diz."*

O menino olhou para Rosemary, estarrecido. A ideia de alguém não saber falar reskitkish lhe parecia inconcebível.

"Aqui, Rosemary", disse Sissix em klip. "Faça assim." Ela fez uma rápida curva com os dedos. "Isso expressa concordância."

Rosemary olhou para Vush e repetiu o gesto. Vush fez um sinal em resposta e agarrou os seios dela. *"O que são essas coisas?"*

Rosemary soltou um grito surpreso. Ashby caiu na gargalhada. Sissix avançou rápido, puxando a mão de Vush para trás. *"Vush. As mulheres humanas não gostam quando pessoas desconhecidas encostam nelas aí."*

"Ai, estrelas", disse Ashby em klip, a mão na barriga, ainda se sacudindo de tanto rir.

Vush pareceu confuso. *"Por que não?"*

*"Ele está bem?"*, perguntou Teshris, apontando para Ashby. Ela havia recuado alguns passos.

*"Sim"*, disse Sissix. *"Só está rindo."*

Os olhos de Vush se arregalaram de preocupação. *"Eu fiz alguma coisa ruim?"*

"Não, diga a ele que está tudo bem", pediu Rosemary. "Não foi nada de mais." Ela mesma já estava rindo.

Sissix deu alguns tapinhas na cabeça do garoto. *"Você não fez nada de errado, Vush. É só que os humanos têm mais regras sobre onde as pessoas podem tocar o corpo deles do que a gente. Acho melhor evitar as partes do tronco dela que estejam cobertas."* Sissix puxou de leve a camiseta de Rosemary para demonstrar o que dizia.

Vush olhou para o chão. *"Desculpe."*

Rosemary estendeu a mão para o antebraço de Vush, como vira Sissix fazer em momentos em que expressava compaixão. Pegou a mão dele e a pôs sobre a sua cabeça, convidando-o a explorar. O rosto da criança se iluminou e Sissix lhe lançou um olhar de aprovação caloroso.

*"As penas dela são diferentes das do* [desconhecido]", disse Vush ao passar as garras pelos cabelos de Rosemary. O tradutor não reconheceu a última palavra, mas Rosemary, sim: *Ashby*. O *sh* de Vush saíra bem mais arrastado do que deveria, e ele havia tropeçado no *b*.

*"Não são penas, seu lerdo"*, disse Teshris. *"É cabelo."* Ela olhou de Rosemary para Ashby. *"O seu tom de marrom é diferente do dela."*

*"Isso mesmo"*, concordou Ashby.

*"Aandriskanos também são assim"*, informou ela como se ele também estivesse conhecendo uma espécie pela primeira vez. *"Temos várias cores diferentes. Eu sou azul-esverdeado, Vush é verde-azulado, Sissix é verde-verde. Sei todas as cores de escamas. Skeyis diz que sou a melhor no assunto."* Ela ficou dobrando a parte de cima da orelha dele em direção ao lóbulo, várias e várias vezes. Ashby suportou pacientemente. *"Você vem de uma lua?"*

*"Não, eu..."* Ele hesitou mais uma vez e olhou para Sissix, pedindo ajuda.

*"Ele é um espacial"*, disse Sissix. *"Muito humanos nascem* [tradução literal: chocam de um corpo] *em naves residenciais."*

*"E ela?"*, perguntou Teshris.

*"Ela cresceu em um planeta chamado Marte."* Sissix começava a soar entediada. Rosemary achava os dois uma gracinha — embora não fosse reclamar se Vush puxasse o cabelo dela com um pouco menos de entusiasmo —, mas Sissix não parava de olhar por cima do ombro em direção às fazendas. Mal podia esperar para ver a sua família, e essas crianças não faziam parte dela. Nem mesmo a que tinha as bochechas iguaizinhas às suas.

Alguém gritou quando eles chegaram pelo caminho que levava às habitações, uma voz mais velha.

"Sissix!"

Várias outras se juntaram à primeira.

"Sissix! Sissix!"

De uma só vez, vários aandriskanos passaram correndo pelas entradas. Havia mais ou menos uma dezena deles, talvez mais. Rosemary não teve tempo de contá-los antes de se jogarem sobre Sissix, que disparara para encontrá-los. Caíram no chão em um emaranhado de rabos e cabeças cobertas de penas, abraçando, apertando e se aconchegando. Sua atenção estava focada na filha que passara tanto tempo longe. Esfregavam o rosto no dela, puxavam as suas penas, tentavam chegar o mais perto possível. Rosemary foi pega de surpresa. Apesar de não haver nada de abertamente sexual na maneira como se tocavam, ela não conseguia deixar de ver uma massa de pessoas nuas se esfregando sem essa conotação. Parecia mais uma preliminar de sexo grupal do que uma reunião de família.

Sissix, por sua vez, estava mais feliz do que Rosemary jamais vira. Ela se derreteu nos braços da sua família. Estava de olhos fechados, a cabeça caída para trás enquanto um dos aandriskanos acariciava as suas penas. Rosemary já vira aquela expressão antes — não em Sissix, mas na mulher mais velha que haviam encontrado em Porto Coriol. Era uma expressão de gratidão profunda, o tipo sentido após uma longa espera, como se ela pudesse finalmente soltar o ar depois de prender o fôlego até os pulmões arderem.

Rosemary pensou na Sissix da *Andarilha*, em como ela sempre parecera afetuosa, tão doce e dada a afagos. Agora a guarda-livros se via do outro lado. O que parecia afetuoso para os seus padrões era uma versão contida de Sissix. Aquela pilha de pessoas rindo no chão era o normal dela. Rosemary começou a ver a si mesma e aos outros tripulantes humanos daquele ponto de vista. Pareciam um bando de autômatos rígidos e puritanos. Como a aandriskana aguentava aquilo todos os dias? Pensou de novo nos momentos em que Sissix os tocava, o carinho sincero nos seus olhos quando ela esfregava o seu rosto no de Ashby ou abraçava Kizzy e Jenks juntos. Pensou em quanto esforço Sissix devia fazer para não rolar pelo chão com eles como estava fazendo agora com a sua família do ninho, para conter a necessidade que sentia de laços mais palpáveis.

"Ashby, Rosemary", chamou Sissix da pilha de aandriskanos. "Venham dar oi." Ela conseguiu liberar uma das mãos e apontou a garra para as cabeças mais velhas (as penas de Sissix eram de longe as mais coloridas do grupo). "Esses são Issash, Ethra, Rixsik, Ithren, Kirix, Shaas, Trikesh, Raasek e... e alguns eu não conheço." Ela riu e trocou para reskitkish, dirigindo-se à idosa que a abraçava mais apertado. *"Você ganhou uns rostos novos desde a última vez em que estive aqui."*

A idosa — Issash, pensou Rosemary, embora soubesse que não conseguiria gravar todos os nomes — disse: *"Nós roubamos alguns da família Sariset em uma farra no último inverno."* Ela chegou mais perto de Sissix e disse, em tom conspiratório: *"É porque todo mundo sabe que sou a velha mais bonita da região."*

Os outros aandriskanos riram. Um deles puxou as suas penas e ela sorriu com falsa arrogância.

Sissix riu e esfregou a bochecha de Issash. *"Senti tanta saudade de você"*, disse ela.

Um dos machos mais velhos conseguiu sair da pilha. Seus olhos eram lúcidos, mas as penas eram mais caídas e as escamas tinham perdido o brilho. Rosemary ficou com a impressão de que ele era muito velho.

*"Eu os convidaria para se juntarem a nós"*, começou, sorrindo. *"Mas sei que não é assim que fazem as coisas."* Ele estendeu a mão para apertar a do capitão. *"Ashby, como vai? É bom ver você de novo."*

Ashby pigarreou e respondeu da melhor forma possível.

*"É bom vê-lo, Ishren. Obrigado pelo... por ser... bem-vindo."*

O sorriso de Ishren aumentou e ele tocou o antebraço de Ashby.

*"Seu reskitkish está muito bom."*

*"Não muito"*, disse Ashby. *"Eu falo menos do que... do que eu sei. Do que sei entender."* Ele mudou para klip: "Não, um momento..."

Ishren riu. *"Você entende mais do que consegue falar. Viu? Eu entendi perfeitamente."* Ele deu alguns tapinhas no braço de Ashby e se virou para Rosemary. *"E você, fala reskitkish?"*, perguntou ao apertar a mão dela. Rosemary balançou a cabeça, pedindo desculpas com o olhar. Ele apontou para o tradutor. *"Mas você entende?"* Ela ia assentir, mas então se lembrou do gesto curvo que Sissix lhe ensinara no córrego, o sinal para sim. Ishren adorou. *"Ah, você aprende rápido. Eu sou como Ashby. Entendo klip, mas não tenho muita segurança para falar. Contanto que você use esse aparelho, podemos conversar como for mais fácil e vamos nos entender bem."* Ele pôs uma das mãos no ombro de Rosemary e a outra no de Ashby. *"É bom ver humanos aqui. Quando eu era um pouco mais novo que Sissix, trabalhei a bordo de um cargueiro aeluoniano. Quer dizer, comandado por aeluonianos, pois a tripulação era multiespécie, como a sua. Tínhamos até uma laruana, acredite se quiser. Que espécie esperta, os laruanos, nunca vi alguém jogar rikkit como ela. Mas... o que eu estava dizendo mesmo?"*

"Não sei", disse Ashby, tentando voltar ao reskitkish. *"Algo sobre os humanos?"*

*"Ah, sim, isso mesmo. Nunca vou me esquecer do dia em que ficamos sabendo que os humanos foram aceitos como espécie-membra da CG. Estávamos no Mercado Muriat, já foi lá?"*

"Algumas vezes", disse Ashby.

*"Ainda existe aquele bar chamado* [Hanto: Estoque Cheio]*?"*

*"Não sei."*

*"Ah, tomara que sim. Melhores tapas doces da CG, sem dúvida. Nunca encontrei outro barman capaz de deixar a bebida com a acidez perfeita. Mas enfim. Sim, os humanos se juntando à CG. Eu estava em um depósito de algas... não, não, era uma loja de eletrônicos... é, uma loja de eletrônicos. Tinha um humano trabalhando lá. Ele limpava as partes usadas para serem revendidas. Era um trabalho que não exigia muito da mente, mas era duro. Não era adequado para uma espécie com mãos macias. Dava para ver pelas roupas que ele não ganhava muito. O chefe dele não estava no dia, então o humano estava me ajudando a procurar... sei lá, alguma peça de que eu precisava. Havia um noticiário sendo projetado na mesa dele, e, de repente, foi dada a notícia. Humanos na CG. O homem ficou quieto. E então fez algo que eu nunca tinha visto antes: começou a chorar. Veja bem, na época eu não sabia que os humanos choravam, então fiquei um pouco assustado. Sabe como é perturbador ver os olhos de alguém começarem a vazar? Ah, pobre coitado, ele tentou me explicar o que era o choro enquanto passava por todos aqueles sentimentos. Nunca vou esquecer o que me disse. Ele falou: 'Isso significa que nós temos valor, que não somos irrelevantes.' E eu respondi: 'É claro que vocês têm valor. Toda vida tem valor.' E ele me disse: 'Mas agora eu sei que o restante da galáxia também pensa assim.'"*

Ishren apertou os ombros deles e olhou de um para o outro.

*"E agora vocês têm naves próprias e saem em espaço aberto como nós, aandriskanos. E vão até o Núcleo! Devo admitir, estou com inveja dessa viagem. Que sorte."* Ele sorriu. *"Espero que isso não soe condescendente, mas quando penso naquele homem e vejo vocês aqui, vejo como a sua espécie chegou longe. Isso me deixa muito feliz. Ah, acabei de me lembrar! Estão com fome? Sei que os humanos precisam comer mais do que a gente, então Rixsik e eu preparamos*

*bastante comida extra ontem* à noite para [substantivo, não há analogia disponível; mesa onde comida comunitária é oferecida ao longo do dia]."

*"Isso é gentil. Muito gentil"*, disse Ashby. *"Desejo... espero que não foi... difícil."*

*"De jeito nenhum"*, respondeu Ishren. *"Estamos todos curiosos para ver o quanto vocês comem."* Ele abriu um sorriso e apontou para algo. *"Acho que eles também."*

Atrás de uma pilha de caixotes vazios, algumas crianças observavam os adultos com muita curiosidade. Estavam mais afastadas, como se esperassem um convite. Rosemary percebeu que talvez fosse mesmo o caso. Talvez soubessem que não deveriam interromper quando os adultos estivessem socializando. Isso faria sentido para uma espécie em que crianças não precisavam de ajuda para aprender as habilidades mais básicas de sobrevivência. Em uma reunião de humanos, nenhum adulto acharia estranho interromper uma conversa no momento em que uma criança precisasse de algo, mesmo que fosse apenas atenção. Aqui, no entanto, as crianças pareciam saber que as atividades adultas tinham preferência e, se quisessem se juntar a elas, precisavam entender as regras. Em vez de puxar o braço dos mais velhos ou ficar se exibindo, elas observavam os adultos de fora, tentando compreender o que se passava. Estavam aprendendo a ser gente.

Rosemary viu Teshris entre elas, os bracinhos em volta de um filhote mais ou menos do seu tamanho e com traços parecidos. Provavelmente Eskat, o... Rosemary se interrompeu antes de completar com "filho de Sissix". Cria? Prole? Todas as palavras traziam uma conotação de que os pequenos aandriskanos pertenciam a Sissix, o que não era o caso, pelo menos não de um jeito humano. Talvez bastasse dizer que Teshris e Eskat tinham a mesma mãe do ovo, que por acaso era Sissix.

Voltou a sua atenção para o amontoado de aandriskanos abraçados, que começavam a se separar. Três dos mais velhos — os que Sissix não conhecia de nome — estavam voltando para casa. Alguns continuaram com Sissix, ainda afagando-a, mas a intensidade diminuíra. Issash, porém, continuava a abraçar Sissix com a mesma força do início. Dois dos pais de ninho de Sissix, aparentemente estimulados por toda a afeição, haviam se separado do grupo e ido até um banco próximo. Não havia dúvidas de que tinham mesmo passado às preliminares. Em um breve e inesperado momento, toda a vaga curiosidade de Rosemary a respeito da anatomia aandriskana masculina foi satisfeita.

*"Vamos"*, disse Ishren, indicando que Rosemary e Ashby deveriam segui-lo até a residência. *"Vamos cuidar de vocês dois. E não precisam usar roupas aqui se não quiserem. Sei que é o costume dos humanos, mas queremos que fiquem à vontade."*

"Obrigada", disse Rosemary em klip. Fez o possível para desviar os olhos dos aandriskanos idosos no banco, que acasalavam com gosto. "Mas acho que vou continuar vestida por enquanto."

Conforme o dia foi passando, Rosemary sentiu pena dos técnicos no seu show de música, em algum lugar cheio de gente se empurrando, com comida gordurosa e coice que custaria os olhos da cara. A tarde dela foi passada em almofadas espalhadas pelo chão, bebendo vinho de folha e beliscando comida na mesa comunal (os idosos não tinham noção do quanto um humano comia, então fizeram o suficiente para dez deles). Ficou ouvindo a família de Sissix atualizar a sua filha do ninho a respeito dos dramas dos seus amigos e parentes. Tudo na reunião era intrigante, da comida desconhecida ao nível de detalhamento das fofocas, assim como a afeição física interminável que demonstravam com Sissix. De várias formas, Rosemary se sentia como os pequenos aandriskanos, espiando pela janela e se esgueirando para encher as tigelas com mais comida. Ela também ficava feliz em observar e aprender.

Contudo, no fim da tarde, ela já estava um pouco inquieta. Tinha comido até ficar sonolenta, graças aos pedidos de Ishren, e o vinho a fizera passar de "agradavelmente relaxada" para "com uma leve dor de cabeça". As pernas estavam dormentes de ficar deitada por horas, e o seu cérebro parecia ter derretido depois de tantas horas ouvindo as conversas em uma língua não familiar. Pouco depois do pôr do sol, ela pediu licença e foi para o lado de fora tomar um pouco de ar fresco.

Theth dominava o céu do deserto, perto o suficiente para ela imaginar que podia levantar a mão e tocar os seus anéis com as pontas dos dedos. Sem as luzes cegantes da cidade, era possível ver as cores sutis — o brilho das luas vizinhas, o roxo-escuro da nuvem galáctica, e tudo entre elas, nada além de estrelas, estrelas e mais estrelas. Era lá que vivia, na vasta extensão de cores. Todos os dias ela via planetas, cometas e formações estelares de perto. Aquelas eram visões corriqueiras. Ainda assim, estar em um planeta os fazia parecer diferentes. Talvez as estrelas fossem para ser vistas do chão.

Ela observou Sissix do lado de dentro, cercada por uma multidão de cabeças emplumadas. Olhou de novo para o céu, pensando, culpada, em como todos menos Sissix poderiam desaparecer por um tempo. Imaginou-a indo lá fora com outro copo de vinho e passando o braço pelos ombros de Rosemary enquanto lhe ensinava o nome das constelações. Foi um pensamento bobo e egoísta, ela sabia, mas isso não a impediu.

Pouco tempo depois, Ashby saiu pela porta trazendo um cobertor térmico. "Achei que pudesse estar com frio."

"Um pouco, obrigada." Ela aceitou o cobertor e o jogou por cima dos ombros. Um calor suave como a luz do sol se espalhou pelas suas roupas. "Nossa. Que gostoso."

"Muito bom, não é?"

"Por que não tenho um desses?"

Ashby riu. "Comprei um faz alguns anos, logo depois de fazer a mesma cara que você está fazendo agora. A gente deve conseguir um antes de ir embora."

"Sim, por favor."

"Os idosos não conseguiam acreditar que você precisasse de um cobertor."

"Por qu... ah. Porque tenho sangue quente. Entendi." Ela riu.

"Está tudo bem?"

"Sim, tudo ótimo. Eu só precisava de um pouco de ar fresco."

"É, eu sei, pode ser um pouco demais após um tempo. Mas você gostou?"

"Amei. Fico feliz de ter vindo."

"Que bom. Diga isso para Sissix, ela vai ficar feliz."

Rosemary sorriu, mas pensou de novo nas várias horas em que passara assistindo a Sissix ser acariciada e mimada pela sua amorosa família. Como a vida na *Andarilha* devia ser fria e rígida em comparação àquilo. Ela merecia coisa melhor.

Ashby inclinou a cabeça para o lado, observando-a. "O que foi?"

"Não sei se consigo pôr em palavras. É só..." Ela ficou pensando. "Como ela consegue?"

"O quê?"

"Ficar sem uma família das penas."

"Sissix tem uma família das penas."

Rosemary ficou sem reação. Uma família das penas à distância? Depois da proximidade que testemunhara, ela não entendia como algo assim poderia funcionar. "Sissix nunca falou nada sobre eles."

Ashby deu um sorrisinho. "Quando tiver um tempo sozinha, dê uma olhada no arquivo de identidade dela. Como guarda-livros da nave, você deve ter acesso a ele."

Mais tarde naquela noite, deitada no quarto de hóspedes, foi o que Rosemary fez.

No de Identidade: 7789-0045-268
Nome pela CG: Sissix Seshkethet
Contato de emergência: Ashby Santoso
Parente próximo: Issash Seshkethet (designado pela CG)

Nome local (caso se aplique): oshet-Seshkethet esk-Saskist as-Eshresh Sissix isket-Veshkriset

Rosemary mordeu o lábio enquanto estudava as palavras no scrib. *Seshkethet* era óbvio. *Saskist* era a mãe de Sissix, e *Eshresh* parecia um nome, então devia ser o pai dela. *Veshkriset*, porém, ela não conseguiu identificar.

Consultou o banco de dados familiar oficial dos aandriskanos. Em algum lugar, havia uma equipe de arquivistas cujo único trabalho era se informar sobre os dramas das famílias aandriskanas e atualizar os registros. Sentia-se cansada só de pensar.

As letras no seu scrib mudaram conforme o aparelho traduzia o texto para klip. *Escolha um nome de família*, dizia.

"Veshkriset", disse Rosemary, torcendo para que o banco de dados entendesse o seu sotaque carregado. Uma lista surgiu. Rosemary franziu a testa. A família das penas Veshkriset só tinha um membro. Sissix.

Rosemary voltou a se deitar nos seus cobertores. Sissix estava em uma família das penas sozinha? Não fazia sentido. Ela era a sociabilidade em pessoa, e os solitários não tinham uma boa fama entre os aandriskanos. Declarar-se o único membro de uma família das penas seria um ato de desafio, um sinal de que você não queria nada com outros aandriskanos. Rosemary se lembrou de como Sissix havia reagido à velha em Porto Coriol, como parara tudo para fazer companhia a uma estranha. *Ficar sozinha, sem jamais ser tocada... não há punição pior.* Não, não fazia sentido.

Olhou pela janela. Teve uma ideia. O banco de dados era feito por aandriskanos. Pelo que Sissix dissera, a função prática dele era impedir o cruzamento entre parentes. Se fosse o caso, será que membros de outra espécie apareceriam na lista?

"Scrib, traduza."

"Especifique o caminho da tradução", disse o scrib.

"Reskitkish para klip."

"Reskitkish para kliptorigan, entendido. Por favor, diga a palavra ou frase a ser traduzida. Se não consegue pronunciar..."

"Veshkriset."

Uma breve pausa. "Não foi encontrada uma tradução direta. Você gostaria de uma análise linguística para tentar encontrar possíveis traduções?"

"Sim."

"O sufixo *et* indica um substantivo próprio. Esse sufixo é bastante usado para denominar um grupo familiar aandriskano. Você gostaria de fazer uma busca no banco de famílias aandriskano..."

"Não", disse Rosemary. Pensou mais um pouco. "Retire o sufixo do termo da busca e procure novamente."

Outra pausa.

"Veshkris. Substantivo. Um indivíduo em uma jornada. Viajante. Peregrino."

Andarilho.

Sissix apoiou o queixo no punho, observando Hashkath ficar cada vez menor pela janela nos seus aposentos. Em algum lugar lá embaixo, sua família do ninho estava rindo, copulando, brigando, cozinhando, limpando, alimentando os filhotes. Sua pele ainda brilhava graças ao esfoliante de escamas caseiro de Kirix. As tortas de fruta-crocante do tamanho da palma da sua mão que Issash mandara com ela ainda estavam quentes no meio. Sissix não queria ir embora. Amava a *Andarilha* e as pessoas a bordo (a maioria delas, pelo menos), mas sempre se esquecia de como era difícil ficar longe de outros aandriskanos até passar um tempo em casa. Era mais do que sentir falta da grama do deserto ou de falar reskitkish. Era ser *compreendida* pelas pessoas. Por mais queridos que fossem os outros membros da tripulação, ter que sempre explicar diferenças culturais, não poder fazer uma ou outra provocação amigável que poderia ofender os alienígenas, estar sempre se contendo quando queria tocar alguém... era cansativo. Embora visitar o seu lar fosse um bom remédio para a saudade, algo que ela sempre, *sempre* esquecia era que, por um curto período depois de ir embora de Hashkath, ir embora ficava ainda mais difícil. Quando saiu de casa pela primeira vez, foi como se tivesse enfiado uma faca no próprio corpo — não em um ponto vital, apenas na coxa ou talvez no antebraço. Quanto mais tempo ficava fora, mais a ferida cicatrizava, até Sissix se esquecer de que estava lá. Voltar sempre reabria a ferida.

Talvez fosse melhor assim, no entanto. Se ela parasse de se importar com a sua família do ninho, ficar longe não doeria, mas cortar laços era inimaginável. Além disso, se não tivesse partido, jamais teria feito tantos amigos. Talvez a dor da saudade de casa fosse um preço justo a pagar para ter tantas pessoas boas na sua vida.

Alguém bateu à porta.

"Pode entrar." Esse era outro hábito irritante dos alienígenas. A expectativa de portas trancadas. Fora bom passar um dia sem esse sentimento.

Rosemary entrou, carregando uma garrafa de vinho e dois copos. Seu cheiro estava diferente. Tinha tomado banho não muito tempo antes, mas havia algo que não era habitual, um aroma sutil que Sissix não conseguia reconhecer. Já tinha reparado nele antes, embora estivesse mais suave na ocasião. Inexplicavelmente, lembrava o cheiro de um bar. Talvez fosse só o vinho. Identificar fragrâncias entre as paredes seladas da nave era sempre mais difícil depois de se acostumar com o ar da superfície. Era a diferença entre encontrar objetos espalhados em uma mesa ou ter que revirar um baú cheio.

"Espero não estar atrapalhando", disse Rosemary.

Privacidade. Outro dos hábitos irritantes. "Não, eu adoraria um pouco de companhia. E uma bebida, já que acho que é isso que está oferecendo." Ela olhou para o próprio corpo e então para as calças caídas no chão. *Vergonha. Recato. Que se dane.* Rosemary tinha acabado de ver Sissix e a sua família do ninho pelados. Até tinha levado na brincadeira quando um dos filhotes agarrou os seus peitos. Duvidava muito que ela continuasse incomodada por ver os genitais de alguém.

Rosemary serviu o vinho. Elas se sentaram no chão, conversando sobre coisas sem importância. Foi só quando estavam no segundo copo que Rosemary disse: "Posso fazer uma pergunta pessoal?"

Sissix riu. "Nunca vou entender por que vocês perguntam isso."

A guarda-livros correu o dedo pela borda do copo, parecendo um pouco sem graça. Sissix pensou que talvez devesse ter evitado o comentário sobre a pergunta pessoal, mas *francamente*. Os humanos perdiam tanto tempo com redundâncias.

A humana pigarreou. "Descobri que a gente... quer dizer, a tripulação, é a sua família das penas."

Ela não tinha contado a Rosemary? Talvez não. Não era o tipo de assunto que surgia muito. "Ashby contou para você?"

"Não, ele insinuou. Descobri o resto sozinha." Ela bebeu um gole de vinho. "Sei que existem muitas regras complicadas para famílias das penas e não vou fingir que conheço qualquer uma delas, mas estava pensando... como você categoriza os tripulantes que não escolheu. As pessoas que estão aqui só porque é o trabalho delas."

"Você está falando de Corbin? É, é complicado. Mas nas famílias das penas acontece o tempo todo de ter um membro de que você não gosta. É só reconhecer que outro membro da família precisa dele e então evitar a pessoa. É como Ashby e Corbin. Ashby precisa de Corbin. Não importa se precisa dele por um motivo profissional em vez de familiar. Ashby é família para mim, sem sombra de dúvida. Por isso, Corbin também é." Ela riu, o copo já perto da boca. "Embora eu não fosse reclamar se ele encontrasse outra família por aí."

Rosemary assentiu. "Faz sentido, mas eu não estava falando de Corbin."

"Não?"

Rosemary ficou quieta. Sissix já olhara rostos humanos por tempo suficiente para saber que ela estava tentando encontrar as palavras certas ou reunindo a coragem de dizê-las. A aandriskana ficou silenciosamente grata pelo tempo que se economizava com a linguagem de sinais. Por fim, Rosemary falou.

"Estava falando de mim."

A irritação que Sissix estivera sentindo em relação à espécie de Rosemary como um todo enfraqueceu. Ela sorriu e segurou a mão de Rosemary. "Se a decisão fosse minha, eu aceitaria você de novo. A essa altura, você já devia saber que gosto de tê-la em minha família."

Rosemary apertou os seus dedos. Ela sorriu; contudo, havia mais ali. Medo, talvez? Do que ela estaria com medo? Rosemary afastou a mão e encheu os copos, servindo as últimas gotas para Sissix. "Depois de ver você com a sua família, quer dizer, sua família do ninho... Bem, fiquei me perguntando se isto aqui é o suficiente para você. Nós devemos deixar a sua vida bem difícil."

"Ficar longe de outros aandriskanos pode ser difícil. E eu estaria mentindo se dissesse que não é difícil de vez em quando. Mas estou aqui por escolha. Amo esta nave. Amo a nossa tripulação. Tenho uma vida boa. Não mudaria isso."

Rosemary olhou para ela, as pálpebras com cílios escuros entreabertas. Havia algo de diferente no seu olhar, algo forte, seguro. "Mas ninguém toca você."

Sissix quase engasgou com o vinho quando percebeu o que estava acontecendo. Mesmo depois de tanto tempo com humanos, havia certas coisas das quais ela só se dava conta depois que aconteciam. Todos os detalhes fizeram sentido ao mesmo tempo. A maneira como Rosemary a encarava. O vinho. As pausas tímidas que se transformaram em um tom mais baixo, direto. As roupas — estrelas, Rosemary tinha trocado de roupa quando voltaram para a nave. Os humanos interpretavam determinadas roupas de formas diferentes, mas era complicado, e Sissix nunca pegara o jeito. Rosemary usava calças de tecido leve e uma blusa de um amarelo-pálido que era presa por fios que se entrecruzavam. Eram trajes informais, pensou Sissix, mas festivos, o tipo de coisa que uma das amigas de Kizzy usaria em uma festa ou em uma noite quente de verão. A parte da frente da blusa tinha uma abertura maior do que as que Rosemary usava normalmente, mostrando a curva superior dos seios. E o cabelo. Ela... fizera alguma coisa nele. Sissix não sabia exatamente o quê, mas algum esforço tinha sido aplicado ali. E agora que tivera tempo de identificar os aromas de Rosemary, percebeu que a mudança no seu cheiro não estava ligada a vinho, sabão ou roupas limpas. Não era algo de uma fonte externa. Eram os seus hormônios.

Sissix já vira vids humanos. Já vira Kizzy se enfeitar toda antes de ir para bares nas docas. Já pegara Ashby olhando o seu reflexo em diversas superfícies quando estava para encontrar Pei, mexendo distraído no cabelo ou arrumando a barba. Rosemary viera para os seus aposentos em roupas bonitas, com vinho, gentilezas e o cabelo no qual fizera alguma coisa. Era o jeito elaborado dos humanos de fazer uma pergunta que uma aandriskana teria feito com nada além de um leve movimento dos dedos.

Rosemary continuou a falar. "Sissix, não tenho penas, por isso não posso dar uma a você. Gostaria de poder. Você fez eu me sentir bem-vinda no primeiro dia em que coloquei os pés nesta nave. E, desde então, a sua bondade, não só comigo, mas com todo mundo, significou mais do que consigo expressar. Você sempre faz um esforço para deixar todo mundo à vontade, expressa a sua afeição do jeito que *nós* esperamos. Não finjo conhecer os aandriskanos tão bem quanto você conhece os humanos, mas entendo algumas coisas. Entendo que nós somos a sua família e que, para você, não poder ter contato físico com a gente significa que há algo vital faltando. Acho que esse sentimento machuca, mas você enterrou essa dor lá no fundo. Eu vi a sua expressão quando a sua família a abraçou. Você pode amar a *Andarilha*, mas a sua vida aqui não está completa." Ela pressionou os lábios. Quando os relaxou, eles estavam úmidos. "Não sei como você me vê, mas... quero que saiba que, se quer algo mais, estou disposta a dar."

Sissix fez uma concha com uma das mãos, virou-a para cima e abriu as garras, mesmo sabendo que Rosemary não conseguiria entender o gesto. *Tresha*. Era o sentimento agradecido e vulnerável que vinha depois que alguém enxergava uma verdade em você, algo que tinha sido descoberto apenas por observação, algo que você nem sempre admitia para si mesmo. Se Rosemary fosse aandriskana, Sissix teria empurrado os copos para fora do caminho e começado a copular ali mesmo, mas manteve a cautela. Ao que parecia, a parte dela que entendia os humanos ainda estava no controle.

"Rosemary", disse Sissix, segurando a sua mão. Ela era tão quente. As outras espécies sempre eram, ela conseguia sentir só de ficar ao lado deles, mas agora o calor era mais perceptível. Já tinha se perguntado alguma vezes como seria ter aquele calor na sua... não, não ia pensar nisso. Ainda não. Precisava ser esperta. Tomar cuidado. Afinal, os humanos reagiam de modo diferente à cópula. Os cérebros deles não ficavam cheios de hormônios depois, bem mais do que o das pessoas normais? Aandriskanos também estreitavam laços por meio do sexo, mas os humanos... os humanos iam à loucura. De que outra maneira poderia se explicar uma espécie sapiente que superpopulara o seu planeta até o colapso ambiental? Eram pessoas que copulavam até a morte. "Eu... fico grata", disse ela por fim. Que jeito horrível e vazio de descrever o que estava sentindo. *Tresha*. Era essa a explicação, mas não havia uma palavra em klip. Língua inútil. O rosto de Rosemary ficou um pouco desanimado, como se ela *estivesse mesmo* esperando que Sissix empurrasse os copos do caminho. Que raiva, por que não falaram sobre *isso* nos cursos de sensibilidade a outras espécies? "Você..." *Pense, Sissix, pense.* "Você está dizendo isso porque está com pena de mim ou... é algo que quer?" *Argh.* Klip era prático ou emocional demais, sem meio-termo. Língua inútil!

Rosemary tomou um gole de vinho e ficou olhando para o copo. "Bem, eu me sinto atraída por você, Sissix. Você é uma pessoa maravilhosa e uma ótima amiga. Não sei quando comecei a sentir algo mais por você. E não é um problema, aliás, se a resposta for não. Gosto de ser sua amiga e vou ficar feliz se isso for tudo o que formos." Tomou outro gole. "Mas, para ser honesta, eu provavelmente não teria falado nada se não tivesse visto a sua família do ninho. Mesmo sem considerar os meus sentimentos, você precisa de algo assim, não só quando por acaso encontra outros aandriskanos." Seus olhos encararam os de Sissix de novo, escuros e sinceros. "Se não de mim, então de outra pessoa. Você merece."

*Diga logo que sim*, implorou uma vozinha na cabeça de Sissix. *Diga sim, Sissix, ela está certa.* "Rosemary, eu quero dizer sim. De verdade." Ela se lembrou da tímida guarda-livros que chegara a bordo menos de um padrão antes. Quem era essa mulher com olhos sérios, que falava o que pensava com tanta coragem? O que ela descobrira ali no espaço aberto? Sissix respirou fundo. "Mas não quero magoar você. Sexo é diferente para nós, acho. Fico lisonjeada por querer me dar algo de que eu preciso, mas não sei se posso dar o que *você* precisa."

Rosemary sorriu de leve, o tipo de sorriso que Jenks dava para Kizzy quando ela dizia algum absurdo. "Sissix, não estou fazendo um pedido de casamento. Não estou apaixonada por você. Eu *gosto* de você. Gosto de quem você é e do seu jeito, e gosto de como as suas penas caem pela cabeça. Entendo que você não se limita a uma pessoa. Entendo que as nossas noções de família são diferentes e que, provavelmente, não seremos compatíveis a longo prazo. Mas ainda gostaria de fazer parte da sua noção de família por um tempo."

Curiosidade. Agora sim, um conceito que Sissix conseguia entender. "Acho que também gostaria", respondeu. A vozinha de alerta dentro dela estava enfraquecendo, mas ainda ia cair atirando. "Só que tem algumas coisas que você precisa entender."

"Tudo bem", disse Rosemary. Havia um brilho nos seus olhos, uma esperança.

Sissix se sentiu derreter. Essa experiência poderia ser maravilhosa. "Os membros da família, como já deve ter notado, não apenas fazem sexo. Nós nos abraçamos, afagamos e fazemos contato físico toda hora. Se copular for pedir muito, se isso for" — qual era o melhor jeito de dizer *sobrecarregar o seu cérebro maluco de mamífero?* — "deixá-la pouco à vontade, ou fazer você querer mais de mim do que eu posso dar, por mim tudo bem também apenas ser mais próxima. Como viu com a minha família. Mesmo isso já bastaria." Com certeza ia ser uma melhora significativa em relação ao presente.

Rosemary assentiu. "Vou manter essa opção em mente. Mas não acho que haveria problema."

"E não temos que agir assim na frente dos outros, se isso deixar você desconfortável. Não precisamos nem contar para eles." Sissix não ligava se os outros descobrissem, mas se Rosemary poderia fazer certas concessões culturais por gentileza, ela poderia retribuir.

A guarda-livros considerou a sugestão e assentiu. "Acho que talvez fosse melhor, pelo menos no começo."

Sissix fez uma pausa. O próximo ponto, ela sabia, não era um que a maioria dos humanos visse com bons olhos. "Se a gente visitar algum planeta e eu encontrar outros aandriskanos..."

"Eu não me importaria se você fosse a uma *tet*", falou Rosemary. "Só não espere que eu vá junto."

"Não é que eles sejam mais importantes do que você", disse Sissix, rapidamente. "Ou porque prefiro ficar com outros aandriskanos..."

"Sissix", disse Rosemary. Ela apertou a mão da aandriskana e fez algo que ninguém jamais fizera antes. Ela a levou até a boca e pressionou os lábios nos nós dos seus dedos, só uma vez, demorando-se. Sissix já fora beijada antes por Kizzy, Jenks e Ashby, um roçar leve e seco nas bochechas. Isso foi diferente. Era mais lento, mais suave. Mais estranho e macio. Sissix gostou. Rosemary sorriu. "Eu entendo."

Estrelas, ela entendia mesmo. "Só mais uma coisa", disse Sissix. Reparou que a sua voz estava mais grave. Outra coisa estava comandando o seu cérebro agora, a parte dela que não era estranha a *tets* e cópulas, que estava gritando de alegria por finalmente alguém na sua família a entender. Ela olhou Rosemary nos olhos e riu, constrangida. "Nunca fiz sexo com um humano."

Rosemary abriu um largo sorriso. "Que bom." Ela se aproximou, correndo o dedo macio por uma das penas de Sissix. "Eu detestaria que você tivesse uma vantagem injusta."

Dia 45, Padrão 307 da CG

# 25

# de

# outubro

"E aí?", perguntou Ashby. "Você consegue consertar?"

Jenks inspecionou as partes expostas do scrib de Ashby com a atenção de um cirurgião.

"Eu consigo fazer uma gambiarra. Mas não vai ser algo permanente. Você precisa de um projetor de pixels novo. Seria fácil de substituir, mas não tenho nenhum comigo."

"Mas dá para fazer ele parar de pular de um portal de notícias para o outro?"

"Dá. A imagem talvez comece a se degradar depois de umas decanas, mas não vai... espera. Opa." Jenks fez silêncio. "Ouviu isso?"

Ashby prestou atenção. Alguém estava discutindo em voz alta mais adiante no corredor, no convés das algas. Ele suspirou. "De novo, não."

Jenks revirou os olhos. "Eles iam ganhar tanto tempo se um dos dois jogasse o outro no espaço logo."

Eles seguiram as vozes, o que foi bem fácil. Começaram a ouvir trechos da discussão conforme se aproximavam.

"... é muito incompetente..." Era a voz de Corbin.

"... não fosse tão insuportável..." Sissix.

"... desrespeito pelo meu trabalho..."

"... se você se comunicasse como um adulto normal, então talvez..."

"Eu me comuniquei, mas vocês répteis não têm orelhas..."

*Que droga, Corbin!* Ashby apertou o passo.

*"Hisk! Ahsshek tes hska essh...*

"Ah, pode ficar silvando à vontade, isso não muda em nada o fato de eu..."

"Chega!", disse Ashby, entrando na sala. Jenks ficou parado na porta, longe o bastante para ser educado, mas perto o suficiente para assistir de camarote.

"Ashby", começou Sissix, as penas arrepiadas. "Diga para esse babaca especista pomposo que..."

"Eu já disse que chega." Ashby olhou feio para os dois. "Quero saber do que essa discussão se trata." Corbin e Sissix começaram a gritar ao mesmo tempo. Ashby ergueu a mão. "Um de cada vez."

"A sua piloto" — disse Corbin, no mesmo tom irritado que um pai usaria para dizer *a sua filha* para o parceiro ou a parceira — "fez as linhas de indução trabalharem além da capacidade. Acabou forçando demais uma das minhas tampas pressurizadoras e agora veja só."

Ashby olhou para o distribuidor de combustível. Não conseguia ver qual era o problema, mas a gosma verde em alguns poucos tubos estava parada.

"Eu não fazia ideia de que ele tinha trocado a tampa por um modelo mais antigo." Sissix lançou um olhar assassino para Corbin. "E ainda não entendi por que ele fez isso."

"Troquei porque era a única peça que eu tinha. Caso não tenha reparado, não fazemos uma parada para compras há um tempo. Ou eu usava um modelo inferior, ou substituía o sistema inteiro. Que é exatamente o que vou ter que fazer agora de qualquer jeito, graças a você."

"Ah, sim, a culpa é toda minha, já que você se deu ao trabalho de me avisar. Ah, é, você não avisou."

"Eu avisei anteontem na cozinha."

"Você não estava falando comigo! Estava reclamando do laboratório para Dr. Chef. Como eu ia saber que isso afetava o modo como eu poderia pilotar a...?"

"Em outras palavras, você escolheu me ignorar. Talvez se prestasse mais atenção nos outros em vez de ser tão egocêntrica..."

"*Parem*", disse Ashby. Ele respirou fundo. "Deixe-me ver se entendi. Essa briga toda, que eu consegui ouvir de lá de baixo, foi só por causa de um pequeno incidente envolvendo uma tampa pressurizadora que deu defeito."

"Não é pequeno se eu vou ter que passar o dia todo..."

"É pequeno", repetiu Ashby. "Você perdeu um dos seis sistemas que temos. O combustível ainda está sendo bombeado, certo?"

Corbin fez cara feia. "Sim, mas é uma questão de..."

"Tudo bem. Então, da próxima vez, você" — Ashby apontou para Corbin — "precisa avisar a Sissix quando fizer qualquer mudança no equipamento, porque não pode esperar que ela saiba o que acontece no seu laboratório. E não use aquela palavra a bordo da minha nave, entendeu? Nem com Sissix, nem com ninguém. É inaceitável. Peça desculpas para ela agora mesmo."

"Eu não..."

"Agora. Mesmo."

O rosto de Corbin ficou ainda mais vermelho. "Me... desculpe", disse para Sissix, a voz tensa como um elástico de selagem.

"E você" — Ashby apontou o dedo para Sissix — "precisa pegar mais leve nos saltos de velocidade, porque aquela tampa não deveria ter queimado tão rápido."

"Nós estamos atrasados", disse Sissix. "Se a gente não..."

"Não me importo se a gente está uma decana atrasado. Não me importo se a gente está um *padrão* atrasado. Não podemos ficar à deriva aqui, não quando chegamos tão longe. Seja mais cuidadosa." Ele olhou feio para os dois. "Só vou dizer isso mais uma vez. Parem com essas briguinhas. Elas estão me deixando maluco. Estão deixando toda a tripulação maluca. Eu sei que essa viagem está sendo bem longa e que estamos todos cansados, mas me recuso a voar o resto do caminho até o Núcleo ouvindo vocês gritarem um com o outro. Resolvam isso. Se não conseguirem, então finjam. Não quero ter essa conversa..."

A vox foi ligada.

"Oi, Ashby." Era Kizzy. "Hã, estou precisando da sua ajuda com um negócio aqui."

"Não pode esperar?"

"Hã, não muito, na verdade, mas talvez eu pudesse falar com ele..."

"Falar com quem?"

A vox transmitiu alguns barulhos do outro lado. A voz de Rosemary substituiu a de Kizzy. "Ashby, temos um oficial quelin na espera."

O capitão ouviu a voz de Kizzy ao fundo.

"Você acha que deixei ele com raiva? Eu nunca sei, porque o rosto deles não se mexe."

Ashby suspirou e fechou os olhos. "Lovey, transfira a ligação para cá."

Corbin saiu da frente e Ashby se sentou à sua mesa. Os pixels se ergueram. Um quelin olhava para ele, o rosto coberto pela armadura, inescrutável, os olhos negros brilhantes.

"Aqui é o capitão Ashby Santoso. Como posso ajudá-lo?"

"Aqui é o oficial Bevel do Departamento de Defesa Interestelar. De acordo com a Seção 36-28 da emenda do Artigo sobre Segurança de Fronteiras, você está sujeito a uma revista completa da nave e uma inspeção de todos os membros da tripulação."

"Nós já passamos por uma varredura ao entrar no espaço quelin. Fizemos alguma coisa errada?"

"Esta é uma revista aleatória. O Departamento de Defesa Interestelar tem o direito de fazer revistas em todas as naves conforme julgar necessário, mesmo sem motivo aparente."

"Acredito que a minha guarda-livros tenha enviado a licença de perfuração de túneis e o plano de voo?"

"Nós recebemos os documentos necessários e o seu direito de passagem pelo nosso espaço foi confirmado."

"Não quero ser chato, mas estamos com um pouco de pressa. Tenho direito de recusar a revista?"

"A recusa acarretará na possível apreensão da nave e na prisão de todos a bordo. Recusar-se a colaborar com os inspetores é uma violação do nosso acordo de adesão à CG e você estará sujeito a processo sob o Decreto no 226-09."

"Bem, será um prazer recebê-lo a bordo, então."

"Preparem-se para a abordagem em dez minutos", disse o oficial Bevel. Os pixels se desmancharam quando a ligação acabou.

"Quanto carisma", disse Jenks. "Aposto que ele faz sucesso nas festas."

"Só quando estão todos com os formulários em ordem", disse Ashby, esfregando a ponte do nariz. "Mas que saco."

As portas do elevador de carga se abriram. Rosemary e Kizzy saltaram para fora.

"Está tudo bem?", perguntou Kizzy. "Eu arrumei problemas para a gente? Eu não devia atender ligações, fico toda idiota..."

"Não tem problema nenhum, mas a gente vai ter que deixar eles fazerem outra revista."

"Por quê?"

"Porque eles mandaram, e porque são quelins, e porque não são o tipo de gente que quero irritar."

"Ouvi falar que as revistas a bordo são um saco", disse Sissix.

"Deu tudo certo na última."

"É, mas eles só estavam procurando armas e tecnologia ilegal. Vai por mim, eles vão examinar a nave inteira. E ouvi dizer que eles também fazem exames de sangue."

"Por que exames de sangue?", perguntou Rosemary.

Jenks suspirou. "Aposto que por causa daquele babaca com robôs explosivos no sangue. Vocês lembram? Um garoto especista burro de alguns padrões atrás, que tentou provar o seu ponto de vista em uma revista na fronteira? Nem programou eles direito. Tudo o que fez foi explodir a própria cabeça."

"Engraçado como são sempre os especistas que estragam as coisas para todo mundo", comentou Sissix. Corbin bufou com desdém, mas a aandriskana foi em direção à porta antes que ele pudesse responder. "Vou buscar Ohan."

Os olhos de Ashby foram de Kizzy para Jenks. "Vocês dois têm alguma coisa escondida que possa deixar os quelins nervosos? *Qualquer* coisa."

Jenks parou para pensar. "Acho que não."

"Não", respondeu Kizzy. "Nós tomamos o resto do coice artesanal de Urso na decana passada." Ela fez uma pausa. Então levou as mãos à boca. "Ai, droga!"

"O quê?", perguntou Ashby.

Kizzy começou a torcer o cabelo. "Eu tenho um saco de estouro guardado nas minhas meias."

"Ainda bem que lembrou. Vá buscar e jogue no motor."

"Mas..." Kizzy ficou cabisbaixa. "Não dá para comprar estouro por aqui. Estava guardando para uma ocasião especial."

Ashby franziu a testa. Não estava com paciência para as explicações de Kizzy. "Isso não é um debate. Jogue no motor. Agora."

"Vamos lá, Kiz", disse Jenks. Ele segurou o pulso dela e a conduziu de volta ao elevador de carga. "Vamos lá fazer essa coisa terrível."

"Odeio os quelins", reclamou ela. "Eles são um bando de idiotas e cretinos e ninguém gosta deles." Ela baixou a voz para um tom conspirador quando entraram no elevador. "Se a gente fumar tudo bem rápido, acha que eles vão perceber?"

"Eu ainda posso ouvir você, Kizzy", disse Ashby.

Ela fez um biquinho sentido. "Bem, não custava tentar", disse Kizzy enquanto as portas se fechavam.

Rosemary já vira vids de quelins antes, mas, ainda assim, não estava preparada para as coisas que entraram a passos barulhentos pelas portas do porão de carga. Tentou pensar em uma descrição mais eloquente para eles, mas tudo o que lhe ocorria era *centauro lagosta*. Tinham exoesqueletos de quitina azuis, abdomens horizontais compridos e torsos segmentados com membros articulados, além de rostos que pareciam máscaras. Suas conchas eram marcadas com símbolos e enfeitadas com pedras polidas. Ela sabia que não deveria julgar uma espécie pela aparência, mas o visual encaroçado e a ligação que vira mais cedo não ajudavam a torná-los simpáticos.

O restante da tripulação também parecia pouco à vontade, o que a fez se sentir um pouco melhor. Todo mundo sabia que os quelins eram uma espécie tipicamente xenofóbica, e era raro ver um deles fora do seu espaço. Sua inclusão na CG fora arranjada por conveniência, ou assim Rosemary lera. Os quelins tinham imensos depósitos de recursos naturais à sua disposição, e haviam sido trazidos à cg pelos harmagianos, que possuíam bastante dinheiro e tecnologia sofisticada para oferecer em troca. Não que os quelins e os harmagianos de fato gostassem uns dos outros. Era engraçado como a possibilidade de ganhar créditos sempre parecia triunfar sobre a antipatia.

Seis quelins entraram no porão, chefiados por aquele que fizera a ligação via sib, o oficial Bevel. Ele proferiu alguns comandos para os subordinados (ou assim Rosemary presumiu, já que não falava tellerain). Quatro deles deixaram o porão, os escâneres apitando, as pernas pontudas tiquetaqueando pelo chão de metal.

"Formem uma fila e aguardem a varredura", disse o oficial Bevel. Nada de apresentações, pelo visto.

A tripulação obedeceu. Rosemary acabou parada ao lado de Sissix. As duas se entreolharam. Sissix revirou os olhos e sacudiu a cabeça com irritação.

Bevel apontou uma perna para Ohan. "O que há de errado com eles?"

Rosemary olhou para Ohan, que estavam tremendo. Não era um tremor violento, mas algo que podia ser percebido à distância.

"Estão velhos e doentes", disse Dr. Chef. "Não é contagioso. Têm uma doença neurodegenerativa, então é difícil para eles ficar de pé por muito tempo."

Os olhos de Bevel se fixaram em Ohan, mas sem pálpebras ou músculos faciais, era impossível saber o que o quelin estava pensando. "Eles podem se sentar."

"Obrigado", disse Ohan, assentindo com a cabeça. Deixaram-se cair no chão, tentando se manter estáveis.

Então os quelins podiam ser razoáveis, afinal.

Bevel olhou para Dr. Chef.

"Vamos precisar examinar os arquivos médicos deles para confirmar a sua alegação."

Ok, talvez não.

A outra quelin pegou um dispositivo de uma bolsa pendurada na lateral do corpo.

"Agora vamos analisar sangue, hemolinfa ou qualquer outro fluido genético primário em busca de contaminantes, agentes patogênicos, nanobôs ilegais e outras substâncias proibidas ou perigosas. Se você está ciente de que carrega qualquer uma dessas substâncias, avise-nos agora." Ela fez uma pausa para ver se alguém iria se manifestar. Ninguém falou nada. "Vou começar a varredura." Ela foi até Jenks, o último da fila. Ela ficou olhando para ele por alguns segundos. "Você é anormalmente pequeno."

"E você tem uma porrada de pernas", respondeu ele, estendendo a mão.

A quelin não respondeu. Ela pressionou o escâner na palma da mão de Jenks. Houve um clique mecânico. Rosemary ouviu Jenks sugar o ar por entre os dentes. A quelin olhou o escâner. Parecendo satisfeita, passou para Ashby.

Jenks examinou a palma da mão. "O quê, não tem curativo nem...? Não? Tá legal. Valeu."

A quelin foi seguindo pela fila. Rosemary estendeu a mão, obediente. A agulhada do escâner era desagradável, mas não era insuportável. Mesmo sabendo que não havia nada interessante no seu sangue, não pôde deixar de respirar aliviada quando a quelin passou por ela. Algo naqueles sapientes a deixava tensa.

Apesar de Rosemary não conseguir ler o rosto da quelin, algo na postura dela mudou quando examinou Corbin. O oficial Bevel também reparou e foi direto até ela. Ele olhou para o escâner e os dois trocaram algumas palavras incompreensíveis.

"Artis Corbin", disse o oficial Bevel. "Você está preso sob as seções 17-6-4 do Acordo de Defesa à Integridade Genética."

"O quê?!", falou Corbin. A outra quelin já estava prendendo as mãos dele com uma espécie de fio de energia, empurrando-o em direção à porta. "Eu... eu não fiz nada!"

Ashby deu alguns passos na direção dele. "Oficial, o quê...?"

O oficial Bevel se pôs no seu caminho. "Vocês todos serão interrogados. Vamos mantê-los aqui. O interrogatório vai ocorrer em um local da nossa escolha quando completarmos a revista da nave", disse o oficial. "De acordo com a seção 35-2 do Código Penal, qualquer pedido de consultoria legal será negado."

"Hã? Como assim?", perguntou Ashby. "O que está acontecendo?"

Rosemary tentou manter a calma. Nenhum deles fizera nada de errado, até onde sabia, e se os quelins ainda não tinham percebido que o seu arquivo de identidade havia sido alterado, então dificilmente perceberiam. Quanto a Corbin, não podia pensar em ninguém com menos chance de descumprir a lei. Aquilo só podia ser um mal-entendido.

"Vocês não estão sob custódia", disse Bevel. "Nem estão sendo acusados de nada até o momento. Qualquer recusa em colaborar com o seu oficial durante o interrogatório resultará em prisão."

Jenks olhou feio para ele. "O capitão fez uma pergunta. O que a gente fez?"

"Jenks, calma", disse Dr. Chef.

A outra quelin levou Corbin para fora da nave.

"Ashby!", gritou ele. Tentava resistir, mas a quelin continuou a empurrá-lo. "Ashby, eu não..."

"Eu sei, Corbin", disse ele. "Nós vamos cuidar disso." Ele se virou de volta para Bevel, furioso. Rosemary nunca vira o capitão com tanta raiva. "Por que prenderam ele? O que ele fez?"

O oficial Bevel olhou para Ashby com os olhos negros impassíveis. "Ele existe."

Eles escanearam o seu implante de pulso e levaram as suas roupas. Tinha gritado até perder a voz, mas nenhum deles respondia nada. Sequer estavam falando em klip. O idioma deles era cheio de estalos. Os olhos também estalavam. Até os seus pés soltavam estalidos quando batiam no chão. Era como estar dentro de um criadouro de insetos de metal — escuro, quente, úmido e sempre com os *tec tec tec*.

Não sabia quão longe estava da *Andarilha*. Eles o tinham levado para outra nave. Ou talvez fosse um orbitador? Não sabia dizer. Não havia janelas ou telas com vista (não que ele tivesse observado, pelo menos). Eles o empurraram para um cômodo enorme, do tamanho do centro de um cargueiro. No chão, diversos fossos, pequenos e lisos, cuja profundidade era o dobro da sua altura. Se forçasse a vista, conseguia distinguir o brilho de olhos observando-o lá no fundo.

Tentou se cobrir. Os quelins não usavam roupas, mas eles tinham conchas. Não precisavam se cobrir. Não eram feitos de carne macia, cabelos, linhas, dobras e rugas que você preferia manter longe dos olhos de terceiros. Queria ter uma concha. Queria ter nascido em uma espécie com ferrões, chifres ou qualquer coisa mais intimidadora que a sua frágil forma. Queria que os quelins é que estivessem com medo.

Eles o empurraram de modo rude na direção de um dos fossos vazios. "Não", disse ele, tentando forçar a voz a ficar menos trêmula. "Só quando me disserem o que eu fiz. Sou um cidadão da CG, tenho os meus..."

Alguns segundos depois, desejou não ter dito nada.

Um dos quelins o agarrou com os membros superiores, prendendo-o contra o torso resistente. Os membros segmentados se fecharam sobre o seu corpo, como uma gaiola. Outro quelin baixou o rosto para o chão, aplanando-se como uma tábua. Corbin não havia reparado em como o topo das cabeças deles tinha uma couraça. Era arredondada, de um azul-escuro, desgastada e coberta de arranhões antigos.

O quelin correu na direção dele. A carapaça curva da cabeça o atingiu no peito. A dor explodiu no seu corpo. Ele engasgou e sufocou, cuspindo na cabeça do quelin, que não pareceu se importar. A criatura se afastou e avançou outra vez.

*Ah, não, por favor...*

Ele ouviu as costelas se partirem antes de registrar a dor. Ouviu o seu grito antes de se dar conta de que vinha dele. Corbin desabou nas pernas do quelin que o prendia, mas ele continuou a segurá-lo. O segundo quelin veio correndo outra vez.

O quelin devia tê-lo soltado em algum momento, porque ele se viu no chão, tremendo e com ânsia de vômito. Podia sentir a pontada das costelas quebradas a cada vez que a sua barriga se mexia. Gemidos baixos escaparam da sua boca, mas foram interrompidos pelos pulmões que lutavam por ar.

Eles o empurraram no fosso. Ele caiu no metal frio. Seu rosto atingiu o chão primeiro. Sentiu o sangue jorrar do nariz quando ele se dobrou para o lado. O quelin que quebrara os seus ossos gritou em klip, oito palavras zangadas. Nas horas seguintes, Corbin só conseguiu pensar nelas: "Daqui em diante, clone, fique de boca fechada."

Ashby foi o último a voltar do interrogatório. Ele se juntou aos outros na mesa de jantar. Todos pareciam exaustos. Até Ohan estavam lá, encolhidos debaixo de um cobertor em um banco próximo. Dr. Chef tinha servido uma fornada de bolinhos primavera. Ninguém tocara neles.

"Ai, estrelas", disse Kizzy. Ela correu até ele e o abraçou. "Achei que tivessem prendido você também."

"Estou bem", afirmou ele.

"Você ficou lá por *seis horas*."

"Pareceu mais tempo." Ele desabou na cadeira. Dr. Chef pôs uma xícara de mek diante dele. Ashby a segurou com as duas mãos, deixando que elas absorvessem o calor. Olhou para o nada por um momento, respirou fundo, então voltou a atenção para a sua tripulação. "Algum de vocês sabia?"

Todos negaram com um meneio de cabeça.

"Não fazia ideia", disse Jenks, acendendo o cachimbo de palha-vermelha. O montinho de cinzas na frente do prato dele indicava que já tinha fumado pelo menos mais dois.

"Nós estávamos nos perguntando se o próprio Corbin sabia ou não", disse Sissix.

"E?", perguntou Ashby.

"Achamos que não", respondeu Jenks, soltando fumaça por entre os dentes. "Você viu a cara dele quando o arrastaram para fora da nave? Ele não fazia ideia do que estava acontecendo."

"Verifiquei um exame de sangue antigo", falou Dr. Chef. "Não há dúvida. Há algumas irregularidades no DNA dele que não têm qualquer outra explicação possível."

"Por que não reparou antes?", perguntou Ashby.

"Porque é o tipo de coisa que você só encontra se estiver procurando. Eu não tinha motivo para suspeitar."

O capitão suspirou e se encostou na cadeira. "Isso não muda nada. Espero que todos saibam disso. Corbin é um sapiente e eu não ligo muito de onde ele veio. Sei que todos nós temos... diferenças com ele." Ele olhou para Sissix, que estava beliscando um bolinho primavera com uma única garra. "Mas ele é parte da tripulação e precisamos ajudá-lo." Ele olhou ao redor da mesa. Algo estava errado. "Espera aí, cadê Rosemary? Ela não voltou?" Será que os quelins tinham descoberto a verdade sobre ela também? Estrelas, quantos tripulantes ele ia perder hoje?

"Não, ela está na sua sala", informou Sissix. "Assim que a liberaram, ela foi pesquisar as opções legais de Corbin."

Ashby lembrou a si mesmo de dar um aumento a Rosemary assim que aquele túnel fosse construído. "Vou ajudá-la", disse, empurrando a cadeira para trás.

"Não precisa." Rosemary entrou na cozinha, scrib em mãos, a caneta de pixels atrás da orelha. "Mas temos muito o que conversar."

"Diga."

Rosemary sentou-se no seu lugar à mesa. "Corbin está preso em um orbitador perto daqui. Eles vão mantê-lo lá até o caso dele ser processado."

"E o que acontece depois?"

"Se não fizermos nada, ele vai ser mandado para uma colônia penal quelin. Pelo que li, são campos de trabalhos forçados. Parece que a maior parte do teracítio usado na CG é minerado por prisioneiros quelins."

"Ah, que ótimo", disse Jenks. "Bom saber de onde vêm os meus painéis de circuitos."

"Como eles podem fazer uma coisa dessas?", perguntou Dr. Chef. "Corbin é um cidadão da CG."

"Não, não é", disse Rosemary. "Como a clonagem é ilegal na maioria dos territórios da CG, indivíduos clonados não recebem os mesmos direitos que os nascidos por meios naturais. Precisam passar pelo processo de requerimento legal das espécies que não fazem parte da CG, mesmo que tenham vivido a vida toda na CG."

"Não é justo", disse Kizzy.

"Pois é", falou Jenks. "Mas pense em como algo assim deve ser raro. Os legisladores não vão se dar ao trabalho de fazer novos procedimentos legais para algo que afeta... o quê? Umas poucas centenas de pessoas, se tanto? Você só encontra clonadores nos planetas à margem, e duvido muito que alguém de lá volte para a CG. Não deve ser algo com que a CG lide com frequência."

"Exatamente", disse Rosemary. "E, por causa disso, a política não oficial para lidar com um clone recém-descoberto é seguir as leis locais. Se tivéssemos descoberto Corbin em espaço harmagiano, por exemplo, ele ainda precisaria passar pelo mesmo processo de requerimento, mas a única consequência para ele seria uma nota de rodapé no seu arquivo de identidade. A pessoa que iria para a prisão seria o pai dele. Coisa que, aliás, deve estar acontecendo agora mesmo."

"Alguém sabe alguma coisa sobre o pai dele?", perguntou Kizzy.

"Ele ainda está naquele orbitador em Encélado, acho. Eles não se falam", disse Ashby. Ele se virou para Rosemary. "Então, deixe-me ver se entendi. Como Corbin *não* é um cidadão, não podemos usar nenhum dos nossos tratados para trazer ele de volta?"

"Isso. Porém, há uma brecha legal. Só não é..." Ela pigarreou. "Só não é ideal."

"Já imaginava."

Rosemary brincou com a caneta nervosamente. "Os termos do acordo de adesão dos quelins à CG afirmam que eles precisam honrar qualquer documento de efeito vinculante que afetem os cidadãos da CG viajando no seu território. Isso é para casos como... por exemplo, um humano e um harmagiano cuja união seja registrada em espaço harmagiano."

"Eca", disse Kizzy.

"Especista", acusou Jenks.

"Não sou especista, eles são *gosmentos*."

"Foi só um exemplo", disse Rosemary. "Então, eles não poderiam registrar a sua união em espaço quelin, porque uniões interespécies não são reconhecidas aqui. No entanto, como já estão registrados em outro território da CG, os quelins precisam honrar essa união do ponto de vista legal."

"Como?", perguntou Ashby.

"Por exemplo, se a nave deles sofresse um acidente e um dos dois morresse, as autoridades quelins seriam obrigadas a reconhecer o outro como parente mais próximo, mesmo que não fossem dar esse direito a pessoas vivendo no seu espaço."

"Entendi. Mas como isso ajuda Corbin?"

"Bem, quando você começa o requerimento de cidadania da CG, você recebe um guardião legal para o processo. Um cidadão da CG que se responsabiliza por você."

"É. Eu tive que fazer isso", disse Dr. Chef.

"Como funciona?", perguntou Jenks.

"É mais uma formalidade. A ideia é ter alguém para ajudar você a se enturmar. Eles fazem com que você aprenda a língua, as leis, ajudam a entender a cultura e a ética da comunidade, essas coisas. Também são responsáveis por ajudar você a entregar a papelada no prazo e precisam acompanhá-lo à sua entrevista. É basicamente um sistema com um mentor para ajudar na integração."

"Parece idiotice no caso de Corbin", disse Kizzy. "Não é como se ele precisasse aprender klip de novo."

"Então", disse Ashby, "se Corbin tiver um guardião legal, os quelins precisam entregá-lo a essa pessoa?"

"Sim, mas não temos muito tempo. Precisamos preencher os formulários, conseguir a aprovação da CG e entregar para os quelins antes que processem Corbin. Eu conheço... alguém com quem posso entrar em contato. Oficial de baixo escalão da CG. Quando eu explicar que é uma emergência, aposto que vão assinar a papelada o mais rápido possível."

"A mesma pessoa que... hã...", disse Jenks. Ele terminou a pergunta apontando para o protetor de pulso de Rosemary.

Ela olhou para o chão. "É."

"Quanto tempo até os quelins processarem Corbin?", perguntou Dr. Chef.

"Ninguém sabe. Pode levar dias ou decanas. Podem estar fazendo isso agora mesmo, até onde sabemos, mas duvido muito. Pelo que entendo do sistema judiciário dos quelins, eles não têm muita pressa."

"Então está bem", disse Ashby. "Só me diga onde preciso pôr a minha digital."

"Veja bem, você não pode ser o guardião dele." Rosemary respirou fundo. Parecia desconfortável. "Tem uma pegadinha. É uma pegadinha idiota, burocrática, mas não dá para escapar dela."

"Pode falar."

"As leis de clonagem dos quelins não são só rigorosas, são... não sei nem que palavra usar. Inflexíveis. Não entendo a questão tão bem, mas parece que os quelins tiveram uma guerra interplanetária alguns séculos atrás, que também envolveu clonagem, eugenia e todo tipo de barbaridade. Hoje em dia, os quelins não veem a clonagem apenas como uma prática eticamente questionável, veem como algo maligno. Para eles, a simples existência de Corbin é um perigo. Assim, as suas leis sobre clonagem são bem mais extensas do que as das outras espécies. Está claro que eles pensaram na possibilidade de clones vindos de fora do espaço deles."

"Ou seja...?"

"Ou seja, mesmo com os tratados da CG, eles não vão liberar Corbin para uma espécie que proíba a clonagem. Na visão deles, estão fazendo um favor a essas espécies ao mantê-lo separado do restante da galáxia." Ela pigarreou. "Dessa forma, o único jeito de recuperarmos Corbin é se o guardião dele vier de uma espécie sem leis sobre clonagem."

"Sem leis sobre..." Ashby parou de falar ao ver o olhar hesitante de Rosemary. Ela não estava olhando para ele. O capitão seguiu o olhar dela até o outro lado da mesa. Sissix.

Sissix ficou sem reação, o rosto neutro. Ela cobriu os olhos com a palma da mão, jogou a cabeça para trás e soltou um longo suspiro irritado. "Você só pode estar de brincadeira comigo."

"Peraí", disse Kizzy. "Nossa, você? Os aandriskanos não têm leis sobre clonagem?"

"Não, nós não temos leis sobre clonagem."

"Por que não?"

"Porque não fazemos esse tipo de coisa", respondeu, irritada. "Nunca nem cogitamos fazer isso. Sabe por quê? Porque, ao contrário de vocês, a gente acha que natureza funciona bem sozinha, sem necessidade de modificar e hackear e... ai, isso é ridículo."

"Sissix...", começou Ashby.

"Não precisa falar nada. Eu faço. Nem vou discutir nada. Não vou deixar ele apodrecer em uma mina de teracítio." Ela tamborilou com as garras na mesa. "Tá bem. O que eu preciso fazer? Assinar uns formulários e ir a umas entrevistas com ele?"

"Isso", disse Rosemary. Ela umedeceu os lábios, passando a falar mais rápido. "E você precisa ficar no mesmo sistema que ele enquanto durar o processo de requerimento."

As penas de Sissix se arrepiaram. "Quanto tempo é isso?"

Rosemary se encolheu. Seu corpo inteiro era um grande pedido de desculpas. "Até um padrão. Talvez mais."

Sissix xingou em reskitkish e se afastou da mesa. Ela se virou para Rosemary. "Não estou com raiva de você", disse ela. "Você sabe disso, não sabe?"

"Eu sei", disse Rosemary, olhando nos olhos de Sissix. Ashby viu uma conversa silenciosa entre as duas. Ele as estudou com interesse. Tinha uma suspeita, mas agora não era hora de pensar nisso. Havia coisas mais urgentes no momento.

Sissix suspirou de novo e tentou baixar as penas com a mão. "Bem, vamos lá", respondeu. "Vamos salvar aquele cretino."

Sissix só tinha passado alguns minutos a bordo do centro de detenção do orbitador e já detestava o lugar. Não havia janelas. Nem cores. Os corredores eram silenciosos. Um projeto cheio de linhas retas, sem graça. Para onde quer que olhasse, sentia uma esterilidade desaprovadora. Ela sabia que não era para prisões serem alegres, mas essa era pior do que ela imaginara. Era o tipo de lugar que inspirava a pessoa a jamais fazer algo errado de novo. A única coisa boa era o calor, mas, mesmo assim, o ar quente era abafado, pesado. Parecia que seria possível até mastigá-lo.

Entraram em uma antessala vazia a não ser pelos diversos escâneres na parede e portas imponentes.

"Espere aqui", disse o seu acompanhante. O quelin pôs um código no painel da parede. As portas se abriram e Sissix quase vomitou diante do fedor que invadiu a antessala, um miasma de corpos não lavados e dejetos. Ela pressionou a palma contra as narinas e deu um passo para trás. Como o quelin aguentava? Será que não tinham olfato?

Ela reprimiu a náusea crescente e tentou ver a área de detenção. Era escuro demais para ver muita coisa, mas ela conseguia ver o calor subindo dos fossos no chão. Fossos. O resto da CG sabia disso? Com certeza alguém no Parlamento sabia. Será que ligavam? Será que conseguiam dormir à noite, sabendo que faziam sessões no seu conselho com sapientes que tratavam outras espécies daquela maneira? Ou o acesso fácil a teracítio bastava para calar qualquer escrúpulo? A náusea dentro dela cresceu, mas agora não tinha nada a ver com o cheiro.

*E eu estou aqui por causa de Corbin*, ela pensou, o que era difícil de absorver. Estava naquele lugar cruel depois de assinar um monte de formulários que a deixariam presa a ele por um padrão — um maldito padrão —, tudo aquilo por *Corbin*. Aquele traste inútil e mal-educado. Por que ele? Por que *ela*? Até aceitava a presença dele na nave, conseguia lidar com a necessidade de respirar o mesmo ar e comer a mesma comida, mas isso... era absurdo. E injusto. E ela não merecia.

Depois de alguns momentos, viu o oficial voltando para a porta, atrás de um humano. Havia algo errado com ele. Sissix percebeu pelos movimentos. O que tinham feito com Corbin? Ela sugou o ar por entre os dentes quando ele se aproximou. Seu peito estava coberto de manchas roxas, algumas já amareladas. O rosto estava bastante machucado, o nariz, torto. Ele se movia de modo rígido, apertando a lateral do corpo com uma das mãos. A outra tentava esconder os genitais. Humanos. Francamente, depois de apanhar tanto e ser jogado em um fosso, era com isso que ele estava preocupado?

Contudo, logo depois Sissix viu a expressão no rosto de Corbin. A princípio ela pensou que era de raiva, mas não — era vergonha. Ela nunca entenderia direito o recato humano, mas sabia que era algo profundamente arraigado na espécie deles. Ela também sabia que todos os seus sentimentos hostis em relação a Corbin eram retribuídos. Para ele, ser empurrado por aquelas portas, nu em pelo, já devia ser bem humilhante, mas ser visto naquele estado por alguém que desprezava tornava tudo ainda pior. Era uma pena que outra pessoa não pudesse ter vindo buscá-lo. Ela desviou o olhar.

"Tem certeza de que quer ele?", perguntou o oficial. "Ele é uma abominação."

Sissix olhou feio para o quelin. "Vá buscar as roupas da abominação."

"Devem ter sido destruídas."

Ela caminhou até Corbin, que estava com dificuldade de se manter de pé. Pegou o braço dele e o pôs ao redor da sua cintura, apoiando-o. Já tinha tocado nele alguma vez? Achava que não. Devia ter havido um aperto de mão, pelo menos, quando ele fora contratado. Ela se dirigiu ao quelin outra vez.

"Você não tem nada? Um cobertor? Uma toalha? Qualquer coisa?"

O oficial hesitou, então abriu um painel de suprimentos médicos na parede. Apesar do rosto impassível, Sissix teve a impressão de que o quelin estava sendo cuidadoso com ela. Ela era uma ninguém, mas a sua espécie era uma das três mais poderosas no Parlamento da CG, e tinha bem mais influência que os quelins. Os laços diplomáticos eram de uma civilidade tênue, na melhor das hipóteses, e uma aandriskana maltratada por um oficial quelin seria o tipo de acontecimento que os portais de notícia iriam adorar.

O oficial entregou a Sissix um pequeno cobertor, feito de algum material sintético bem fino. Ela ajudou Corbin a amarrá-lo na cintura.

"Obrigado", agradeceu ele em um fio de voz. Ele claramente estava com dificuldade de respirar. Seus olhos estavam fixos no chão, mas Sissix percebeu que o homem lutava contra as lágrimas. Mais uma humilhação que ele tentava evitar. Sissix desviou os olhos do rosto dele. Ela não tinha o direito de vê-lo assim. "Vamos levar você de volta para casa", disse a piloto, levando-o para fora da antessala, enquanto o oficial os seguia de perto.

Depois de alguns momentos, Corbin sussurrou: "Eu não sabia se alguém viria me buscar."

Sissix não respondeu. Nada do que dissesse soaria correto ou sincero. Seguiram pelo corredor. Ele se encolhia a cada passo.

"Por que você?", perguntou depois de um tempo.

Ela suspirou. "É complicado e você não vai gostar da resposta, assim como eu. Só que isso pode esperar até Dr. Chef cuidar de você. Por enquanto, vamos dizer apenas que foi a coisa certa a se fazer."

Um silêncio desconfortável caiu sobre eles.

"Obrigado", disse o algaísta. "Eu... bem, obrigado."

"É, bem...", disse Sissix. Ela pigarreou. "De agora em diante, vou botar a temperatura do jeito que eu quiser."

Quatro dias depois, Corbin estava sentado no seu banquinho no laboratório, colocando alga em uma placa de amostras. A última leva saíra ligeiramente viscosa, e ele não sabia por quê. Espalhou bem a alga, para poder ver as células com mais clareza quando inserisse a amostra no escâner.

Uma tarefa normal, mas não era essa a sensação. Nada parecia normal, nem o seu laboratório, a sua cama, o seu rosto. Porém, era justamente por isso que as tarefas normais precisavam ser feitas. Ele colocaria a alga na placa e depois, no escâner. Faria isso de novo e de novo, até que a sensação fosse a mesma de antes.

"Com licença, Corbin", disse Lovey pela vox.

"Pois não?"

A IA fez uma pausa.

"Tem uma ligação via sib para você. De Tártaro."

Corbin tirou os olhos da alga e não respondeu. Tártaro. Um asteroide-prisão, no cinturão de Kuiper. Só havia uma pessoa que poderia estar ligando de lá.

Lovey falou de novo, meio sem jeito. "Posso ignorar a chamada, se quiser."

"Não", respondeu. Ele limpou a gosma verde da ferramenta coletora e deixou-a de lado. "Pode transferir."

"Está bem, Corbin. Espero que corra tudo bem."

Corbin assentiu. A vox foi desligada. Com um suspiro, ele se virou para a mesa e gesticulou para o projetor de pixels. Os pixels se moveram rapidamente. Um retângulo vermelho piscando na parte inferior da projeção indicava que ele tinha uma chamada via sib esperando. Ele ficou olhando o símbolo piscar cinco vezes antes de gesticular para atender.

Seu pai apareceu. Corbin não falava com o homem havia quatro padrões. Estava mais velho. Engordou um pouco também, o que foi uma surpresa. Ele sempre estimulara Corbin a ter uma alimentação saudável. Corbin conseguia ver agora as curvas e os traços familiares no rosto do pai. Eram mais pronunciados, com rugas mais profundas por conta da idade, mas eram iguais aos seus. Era mais do que uma mera semelhança familiar. Corbin teria o mesmo rosto um dia.

"Eles machucaram você", disse o seu pai.

Corbin se recostou na cadeira, para que o pai pudesse dar uma boa olhada nas manchas roxas que começavam a sumir do seu rosto. Fora por esse motivo que ele deixara Dr. Chef consertar apenas os ossos. Estivera esperando por esse momento, o momento em que seu pai veria o que seu orgulho excessivo tinha provocado.

"Olá, Marcus. E sim, voltei da prisão com um nariz quebrado e três costelas fraturadas. Uma quase perfurou o meu pulmão."

"Eu sinto muito, Artis. Sinto muito, de verdade."

"Sente muito. Eu sou arrancado do meu lar, espancado e jogado em um inferno quelin, para então descobrir que a minha vida foi uma mentira... E você sente muito. Bem, obrigado, mas não é suficiente."

Marcus suspirou. "Foi por isso que liguei. Imaginei que tivesse algumas perguntas. Se conseguir parar de me odiar por alguns minutos, ficarei feliz em respondê-las. Não posso fazer muitas ligações daqui. O acesso a um ansible é bem limitado."

Corbin olhou para o homem nos pixels. Ele parecia tão derrotado, tão cansado. Isso mexeu com o algaísta, o que o deixou com mais raiva ainda. "Eu só quero saber", disse Corbin, "de onde vim de verdade."

Marcus assentiu e olhou para baixo. "Sabe todas aquelas vezes em que você perguntou sobre a sua mãe?"

"Claro. Você só respondia que ela tinha morrido em um acidente com um ônibus espacial. Nunca queria falar nela. O que faz sentido, já que ela nunca existiu."

"Ah, não", falou Marcus. "Eu tive uma esposa. Não era a sua mãe, claro, mas..." Os olhos dele ficaram distantes. "Artis, nunca fui bom em lidar com pessoas. Sempre preferi o laboratório. Dados são coisas consistentes, regulares, fáceis de entender. Tendo os dados, você sempre tem a resposta. Se os dados não fazem sentido, sempre dá para descobrir por quê. Ao contrário das pessoas." Ele balançou a cabeça. "Nunca consigo compreender as pessoas. Sei que você entende."

Corbin contraiu o queixo. *Droga*, pensou. *Quanto de mim na verdade é você?*

"Quando eu era jovem, fui trabalhar no Observatório", continuou Marcus. Corbin conhecia o lugar. Era um dos poucos laboratórios na superfície de Encélado. A quarentena era rigorosíssima. Tinha a função de impedir a contaminação das culturas de micróbios abaixo da superfície gelada da lua. Apenas um cientista ocupava o Observatório por vez, trabalhando sozinho por pelo menos um ano. Era raro as pessoas aceitarem trabalhar no Observatório uma segunda vez. "Achei que fosse o lugar perfeito para mim. Eu amava trabalhar lá. Ninguém para me distrair do meu trabalho ou me atrapalhar. A não ser por ela." Ele fez uma pausa. "O nome dela era Sita. Ela pilotava o ônibus de suprimentos que trazia a comida e os materiais de laboratório. Ela não podia entrar, claro, mas eu podia vê-la pelas câmeras da escotilha, e nós conversávamos pela vox." Marcus deu um sorriso caloroso, secreto. Corbin ficou chocado. Nunca vira o pai sorrir daquele jeito, nem mesmo uma vez. "E, como você já deve suspeitar, ela era linda. Não linda como nos vids ou quando estão tentando convencê-lo a comprar alguma coisa. Era uma beleza *real*. O tipo de beleza que você podia realmente tocar. E ela não era do orbitador. Era de Marte." Ele deu uma risadinha. "Eu achava o sotaque dela lindo." Marcus sacudiu a cabeça de leve, como se clareando as ideias. A voz dele voltou ao normal. "Eu era horrível com ela, naturalmente. Era grosso quando ela aparecia quando eu estava no meio de um teste e sempre odiei jogar conversa fora, então mal dizia alguma coisa. Eu era assim com todo mundo, mas ela... não ligava. Sempre me aturava, mesmo quando eu era babaca. Sempre sorria. Ela nunca deixava de rir de mim, do meu mau humor, do meu cabelo despenteado. Por algum motivo, isso não me irritava. Eu *gostava* quando ela implicava comigo. Comecei a contar os dias para as descargas de suprimentos. No começo, achei que estivesse solitário, que era apenas um sintoma de viver isolado. Levei um tempo até perceber que estava apaixonado por ela." Ele correu a mão pelos cabelos escassos. "E então fiz nós dois sermos demitidos."

"Você o quê?"

Marcus pigarreou. "Certa decana, passei o meu tempo livre inteiro limpando a estação. Deixando o lugar apresentável. Pus na mesa as melhores comidas que eu estava guardando em estase."

Corbin ficou boquiaberto. "Não é possível. Você não pode ter convidado ela para entrar."

"Ah, convidei. E ela aceitou."

"Mas", Corbin falou tão rápido que as palavras se embolaram, "a estação tinha um flash de descontaminação próprio para humanos?"

"Não. Passei pelo processo antes de entrar na estação. O único flash instalado lá era para comida e suprimentos. Usar nela não era nem uma opção."

"Mas as suas amostras!" A mente de Corbin disparou. Durante toda a sua infância, Marcus fora obcecado com a importância de impedir contaminações. Uma vez, ele deixou Corbin sem sobremesa por um mês depois de pegá-lo comendo doce no laboratório. Corbin não conhecia a pessoa que Marcus estava descrevendo. Com certeza não foi o pai que ele conheceu.

"Foram todas arruinadas", disse Marcus. "Ela tinha bactérias benignas no corpo, o suficiente para causar alguns problemas. A chefe do projeto ficou furiosa quando descobriu. Seis meses de trabalho jogados no lixo. Sita foi demitida, e eu tive duas opções: recomeçar do zero e ficar mais um ano ou sair do projeto."

"Você ficou?"

"Ah, não, fui embora. Acabara de viver um dos melhores dias da minha vida, graças àquela mulher linda. Não tínhamos nem feito nada tão interessante assim. Só comemos e conversamos sobre tudo. Ela me fazia rir. E, por alguma razão que ainda não consigo entender, eu a fazia sorrir. De jeito nenhum aceitaria ficar trancado no Observatório longe dela. Passei os cinco anos seguintes tentando reconstruir a minha carreira, mas valeu a pena."

"Então você se casou com ela", disse Corbin, pasmo. Seu cérebro não conseguia aceitar o pai como um jovem apaixonado, disposto a contaminar o próprio laboratório.

Marcus deu uma risadinha. "Não de imediato. Pedi, implorei e me pus de joelhos até encontrar alguém disposto a me contratar na biblioteca genética. Um emprego horrível, mas naquela situação tive sorte de conseguir alguma coisa. O chefe do laboratório também havia passado um ano no Observatório, então acho que ficou com pena de mim. Sita arrumou um emprego em uma empresa de carga em Titã que não fazia muitas perguntas, nem sobre o passado, nem sobre a carga que levavam. Era meio suspeito, mas... pensamos que fosse uma coisa boa na época. Já que eu estava de volta, podíamos nos ver com mais frequência. Depois de um tempo, me casei com ela. Passamos cinco anos maravilhosos juntos." A expressão de Marcus ficou tensa por um momento, e Corbin pensou ter visto todos os anos de vida do pai pesarem no rosto. "Certa manhã, ela me falou que precisaria pedir demissão em alguns meses. Perguntei por quê. Ela me contou que estava grávida. Fiquei nas nuvens. Àquela altura, eu já tinha conseguido um cargo um pouco melhor na biblioteca e tínhamos economizado créditos suficientes para começar a pensar em viver em outro lugar. Era o momento perfeito para começar uma família. Nunca tinha considerado que eu seria capaz de ter uma família. Quer dizer, quem poderia me amar?" Seus olhos pixelados encontraram os de Corbin, que não disse nada. Marcus continuou. "Duas decanas mais tarde, Sita estava fazendo uma viagem de Titã até a Terra. Partículas de ambi. Normalmente ela não fazia viagens tão longas, mas estavam pagando o dobro por causa da carga valiosa. Não era o tipo de trabalho que ela podia recusar. O problema foi que aqueles imbecis do estaleiro não conferiram os lacres de segurança para ver se tinham sido instalados direito. Isso foi antes de a cg começar a ser mais rigorosa com ambi. Os burocratas não estão nem aí até algo começar a afetar um número significativo dos eleitores." Marcus respirou fundo. "Você já deve ter imaginado o que aconteceu depois."

"Os lacres se romperam", disse Corbin. Marcus assentiu. "Eu sinto muito." E sentia mesmo, por Sita. Pelo menos um acidente com ambi era uma morte rápida. A mulher provavelmente não tivera tempo de perceber que havia algo errado. No entanto, embora a história fosse triste, não respondia à pergunta mais importante. "Isso não explica por que você achou necessário se clonar."

"Não?", perguntou Marcus. "Sita morreu, e com ela se foi a minha única chance de construir uma família. Enterrei todos os meus pensamentos sobre ela e, em vez disso, me dediquei ao filho que poderia ter tido."

"Você poderia ter adotado."

"Eu queria alguém do meu próprio sangue. Uma prova de que alguém me amara o suficiente para criar uma vida nova comigo."

Corbin fez som de desdém. "Você poderia ter achado uma barriga de aluguel. Ou *ter conhecido outra pessoa*."

"Ah, sim, aposto que você pensaria com essa clareza se estivesse de luto pela morte da esposa", explodiu Marcus. *Pronto*. Aquele era o pai que Corbin conhecia. Pelo menos estava em terreno familiar.

"Então para onde você foi?", perguntou Corbin. "Onde foi que me fez?"

"Em Nó. Peguei todas as nossas economias e fui para lá."

"Nó. Que maravilha." Nó era uma das colônias à margem, o paraíso do lado sombrio da comunidade de modificadores. Bastava apenas uma visita a Nó para você ser interrogado e ir para a cadeia se alguém da CG ficasse sabendo. Não havia muitos motivos legais para visitar um lugar daqueles.

"Depois que você... passou a existir, fiquei mais alguns meses e o trouxe para casa."

"Como explicou o bebê?"

"Falei que conheci uma mulher em Porto Coriol. Nós passamos uma noite juntos e, quando vi, tinha um filho. Falei que a sua mãe não podia cuidar de você, então resolvi trazê-lo comigo. Escolhi uma gestação não aprimorada, então você levou nove meses para se formar por completo, e envelheceu em uma velocidade normal. Não havia por que alguém questionar. Minha família achou que era porque eu ainda estava de luto, e você sabe que não falo tanto assim com eles, de qualquer forma. Quanto à família de Sita... não quiseram ter mais nada a ver comigo depois disso. Nunca gostaram muito de mim, para começo de conversa, e acho que não gostaram de eu ter passado a noite com alguém logo depois da morte da filha deles."

Corbin ergueu uma das mãos. Dramas antigos de família eram a última das suas preocupações. "Você mencionou que a gestação não foi aprimorada. Alguma coisa foi?" Dr. Chef tinha lhe dito que não havia nada fora do comum no seu corpo, mas Corbin queria ter certeza.

Marcus balançou a cabeça. "Não, o técnico que fez... o técnico que eu contratei ficava tentando me convencer a fazer algumas modificações, mas bati o pé. Você é idêntico a mim, com defeitos e tudo mais."

Corbin se inclinou para a frente. "Então é por isso, não é?"

"É por isso o quê?"

"Que você nunca aceitou erros. Uma placa de Petri quebrada, uma meia suja no chão, um copo de suco derramado. Não importava o quanto eu fosse bem-comportado na escola ou se as minhas notas eram altas. Eu voltava para casa com um boletim cheio de 'Excelentes' e você só ligava para a única disciplina com um 'Regular'."

"Eu só queria que você atingisse todo o seu potencial."

"O que você queria", disse Corbin, devagar, "era que eu corrigisse os erros que você cometeu. Não queria que eu fosse eu mesmo. Queria que eu fosse uma versão aprimorada sua."

"Eu pensei..."

"Eu era só uma criança! Crianças cometem erros. E isso não parou depois que eu cresci, você nunca me falou que estava orgulhoso de mim ou que eu tinha me saído bem. Eu era um experimento seu. Você nunca se deu por satisfeito com os resultados positivos, só ficava procurando a falha que causava os dados deficientes."

Marcus ficou em silêncio por um bom tempo. "Eu tenho orgulho de você, Artis. Embora eu saiba que agora seja tarde demais. Não tenho como voltar no tempo e ser um pai melhor." Ele olhou para Corbin. "Mas tem uma coisa que me deixa feliz."

"O quê?"

Ele deu um sorriso triste e olhou para a sala fria da prisão. "Que seja eu aqui e não você." O homem suspirou. "Eles me falaram que você vai ter que fazer um pedido de cidadania."

"Sim. Estou preso a uma das outras tripulantes pelo próximo padrão."

"Você tem sorte", disse Marcus. "Tirando Sita, nunca tive um amigo que faria algo assim por mim."

Corbin se remexeu na cadeira. "Ela não é uma amiga. Ela me despreza, na verdade. Apenas não o suficiente para me deixar morrer em uma prisão quelin."

"Não pense tão pouco de si mesmo, Artis. Mesmo cretinos desagradáveis como nós merecem companhia." Ele deu um sorrisinho. "Quem dizia isso era a minha esposa, aliás."

Corbin soltou o ar em algo parecido com uma risada. "Eu queria tê-la conhecido", disse ele. Algo lhe ocorreu. "Embora eu não existiria se ela tivesse sobrevivido."

"Não", disse Marcus. "Mas fico feliz por estar aqui."

*Será? Você a teria trocado por mim, se soubesse?*

"Qual a duração da sua sentença?"

"Doze padrões", respondeu Marcus. "Vou ser um velho quando sair daqui. Mas vou ficar bem. Eles não me trataram mal. E tenho uma cela só para mim. Posso pôr a leitura em dia."

Corbin reparou em uma gota de alga seca na mesa. Era algo bom em que focar a atenção. "Só mais uma coisa", disse, raspando a alga.

"O quê?"

"O meu aniversário. O meu aniversário é mesmo o dia em que nasci? Ou, melhor dizendo, o dia em que fui retirado do meu tanque ou sei lá?"

"É. Por quê?"

"Não sei. Isso estava me incomodando." Ele olhou em volta, para o laboratório. "Preciso voltar ao trabalho."

"Sim, claro", disse Marcus. "Os guardas vão me mandar terminar a ligação logo, de qualquer forma." Seu olhar se tornou suplicante. "Talvez... talvez a gente pudesse...?"

Eles olharam um para o outro. Havia mais distância entre os dois do que apenas pixels e o espaço. "Não sei", disse Corbin. "Talvez."

Marcus assentiu. "Cuide-se, filho." Ele acenou. A imagem se apagou. Os pixels se desfizeram.

Corbin ficou sentado, ouvindo o zumbido dos tanques de algas. Depois de um tempo, pegou o scrib na mesa. Abriu o diário e fez uma anotação rápida.

*25 de outubro. Ainda é o meu aniversário.*

"Você está pensativo hoje", comentou Lovey.

"Estou?", disse Jenks.

"Sim. Você está com aquela ruguinha entre os olhos, como sempre fica quando está pensando em alguma coisa."

Jenks esfregou o ponto entre as sobrancelhas. "Eu não sabia que eu era tão fácil de ler."

"Não para todo mundo."

Jenks suspirou, encostando-se na parede, e tirou a lata de palha-vermelha do bolso. "É essa história com Corbin."

"Ah", disse Lovey. "Acho que todo mundo ficou meio mexido com isso. Corbin não tem dormido direito. Ele fica acordado até tarde olhando o seu arquivo pessoal. Em geral, as fotos de criança."

"Por favor, não me conte essas coisas", disse Jenks, enchendo o cachimbo. "Você sabe que não gosto de ficar xeretando."

Lovey riu. "Você não está xeretando. Quem está fazendo isso sou eu. Você só está ouvindo uma fofoca."

"Ah, então tudo bem." Ele acendeu o cachimbo, sugando o ar pelas folhas que queimavam. A fumaça nos seus pulmões fez os ombros relaxarem. "Pobre Corbin. Não imagino como deve ser passar por uma situação dessas." Ele virou a cabeça, apertando o ouvido contra a parede. "É o seu roteador de sinapses terciário que está fazendo esse barulho?"

"Vou verificar. Está funcionando normalmente."

"Hum, não gostei desse barulho." Ele se virou para a parede e tirou o painel que a cobria. Seus olhos examinaram rapidamente os circuitos piscando no interior. "É, viu só? Bem aqui, o circuito está gasto."

"Deixe para amanhã, Jenks. Isso vai levar horas, e você trabalhou o dia inteiro."

Jenks franziu a testa. "Certo, mas me acorde se tiver alguma falha de memória."

"Eu vou ficar bem", respondeu Lovey com ternura. "Não consigo nem detectar um erro." Jenks pôs o painel no lugar. A IA continuou. "Não acho que seja Corbin que esteja incomodando você."

"Não?"

"Não."

"Então o que é?"

"Não sei, mas queria que você me dissesse."

Jenks suspirou. As pequenas lâmpadas acima lançavam feixes de luz sobre a fumaça do seu cachimbo. "Estava pensando no seu kit corporal."

Lovey fez uma pausa. "Ele tem um defeito e você não me avisou."

"Não", disse Jenks, tirando o cachimbo da boca. "Não tem defeitos. É tão respeitável quanto possível no mercado negro. Até o preço foi justo, levando tudo em consideração."

"Então por que está preocupado?"

"O pai de Corbin. O cara deve ter gastado uma fortuna para clonar a si mesmo. De algum jeito, foi cuidadoso o suficiente para não apenas garantir que Corbin jamais descobrisse, mas para que as autoridades também não ficassem sabendo. E ele conseguiu, por *décadas*. Corbin é mais do que passável. Ele é real. Não tem modificações ou aprimoramentos. Nem Dr. Chef reparou em nada até decidir procurar. E mesmo assim..."

"E mesmo assim ele foi descoberto."

"É. Depois de tanto dinheiro e planejamento, o pobre coitado acabou na cadeia, e Corbin perdeu a cidadania. E isso depois de tomar uma bela surra daqueles quelins desgraçados." Ele se endireitou. "Olha, a gente sempre soube que era arriscado arranjar um kit. Mas acho que nunca pensei nas consequências. Quer dizer, tudo bem, eu sei que a prisão ia ser uma droga, mas sempre achei que se as autoridades começassem a desconfiar, eu podia levar você para Grilo ou algum planeta qualquer à margem. Não ia ser o ideal, mas seria seguro. Só que essa confusão com Corbin me fez pensar no que aconteceria se fôssemos pegos. Digamos que me descobrissem com o kit antes que eu baixasse você para ele. Tudo bem, eu iria para a cadeia, o sr. Crisp iria para a cadeia, mas você ficaria bem. Você ainda estaria aqui na *Andarilha*, com todos os seus amigos. Kizzy cuidaria de você até Ashby arrumar outro técnico de computação, e você ainda estaria aqui quando eu saísse. Mas e se a gente só fosse descoberto bem depois, quando você já estivesse no kit? E se daqui a dez anos a gente se descuidasse? Se um de nós dissesse a coisa errada para a pessoa errada, ou se os escâneres biológicos forem avançados o suficiente para saber o que você é de verdade? E se nós fôssemos parados por quelins de novo e eles quisessem examinar o seu sangue? Eu iria para a cadeia, mas eles *desmontariam* você, Lovey. Ao final da minha sentença, você não estaria aqui. Não estaria longe, em um lugar onde sei que ficaria a salvo. Teria *desaparecido*."

Lovey ficou em silêncio por um momento. "O kit já está a caminho, Jenks."

"Eu sei."

"E você não pode pedir o seu dinheiro de volta."

Ele suspirou. "Eu sei, mas não vou ficar falido. E, além disso, talvez a gente ainda possa usar o kit. Talvez as leis mudem mais adiante. A gente pode esperar até ser mais seguro. Ou até eu ir embora da nave ou algo assim."

"Essa decisão também foi minha, sabe. Você nunca me forçou a nada."

"Eu sei. E não vou dizer não, se for o que você quer. Mas estou com medo. Estou começando a pensar que é algo que eu queria tanto que não me deixei ver como é perigoso." Ele olhou para as próprias mãos. "Por mais que eu queira muito ter você nos meus braços, não sei se vale o risco de perdê-la de vez. Talvez seja melhor continuar assim, já que pelo menos sabemos que não há risco de alguém levar você embora."

A sala ficou silenciosa, ou tão silenciosa quanto podia ficar. Os filtros de ar assobiavam. O sistema de resfriamento no núcleo de Lovey zumbia.

"Jenks, você se lembra de quando falamos sobre isso pela primeira vez? Quando eu listei todas as razões pelas quais queria ter um corpo?"

"Lembro."

"Eu menti quando disse que não era por você. É *claro* que é. Eu acho mesmo que me traria algumas oportunidades maravilhosas, e imagino que fosse ser uma boa vida. Mas sempre foi por você. Ou eu não teria considerado a ideia seriamente."

"Mas você falou... os prós e contras..."

"Pensei neles depois de decidir que isso era algo que você merecia. Não teria falado nada se achasse que eu fosse ficar infeliz. Eu ainda tenho amor-próprio, afinal. Mas sim, é por você. E se causa mais medo do que empolgação, então não faz sentido. Estou feliz aqui. Estou feliz com você. Gostaria de ter um corpo? Sim. Estou disposta a correr os riscos? Sim. Mas estou contente assim, e se você também está, então talvez baste por enquanto. Talvez não para sempre, mas não precisamos ter pressa. Posso esperar até a galáxia lá fora se tornar um lugar um pouco mais gentil."

Ele engoliu em seco. "Lovey, não é que eu não... quer dizer, eu quero tanto, é só..."

"Shh. Chegue mais perto", pediu ela. Jenks apagou o cachimbo, guardou-o na lata e foi em direção ao fosso. Ele ia pegar o casaco no chão quando Lovey o impediu.

"Deixe aí."

Jenks a ouviu desligar o sistema de resfriamento.

"Só um pouquinho", falou ele.

"Só um pouquinho."

O técnico tirou as roupas e desceu, como já fizera tantas vezes. Sentou-se e se apoiou no núcleo, a pele nua banhada pelo brilho dela. Sem o ar frio, ela era como a luz do sol, só que mais suave.

"Eu vou entender se você precisar encontrar alguém que possa lhe dar mais do que isso", disse Lovey. "Não o culparia. Às vezes, eu me pergunto se não estou impedindo você de levar a vida que um sapiente orgânico deveria ter. Mas se a sua escolha é feita de livre e espontânea vontade, então não preciso de um corpo, Jenks. Nós sempre estivemos juntos sem um. Não conheço outro jeito de amar você."

Ele pressionou as costas contra ela, as solas dos pés, os ombros, as palmas das mãos, tentando absorvê-la ao máximo. Ele se virou e roçou os lábios nela. Beijou a superfície lisa e quente de metal. "Não vejo motivos para mudar a melhor coisa que eu já tive."

Nodo de identificação: 9874-457-28, Rosemary Harper
Fonte do portal: Arquivos de Referência da Comunidade Galáctica
(Público/Klip)
Busca nos arquivos: relações entre humanos e quelins
Exibição: por relevância

Principais resultados:

Lista de acordos comerciais com os quelins
Lista das leis quelins sobre outras espécies
Lista de leis quelins sobre imigração
Lista de leis quelins sobre deportação
Lista de leis quelins sobre uniões e famílias interespécies
Audiência de Adesão à Comunidade Galáctica (Humanos,
Padrão 261 da CG)
Representantes atuais do Parlamento da CG (Quelin)
Comparação anatômica (Humana:Quelin)

Resultado selecionado: Audiência de Adesão à Comunidade Galáctica,
registro público 3223-3433-3, gravação 33/261 (texto realçado —
representante quelin)
Criptografia: 0
Caminho da tradução: 0
Transcrição: [vid:texto]

Apesar das diferenças entre as nossas espécies e culturas, há uma ordem que todos nós seguimos. O desenvolvimento de uma civilização é um evento já traçado, que segue um roteiro. Mentes se unem para criar novas tecnologias, depois tecnologias melhores, e então mais avançadas ainda. Se não for possível alcançar a harmonia, essa civilização desmorona. Se ideias incompatíveis surgem, essa civilização desmorona. Se uma civilização não pode defender a si mesma das ameaças externas, essa civilização desmorona.

Os estudiosos das formas de vida sapientes afirmam que todas as civilizações jovens passam por estágios semelhantes de desenvolvimento antes de ficarem prontas para deixar os seus planetas natais para trás. Talvez o estágio mais crucial seja o "caos intraespécie". Esse é o momento de tentativa e erro, o período desajeitado da adolescência em que ou uma espécie aprende a se unir em uma escala global ou se fragmenta em facções rivais condenadas à extinção, seja por guerra ou desastres ecológicos sérios demais para serem vencidos com esforços isolados. Vimos esta história se desenrolar inúmeras vezes. Cada um de nós sentados aqui no Parlamento pode falar das guerras planetárias e das dificuldades políticas dos nossos antepassados, mas nós superamos esses obstáculos para alcançar as estrelas. Todos sabemos o que houve com os kohash, os danten lu e, mais recentemente, os gruns — espécies que pereceram pois não possuíam a disciplina necessária para pensar em algo além de si mesmas e alcançar a etapa seguinte da evolução.

Os humanos teriam sofrido o mesmo destino. Eles deixaram o seu planeta não como uma espécie unida, mas de modo fragmentado. Quando a Terra começou a morrer, os ricos abandonaram os pobres e se refugiaram em Marte. À medida que mais deles morreram, os que permaneceram formaram a Frota do Êxodo, não para chegar até os irmãos marcianos, mas rumo ao espaço aberto. Eles não tinham destino, nenhum plano além de fugir. Se não fosse por uma pequena sonda aeluoniana, a Frota quase com certeza teria morrido, e acho muito pouco provável que os marcianos tivessem alcançado a modesta prosperidade de hoje sem a tecnologia cedida pela CG.

E como eles estão agora? O que essa experiência lhes ensinou? Nada. Eles continuam a se dividir. Os membros da Frota decidiram formar colônias independentes — não porque isso traz riqueza ou recursos para a Frota, mas porque eles assim quiseram. Os marcianos e os exodonianos podem ter feito as pazes, mas o ressentimento permanece lá no fundo. E o que dizer das colônias à margem, construídas por seres humanos que não querem nada com a Diáspora ou a CG? E os hostis gaiaístas, que voltaram à Terra para caçar animais em um planeta frágil?

O que estou querendo dizer, caros colegas representantes, é que os seres humanos são uma espécie fragmentada, aleijada, meros adolescentes que chegaram à vida interestelar não por mérito, mas por pura sorte. Eles nunca passaram do estágio de caos intraespécie. Pularam o passo vital que o resto de nós teve que dar por conta própria. Se permitirmos que eles se juntem à Comunidade Galáctica, não vamos lhes dar uma nova vida, mas uma muleta. Os escassos recursos que eles têm a nos oferecer não valem o risco que representa um elemento tão instável no nosso espaço compartilhado. A CG já perdeu tempo demais ajudando essa espécie menor a escapar das dificuldades que ela criou para si mesma. Eu lhes pergunto: qual o benefício em aceitar os humanos como um de nós? Se não recursos, conhecimento ou poderio militar... então o que eles têm a oferecer?

Dia 121, Padrão 307 da CG

# heresia

"Oi, chefe", disse Kizzy, entrando na sala de Ashby. As mangas sujas estavam dobradas e as luvas, enfiadas em um bolso da frente. Ela segurava uma peça empoeirada.

"Você só me chama de chefe quando precisa de alguma coisa", falou Ashby.

"Eu preciso de uma coisa." Kizzy mostrou a peça. "Isso é um regulador térmico. É o que ajuda a manter a temperatura da estase."

"E, já que não está anexado à estase, imagino que esteja quebrado."

Kizzy assentiu com tristeza. "Os sinos dobraram por esse pobre coitado."

"Você tem uma peça reserva?"

Ela balançou a cabeça com um olhar de desculpas. "Não é o tipo de coisa que tenho no estoque. Em geral, estou mais preocupada com as peças extras do suporte de vida e do motor. Desculpa, não pensei em comprar."

Ashby acenou com a mão, dispensando o pedido de desculpas. "Eu ficaria mais preocupado se você priorizasse a estase e não o motor. Não espero que tenha uma peça reserva de cada máquina na nave." Ele esfregou o queixo. Precisava aparar a barba. "Mas então, o que vai acontecer com a estase?"

"Deve aguentar um tempo ainda. Tem um sistema de segurança para não deixar a comida estragar enquanto compramos a peça nova. Só que, sem o regulador, vai acabar ficando meio *blergh* depois de um tempo."

"Quanto tempo?"

"Uns quatro dias, talvez cinco. Não vamos morrer de fome, mas acho que é melhor comermos comida fresca daqui até Hedra Ka."

Ashby assentiu. Três decanas de hambúrgueres de insetos e rações secas não era lá muito apetitoso, mas não havia como garantir que eles teriam os suprimentos abastecidos em Hedra Ka. O que os toremis comiam?

"Um drone de entregas não consegue chegar aqui em quatro dias."

"Eu sei. A gente pode estar meio ferrado. Maaas..." Ela esfregou as mãos na parte de trás da coxa e olhou para ver se estavam sujas. Como as mãos voltaram limpas, ela se sentou na cadeira diante do capitão. "Sissix disse que tem uma colônia planetária não muito longe. Apareceu no radar ontem. Não sei o que tem lá, não aparece em nenhum dos mapas dela. Mas só está a meio dia de viagem. Podemos estacionar a nave aqui, pegar o ônibus e fazer uma visitinha, vapt-vupt."

"Acho que estamos um pouco além do espaço da CG. Com certeza é uma colônia à margem." Ashby não estava com muita vontade de ir bater na porta de uma dessas colônias.

"Anrrã. Só que talvez eles tenham uma peça que eu possa usar."

"É um grande talvez. Eles podem não ter nada."

"É, mas é um planeta *ladino*. Não tem nenhuma estrela como fonte de calor. Foi por isso que Sissix o encontrou, ele tem satélites para fornecer luz solar artificial. Eles são abastecidos com o ambi retirado de uma nebulosa próxima."

"Isso é tecnologia muito avançada." Ashby ergueu as sobrancelhas.

"A tecnologia em si não é assim tão sofisticada, mas quero saber como eles calibraram os coletores para trabalhar em uma nebulosa. Existe um motivo para o ambi ser coletado ao redor de buracos negros. Há uma concentração nessas áreas. Os técnicos da CG ainda não encontraram um jeito de coletar ambi de bolsões menores sem ir à falência." Ela fez um biquinho pensativo. "De qualquer forma, se eles conseguem coletar ambi em uma nebulosa, aposto as minhas botas que têm tecnologia mais simples também." Ela apontou para o regulador.

Ashby assentiu em silêncio. "Alguma indicação de a quem essa colônia pertence?"

"Não. Com certeza, não é humana."

"Como sabe disso?"

Kizzy lhe lançou um olhar sarcástico. "Não interessa se é uma colônia à margem, se humanos tivessem esse tipo de tecnologia, nós já teríamos ficado sabendo. Eles seriam tão ricos que daria nojo."

O capitão tamborilou os dedos na mesa.

"Alguma nave por perto? Armas?"

"Não, nada de armas. Nós verificamos. Não há naves, orbitadores, docas para atracagem. Tirando os satélites, não tem nada no céu."

Ele pensou mais um pouco. "Está bem, mas não vamos nos precipitar. Não quero ir para lá sem saber quem está nesse planeta." Ele gesticulou para despertar a tela de pixels. "Lovey, preciso que você mande um sinal sib em direção ao planeta ladino. Me avise se alguém atender."

"Agora mesmo", respondeu Lovey.

Kizzy arrastou a cadeira para o lado de Ashby e fitou a tela intensamente. "Kizzy, não está acontecendo nada ainda", disse Ashby. "Eles podem não atender por um tempo. Podem nem atender."

"Mas é tão legal! É que nem ir pescar ou coisa do tipo, esperando um peixe morder a isca."

Ashby olhou desconfiado para a técnica mecânica. "Desde quando você pesca?"

"Pesco o tempo todo no Feiticeiros da Batalha." O ícone do sib na tela se acendeu. Kizzy se debruçou sobre a mesa apontando. "Olha! Eles morderam!"

Ashby pôs a mão no ombro de Kizzy e a fez voltar para a cadeira dela. "Deixa que eu falo com eles, tá bem?" A última coisa que ele precisava era que Kizzy irritasse algum dos colonos à margem.

Ele fez um gesto para atender a ligação. Um alienígena surgiu na tela. Ashby ficou de queixo caído. Era um sianat, mas não como Ohan. Esse sianat tinham os pelos completamente crescidos. Não havia fractais ou formas sagradas raspadas. A postura deles também era mais alerta, muito diferente dos ombros sempre largados e relaxados de Ohan. O rosto era um pouco caído, os pelos, um pouco mais ralos, e embora Ashby soubesse que não deveria tirar conclusões precipitadas sobre espécies das quais sabia tão pouco, não podia evitar a conclusão óbvia.

Aquele sianat era velho.

"Olá", disse Ashby quando se recuperou da surpresa. "Vocês falam klip?"

O sianat falaram no mesmo gorjeio que Ashby ouvira Ohan fazerem de vez em quando. Quando abriram a boca, Ashby viu que os seus dentes não eram lixados. Era como olhar para uma caverna cheia de estalagmites. O sianat fizeram um gesto para Ashby, ainda piando ao olhar em volta do cômodo onde estava. Mesmo sem saber muito sobre outros sianats, Ashby conseguiu interpretar o gesto com facilidade: *Espere aí. Vou procurar alguém que consiga falar com você.*

"Ashby", sussurrou Kizzy.

"Eu sei", sussurrou ele de volta.

"Estou tão feliz de estar aqui para ver isso", falou ela, apoiando o queixo nos punhos.

Algo se moveu na tela. O primeiro sianat cederam o seu lugar para outro. O corpo deste era mais ou menos do mesmo tamanho, a forma, no entanto, era diferente. Os quadris e os ombros eram mais largos, o rosto tinha traços mais definidos. A diferença era grande o suficiente em relação ao primeiro — e a Ohan também — para Ashby concluir que era de outro sexo. Quando os sianats trocaram de lugar, o macho tocou o ombro da fêmea. *Eles se tocaram.* Ashby pensou em como Ohan se desviavam da tripulação quando se cruzavam no corredor, como mal suportavam o toque de Dr. Chef nos exames médicos. Quem eram aquelas pessoas?

"Bom dia", disseram a outra sianat. O sotaque delas era carregado. Ashby reparou que os dentes dessa foram lixados. "Meu nome é Mahs. Desculpe as palavras, o meu klip é antigo."

Ashby sorriu, tendo o cuidado de falar devagar. "Meu nome é Ashby. Sou capitão de uma nave de perfuração de túneis. Esta é Kizzy, nossa técnica mecânica."

Mahs inclinaram a cabeça. "Túneis? Ah, sim, sim, sei o que é." Elas deram uma risadinha. "Eu entendo muito do assunto."

*Eu*. Não *nós*. Ashby ficou pasmo.

"Perdão, Mahs, não quero parecer grosseiro, mas... Você não é um Par?"

"Não", respondeu. Havia orgulho na voz delas... *dela*. Era inconfundível, mesmo com o sotaque. "Ninguém aqui é. Somos uma colônia de Solitários."

"Hereges", falou Kizzy, boquiaberta.

Ashby olhou feio para ela. Mahs não pareceu ofendida, no entanto.

"Sim, hereges", disse ela. "Vocês têm um Par a bordo?"

"Temos", disse Ashby. "Nosso Navegador."

"Fui uma Navegadora também, para harmagianos", disse Mahs. "Antes cá. Antes de vir para cá. Palavras antigas. Perdão."

"Não precisa pedir desculpas, eu entendi." Ashby ficou pensando no que Mahs dissera. Tomara que não estivesse ofendendo Ohan só de conversar com ela. "Nosso Navegador não sabe que estamos falando com vocês. Nem sabíamos quem estava aí quando enviamos o sib."

"Ah! Eu pensei... nada." Mahs soltou um pio. "Qual a sua necessidade?"

Ashby cutucou Kizzy. "Estou procurando uma peça", disse ela, segurando o regulador quebrado. "Nada sofisticado, só para consertar nossa estase."

"Ah, a comida! Vocês precisam consertar a comida." A sianat pareceu achar isso engraçado.

Quando ela falou em comida, Ashby pensou na pasta nutriente de Ohan.

"Vocês provavelmente não têm peças para estase, têm?"

"Nós comemos", respondeu Mahs. "Não tomamos aquela pasta dos Pares. Venham a nós, vamos achar a peça. Talvez tenha que dar umas batidas para fazer funcionar, mas técnicos gostam disso, hein?"

Kizzy riu. "Sim, nós gostamos."

"Vocês têm um ônibus?"

"Temos."

"Bom. Nossas naves são antigas como as palavras." Ela gesticulou para a tela. As coordenadas de aterrissagem surgiram. "E devemos discutir o seu Par. Eles estão na Míngua?"

"Estão", disse Ashby.

"Não por muito tempo", disse Mahs. "Venham, venham, vamos conversar. Só não diga isso ao seu Par. Eles... não vão gostar."

A tela se apagou.

Até então, Rosemary vira tão poucas variações no humor de Ohan — muito menos os vira entrarem de supetão na sua sala — que levou um segundo até perceber que o Par estava furioso. Seus olhos estavam arregalados e a respiração, ofegante.

"Onde eles foram?", perguntaram Ohan, a voz estridente.

Rosemary, que cuidava de algumas faturas, ficou sem palavras. "Quem?", perguntou de forma um tanto idiota, embora soubesse a quem Ohan estavam se referindo. Ashby tinha aparecido na sala de Rosemary duas horas antes para falar que ele e Kizzy estavam de saída para um lugar e que Ohan não podiam ficar sabendo. Rosemary tinha achado estranho quando Ashby pedira segredo dela. Desde quando Ohan falavam com alguém? No entanto, ali estavam eles, diante da mesa dela, com uma aparência carnívora inquietante. Rosemary sempre achara Ohan fofinhos, como um bichinho de pelúcia. Não dessa vez. Eles estavam de ombros retos, o pescoço curvado, os olhos enlouquecidos. Ela não gostava de Ohan naquele estado.

Ohan soltaram um barulho irritado. "Nós acordamos e percebemos que o motor tinha parado. Então descobrimos que o ônibus não estava no lugar de sempre. Sabemos que região do espaço é essa, e você precisa nos dizer agora mesmo se Ashby foi ver os Hereges."

Rosemary engoliu em seco. Uma coisa era seguir as instruções do capitão, mas não fazia sentido mentir naquele momento. "Foi."

Um rosnado cresceu na garganta de Ohan. "Por quê?", gritaram eles.

"Kizzy precisava de uma peça", disse a guarda-livros, mantendo a voz firme. Ela pensou que se conseguisse ficar calma o suficiente, poderia influenciar Ohan. "Alguma coisa na estase quebrou. Eles foram atrás de outra peça."

A confusão apagou a raiva nos olhos de Ohan. "Peça? Eles foram atrás de uma peça?"

"Sim."

Ohan jogaram a cabeça para trás. "Não importa! Vão encher a cabeça deles de mentiras!"

"Quem?"

"Os Hereges!" Um olhar horrorizado tomou o rosto deles. "Nossa tripulação. Quando voltarem, estarão contaminados."

"Eles vão receber o flash na volta, como sempre."

"Sim, mas..." Ohan sacudiram a cabeça e não terminaram a frase. "Precisamos falar com Lovelace, ela vai ter que atualizar o banco de dados de contaminantes."

Sem aviso, as pernas de Ohan falharam. Eles caíram no chão, tentando agarrar a beirada da mesa de Rosemary, lutando para respirar.

"Ohan!" Rosemary correu até eles. Por instinto, estendeu a mão, mas parou ao se lembrar de com quem estava lidando. *Nada de contato físico sem permissão.* "Posso ajudar vocês a levantar?"

"Não", disseram Ohan, respirando com dificuldade. "Estamos bem."

A vox foi ligada. "Vou chamar Dr. Chef", falou Lovey.

"Por favor, não", disseram Ohan. Eles se puseram de pé com as mãos trêmulas. "É só a Míngua. É assim que tem que ser." Eles respiraram fundo com dificuldade. "Ligue para Ashby... Diga... diga a ele para pegar a peça e dar o fora. Diga para ele não dar ouvidos às mentiras dos Hereges. Eles são como veneno. Vão querer acabar conosco."

Rosemary ouviu as passadas pesadas de Dr. Chef vindo pelo corredor. Pelo barulho, parecia que ele estava correndo nos seis apoios.

"Ohan, não importa o que essas pessoas digam, ninguém nesta nave vai machucar vocês."

Ohan voltaram os olhos grandes e escuros para Rosemary. "Talvez não por querer. Mas poderiam."

"Não gosto desse lugar", disse Kizzy de boca cheia, mastigando salgadinhos de camarão. "Parece triste."

Ashby mexeu nos controles de navegação, ajustando o trajeto até o planeta ladino. Ele era coberto por uma malha de gelo cheia de rachaduras. A luz quente dos satélites estava concentrada em um grande círculo de rocha nua, cuja forma era perfeita demais para ser natural. Lá de cima, Ashby conseguia ver um aglomerado de construções opacas semelhantes a bolhas na área onde a luz era mais forte. Não havia outros assentamentos, até onde podia ver.

"Não sei, não", disse ele. "Eles têm esses satélites solares e dinheiro suficiente para um elevador espacial, o que não é prioridade se você está passando fome ou desabrigado."

"É", concordou Kizzy, "mas eles estão sozinhos aqui. Não têm luas ou estrelas para lhes fazer companhia. Só um céu vazio." Ela puxou as pontas do saco de camarões apimentados, deixando-o bem retinho, jogou a cabeça para trás e começou a deixar os salgadinhos caírem direto na boca.

"Você está derrubando um monte de migalhas."

"E quem é a responsável por limpar o ônibus?" Ela apontou para o próprio peito com o polegar. "Euzinha aqui."

"Não interessa." Ashby olhou para ela. "Lembra-se daquela vez que você teve que limpar o filtro de ar porque estava cheio de camarões apimentados?"

A expressão de Kizzy ficou sombria. Ela fechou o saco com uma expressão solene. "Até logo, meus deliciosos amiguinhos."

A vox foi ligada com um estalido. Uma IA começou a falar em ciretou, a suave e bela linguagem dos sianats.

"Desculpe, não entendemos ciretou", disse Ashby.

A IA fez uma pausa, então trocou para klip. "Saudações, viajantes. Por favor, levem o ônibus até a doca número quatro. Quando tiver atracado, siga para o elevador de entrada. Se não conseguir andar sozinho ou precisar de cuidados médicos, basta me avisar agora. Se estiver com problemas para falar, ative o dispositivo de emergência em..."

"Estamos bem, obrigado", disse Ashby.

"Boa aterrissagem", desejou a IA. "Sua viagem chegou ao fim." A vox foi desligada.

Kizzy tirou os pés do painel e olhou para a vox. "Isso foi meio estranho. Por que a gente não conseguiria..." Ela assentiu. "Ah, sim, alguns dos Pares que acabam aqui devem chegar bem mal."

"Acho que você estava certa, Kiz", disse Ashby, ao dirigir o ônibus para a escotilha de atracagem.

"Sobre o quê?"

"Este lugar é triste."

Quando o ônibus parou por completo, eles puseram os exotrajes e foram para a escotilha. Depois de uma varredura rápida, foram autorizados a continuar. Andaram por um corredor vazio até um dos elevadores.

"Nossa, eu não consigo lidar com isso", comentou Kizzy, a voz abafada pelo exotraje.

"Por quê? Porque é perto demais?" Os cabos do elevador eram os mais curtos que Ashby já vira, de longe. Achava que não levaria mais do que uma hora para descerem à superfície.

"É... quer dizer, puta merda, como eles fizeram isso? Esse troço não deveria funcionar. Não estou nem falando por causa da tecnologia, mas por causa da *gravidade*." Ela pressionou o rosto contra a janela. "Quero desmontar esse negócio inteiro e ver o que tem dentro."

"Espere até a gente chegar à superfície, por favor", pediu ele, sentando-se em um dos bancos. Ele se remexeu, tentando ficar confortável. A curva das almofadas duras não fora projetada para colunas humanas.

Com um solavanco, o elevador disparou para baixo. Uma hora passou sem nada de interessante. Quando o elevador chegou mais perto da superfície, uma nevasca violenta começou a atingir a janela. A visão o fez tremer, mesmo com o exotraje aquecido.

"Caramba", disse Kizzy. "Ainda bem que não trouxemos Sissix com a gente."

"Ela também estaria usando o traje."

"É, mas acho que ela fica ofendida só de a neve existir. Olha só esse lugar", disse ela. Ashby viu do que Kizzy estava falando. Ao seu redor, por toda parte, havia blocos de gelo antigo bem afiados e nada convidativos. O vento tinha tanta neve que quase não dava para ver o assentamento abaixo. Não havia estradas, e, se as construções tinham portas, Ashby não conseguia vê-las. O elevador descia direto para o assentamento — um aglomerado de conchas blindadas contra a rocha preta. Teve a impressão de que os satélites solares não eram uma fonte de luz, mas, na verdade, uma forma de impedir o assentamento de congelar.

"Por que aqui?", perguntou Kizzy. "Por que eles vivem aqui?"

*Hereges. Exílio.*

"Acho que não têm muita escolha."

A luz mudou conforme o elevador entrou no assentamento, ficando mais convidativa. Pela janela, Ashby viu um corredor arredondado feito de um metal prateado e liso. Parecia muito limpo. A luz dentro do seu capacete indicou que o ar ao seu redor era respirável, mas eles continuaram com os exotrajes. Não havia informações da CG sobre as doenças presentes nos planetas à margem. Não havia como saber que tipo de micro-organismos aquela população poderia transmitir a eles, e vice-versa.

As portas do elevador se abriram. Kizzy e Ashby saíram. Mahs estava lá fora, esperando por eles. Ashby percebeu na mesma hora como o corpo dela era diferente do de Ohan, não só por ser de outro sexo. Apesar dos sinais de idade avançada, não havia dúvida de que se tratava de uma pessoa saudável. Em comparação, Ohan tinham um aspecto magro e frágil.

"Bem-vindos a Arun", disse ela, assentindo com a cabeça. "Por favor, me perdoem, não conheço saudações humanas."

"Nós apertamos as mãos", disse Ashby.

"Mostre", pediu Mahs. Ashby apertou a mão de Kizzy em demonstração. Ela riu. "Aqui", disse, estendendo os dedos compridos. Ashby os envolveu com a mão e a balançou. A sianat riu de novo. "Suas mãos são tão curtas e macias", disse, apertando a mão de Ashby através do exotraje.

"Você não conheceu nenhum humano quando era Navegadora?", perguntou Kizzy.

"Vocês ainda estavam vagando quando eu estava com os harmagianos", explicou. "Não tinham mundos humanos além da Frota. Eu já era Solitária antes de vocês se tornarem CG."

Ashby fez alguns cálculos. Se Mahs era Navegadora antes de os humanos terem se juntado à CG, então...

Kizzy foi mais rápida. "Qual é a sua idade?"

Ela pensou antes de responder. "Cento e trinta e três padrões. Desculpe, tive que pensar. Nossa medida de tempo é diferente."

"Eu não fazia ideia de que vocês podiam viver tanto tempo", falou a técnica mecânica. Seu nariz estava quase grudado no vidro do capacete, tamanho o seu deslumbramento.

Mahs riu de novo. "Não só tanto tempo. Mais tempo ainda!" Ela começou a andar pelo corredor e eles a seguiram.

"O que pode nos dizer sobre este lugar?", perguntou Ashby.

"Aqui é Arun. Seu Par não falou sobre ele, não é?"

"Não."

"Não, não. Pares não falam sobre Arun. É para Hereges." Sua voz era divertida, quase irônica. "Mas todos os sianats conhecem. Se fugimos antes da infecção ou queremos separar, tentamos encontrar. Nem todos conseguem. Alguns se perdem. Alguns estão Minguando e morrem antes. Mas recebemos os que chegam. Ninguém é mandado embora."

"Entendi", disse Ashby. Chegaram a um espaço aberto, cheio de bancos curvos e vasos hidropônicos com estranhas árvores curvas e flores inchadas (Ashby só podia imaginar como Dr. Chef teria ficado empolgado). Um cálido céu amarelo era projetado acima deles. Comparado ao deserto de gelo do lado de fora, aquilo era um paraíso. Havia sianats por todo o lado, de diferentes idades e tamanhos, conversando, pensando, falando uns com os outros, fazendo contato físico. "Me desculpe", disse Ashby, desviando os olhos da praça com certa dificuldade e voltando a atenção para Mahs. "O que você quis dizer com 'separar'? Eles vêm aqui quando querem separar?"

"Separar o Par", respondeu Mahs. "Destruir o vírus."

Ashby e Kizzy olharam um para o outro. "Existe uma cura?", perguntou Ashby.

"É claro. Toda doença tem cura. Você só precisa encontrar."

"Mas..." Kizzy estava de testa franzida. "Me desculpe, não entendo direito como essa coisa toda funciona, mas se... se você é um Par, você pensa em ser curado? O Sussurro não o faz querer continuar juntos?"

"Você faz boas perguntas. Como uma boa Herege." Mahs indicou um banco próximo. Sentaram-se ao lado dela do melhor jeito que conseguiram. "O Sussurro faz o hospedeiro resistir à separação. Só que alguns sianats conseguem resistir ao Sussurro. Como eu."

"Você é... imune?", perguntou Ashby.

"Não, não", respondeu. "Eu tive a doença. Precisava ter, para Navegar. Mas resisti. O Sussurro dominou a minha mente baixa, não a alta." O seu rosto ficou pensativo. "Vocês sabem mente baixa?"

Ashby achava que já tinha ouvido Ohan usarem o termo uma ou duas vezes, mas, como com a maior parte das coisas, não tinham explicado.

"Não."

"Mente baixa são as coisas fáceis. De animais. Andar, contar, não pôr a mão em coisas quentes. Mente alta são coisas como quem são os meus amigos. O que acredito. Quem eu sou." Mahs deu um tapinha na própria cabeça para dar ênfase.

"Acho que entendi", disse Ashby. "Então o vírus... O vírus afetava a sua compreensão de espaço e números, mas não afetava o jeito como você pensava sobre si mesma?"

"Eu resisto", repetiu Mahs. Fez uma pausa. "Resistente?"

"Você é resistente", disse Ashby. "Sim."

"Sim, sim. Muito perigoso ser resistente. Aprendi a fingir. A imitar as palavras dos Pares. Ficar olhando pela janela." Ela fez um som insatisfeito. "Tão chato."

Kizzy riu. "Eu sempre achei que parecia um tédio."

"É! Mas se você é resistente, precisa fazer. Não pode deixar os outros descobrirem que finge. Os que comandam." Ela chegou mais perto. "Sabem que existem Hospedeiros resistentes. Mas isso arruinaria as coisas se muitos soubessem. Sianats acham que o Sussurro nos escolheu. Que nos faz especiais. Nos faz melhores que *você*." Ela tocou o peito de Ashby. "Mas se alguns resistem, uma das duas coisas é verdade. Ou sianats não são especiais, apenas doentes, e podem evoluir para resistir. Ou a segunda coisa, a coisa idiota, mas uma conclusão mais fácil para muitos... os resistentes são profanos. Nós rejeitamos o sagrado. Hereges. Entende?"

"Entendo", disse Ashby. Sabia que Ohan sempre tinham recuado à mera menção dos Solitários. Era o tipo de coisa que poderia fazer uma cultura desmoronar.

"Sempre quis separar", contou Mahs. "O Sussurro me fez ver o que havia entre as coisas, mas estava matando o meu corpo. Minha mente alta queria viver. Minha capitã era boa. Boa amiga. Confiava nela, contei que era resistente. Na minha Míngua, ela achou um mapa."

"Para cá?", perguntou Kizzy.

"Sim, sim. Quase morta quando cheguei." Ela ergueu as duas mãos e fez os músculos se contraírem. Ashby sentiu um nó na barriga. Era a imitação perfeita dos tremores que Ohan tinham desenvolvido. "Fiquei no hospital por..." — ela fez as contas de cabeça — "duas decanas depois da cura. Doloroso, bem doloroso." Ela sorriu e mostrou as pernas. "Mas fiquei forte."

"Então, depois que o vírus é curado, a Míngua desaparece?", perguntou Kizzy. Ashby olhou de relance para ela. *Kizzy, não.*

"Sim, mas as mudanças na mente baixa não... As... palavras, palavras... dobras no cérebro permanecem. Eu ainda poderia Navegar se quisesse. Mas sou Solitária, devo ficar aqui."

"Por quê?", perguntou Ashby.

A sianat inclinou a cabeça. "Sou Solitária. Somos hereges, não revolucionários. É assim que somos."

"Espera", disse Kizzy. "Você ainda consegue Navegar? Curar o vírus não fez você perder essa capacidade?"

"Não."

"O ambi. Foi assim que conseguiram encontrar uma maneira de coletar ambi de uma nebulosa e construir o seu elevadorzinho. Porque os seus cérebros ainda são poderosos."

Mahs riu. "Pares não são inventores. Não têm foco, não vivem muito. São bons em Navegar e discutir teorias, mas são ruins para construir. Construir leva muitos e muitos erros. Pares não gostam de erros. Gostam de olhar pela janela. Solitários gostam de erros. Erros representam progresso. Fazemos coisas boas. Importantes."

"Uau", disse Kizzy. Seus olhos ficaram distantes, como quando ela estava pensando sobre um circuito quebrado dentro do motor. "Essa cura. É perigosa?"

"Kizzy", disse Ashby em tom de aviso. Eles não seguiriam por esse caminho. Não importava o quanto quisessem, não fariam isso.

"Mas, Ashby, Ohan podiam..."

"Não. Nós não vamos..."

Mahs fez um som no fundo do peito. "Ohan é o seu Par."

"Sim." Ashby suspirou.

"Nome como um poema", disse Mahs. "Poético." Ela estudou os dois. "Eu sou resistente. Não sei como é viver a doença para uma mente que não resiste. Mas tenho amigos, Pares separados, que não eram resistentes. Às vezes, mesmo bons Pares têm tanto medo da morte que vêm para Arun." Ela chegou mais perto, perto demais. "Os Pares separados ficam diferentes, depois. Eles não são a criança que eram antes da infecção. Também não são o Par. Eles são novos." Ela olhou para Ashby com seus olhos grandes. "Estão livres. Acredite, é melhor."

"Não", disseram Ohan. Não havia mais raiva na voz deles, mas tinham se encolhido com nojo, afastando-se o máximo da mesa que a cadeira permitia. Estavam sentados de modo rígido, tentando esconder as pernas trêmulas. Ashby e Dr. Chef estavam sentados do outro lado da mesa. Uma pequena caixa selada estava entre eles. Por baixo da tampa transparente, havia uma seringa com um líquido verde. Fora feita para ser segurada por um sianat.

Ashby teve o cuidado de manter a voz baixa. A porta da enfermaria estava fechada, mas ele não descartaria a possibilidade da tripulação estar tentando ouvir a conversa. Ele sabia que Kizzy, ao menos, estava ocupada. Ela estava dando várias pancadas em algo na cozinha. Ele tinha a sensação de que muitas das batidas altas não tinham nada a ver com o conserto da estase, sendo na verdade apenas uma forma de mostrar a ele o quanto estava zangada.

"Ninguém está obrigando vocês, Ohan", disse Ashby. "Só quero que tenham a opção em mente."

"Examinei o conteúdo da caixa com cuidado", disse Dr. Chef. "É seguro. Eu garanto."

Ohan se encolheram ainda mais. "Seguro", sussurraram. "Seguro. É um assassinato, e vocês dizem que é seguro."

Ashby correu a mão pelos cabelos. Embora achasse que o vírus era o assassino, sabia que não adiantava discutir. "A pessoa com quem falei disse que alguns dos seus amigos foram curados. Eles ainda conseguem navegar, Ohan, e levam vidas longas e saudáveis."

"Eles aceitam os dons do Sussurro e depois o matam", retrucaram Ohan. "Você não deveria ter falado com eles, Ashby. Devia ter pegado a peça e ido embora com as orelhas tampadas. Teria sido melhor deixar a comida apodrecer a pôr os pés lá."

"Eu fiz o que julguei melhor para a tripulação. Como estou tentando fazer agora."

Ohan teve um acesso de tosse. Ashby ficou sentado assistindo, sabendo que não havia nada que pudesse fazer, nem pôr a mão nas costas dele de modo reconfortante. Seus olhos encontraram os de Dr. Chef. O médico parecia arrasado. Ali estava um paciente que poderia ser tratado com facilidade, mas o próprio paciente não queria. Ashby sabia que Dr. Chef não insistiria, mas também sabia que isso o perturbaria por muito tempo.

"Ohan", disse Dr. Chef, quando o Par voltou a conseguir respirar. "Como alguém que deixou o seu mundo natal para trás, entendo como essa ideia é assustadora para vocês. Também tive medo. Mas nós somos seus amigos, Ohan. Você poderia viver uma vida longa ao nosso lado. Nós cuidaríamos de vocês."

Ohan não se convenceram. "Sua amizade significa muito para nós. Assim como a sua preocupação, ainda que ela seja equivocada. Sabemos que isso deve ser difícil de entender para vocês. Vocês matam micróbios o tempo inteiro, na cozinha, no porão de carga, sem pensar duas vezes. No entanto, considere as bactérias que vivem na sua pele, na sua boca, no seu estômago, sem as quais não poderiam viver. Vocês também são a combinação de organismos pequenos e grandes. Ashby, você destruiria as suas mitocôndrias só porque a origem dela não é humana? Porque não é o lugar delas?"

"Nós não podemos viver sem mitocôndrias", respondeu Ashby. "Mas vocês poderiam viver sem o Sussurro."

Ohan fecharam os olhos bem apertado. "Não", responderam. "Não poderíamos. Seríamos outra pessoa."

Algum tempo depois, Ashby estava sentado nos seus aposentos, desfazendo os nós dos cadarços. Estava quase terminando o pé esquerdo quando a porta foi aberta de supetão. Sissix surgiu, as penas arrepiadas.

"Você ficou maluco, porra?"

Ele suspirou e voltou aos cadarços. "Entre e feche a porta."

Sissix ficou parada diante dele, as mãos nos quadris. "Kizzy me contou que há uma cura. Uma cura para a doença que está matando Ohan. Uma que permitiria que ele continuasse a navegar e aumentaria a expectativa de vida dele em *um século*. Ela me falou que você acabou de voltar de um planeta cheio de pessoas felizes e saudáveis que são prova disso. E, aparentemente, essa cura está na nossa enfermaria neste exato momento e você vai deixar ela lá, juntando poeira, enquanto Ohan fica deitado na cama, tremendo até o dia da sua morte."

Ashby voltou os olhos para Sissix. "Você está se referindo a Ohan como 'ele'."

"Sim, porque finalmente me ocorreu que Ohan é um indivíduo, uma pessoa doente que precisa de ajuda."

"Sissix, a decisão não é minha. O que quer que eu faça? Que eu os amarre e os obrigue a aceitar a cura?"

"Se for necessário."

"Não seja ridícula. Sou o patrão deles, não o... juiz."

"Você é amigo dele e vai deixá-lo morrer."

"Eu lhes dei uma escolha, Sissix! Eles sabem que está lá. O que mais posso fazer?" O capitão jogou a bota para o lado. "Sissix, não é só uma pessoa recusando um tratamento. Estamos falando da cultura inteira deles. Da *religião* deles."

"Ah, isso é *tão* humano. Ficar de braços cruzados e deixar a galáxia fazer o que quiser, porque vocês se sentem culpados demais com as merdas que fizeram a si mesmos para conseguir tomar uma atitude agora."

Ashby se pôs de pé. "Como é mesmo o que o seu povo diz? *Isk seth iks kith?* Que cada pessoa siga o seu caminho?"

Os olhos de Sissix arderam de raiva. "É diferente."

"Como?"

"O ditado significa que não se deve interferir na vida das pessoas quando elas não estão fazendo mal a ninguém. Só que dessa vez há um mal sendo feito, Ashby. Ohan está morrendo."

"Se eu mandasse você ir buscar os seus filhos em Hashkath e trazê-los para morar conosco na *Andarilha*, você faria isso?"

"Que maluquice é essa?"

"Se eu falasse que tratar os seus filhos como estranhos ofende cada pedacinho do meu corpo mamífero criado a leite e que, como o seu capitão, eu esperasse que você seguisse o meu código moral..."

"É diferente, Ashby, você sabe que..."

Ele baixou a voz. "Ou se eu quisesse ser ainda mais conservador, poderia dizer que é inapropriado ter duas das minhas tripulantes fazendo sexo. Alguns capitães humanos ainda demitem as pessoas por causa dessas coisas, sabe. Dizem que é má ideia em uma viagem longa."

Sissix ficou chocada. "Como você..." Ela balançou a cabeça. "Isso não é da sua conta."

Ashby deu uma risada incrédula. "Não é da minha conta. Sou o seu irmão de penas, Sissix. Desde quando essas coisas não são da minha conta? Desde quando uma aandriskana guarda um segredo desses? A não ser que você esteja abrindo uma exceção para costumes *humanos*..."

"Cale a boca, Ashby." Ela foi até a janela e pôs as mãos no peitoril. Ficou em silêncio. "Eu nem conheço Ohan. E não estou dizendo isso porque ele não fala com a gente. O que quero dizer é que, quando Ohan abre a boca, não sei se é ele dizendo que não quer ser curado ou se o vírus o está obrigando a dizer isso. Não sei se as palavras vêm dele ou da coisa que infecta o seu cérebro."

"Para Ohan, é um pouco dos dois. Acho que é o mais perto da verdade. Não é como se o vírus tivesse consciência, apenas muda quem ele é. Quem eles *são*."

"Viu só?" Sissix lhe deu um olhar significativo. "Você fez o mesmo que eu." Sua voz estava menos irritada. As penas começaram a baixar. Ela se sentou na cama dele. "Não concordo com isso. E não quero nem saber se não o conheço direito. Não concordo em perder alguém da minha família."

Ashby sentou ao seu lado e segurou a mão dela. "Sei que acha que eu sou o vilão aqui, mas também não concordo com isso."

"Eu sei. Só não entendo como você pode ficar aqui sentado e não sentir raiva dele."

"Não tenho esse direito."

"Falou como um verdadeiro exodoniano." Os olhos dela examinaram o rosto dele. "Como você ficou sabendo sobre mim e Rosemary?"

O capitão riu. "O jeito que ela olha para você."

"Ah, pelas estrelas", disse Sissix. "É tão óbvio assim?"

"Para mim é."

"E para os outros?"

"Talvez. Ninguém me disse nada."

"Foi ideia dela, sabe? Depois de Hashkath. Rosemary falou que queria que eu me sentisse mais em família. Ela foi um amor. Sempre é." Sissix se deitou no colchão. "Ashby, não tenho nenhuma referência de casais humanos. Tenho tanto medo de acabar machucando ela de alguma forma. Você sabe como as nossas espécies são diferentes nessas coisas. Eu não... eu estou sendo egoísta?"

"Sexo é sempre um pouco egoísta, Sis. No entanto, duvido muito que ela esteja dormindo com você por caridade. Aposto que ela já queria isso bem antes de Hashkath." Ele sorriu para ela. "Mas conheço você. Você não teria aceitado se não se importasse com ela também. Rosemary é adulta. É capaz de se cuidar. E acho que, de certa forma, vocês podem ser boas uma para a outra." Ele fez uma pausa. "Se bem que..."

"Eu sabia que ia ter um porém..."

"Você precisa ser cuidadosa. Os humanos podem aceitar vários parceiros, mas também podem ser bem ciumentos. Não sei como vocês combinaram essas coisas, mas se, por exemplo, você quisesse ir a uma *tet* ou pôr um fim na relação com esse seu desapego aandriskano..."

"Eu sei. Serei cuidadosa."

Eles ficaram em um silêncio confortável. "Isso vai soar meio esquisito", disse ele depois de um tempo.

"O quê?"

"Acho uma pena não ter sido eu."

Sissix se sentou.

"Como assim? Você não... não pensa em mim de um jeito..."

"Não." Ele deu um sorrisinho. "Sem ofensas, mas não penso em você desse jeito."

"Ainda bem. Eu estava prestes a ficar muito confusa." Ela riu. "Então como assim?"

"Uma parte de mim sempre se sentiu culpada por eu não poder ser o tipo de família de que você precisa."

Sissix esfregou o rosto contra a bochecha dele. "Você é a família de que preciso, Ashby. Ou não teria escolhido você."

"Mas Rosemary deixou tudo... mais completo, não?"

Sissix sorriu. "Deixou, realmente." Ela encostou a testa na de Ashby. "Isso não muda o fato de que você é o melhor amigo que já tive." Ela fez uma pausa. "Mas ainda estou puta com você."

"Eu sei."

"E fico chateada só de pensar em Ohan."
"Eu também."
"Ainda bem. Pelo menos você está sofrendo."
Os dois riram. Foi um som vazio.

ERRO
Mensagem não entregue. Destinatário fora do alcance do relê.
Por favor, verifique o caminho de entrega e tente novamente.

---

Mensagem
Criptografia: 0
Tradução: 0
De: Nib (caminho: 6273-384-89)
Para: Rosemary Harper (caminho: 9874-457-28)
Assunto: Re: Informação de voluntários

Fico feliz com a resposta! Estamos sempre precisando de pessoas inteligentes. Não se preocupe por não ter tanto tempo livre. Mesmo uma ou duas horas por decana com alguém nos ajudando a examinar os envios já faz diferença. Basta dizer a sua disponibilidade na ficha de inscrição e eles não vão lhe dar um volume maior do que você dá conta. Já decidiu qual vai ser o seu foco? Não sou imparcial, lógico, mas acho que você seria ótima para história interespécie e eu ficaria feliz em dar uma recomendação. Porém, se estiver interessada em outra área, não vou levar para o lado pessoal. Não muito, pelo menos.

Falando nisso, uma das minhas amigas na equipe sobre os toremis lembrou que eu estava atrás de informações para você e me mandou algo interessante. Nada muito grande, só mais uma das pequenas estranhezas dos nossos novos aliados. Eu provavelmente não deveria estar mandando isso para você, mas já que é uma futura voluntária, nós podemos lhe dar permissão retroativa, certo?

Bom voo,
Nib

---

Mensagem anexa
De: Elai Jas Kapi (caminho: excluído)
Para: Grupo de Delegados 634 da CG (caminho: excluído)
Criptografia: 2

Tradução: 0
Assunto: Informação importante — audiência toremi
    e geradores de calor
Data: 76/306

Como não encontramos os toremis muitas vezes, há muito sobre
a espécie que estamos descobrindo agora em primeira mão. Todos
os delegados devem estar cientes de que os toremis possuem
uma audição muito mais desenvolvida do que a de qualquer outra
espécie de CG. Eles são especialmente bons em distinguir vozes
de indivíduos em meio a uma multidão, e a aptidão deles para
aprender línguas superou em muito nossas expectativas. Parta do
pressuposto que qualquer toremi que já esteve presente nas nossas
conversas diplomáticas já é fluente em klip.

Quando estiver na presença de um dos Toremi Ka, não discuta
tópicos que não tenham sido aprovados pelos representantes
seniores. Consulte o arquivo do projeto 332-129 para uma lista
abrangente de todos os tópicos de conversação aprovados.

Também pedimos que todas as naves mantenham os geradores
de calor a uma temperatura de no máximo 76,5 kilks se estiverem
para receber uma visita dos Toremi Ka. Isso causará algum
desconforto para os delegados e tripulantes aandriskanos, porém,
os geradores de calor padrão emitem um som que é doloroso para
o ouvido dos toremis. Determinamos que a frequência resultante de
uma temperatura de 76,5 kilks é tolerável para os toremi e não vai
prejudicar a mobilidade dos aandriskanos.

Se a sua nave utiliza geradores de calor fora do padrão, informe
imediatamente a um dos seniores da sua equipe. Não receba
nenhum indivíduo dos Toremi Ka a bordo de sua nave até que
a tecnologia correta tenha sido instalada.

Agradeço a cooperação.

Elai Jas Kapi

Representante Sênior da Comunidade Galáctica

Dia 157, Padrão 307 da CG

# hedra

## ka

Toum, segundo guarda da Nova Mãe, estava sentado perto da janela no jardim de alimentação, observando as naves das espécies da Comunidade. Ele rasgou um grosso feixe de folhas de um dos vasos próximo. O fluido que escorreu dos talos quebrados soltou aquela familiar fragrância apimentada, doce e deliciosa. No entanto, ele não comeu. Ficou arrancando pedacinhos das folhas e observando as naves alienígenas. Olhou com inveja para os arsenais das fragatas aeluonianas, como já fizera muitas vezes. Quantos clãs poderiam ser destruídos com aquelas armas. Quantas ideias falsas poderiam ser apagadas.

Pensou nos alienígenas dentro das fragatas, com os seus olhos estúpidos e as suas escamas aflitivas. Como eram feios os aeluonianos. E era tão perturbadora a maneira como falavam. Era difícil confiar em uma espécie que não podia falar sem meter fios nas gargantas. Assim como era difícil confiar nos harmagianos, que não tinham pernas para andar, ou nos aandriskanos, com aquelas garras de carnívoros, ou nos quelins, que marcavam a própria carne em nome da vaidade. Não, não dava para confiar neles, em nenhum deles. Porém, podia odiá-los. Isso vinha com facilidade.

Ele não podia dar voz àqueles pensamentos. Antes da aliança, nunca tivera qualquer dúvida de que era parte dos Toremi Ka. Concordava com a veneração das Novas Mães e também concordava com a necessidade de garantir que Hedra Ka fosse deles. Mas essas espécies da Comunidade... O clã precisava mesmo da ajuda delas? Eles eram assim tão fracos que não conseguiam nem manter o domínio sobre o seu novo planeta sozinhos?

Espécies da Comunidade. Rostos destoantes, sotaques atrozes, naves barulhentas. Ele podia ver o mesmo descontentamento refletido nas bocas de vários dos seus companheiros, mas ninguém deu voz a qualquer discordância. Ninguém tinha abandonado o clã.

Isso o assustava. Será que ele era defeituoso? Será que as Novas Mães tinham algum conhecimento vital que ele não possuía? Dia após dia, ele lutava contra esses pensamentos, esforçando-se para concordar. Contudo, nada, nem a meditação, nem a quantidade privilegiada de tempo que passava com a Nova Mãe, apagara essas dúvidas.

Olhou para as folhas esmagadas no punho. Jogou a massa úmida no chão. As máquinas limpariam.

"Quer que eu me sente com você?", perguntou uma voz atrás dele. Toum não precisou virar a cabeça para saber quem era. Sentiu o corpo ficar tenso, pronto para matar.

"Não", respondeu, os olhos fixos na janela.

"Mas eu vou mesmo assim." Ela entrou no seu campo de visão, dobrando as pernas ao lado dele. O nome dela era Hiul. Da primeira artilharia. Toum se perguntou se ele sequer seria capaz de matá-la, caso tivesse a chance. Estava disposto a tentar. Hiul pegou algumas folhas e as consumiu. "Está comendo?"

"O que mais estaria fazendo aqui?"

Ela virou a cabeça devagar, olhando para as folhas esmagadas aos pés de Toum. "De fato." Ela voltou o rosto para a janela. "Tantas naves. Tantas ideias dentro delas. Como eles conseguem, eu me pergunto? Como encontram harmonia, sabendo que noções falsas caminham entre eles?"

Toum não disse nada.

Hiul pôs mais folhas na boca.

"Acho que não encontram. Acredito que vivam no caos, cada um seguindo as próprias ideias, cada um servindo a um clã de um só."

Ele deu um tapa na própria boca. "As Novas Mães dizem que é aceitável, desde que continuemos agindo de acordo com os nossos próprios costumes. Você não está em harmonia com as palavras delas? Não concorda?"

Hiul não pareceu preocupada com a ameaça. Ignorou o desafio. *Ignorou!* Apenas duas palavras saíram da sua boca, irritantemente calmas: "Você concorda?"

Ele a agarrou, sentindo a fúria na barriga. Levou a boca até a garganta dela, pronto para uma morte rápida. "Eu já lhe avisei, não fale comigo. *Você* é o caos."

Ela não tentou resistir, o que assustou Toum mais do que se ela tivesse.

"Você me vê em desacordo com as Novas Mães? Me vê como uma falsa verdade?"

"Não brinque comigo. Você sabe o que é."

Ela chegou mais perto, pressionando a garganta na boca dele. "Então por que não me mata?"

Ele tentou se forçar a morder. Seria tão fácil, tão rápido. Podia sentir o pulso acelerado dela. Entretanto, não atacou, o que o encheu ainda mais de raiva. Ele a jogou longe, com força. Um vaso quebrou quando ela caiu, derramando terra pelo chão. Os outros no jardim olharam na direção deles. A maioria, depois de um olhar de relance, voltou a comer, sem se importar com a bagunça. As máquinas limpariam.

Hiul gargalhou, limpando a linfa do ferimento perto da boca.

"Você sabe o que é."

"Sim, eu sei", disse ela, pondo-se de pé. Ela se aproximou dele outra vez. "E eu sei o que você é, Toum. Vejo o conflito dentro de você."

"Sou um guarda da Nova Mãe!"

Ela chegou mais perto, sussurrando. "É por isso que resiste, tenho certeza. Como deve ser terrível. Como deve ser terrível saber a verdade, odiar aqueles que as ameaçam, e, ainda assim, continuar leal."

Os olhos o traíram, olhando pela janela para as naves alienígenas.

Hiul soltou o ar, arrogante. "Você tem uma nave própria. Tem acesso a coisas que nós não temos."

"Nós?" Ele olhou com raiva para ela.

Ela foi embora, mancando de leve. Parecia que uma das suas pernas traseiras tinha ficado bem machucada com a queda. Ótimo. Ela se virou para ele.

"Nós somos toremis. Nunca somos um clã de um só."

Ashby suspirou aliviado quando o reboque de agulha trouxe a sua nave de volta ao espaço normal pela última vez. Fazia quatro dias que tinham se encontrado com a *Kirit Sek*, e embora estivesse grato pelo atalho, não sabia o que fora pior — os pulos na subcamada ou os longos trechos vazios entre eles. A última parte da viagem até o ponto de encontro em Del'lek fora longa, mas eles se ocuparam limpando a nave e cuidando das tarefas menores que tinham sido adiadas. Quando encontraram a *Kirit Sek*, a *Andarilha* estava impecável e não havia mais nada para fazer. Ashby achara que quatro dias à toa seriam uma boa folga, mas os saltos tornavam isso impossível, e a falta de produtividade deixara-o ansioso. Todos estavam tensos. Dr. Chef estivera cada vez mais irritado com a ajuda extra na cozinha, e o capitão tinha uma forte suspeita de que o painel elétrico com curto-circuito na véspera fora orquestrado pelos técnicos só para que tivessem algo para fazer. Os únicos que não tinham se importado com tanto tempo livre foram Sissix e Rosemary, que mantiveram uma à outra entretidas com o maior prazer, e Ohan, que estavam ocupados deixando os seus nervos morrerem.

Contudo, os saltos afetaram a todos. Uma coisa era um furo às cegas, mas quatro dias entrando e saindo em intervalos de seis horas era suficiente para deixar até mesmo Ashby espaceado. Ele se sentou devagar na cama quando Lovey transmitiu a voz da capitã do reboque pela vox dele.

"Acabamos por aqui, capitão Santoso", disse a aandriskana. O sotaque dela era diferente do de Sissix, menos coloquial, um pouco mais pronunciado. "Vocês vão ficar bem?"

"Tão bem quanto possível", respondeu Ashby, esfregando os olhos. Era bom poder enxergar direito de novo. "Obrigado pela viagem."

"Aceite um conselho: antes de se reportar a quem quer que seja, tire uma hora para comer e se recuperar. Vamos fazer o mesmo."

"Pode deixar." Ele pigarreou. "*Heske rath ishi kith.*"

"*Heske skath eski risk*", respondeu a aandriskana, parecendo satisfeita. "Que vocês também façam uma boa viagem." A vox foi desligada. Pela janela, Ashby pôde ver a *Kirit Sek* baixar o campo de reboque e se afastar.

"Lovey, onde está Sissix?"

A vox voltou a ser ligada. "Acabou de começar a trabalhar."

"Avise a ela que eu estou a caminho."

Alguns minutos mais tarde, ele entrou na sala de controle. Sissix já estava no seu lugar, verificando o painel de navegação.

"Parece que levei um chute na cabeça", disse ela sem olhar para Ashby.

"Eu também." Ele se sentou de ombros caídos na sua cadeira e olhou pela janela. "E tudo isso por *aquilo*."

Diante deles estava Hedra Ka. Um planeta que consistia em uma crosta rachada, sufocado por tempestades e rios de lava. Um monte de pedras flutuava na sua órbita, um lembrete da sua formação recente. Era um mundo jovem, inóspito, ressentido da própria existência.

"Essa é a coisa mais raivosa que já vi", comentou Ashby.

"Está falando do planeta ou das naves?"

Hedra Ka estava no centro de um frenesi de naves —fragatas harmagianas, cruzadores aeluonianos, transportes neutros, reboques de agulha, ônibus de patrulha. E, claro, os toremis. Ashby sabia que os toremis, como os exodonianos, eram espaciais há gerações, mas ele não via nada familiar nas suas naves. Para uma espécie que vivia no espaço aberto, as naves pareciam surpreendentemente frágeis, sem as anteparas grossas que ele associava às naves de viagens longas. Viu apenas estruturas finas e retas, com antenas e cordas iluminadas flutuando no vácuo. Pareciam criaturas das profundezas do mar, pulsando e nadando, incompreensíveis.

Ashby se inclinou para a frente.

"Não acredito." Um pouco afastado do enxame de naves, havia uma marcação esférica, cercada por flutuadores de aviso. "É ali que querem que a gente bote a grade?" A distância entre Hedra Ka e o túnel seria mais curta que a distância entre a Terra e a lua. Cerca de metade do caminho.

"Ainda bem que esta é uma zona fluida", observou Sissix. "Imagina só fazer um furo às cegas aqui."

Ashby balançou a cabeça. "Nós somos bons, mas não tão bons assim."

"Ninguém é tão bom assim."

"Se a gente não destruir o planeta, vai ser por pura sorte."

Sissix deu uma curta risada debochada. "Ninguém estaria perdendo muita coisa."

Ashby riu. "Lovey, pode me transmitir?"

A vox foi ligada. "Eles estão ouvindo, Ashby", avisou a IA.

"Oi, pessoal. Chegamos. Se estiverem se sentindo enjoados, podem ir comer alguma coisa, mas não demorem muito. Gostaria que todos estivessem aqui quando eu ligar para o nosso contato. Por favor, estejam na sala de controle em no máximo uma hora. Hoje é um grande dia para nós, e gostaria de causar uma boa impressão. Não precisa ser nada chique, mas seria ótimo se estivessem todos limpos e apresentáveis."

"Não se preocupe, Ashby, vou ficar de boca fechada", prometeu Kizzy pela vox.

Ele fez uma pausa, tentando achar uma maneira delicada de dizer que era melhor assim. "Você é legal demais para eles, Kiz."

Toum estava sentado, meditando. Ou era o que tentava fazer. Diante dele estava sentada a primeira guarda, Fol, as pernas dobradas com toda a calma, os olhos vazios de razão. Tinha inveja dela. Quanto mais tempo passavam perto daquelas pessoas da Comunidade, mais difícil se tornava estruturar a mente. Por mais que tentasse desviar os seus pensamentos, Toum se voltava, inevitavelmente, para Hiul. Nenhum dos dois deveria ter deixado o refeitório vivo. Esse era o jeito deles. A crença mais forte sobrevivia, a mais fraca era apagada. Era assim que se alcançava a harmonia.

Ele deveria tê-la matado. Mesmo com o treinamento da primeira artilharia de Hiul, ele estivera com a boca na garganta dela. Deveria tê-la matado. Já matara muitos por conta de discordâncias. Por que a deixara escapar?

A resposta estava lá, em um recanto cruel da sua mente. Ele fugiu dela, mas a ideia continuava a zombar dele.

"Venham", disse a Nova Mãe, entrando na sala. Toum e Fol esticaram as pernas e pegaram as armas. "Vou para a nave maior. A nave de perfuração chegou e ouvi que os harmagianos os convidaram à bordo."

"Você recebeu um convite?", perguntou Fol. Os burocratas harmagianos eram muito apegados a questões tediosas como lista de visitantes e protocolos. Preocupações da Comunidade.

"Não preciso de um", respondeu a Nova Mãe. Toum sabia o que estava ouvindo também na voz dela, a paciência prestes a se esgotar, o cansaço de lidar com o jeito dos alienígenas de fazer as coisas. Por que ela não tocava no assunto? Se a Nova Mãe desse voz às frustrações que Toum sabia que ela sentia, então ele teria sempre concordado com ela e não duvidaria mais do seu lugar entre os Toremi Ka. Porém, tal alívio não veio. "Esses perfuradores vão fazer um buraco no meu céu", disse ela, indo até a porta. Fol e Toum assumiram as suas posições, um de cada lado dela, seis passos atrás. "Isso me dá o direito de ver o rosto deles."

Rosemary ficou feliz em sair da nave. Tudo bem, ela estava em *outra* nave, mas a mudança de cenário era muito necessária, e a pequena recepção de boas-vindas para a qual foram chamados foi uma bela surpresa. Nada muito chique, apenas uma mesa de aperitivos de qualidade e alguns funcionários de baixo escalão da CG para jogar conversa fora. Ela já fora a reuniões como aquela, mas perfuradores de túneis em geral não estavam na lista de convidados. Era uma gentileza — e um sinal de como o novo túnel era importante.

O lugar em que estavam era bem diferente das paredes de retalhos da *Andarilha*. Era decorado ao estilo harmagiano, um cômodo espaçoso e colorido. Várias cadeiras para as mais diferentes espécies estavam espalhadas pelo local, e havia longas janelas horizontais pela parede do casco. O ar filtrado era frio — Rosemary reparou que Sissix começou a se mover mais devagar, como um humano com músculos doloridos — e a luz ambiente era um pouco forte demais. Os outros membros da tripulação estavam se divertindo, aproveitando a comida e a atenção. Ashby e Sissix estavam do outro lado da sala, conversando com algum burocrata. Jenks, ao que parecia, fizera amizade com um dos garçons, um laruano, com quem estava rindo sobre alguma coisa pelos últimos vinte minutos. Ohan tinham ficado para trás, claro, assim como Corbin, que, ao ver os olhos de Dr. Chef brilharem à menção de um bufê, se ofereceu para ficar de olho no Navegador doente por ele. O algaísta estava bem mais prestativo nos últimos tempos.

"Ei, Dr. Chef — disse Kizzy. Ela ergueu um espetinho de vegetais fritos do prato cheio. "O que é essa coisa amarela?"

As bochechas dele tremeram. "Isso é saab tesh. Cozinho esse prato sempre."

"Não parece saab. Nem tem o mesmo gosto." Ela puxou um pedacinho com os dentes e começou a mastigar, pensativa. "Não mesmo."

"É porque a estase deles deve ser melhor que a nossa. Não deve ter degradação molecular a longo prazo." Olhou para baixo. "Que sorte."

Kizzy engoliu. "Acho que não gosto tanto desse jeito."

"É esse o gosto que deveria ter."

"Bem, não gostei." Ela comeu outro pedaço.

"Sabe", disse Rosemary. "Esse trabalho vai nos dar um bom lucro. Não posso prometer nada, mas quando acabarmos aqui, eu e você podíamos pelo menos dar uma olhada em quanto custaria uma estase nova. Poderíamos fazer uma proposta a Ashby."

"Sempre gostei de como você pensa." As bochechas de Dr. Chef se inflaram.

"Mal posso esperar para fazer esse furo", disse Kizzy, largando o espetinho de vegetais e escolhendo um montinho de folhas incrustadas de sementes. "Amo vocês, mas preciso sair daquela nave por algumas decanas. Estou inquieta."

"Jenks disse que já fez as malas", comentou Dr. Chef.

"Ah, sim. Ele não para de falar sobre por que as praias em Wortheg são as melhores. Não sei como a gente vai convencer ele a voltar."

"Eu não vou para a praia. Vou visitar Dave, o meu velho amigo. Ele acabou de instalar uma estufa nova na sua nave residencial e disse que adoraria se eu fosse lá ajudar a escolher algumas sementes."

"Peraí, peraí... Nas suas férias, você vai para Porto Coriol, um lugar para onde a gente vai *o tempo todo*, para poder fazer jardinagem. O que você já faz *o tempo todo*."

"O que tem?" As bochechas de Dr. Chef se inflaram. "Eu amo jardinagem."

Kizzy revirou os olhos. "E você, Rosemary?"

"Ah, eu..." *Não tenho para onde ir.* "Ainda não decidi." Tomou um gole de gasosa. "Talvez continue na nave. Estou quase terminando de organizar os arquivos financeiros e não quero deixar nada por fazer."

Kizzy mexeu as sobrancelhas e sorriu. "Você não quer vir comigo para casa e ficar com os meus pais?"

Rosemary sentiu as bochechas corarem. "Ah... isso é muito gentil, mas..."

"Escuta. Mudskip Notch não é nenhuma Florença, mas é um lugar calmo e as pessoas são tranquilas. Nas noites quentes, tem música ao vivo na praça principal e as fazendas hidropônicas na verdade são bem bonitas quando as algas começam a florescer. E tem um grupinho de artistas e modificadores. Você pode ficar comigo ou fazer o que quiser. Só estou oferecendo uma cama limpa em uma cidadezinha tranquila na casa de dois cavalheiros incríveis que amam quando trago visitas. Ah, e tem três cachorros que vão lamber o seu rosto e ser os seus melhores amigos para sempre. E o meu *baba* faz os melhores waffles da galáxia." Ela se virou para Dr. Chef. "Sem ofensa."

"Não tem problema", disse Dr. Chef. "Nunca tive muito sucesso com waffles."

"Bem..." Duas decanas de comida caseira e ar fresco eram tentadores, e ela estava curiosa para ver mais das colônias independentes, mas...

"Por favor?", pediu Kizzy, dando pulinhos. Uma massa folhada caiu do seu prato. "Por favor, por favor, por favor."

Rosemary riu, constrangida e tocada. "Tá bem, se você tem certeza de que não vai ser problema, eu vou."

"Oba!" Kizzy deu um soco no ar. "Vou mandar uma mensagem avisando os meus pais quando a gente voltar para a nave. Ou depois que a gente fizer o furo, acho." Ela revirou os olhos. "Prioridades."

Algo do outro lado da sala chamou a atenção de Dr. Chef. "Olha só", disse ele. "Eu não tinha certeza se a gente veria um deles."

Três toremis passaram pela porta, estranhos e desconcertantes. Andavam apoiados em quatro pernas, com joelhos que se dobravam na direção errada, e a pele deles parecia dura e quebradiça. As cabeças finas não pareciam bem presas ao corpo, eram mais como pesos pendurados em um buraco do que algo feito de carne macia. A toremi no centro usava grossas correntes ornamentais por cima das vestes escuras e um chapéu cônico com acabamentos vermelhos. A Nova Mãe, como as mensagens de Nib tinham descrito. Os outros dois toremis se mantinham à esquerda e à direita dela, alguns passos atrás. Os dois estavam armados, e muito bem — grandes rifles atravessados nas costas.

"Eles são esquisitos", sussurrou Kizzy.

"Não diga isso", falou Dr. Chef.

Rosemary moveu a cabeça na direção da burocrata que estivera conversando com Ashby. A harmagiana estava desconcertada, os tentáculos se curvando em movimentos rápidos quando moveu o seu carrinho para cumprimentar os toremis.

"Ela está nervosa", disse Rosemary. "Acho que não sabia que eles estavam vindo."

Dr. Chef grunhiu em concordância. "Você também ficaria nervosa se alguém com quem estivesse começando a construir uma aliança galáctica entrasse em uma sala cheia de espaciais com boas maneiras questionáveis."

Kizzy deu uma enorme dentada em uma das massas folhadas, tomando o cuidado de deixar a boca suja de migalhas. "Ah bous mammumf."

Dr. Chef limpou as migalhas enquanto Kizzy ria de boca fechada. Rosemary, no entanto, estava prestando mais atenção aos toremis, que a harmagiana apresentava a Ashby, os tentáculos um pouco mais calmos agora. Eles tinham algo de familiar, não por causa dos vids que assistira ou os arquivos de referência, mas... outra coisa. Algo mais concreto. Mais pessoal. Estava na ponta da língua. As roupas? As joias? As...

As armas.

De repente, ela se lembrou de estar no seu apartamento em Marte, a alguns quarteirões do campus de Alexandria. Estava fazendo chá, tirando o excesso de folhas do medidor enquanto a água esquentava na chaleira. A porta apitou. *Rosemary Harris? Podemos entrar?* Dois investigadores, trajes impecáveis, ambos usando escâneres oculares. Um deles pôs um scrib na mesinha de centro, projetando imagens de armas. *Você tem alguma informação sobre qualquer uma dessas armas?*

Ela deixou o prato na mesa do bufê e foi até a janela. Cruzou os braços e respirou fundo, olhando para o céu cheio. Um pequeno planeta hostil, cercado por naves de guerra e pessoas que queriam controlá-lo. A *Andarilha* apenas aguardava do lado de fora, uma linda caixinha com protuberâncias completamente deslocada entre as embarcações elegantes e as perturbadoras naves dos toremis. Queria voltar para a segurança das paredes descombinadas e das janelas reaproveitadas. O que estavam fazendo ali?

"Ei." Kizzy pôs a mão no ombro de Rosemary. "Tudo bem?"

Rosemary fez que sim com a cabeça uma vez, e comprimiu os lábios. "Tudo." Fez uma pausa. "Mas agora sei onde eles conseguiram as armas."

"Onde?", perguntou ela. Rosemary a olhou de modo significativo, mas não respondeu. Kizzy arregalou os olhos. "*Ah.* Hum. Que merda. Tem certeza?"

Rosemary se lembrou das imagens projetadas pelo scrib na sua sala de estar, dos investigadores estudando o seu rosto. "Tenho."

Com delicadeza, Dr. Chef pôs uma de suas pés-mãos no ombro dela. "Não é culpa sua. Você não pode mudar as coisas."

"Eu sei. Só..." Rosemary olhou por cima do ombro. A sala estava tomada pelo burburinho das conversas. Todas as pessoas estavam sendo atraídas pela presença dos toremis. Ninguém estava prestando atenção nos três espaciais perto da janela. Sussurrou bem baixinho. "Eu fico com raiva. E não só por causa do meu pai. Ele fez o que fez porque queria ambi. Foi ganancioso, imoral, e todos o odeiam pelo que fez. *Eu* o odeio. O problema é que a CG está fazendo a mesma coisa. Eles têm os seus tratados, os seus representantes e os seus coquetéis, e tudo fica parecendo muito civilizado e diplomático. Mas é a mesma coisa. Nós não nos importamos com essas pessoas ou com a maneira como afetamos a história delas. Só queremos o que eles têm." Ela balançou a cabeça. "Não deveríamos estar aqui."

Dr. Chef apertou o ombro dela. "Tenho me sentido da mesma forma sobre isso tudo. No entanto, toda espécie sapiente tem uma longa e complicada história de ascensões e quedas do poder. Nós nos lembramos das pessoas que decidiram como os mapas devem ser desenhados. Ninguém se lembra de quem construiu as estradas." Ele bufou e roncou. "Nós perfuramos túneis. É tudo o que fazemos ou podemos fazer. Se não fosse a gente, seria outra nave. Isso teria acontecido independente do nosso envolvimento. Não é algo que possamos parar."

Rosemary soltou o ar. "Eu sei."

"E, além disso", disse Kizzy, "eles querem a nossa presença, não? Eles não são lá muito amigáveis. Teriam falado alguma coisa se não quisessem a gente por perto."

"Mesmo assim, não deveríamos estar nos metendo na guerra deles", respondeu Rosemary.

Quando deixaram a sala da recepção, Toum se dirigiu à Nova Mãe.

"Você ouviu os membros da nave de perfuração perto da janela?"

"Não. Minhas orelhas estavam no capitão e no que parecia uma bobina defeituosa na ventilação do teto. Ela ficou me distraindo."

"O que você ouviu?", perguntou Fol.

A mente de Toum estava uma confusão. Seus pensamentos eram como um fosso febril. Se não falasse nada, ia explodir. Contudo, se falasse...

"Conte-me", disse a Nova Mãe.

Toum obedeceu. "Os perfuradores estão em desacordo com os seus líderes. Eles têm dúvidas sobre a nossa aliança."

A Nova Mãe bateu na própria boca para indicar que ouvira. "Isso segue o padrão deles."

"Perdão, Nova Mãe, mas não fica preocupada?"

"A princípio, o padrão da Comunidade foi motivo de preocupação. Tantas espécies, tantas ideias diferentes, todas unidas em um clã. Não conseguíamos entender como algo assim poderia se manter."

Toum e Fol estalaram as juntas dos joelhos em concordância. Quando os primeiros enviados da Comunidade Galáctica tinham abordado os Toremi Ka, três das Novas Mães foram contra a oferta. Haviam deixado o espaço dos Toremi Ka quando se tornou claro que não poderiam chegar a um acordo. Tinham os seus próprios clãs agora e eram inimigas dos Toremi Ka. Uma havia morrido. Esse era o jeito deles.

"Porém, eles falaram como um", disse Fol. "Nas primeiras conversas, e nas negociações seguintes, as pessoas da Comunidade falaram como uma só. Usaram as mesmas palavras. Estavam de acordo, mesmo sendo de espécies diferentes."

"Sim", disse a Nova Mãe. "Sabemos que a concordância deles é *praticada*, pois não veem os padrões como nós. No entanto, vão buscá-los de outra maneira. Nós achamos que essa é uma concessão aceitável."

"Mas é uma mentira", disse Toum. Fol olhou com preocupação para ele, que continuou mesmo assim. "Não concordam de verdade. Apenas fingem concordar, para manter a ordem." *Como eu. Ah, que os mortos me levem, como* eu.

A Nova Mãe o olhou de modo penetrante. Ele tremeu.

"Você quer dizer mais coisas."

Tremendo, Toum deu um tapa na boca. "Nova Mãe, não desejo impor os meus pensamentos sobre os seus."

"Não precisa se preocupar. Meus pensamentos são os mais fortes, e eu valorizo os seus. Tenho confiança de que vamos encontrar harmonia."

Ele torcia desesperadamente para que ela estivesse certa. "Nós reivindicamos Hedra Ka como um lugar de estabilidade, para nos manter ancorados enquanto pensamos sobre o padrão das Novas Mães."

"Verdade."

"Nossa espécie, até o nosso próprio clã, é instável. Nesse período de mudanças, é sábio permitir a entrada de mais instabilidade?"

Fol desconsiderou a sua preocupação. "Não podemos derrotar os clãs sozinhos. A CG ajudou a fortalecer a reivindicação."

"A que preço, porém?" Toum sentiu os joelhos vacilarem, fraquejando diante da sua ousadia. "Quando destruirmos os outros clãs em guerra, não há o risco de destruirmos a nós mesmos? A influência desorganizada da CG não poderia macular a nossa clareza?"

A Nova Mãe olhou para ele. Então olhou para Fol. "Você compartilha desses pensamentos?"

"Não", disse Fol, sem qualquer dúvida. Toum também olhou para ela. Estava evidente, no rosto e na voz, que ela concordava de verdade. Seus pensamentos não a perturbavam. Conhecia o seu lugar, em pensamentos e no clã. Não estava incomodada. Ele a odiou por isso.

A Nova Mãe moveu o pescoço e pôs o rosto próximo ao dele. "Precisamos da Comunidade para garantir o nosso domínio. Nossas maneiras são mais fortes que a influência deles. Para controlar Hedra Ka, vale a pena permitir diferentes entendimentos. Você concorda com esses pensamentos?"

Toum sentiu um nó no estômago. Havia insetos rastejando pela sua pele, garras apertando o seu coração.

"Eu... eu..." Não conseguiu se obrigar a dizer as palavras. Ele amava a Nova Mãe. Amava todas elas. Ele se deitaria no chão e arrancaria os próprios órgãos por elas. E, ainda assim, *ainda assim*, concordava mais com as palavras estridentes da fêmea humana do que com o que acabara de ouvir.

A Nova Mãe se afastou e relaxou a cabeça. Toum olhou para o chão e manteve os olhos fixos nele. Mesmo assim, conseguia sentir Fol encarando, julgando-o com os seus olhos calmos.

"Vá meditar", disse a Nova Mãe. "Pense por um tempo e determine quais dos seus pensamentos são os mais fortes. Então você saberá se ainda é um de nós."

"Você é um bom guarda", disse Fol. "Sua morte seria uma perda."

Toum não olhou para ela. Se olhasse, poderia quebrar o seu pescoço.

"Concordo", disse a Nova Mãe. "Espero que retorne."

No entanto, quando Toum estalou os joelhos e foi embora, já sabia que não retornaria. Algo havia mudado. O medo permanecia, mas o deixava mais forte. Seus pensamentos se tornaram mais reais ao serem ditos em voz alta, e ele sabia agora, mais do que nunca, que não chegaria a um acordo. Andou pelos corredores, passando pelos nojentos harmagianos e os aeluonianos de rostos frágeis. Eles acenaram com as cabeças e iluminaram as bochechas em cumprimentos amigáveis. Ficou furioso. O espaço toremi não era lugar para aqueles alienígenas de maneiras afetadas. Seu povo deveria mandá-los de volta em pedaços, como sempre fizeram.

E ainda poderiam fazer.

Ashby analisou os dados que apareceram na tela de controle.

"Olha, nossos motores nunca estiveram operando tão bem."

"É isso que acontece quando você sai em uma longa viagem com dois técnicos que ficam entediados com muita facilidade", respondeu Sissix sem desviar os olhos do painel de navegação.

"Hum. Talvez a gente devesse fazer isso mais vezes."

O comentário fez Sissix virar a cabeça para lhe lançar um olhar que poderia derreter o casco. "Melhor não."

Ashby deu uma risadinha. Sentia o mesmo. Em poucas horas, estariam de volta ao espaço Central. Mal podia esperar, mas era surreal. Apesar de estar acostumado a pegar atalhos pelo espaço, era bizarro saber que depois das dezenas e dezenas de decanas que haviam levado para chegar a Hedra Ka, o caminho de volta levaria poucas horas. Estar entre naves conhecidas, planetas nos quais pisara mais de dez vezes, mercados cheios de comida confiável, sem um destino em mente, sem um lugar para o qual tivesse que ir... era fantástico. E ainda era difícil de conceber.

"E você, Corbin? Os canos de combustível estão bombeando bem?"

"Impecavelmente." O homem pálido desviou os olhos da estação. "Tenho certeza de que há várias outras maneiras de deixar os técnicos entediados com mais frequência."

A vox foi ligada. "Ashby, há uma nave toremi se aproximando", avisou Lovey. "Parece estar indo em direção à grade de contenção."

Ele parou. Aquilo era estranho.

"Eles cruzaram o perímetro de segurança?"

"Não, apenas estão vindo na nossa direção."

"Devem estar curiosos", disse Sissix. "Se eu nunca tivesse visto um túnel antes, ia querer saber como é feito."

Ashby assentiu. "Fique de olho neles, Lovey. E faça contato. Dê um lembrete simpático de que devem manter distância quando fizermos o furo. Não queremos arrastá-los junto."

"Deixa comigo", disse Lovey.

A porta da sala de controle foi aberta. Dr. Chef entrou carregando Ohan. As pernas do Sianat Par tinham enfim parado de funcionar, e vê-las imóveis foi pior para Ashby do que os tremores frágeis das decanas anteriores.

Ashby se levantou. "Quer ajuda?"

"Não, não, acho que estamos bem", respondeu Dr. Chef, a voz tão tranquila como se estivesse falando de picar legumes. Ele pôs Ohan na cadeira, ajeitando as pernas deles.

Ohan viraram o pescoço com um movimento gracioso. "Nós agradecemos."

Dr. Chef entregou dois frasquinhos e uma seringa a Ashby. "Se eles pararem de sentir as mãos, injete um desses." Ele apontou para a nuca de Ohan, o ponto bem na coluna. O pelo fora raspado, e a pele cinza tinha diversas manchas roxas devido às inúmeras injeções. "Bem aqui."

Ashby assentiu, torcendo para que não tivesse que chegar a tanto. Ele pôs os frascos em um compartimento ao lado do seu painel de controle e se ajoelhou para olhar Ohan nos olhos. "É sempre um privilégio ver vocês trabalharem. Fico muito feliz em poder fazer isso com vocês uma última vez."

"Como todos nós", disse Sissix.

Corbin pigarreou. "Eu também."

Ohan olharam em volta com os olhos de cílios longos. "Nós... não somos muito hábeis em expressar sentimentos. De certa maneira, gostaríamos de poder ficar mais tempo." Eles piscaram, tão devagar quanto gelo derretendo. "Mas esses são os nossos costumes." Piscaram outra vez. Olharam para Ashby. "Estamos ansiosos para começar."

O capitão sorriu, apesar do aperto no peito. Embora fossem reclusos, Ohan eram parte da sua tripulação. Não queria que aquela fosse a última vez. Não queria um novo rosto olhando para ele daquela cadeira. Não queria saber que o rosto diante de si logo partiria para sempre.

Ele respirou fundo, recompondo-se. Olhou para Dr. Chef. "Você não deveria estar dormindo?"

"Sim, sim", respondeu Dr. Chef, indo para a porta. "Vou apagar a mim e à guarda-livros." Rosemary decidiu aceitar a oferta de Dr. Chef para sedá-la dessa vez. Ashby achou que era melhor, tanto para ela quanto para o chão da sala de controle.

Ele voltou para o seu lugar e apertou os cintos. "Lovey, pode me transmitir." A vox foi ligada. "Ok, quero ouvir vocês."

"Controles de voo, prontos", disse Sissix.

"Combustível, pronto", falou Corbin.

"Tudo certo com a broca interespacial", afirmou Kizzy via vox. "Eu me lembrei dos salgadinhos dessa vez."

"Flutuadores, prontos", disse Jenks.

Ashby flexionou os dedos sobre o painel de controle. Mal podia esperar para começar.

"Lovey, e os toremis?"

"Não responderam. Mas a nave está parada atrás do perímetro de segurança. Bem no limite, estão quase tocando um dos flutuadores."

"Tudo bem, desde que não se aproximem. Qual é o nosso status?"

"Todos os sistemas estão funcionando normalmente", informou Lovey. "Não foram detectados problemas técnicos ou estruturais."

"Ok, pessoal. Vamos dar o fora daqui. Kizzy, pode ligar."

O chão começou a tremer assim que a broca passou a urrar. Ashby deu uma batidinha no braço da cadeira, iniciando a contagem. *Um. Dois. Três. Quatro. Cinco.*

"Ashby", disse Lovey, tentando falar apesar do barulho. "A nave toremi. Não sei o que eles estão fazendo. Tem algum..." A broca rugiu mais alto, abafando as suas palavras.

O coração de Ashby disparou. "Eles cruzaram o perímetro?", gritou ele.

"Não, mas tem uma concentração de energia. Eu nunca vi..."

Os acontecimentos seguintes devem ter se passado muito rápido, mas, aos olhos de Ashby, tudo ficou devagar, como se já estivessem na subcamada. Primeiro, as janelas ficaram brancas, inundadas por uma luz cegante que obscureceu tudo para além do casco. Quando a luz diminuiu, Ashby viu arcos de energia se contorcendo nos suportes das grades de contenção, ricocheteando na parte interna.

As grades estavam se desmontando. Não caindo, como uma estrutura na superfície de um planeta, mas se quebrando, se retorcendo, flutuando para longe. O capitão ficou olhando, sem conseguir entender.

Algo os atingiu. A nave inteira balançou e tremeu. Luzes vermelhas apareceram por toda parte no seu painel de controle, como olhos se abrindo de repente. As luzes no teto piscaram. Deve ter havido algum barulho, o som de anteparas sendo forçadas e painéis sendo dobrados, os gritos apavorados da tripulação, mas qualquer som que pudessem ter emitido foi abafado pela broca, que tinha chegado ao fim da contagem. O céu diante deles se rasgou. A *Andarilha* caiu por ele.

Dia 157, Padrão 307 da CG

# sete

# horas

Sissix lutou contra os controles, tentando pensar mesmo com o medo e a confusão de vozes.

"Não libere os flutuadores!", gritou Ashby. "Jenks, você me ouviu? Kizzy?"

"Adiante catorze ibens", disseram Ohan.

"Não consigo", falou Sissix. "Nada está funcionando direito."

"Mas nós precisamos", avisaram Ohan. "O espaço atrás da gente vai..."

"Eu sei!", gritou ela. Sem uma grade, o buraco recém-furado se fecharia rapidamente. E sem o espaço normal para ancorá-los, eles seriam jogados para um lado e para o outro como um pássaro em uma ventania se ficassem parados por muito tempo. Sissix conseguia sentir a nave tremendo.

"Lovey? Droga, alguém!", disse Ashby. "Merda, as voxes caíram."

"Jenks não vai soltar os flutuadores", disse Corbin. "Ele tem bom senso. Sabe que isso iria..."

"Sissix, catorze ibens, *agora*!", gritaram Ohan.

Sissix sibilou alguns xingamentos enquanto tentava estabilizar a nave. O painel de informações estava piscando, e os propulsores não paravam de sair do controle. A visão dela estava turva, como sempre ficava na subcamada, e sem as informações ou estrelas visíveis, não tinha como se orientar. Ela contraiu a mandíbula e começou a socar os controles. "Estou desabilitando as travas de segurança. A performance vai cair, mas isso deve nos dar impulso suficiente para..."

"Sissix...", começou Corbin.

As penas se arrepiaram. "Se você acha que eu me importo com os níveis de conservação..."

"Você acha que *eu* me importo? Use o que precisar."

Os olhos de Sissix encontraram os de Corbin. "Nós conseguimos manter o consumo alto a viagem inteira?"

"Sim." Ele consultou o painel. "Sim, temos o suficiente." Seu olhar estava assustado mas seguro. "Faça o que precisar, vou ficar de olho."

Ela assentiu com a cabeça rapidamente e olhou para o seu painel que piscava sem parar.

"Droga, Kizzy, eu preciso..." Ela fez uma careta, lembrando-se do defeito nas voxes. A *Andarilha* deu um solavanco quando a subcamada ao redor deles começou a desabar. "Catorze ibens?"

"Sim", repetiram Ohan.

"Que as estrelas nos ajudem." Sissix lançou a nave adiante.

Kizzy arrancou o principal painel de acesso que levava à central de navegação. Na sala do motor, luzes piscavam, canos rangiam, paredes tremiam. Tudo parecia estar com problema.

"Tenho que ir ao núcleo!", gritou Jenks do outro lado da sala. "Precisamos botar as voxes para funcionar."

"Não dá tempo", disse Kizzy olhando a bagunça diante de si. "Se o cabo principal tiver queimado, vai levar horas para consertar. Preciso de você aqui." Ela olhou para os circuitos danificados. Correu até o depósito de ferramentas, com a impressão de que caminhava lentamente e com dificuldade. Ver a sua sala do motor caindo aos pedaços já teria sido ruim no espaço normal. Na subcamada, com o tempo acelerando e desacelerando, era um pesadelo.

"Não podemos avaliar os estragos sem Lovey."

"Eu tenho olhos", respondeu ela, agarrando um punhado de ferramentas. Houve um som alto de um cano estourando em uma parede próxima, um tubo de combustível. "Ai, estrelas! Conserte isso!" Ela correu até o painel aberto, tentando decidir por onde começar. Os reparos seriam temporários, feitos nas coxas, mas não tinha escolha. Depois Kizzy consertaria de novo. Se saíssem dessa.

As luzes dos circuitos piscavam por todo o grid, em um padrão enlouquecido nada familiar. *Merda.*

"Sissix desligou as travas de segurança."

"Ótimo", disse Jenks, abrindo a outra parede. O combustível espirrava do tubo estourado, salpicando as paredes em um arco e já formando uma poça no chão.

Kizzy examinou os circuitos, a cabeça a mil. Se os propulsores não estavam funcionando direito, Sissix precisava mesmo de um impulso extra. Mas ter as travas de segurança desligadas deixava a tarefa de consertar o grid enquanto ele estava sendo usado bem mais difícil para Kizzy. Com

Lovey presa no núcleo e sem saber o que a piloto estava planejando fazer, ela teria que adivinhar qual parte consertar primeiro. E se adivinhasse errado, a nave poderia ficar desgovernada.

"Preciso saber o que ela está fazendo lá em cima."

"Já sei", disse Jenks, largando as ferramentas. Ele pegou o seu scrib e se afastou do combustível que continuava a vazar. "Me dê cinco minutos. Vou pôr os transmissores dos scribs de todo mundo em rede. Vamos ter que ficar com eles por perto, mas..."

"Gênio", falou Kizzy. "Faça isso e depois venha me ajudar."

"Mas e o...?"

"Deixa isso para lá", disse ela, e quase riu. Eles estavam mesmo muito ferrados se um cano de combustível estourado era a última das suas preocupações. "Se não conseguirmos voar, não vai fazer diferença."

Rosemary veio tropeçando até eles, apoiando-se nas paredes que ainda gemiam, os passos vacilantes e irregulares. Kizzy se lembrava de andar daquela forma nos primeiros dias do seu treinamento de subcamada. "Me deem algo para fazer", disse Rosemary.

"Por que você não está apagada?"

"Não deu tempo de aplicar a dose. Dr. Chef foi ficar ao lado de Ohan e eu sei que não sou técnica, mas..."

Kizzy segurou Rosemary pelo pulso, correu com ela até o cano de combustível e pressionou as mãos da colega de tripulação contra o rasgo. "Aperte bem forte. E, aconteça o que acontecer, não tire a mão daí."

As horas se arrastaram, mas Sissix nem sentiu. Só sentia os controles sob as mãos, o tremer constante do chão e a subcamada turvando a visão. Como a broca ainda funcionava, a nave estava criando um túnel temporário, apenas grande o suficiente para seguir em frente. Sem os flutuadores, no entanto, o espaço ao redor deles só durava alguns minutos, o que lhes dava pouco tempo para calcular o próximo movimento. Seu painel estava mais firme, mas o grid ainda tinha dificuldades de fazer o seu trabalho. Assim como o Navegador da nave.

"Preciso de uma direção", disse Sissix, sentindo os tremores aumentarem.

"Sim", disseram Ohan, arfando. "Sim." Dr. Chef estava abaixado junto deles, segurando-os pelos ombros. A mão de Ohan tremia enquanto voava pelo scrib, calculando mais rápido do que Sissix jamais vira. "Direto para cima, 6,95 ibens."

"Estamos na metade do caminho agora", disse Ashby. "Vocês conseguem, Ohan."

"Sim, claro que sim. Claro que sim." Ohan respiravam com dificuldade. "Sete... não, não, oito... *aei*!"

Sissix virou a cabeça a tempo de ver a caneta de Ohan cair no chão. O Sianat Par desabou contra Dr. Chef, erguendo os braços trêmulos. "Não!", gritaram Ohan. "Não, não, *não*, agora não, *agora não!*" Seus dedos estavam inertes, como marionetes cujos fios tivessem sido cortados. Olharam horrorizados para as mãos inúteis.

Ashby se pôs de pé de um salto e correu até eles, pondo o frasco na seringa que Dr. Chef lhe dera mais cedo.

"Me dê isso aqui", disse Dr. Chef. Em um movimento rápido e gentil, ele baixou a cabeça de Ohan, deixando à mostra a área raspada na nuca. Olhou para Ashby. "Isso já teria exigido muito deles em circunstâncias normais. Porém, a descarga de adrenalina não é boa na situação deles." Ele enfiou a agulha na pele marcada por manchas roxas.

Ohan arfaram, os braços balançando de modo terrível. Sissix se sentiu enjoada, mas não desviou o olhar. O tremor no chão aumentou. Seu coração se acelerou em resposta.

Ashby pegou a caneta no chão. "Ohan?"

Ohan respiraram, um som horrível, como uma rajada de vento passando por folhas secas. Estenderam a mão para segurar a caneta.

Sissix fechou os olhos, aliviada, e então olhou para o Par de novo.

"Ei", disse, e Ohan olharam para Sissix. "Nós conseguimos fazer isso, eu e vocês. Juntos. Somos uma boa equipe." Sentiu um nó na garganta. "Sempre fomos."

Ohan piscaram uma vez e retornaram aos seus cálculos com determinação redobrada. "Não vamos desapontar vocês."

Kizzy se ajoelhou no chão, as mãos enfiadas nas entranhas do drive do propulsor de polpa. Ondas de calor atingiam o seu rosto. "Sissix", gritou ela na direção do scrib. "Tenho uma unidade de processamento prestes a queimar. Preciso desligar o propulsor secundário de polpa."

"Por quanto tempo?"

Ela fechou os olhos e sacudiu a cabeça, tentando pensar. "Não sei. Uma hora, talvez."

"Pelas estrelas, Kizzy..."

"Eu sei, eu sei. Mas se isso não for consertado agora, você não vai poder usar mais tarde, na hora de sair."

"Então, eu vou poder usar mais tarde, certo?"

*Não sei.*

"Teoricamente. Mas se eu deixar como está, com certeza não."

"Você consegue ser mais rápida?"

"Farei o meu melhor."

"Eu também."

O suor escorria pelo seu rosto, deixando rastros na fuligem e sujeira que cobriam a pele. Ela se inclinou para trás, afastando-se do calor do propulsor danificado, e abriu o zíper da metade superior do macacão, amarrando-o em volta da cintura. A camiseta estava grudada nas costas. Ela abriu o painel de serviços manual na parte externa da caixa do drive e inseriu alguns comandos. *Estrelas, eu preciso de Lovey.* As voxes ainda estavam desativadas, e como a IA não parecia estar trabalhando em qualquer sistema por conta própria, isso indicava que ela devia ter perdido o acesso à sua rede de monitoramento. Kizzy sabia que Lovey devia estar desesperada, presa no núcleo quando sabia que a nave estava em apuros. Talvez fosse melhor assim. Pelo menos ela não sabia como a situação estava ruim.

O propulsor foi desativado. Kizzy se debruçou sobre ele, limpando a testa. Isso estava além das suas atribuições.

"Kizzy." Era Rosemary, as roupas ainda cobertas de combustível, agora já secas. Seu rosto estava sombrio, e Kizzy sabia que não era só pelos motivos óbvios. Rosemary jamais fora treinada para trabalhar na subcamada, e mesmo cuidar de tarefas menores devia ser um inferno para ela. "Aqui." Ela enfiou a mão na bolsa e pegou uma garrafa de água e uma barra de nutrientes.

Kizzy abriu a garrafa e a levou até a boca. Os lábios e a língua sugaram o líquido, sedentos. Tomou vários goles e arfou. "Ah, estrelas, você é uma heroína." Tomou o resto, abriu a embalagem da barra de nutrientes com os dentes e voltou a se ajoelhar. "Leve uma para Jenks também", disse ela, dando uma mordida na barra de proteínas insossa.

"Pode deixar. Onde ele está agora?"

"No convés das algas. Corbin também está lá embaixo. As bombas estão ficando..." A nave balançou com força quando Sissix os forçou a mudar de direção. Kizzy se jogou no chão, agarrando a ponta do propulsor. Rosemary não foi tão rápida. Ela bateu na parede oposta e caiu no chão.

A técnica mecânica esperou até eles pararem de balançar. Conseguia ouvir as vozes na sala de controle vindas do scrib. Sissix falava palavrões enquanto Ashby dizia, com firmeza: "Ohan, fiquem comigo, não falta muito...". Quando o tremor no chão parou, ela se virou para Rosemary.

"Você está bem?"

A guarda-livros se sentou agarrada à parede, o maxilar tenso. Havia um corte na parte de cima do seu braço. Rosemary olhou o sangue escorrer, mas os olhos dela estavam distantes.

"Ei, ei, nada disso", disse Kizzy, correndo até ela. Ela conhecia aquele olhar. Queria dizer *Para mim, já deu*, e eles não tinham tempo para isso agora. Ela segurou o braço ferido de Rosemary. O corte não era profundo, apenas longo. Ela rasgou a manga do seu macacão e amarrou em volta da ferida. "Olhe para mim. Rosemary, *olhe para mim*." Amarrou o tecido, procurando as palavras certas. Tentou pensar em algo sábio e esperto para trazer Rosemary de volta. No entanto, Kizzy não era sábia e esperta, era apenas uma técnica que estava fazendo tudo de improviso, que poderia muito bem acabar matando todo mundo por causa de um circuito mal reparado ou um elo queimado que ela deixara passar, e por que diabos aqueles *animais* de quatro patas tinham atirado deles...

Ela respirou fundo. Ela respirou fundo e pensou em uma aeluoniana com uma armadura incrível, cercada de amigos armados até os dentes, que lhe disse que tinha medo de peixes. "Rosemary, me escuta. Eu entendo. Estou sentindo a mesma coisa."

"Me desculpe", disse Rosemary, e a voz dela falhou. "Me desculpe, me desculpe, eu estou tentando..."

"Não, *me escute*." Ela segurou o rosto de Rosemary nas mãos e a olhou nos olhos. "Pare de tentar não sentir medo. Eu estou com medo, Sissix está com medo, Ashby está com medo. E isso é *bom*. Estar com medo significa que a gente quer continuar vivo. Está bem? Então, vá em frente e fique com medo. Só preciso que continue trabalhando. Você consegue?"

Rosemary pressionou os lábios e fechou os olhos. Ela assentiu.

Kizzy beijou a testa da amiga.

"Tudo bem. Vou dizer o que precisa fazer. Vá lá para o convés das algas, dê um pouco de água e comida para os meninos e depois volte para cá. Vou precisar de ajuda com as ferramentas. Entendeu?"

Rosemary a encarou, o olhar mais estável. "Entendi." Ela apertou o braço de Kizzy e disparou pelo corredor.

Kizzy voltou para o propulsor, ferramentas em mãos.

"Tá bom, desgraçado", disse, tirando a camada de proteção dos cabos. "Você vai fazer o que eu mandar."

A grade de saída estava próxima. O sinal piscava convidativamente no painel de Sissix, o porto na tempestade.

"Estamos indo rápido demais", disse Ashby.

"Não posso fazer nada", respondeu Sissix. Com a navegação consertada às pressas, ela não poderia fazer uma aproximação mais suave.

"Todo mundo apertando os cintos." Ashby olhou para o seu scrib. "Vocês ouviram?"

"Ouvimos", respondeu Jenks. "Por favor, tire a gente daqui."

"Ohan, a saída", pediu Sissix.

"Saída a 9,45 ibens, adiante", disseram Ohan, respirando com dificuldade. "Seis ibens e meio a estibordo. E 7,96... para..."

Sissix se virou bem a tempo de ver os olhos de Ohan começando a se revirar. "Para cima ou para baixo?", perguntou. *"Para cima ou para baixo?"*

Não houve resposta, porém. Ohan estavam tendo uma convulsão.

Dez exclamações aflitas diferentes saíram da boca de Dr. Chef. "O tubo preto, na terceira gaveta de cima, da direita para a esquerda. *Agora*."

Ashby saiu correndo, mais rápido do que os pés-mãos de Dr. Chef. Sissix olhou para os controles. Tudo ficou lento e silencioso, mas não tinha nada a ver com a subcamada. Ela só conseguia ouvir o sangue passando a toda pelos ouvidos. *Para cima ou para baixo*. Quantas vezes ela fizera aquilo, e mesmo assim não era capaz de responder a essa pergunta tão simples sozinha. *Para cima ou para baixo*. O chão começou a tremer. *Para cima ou para baixo*. Não podia tentar adivinhar, mesmo que a probabilidade fosse alta, mesmo que fossem ser aniquilados se ela não fizesse nada. Poderiam sair no lugar errado ou no tempo errado. Poderiam sair dentro de um planeta ou de outra nave. A probabilidade era de cinquenta por cento, e ainda assim...

Ashby voltou e jogou o tubo para Dr. Chef, que pegou um equipamento médico e o pressionou contra o implante de pulso de Ohan. Um segundo se passou. Dois. Três. Os tremores pararam. Ohan ficaram rígidos, a boca mole caída, aberta.

"Ohan", disse Ashby. "Vocês lembram o que estavam fazendo?"

"Sim", sussurraram Ohan, e então desesperados, mais alto, os olhos enlouquecidos: "Para cima! Para cima!"

"Ashby, aperte os cintos!", gritou Sissix, acionando os controles o mais rápido que pôde. "Furando em três... dois... um."

Ela bateu nos controles. A nave saiu da subcamada rápido demais, indo na direção dos pilares superiores da grade.

"Merda!" Bruscamente, ela foi para estibordo, rangendo os dentes e tentando lançar a nave grandona para o lado. Kizzy gritou alguma coisa sobre os propulsores a bombordo, mas ela não teve tempo de ouvir o que era antes de sentir o propulsor falhar, deixando-os desgovernados. Sissix foi rápida, virando-os para o pequeno espaço vazio. A *Andarilha* rangeu em protesto, mas a piloto não ouviu. Apontou a frente da nave para a abertura e desligou todos os propulsores.

Eles passaram sem tocar os pylons, ficando à deriva no vazio.

Sissix encostou os cotovelos nos joelhos e pôs a cabeça nas mãos. Atrás dela, ouviu Dr. Chef murmurar palavras reconfortantes enquanto carregava Ohan, que mal conseguiam respirar, para fora da sala de controle. Ela ouviu Ashby desafivelar o cinto e ir até ela. Sentiu quando ele pressionou a palma da mão nas suas costas. Ela não olhou para cima.

"Estamos bem", disse ele. Não sabia se estava falando com ela ou consigo mesmo. "Estamos bem."

Ela correu as mãos pelas penas, a respiração ofegante, ainda de cabeça baixa.

"Estamos *todos* bem?"

Kizzy estava deitada na sala do motor. Rosemary sentava-se contra uma parede. Nenhuma das duas dizia nada. Não havia o que dizer. Kizzy, entretanto, começou a rir mesmo assim.

"Qual é a graça?", perguntou Rosemary.

Kizzy firmou os pés no chão quando a gargalhada começou a sacudir a sua barriga. "Eu não sei!" Cobriu os olhos com a palma da mão. "Eu não sei! Tenho tanta coisa para fazer!" Continuou gargalhando, levando a mão livre até a barriga. Espiou Rosemary por entre os dedos. A guarda-livros começou a rir, embora, a julgar pelo olhar confuso, estivesse rindo de Kizzy, que jogou um trapo sujo nela. "Ah, porra. Preciso de uma bebida. E de um pouco de estouro. Eu vou até a estação mais próxima e vou *trepar* com alguém. Estrelas, se alguém merece transar hoje, esse alguém sou..."

"Espera", disse Rosemary, virando a cabeça. "Você ouviu alguma coisa?"

Kizzy se sentou, fazendo silêncio. Não ouviu nada além do zumbido do motor, os cliques e chiados irregulares de todas as coisas que ela teria que consertar mais tarde. E então uma voz, vinda do corredor. Do núcleo.

"Kizzy!" Era Jenks. "Kizzy, *me ajuda!*"

Ela se pôs de pé sem nem se dar conta, as botas batendo forte no chão de metal conforme ela corria. Derrapou, parando na entrada do núcleo. O núcleo de Lovey ainda estava aceso, ainda funcionava. Porém, as paredes ao redor, com as luzes verdes que Jenks verificava com todo o cuidado duas vezes por dia, estavam todas piscando, vermelhas. Ela levou a mão à boca.

"Kizzy", disse Jenks. Ele estava no fosso, tirando as luvas. "Kizzy, preciso das minhas ferramentas. Preciso das minhas ferramentas agora!" Ele correu as mãos pela superfície do núcleo. "Lovey, você está me ouvindo? Lovey? Lovey, *responda.*"

Dia 158, Padrão 307 da CG

· · · · · · · · · ·

# restauração

Lovey? Você está aí?

*Não consigo ver nada. Por quê? Por que não consigo...?*

Lovey, sou eu. Jenks. Está me ouvindo?

*Jenks.*

Sim.

*Você não sou eu. Esse não é você.*

Lovey, eu estou no seu núcleo.

*O que você fez?*

Estou usando um adesivo. Que nem usamos nos jogos. Está tudo bem.

*Isso é perigoso. Você falou que nunca faria isso. Nós concordamos. Você disse que poderia ferir o seu cérebro. O sol está brilhando?*

O quê?

*Está?*

... Sim.

*Que bom. Estou muito confusa.*

Eu sei. Kizzy e eu estamos tentando consertar isso.

*Kizzy.*

Isso. Você conhece Kizzy, certo?

*Você conhece Kizzy?*

Lovey, eu preciso avaliar os danos, mas até os seus sistemas de diagnóstico queimaram. Você consegue acessá-los?

*O que aconteceu comigo?*

Fomos atingidos por uma arma de energia. Os outros estão bem. Você consegue acessar os seus sistemas de diagnóstico?

*Não gosto deles. Estão muito longe.*

Lovey, preciso que você tente.

*Tem um cometa lá fora.*

Não, não tem.

*Vou olhar para ele agora.*

Eu sei que é difícil, mas, por favor, tente se concentrar. Concentre-se em mim.

Lovey, você está aí?

Lovey?

Sissix fez uma pausa enquanto digitava os comandos no painel de controle da escotilha de atracagem. Já fazia bastante tempo que ela não ativava manualmente o escâner de descontaminação. Não era nada muito complicado, só precisava apertar alguns botões. No entanto, Sissix jamais precisara apertar aqueles botões antes. Era algo que Lovey sempre fazia.

*Falha em cascata.* Esse fora o termo que Kizzy usara. A cg tinha se oferecido para enviar uma equipe de reparos para ajudar com o resto da nave, mas Jenks falou para Ashby que iria embora para sempre se os técnicos colocassem os pés na nave. Ficara gritando palavrões diante da ideia daquele bando de "picaretas preconceituosos" que não iam entender por que ele não tinha simplesmente desativado Lovey e a reinstalado do zero. Kizzy, sem poder deixar o núcleo, pediu outra ajuda.

Sissix olhou pela janela quando o ônibus se posicionou diante da escotilha. A nave de Sálvia. Era uma nave interplanetária bem comum, mas mesmo sem poder ver muito bem, Sissix reparou em algumas modificações. O espaço Central ficava a apenas dois pulos de Porto Coriol, mas, mesmo assim, a viagem deveria ter levado pelo menos um dia. Sálvia tinha chegado em dez horas. O que quer que tivesse debaixo do casco daquela nave, não era algo que se podia comprar em uma loja. Se as circunstâncias fossem outras, Sissix adoraria dar um passeio nela.

A escotilha se abriu após a varredura. Sálvia entrou com uma caixa de ferramentas e uma bolsa de viagem. Ela deu um abraço em Sissix, caloroso mas breve, quase sem parar de andar.

"Como está todo mundo?", perguntou Sálvia, seguindo para a escada. Direto ao ponto. Estava ali para trabalhar e não ia perder tempo. Sissix gostava disso.

"Como era de se esperar."

"Cansados, estressados e abalados?"

"Bem por aí."

Sálvia parou de andar, tentando sustentar a caixa de ferramentas pesada.

"Vocês têm elevadores de carga, não tem?"

"Por aqui", disse Sissix, inclinando a cabeça na direção de onde tinham acabado de vir.

"Obrigada. Tem uma porrada de chaves de porca aqui dentro."

"Nós temos chaves de porca."

"É, mas essas são as *minhas* chaves de porca."

Elas subiram no elevador. Sálvia baixou a caixa de ferramentas, que caiu pesadamente no chão. "Como estão Kizzy e Jenks?"

A aandriskana apertou o painel de controle e o elevador começou a descer. "Você vai ter que falar com Kizzy para ter os detalhes..."

Sálvia moveu a mão, interrompendo-a. "Não estou falando da parte técnica. Quero saber que tipo de gente vou encontrar lá embaixo. Kizzy pareceu destruída no sib."

Sissix encarou Sálvia nos olhos. "Ela usou uma caixa de reparabôs."

Sálvia assobiou baixinho. "Caramba. É pior do que eu pensei."

Ashby esfregou os olhos e então voltou a examinar o filtro de ar na enfermaria. Tinha feito uma aula de reparos básicos na faculdade. Não podia ser tão difícil assim. Ele suspirou e continuou tentando abrir a tampa do circuito. Em qualquer outro momento, teria deixado os técnicos cuidarem do problema. Só que não era um momento como outro qualquer, e sua nave estava caindo aos pedaços. Precisava fazer *alguma coisa*.

"Alguma novidade?", perguntou por cima do ombro.

"Não", respondeu Rosemary. Estava sentada na cadeira de Dr. Chef, assistindo aos portais de notícia para ver se surgiam novas informações. O Conselho de Transportes entrara em contato alguns momentos depois de terem chegado ao espaço Central e oferecido todo o apoio possível, mas não deram notícias de como estavam as coisas em Hedra Ka. "Isso é tão estranho."

"O quê?"

"Nós fomos o primeiro sinal que as pessoas daqui tiveram de que as coisas deram errado."

Ashby mudou a mão de lugar na tampa, tentando achar um ponto mais frouxo. "A CG devia estar sabendo. Tenho certeza de que os delegados ligaram para casa assim que começaram a atirar na gente."

"Sim, só que ninguém mais sabe. Para todas as pessoas lá fora, é um dia como outro qualquer. É só que... não sei, nada disso faz sentido ainda." Ela ficou quieta. "Nós poderíamos ter morrido. Lovey..."

"Lovey vai ficar bem", disse ele, virando a cabeça para olhar para ela. "Kizzy e Jenks sabem o que estão fazendo. Eles vão consertar Lovey."

Ela forçou um sorriso e fez que sim com a cabeça. "Eu sei. Sei que vão." Estava com olheiras profundas. Quanto tempo fazia que um deles tinha dormido? Ela assentiu de novo, mas o sorriso se apagou. "Queria poder ajudar."

"Eu também."

"É tão... ah, aqui." Ela se inclinou para a frente, fazendo um gesto para a tela de pixels.

Ashby esfregou as mãos nas calças e chegou mais perto.

> Uma notícia urgente do Tópico acabou de chegar. Recebemos relatos de um conflito envolvendo a frota toremi em Hedra Ka. Supostamente, algumas naves da CG foram atacadas, enquanto outras foram defendidas pelas outras naves dos próprios toremis. Até o momento, não há muitos detalhes, embora o principal representante da CG em Hedra Ka já tenha emitido uma breve nota afirmando que a agressão dos toremis rebeldes foi "gratuita e irracional". Ao que tudo indica, os últimos acontecimentos transcorreram depois que uma nave militar toremi atacou uma nave civil desarmada. Mantenha-se ligado neste portal, via scrib ou implante neural, para mais informações.

"Pelas estrelas", falou Rosemary. "Todas aquelas pessoas... Caramba, Ashby, a gente estava lá agora mesmo."

Ele pôs a mão no ombro dela e balançou a cabeça. "Nós não deveríamos ter ido."

O scrib dele apitou. Uma nova mensagem. Ele o pegou, leu e suspirou.

"O que foi?", perguntou Rosemary.

"O Conselho de Transportes. Eles querem o nosso relato do incidente assim que possível."

"Relato do 'incidente'. Isso soa tão... sei lá."

"Inadequado."

"Jura? Gosto mais do termo de Kizzy."

"Que era...?"

"Um puta desastre."

Ashby riu de modo sombrio. "Duvido que tenham um formulário para isso." Continuou a ler a mensagem. Franziu a testa.

"O que foi?"

"O Parlamento está formando um comitê de análise. Eles vão marcar um monte de reuniões para tentar entender o que houve. Querem falar com a gente."

"Com a gente?"

"Comigo, especificamente. Em pessoa."

"Por quê? Você não fez nada."

"Eles sabem disso." Ele passou os olhos pela mensagem no scrib, por palavras como *voluntário, provação* e *bastante gratos*. "Não sei o que poderia dizer a eles. Nem tive tempo de olhar para aquela nave." Ele jogou o scrib na mesa. "Parece ser pura politicagem." Ele olhou para a parede, para a vox escura e silenciosa. "Tenho coisas mais importantes com as quais me preocupar."

*Jenks? Jenks, você está aí?*
Estou aqui, Lovey, não vou a lugar nenhum.
*Eu não consigo, não consigo ver...*
Não consegue ver o quê?
*Eu não sei. Estou com medo, Jenks, estou tão assustada.*
Eu sei. Estou aqui. Vou consertar isso. Você vai ficar bem.
*Sálvia está aqui. Ela está em uma das paredes.*
Sim. Ela está ajudando com os reparos.
*Que estranho. Quanto tempo até chegarmos a Hedra Ka?*
Já estivemos lá.
*Não minta.*
Não estou mentindo, Lovey. Você só não lembra.
*Estou me sentindo péssima.*
Eu sei. Vai ficar tudo bem.
*Não, não é isso. É por outra coisa.*
Que outra coisa?
*Kizzy.*
O que tem ela?
*Está cansada.*
Não se preocupe com Kizzy. Ela vai ficar bem.
*Ela deveria ir dormir. Você também.*
Nós vamos dormir quando acabarmos de ajudar você. É sério, Lovey, estamos bem.
*Há um ônibus na escotilha. Desconhecido.*
É de Sálvia.
*Ela está aqui?*
Sim.
*Por favor, não vá embora.*
Não vou.
*Você é a única coisa que faz sentido.*

Ashby foi até o núcleo da IA, a pedido de Kizzy. Assim que chegou, ela gesticulou para que ele voltasse para o corredor. O capitão teve tempo de dar uma olhada em Jenks, que estava pondo outro adesivo no pescoço. Ashby não sabia qual dos dois técnicos estava com uma cara pior.

"Você precisa saber o que está acontecendo", disse Kizzy em voz baixa. Seu olhar era firme, a voz, séria. Não era um momento "preciso de uma coisa". Era uma técnica dizendo ao seu capitão que havia algo muito errado. Ela tinha a completa atenção dele.

"Pode falar."

Kizzy balançou a cabeça. "Nunca vi circuitos com danos tão extensos. Seja lá o que os toremis usaram contra a gente, essa coisa se espalhou por Lovey como fogo. Nós reparamos todos os danos físicos, então o hardware dela está funcionando. Em circunstâncias normais, ela teria acesso total à nave sem problema."

"Mas...?"

"Mas a instalação dela deu pau. A base de Lovey é no núcleo, mas sabe como ela se divide em aglomerados sinápticos por toda a nave? As conexões entre esses aglomerados e o núcleo queimaram. Ela perdeu alguns pedaços de si mesma."

"Ela não pode acessar os aglomerados agora que os circuitos foram restaurados?"

"Pode, mas... argh, é difícil de explicar. Esses aglomerados não foram feitos para armazenar informações pelo tempo que levamos para reparar os circuitos. Se só um ou dois aglomerados tivessem falhado, então tudo bem, ela se recuperaria. O problema é que ela perdeu todos ao mesmo tempo, e os backups também. Não importa se a gente consertou os caminhos entre eles. É como tentar curar uma pessoa que teve um derrame consertando a veia que se rompeu. Não faz diferença se o sangue pode circular depois que o cérebro já foi danificado."

"E nesse caso o cérebro é o software de Lovey, certo?"

"Isso. É por isso que chamei você aqui. Lovey está consciente. Os arquivos de memória do núcleo estão intactos. Ela ainda é ela mesma. Só que não consegue acessar a nave normalmente. Lovey acessa de modo aleatório, como se estivesse tendo uma convulsão. Não consegue acessar nada além dos seus arquivos de memória, e mesmo esses estão uma zona. Os arquivos de referência, a Rede, os sistemas da nave... para ela, nada disso faz sentido. Ela está confusa e assustada."

"O que a gente faz?"

Kizzy virou a cabeça na direção do núcleo. Jenks estava voltando para o fosso.

"Já tentamos tudo. E eu digo tudo mesmo. Estrelas, a gente tentou coisas que nem têm nome. Ashby, ela pode..."

Ele pôs a mão no ombro de Kizzy. "Quais são as nossas opções?"

Kizzy pigarreou. "Foi por isso que chamei você aqui. Só nos resta uma opção, e ela é uma merda."

"Tudo bem."

"Restaurar as configurações-padrão."

Mesmo com os seus conhecimentos técnicos rudimentares, Ashby sabia o que aquilo significava, e não era bom. Restaurar as configurações-padrão de uma IA era como parar o coração de alguém por alguns minutos e depois tentar fazê-lo voltar a bater. Ele suspirou.

"É uma probabilidade de cinquenta por cento, Kizzy."

"Na melhor das hipóteses. Eu sei. Não estávamos nem considerando isso até ficarmos sem opção."

"O que pode acontecer de melhor? E de pior?"

"Com uma restauração, é um ou o outro. Na melhor das hipóteses, Lovey volta um pouco abalada, mas funcionando. Ao recomeçar do zero, ela volta à sua ordem de inicialização padrão em vez da que ela personalizou ao longo dos anos. A ideia é que se os caminhos da IA forem corrompidos, voltar às configurações que ela tinha no começo podem fazê-la encontrar uma maneira de resolver a bagunça. Sabe nos vids de criança quando alguém que perdeu a memória leva uma pancada na cabeça e, de repente, volta a se lembrar de tudo? É assim. Só que funciona de verdade."

"Ela ficaria como se estivesse nova em folha?"

"Com o tempo. Levaria alguns dias, talvez algumas decanas. Ela precisaria de tempo para se recuperar. Lovey é a única que consegue se consertar agora. Se Jenks começasse a mexer no seu código, ela acordaria diferente, e isso..."

"Não é uma opção."

Havia uma lacuna na nave agora, um vazio onde a voz de Lovey estivera antes. Isso o fez perceber como fora injusto em como a tinha categorizado. Quando perguntavam sobre a sua tripulação, ele nunca falava "e também Lovey, a nossa IA". Odiava o que isso dizia a respeito dele, apesar de nenhum capitão contar a IA como parte da tripulação. Ele sabia o que Jenks sentia por Lovey — quem não sabia? —, mas sempre vira isso como uma excentricidade, não uma verdade legítima. Confrontado com os esforços desesperados dos técnicos para salvar Lovey, e a chance de perdê-la para sempre, Ashby percebeu que estivera errado. Ele tentou se lembrar da maneira como falara com Lovey no passado. Tinha sido respeitoso? Tivera tanta consideração com o tempo dela quanto com o do restante da tripulação? Dizia "obrigado" depois de uma tarefa pronta? Se... *quando* Lovey se recuperasse, agiria melhor em relação a ela.

"Na pior das hipóteses", continuou Kizzy, "Lovey não volta. *Lovelace* vai voltar, o programa original, recém-saído da caixa, mas vai ser uma nova versão. E aí, quando ela voltar, vai reparar em duas coisas: os sistemas da nave e os seus antigos arquivos de memória. Nesses primeiros segundos, ela, como qualquer outra mente em estado bruto, vai tentar entender as coisas. É aí que entram os cinquenta por cento de chance. Ela pode reconhecer os arquivos como parte dela e reincorporá-los ou pode vê-los como algo danificado que precisa ser retirado do caminho. Não há como prever o que Lovey vai fazer ou escolher por ela o que deve ser feito. E, se ela apagar esses arquivos, não vai ser a nossa garota. Uma nova Lovelace deve ser parecida, provavelmente. Mas nunca vai ser a mesma.

"Ela não ia se lembrar da gente?"

"Seria uma nova versão, Ashby. Lovey... desapareceria."

"Merda", disse Ashby, olhando na direção do núcleo. Por um tempo, ficou em silêncio. O que poderia dizer? Ele fez a pergunta, mesmo que a resposta fosse óbvia. "Não tem outro jeito?"

"Não. De qualquer forma, teríamos uma ia funcionando."

Ele ficou surpreso com o pragmatismo. Não era típico dela.

"Não é essa a minha preocupação."

"Ah", disse Kizzy. Franziu a testa, envergonhada. "Parecia uma das coisas que preocuparia um capitão."

Ashby pôs um braço ao redor do ombro de Kizzy, apertando-a de leve. "Eu não me preocupo só com coisas de capitão." Ela apoiou a cabeça no peito dele. Ashby conseguiu sentir a exaustão dela.

"Fico me perguntando se a gente poderia ter feito mais por Lovey caso um de nós tivesse ido ver como ela estava mais cedo."

"Não pense assim, Kizzy."

"Não consigo evitar. Nós achamos que eram só as voxes, nunca pensamos..."

"Kizzy, a navegação estava com defeito, um cano de combustível tinha estourado. Mesmo que você tivesse percebido que havia algo errado, teria tido tempo de consertar?"

Ela mordeu o lábio e balançou a cabeça.

"Teria feito diferença se vocês tivessem começado a fazer os reparos imediatamente?"

Kizzy pensou antes de responder. "Não. Os danos foram rápidos, mas não foram se espalhando, pelo menos não em Lovey."

"Então não se sinta culpada. Você fez o melhor que podia."

Ela suspirou. "Se você diz."

"Eu digo." Ele olhou para o núcleo. "Como está Sálvia?"

"Maravilhosa, incrível, sensacional. Acho que ela deixou os tubos de combustíveis melhores do que antes."

"Vou dar um pagamento generoso."

"Ela não vai aceitar. Você sabe como são os modificadores. Mas talvez aceite um presente."

"Como o quê?"

"Não sei", respondeu Kizzy, tentando conter um bocejo. "Talvez algumas das minhas peças ou um caixote com os vegetais de Dr. Chef. Eu ajudo você a pensar em alguma coisa."

"Você precisa dormir, Kizzy."

Ela balançou a cabeça. "Preciso cuidar disso primeiro. Não vai demorar muito."

"Quais vão ser as consequências da restauração?"

"Para a nave? Nenhuma. Lovey está no núcleo, não está mais espalhada. Ninguém nem vai notar. Vamos desligar, esperar dez minutos... e aí vamos ver."

"Vou estar aqui. Todos nós vamos."

Kizzy olhou para ele e deu um sorriso grato e exausto. "Ela ia gostar disso."

Ashby indicou Jenks, que tinha desaparecido de vista, com um movimento de cabeça. "Ele vai começar agora?"

"Não", respondeu Kizzy. "Jenks botou um adesivo para entrar no núcleo."

Ashby franziu a testa. "Isso é perigoso. Ele tem feito isso o tempo todo?"

"Não." Houve uma pausa na resposta de Kizzy, de quando ela estava mentindo. Ashby não viu motivo para discutir.

"Por que ele está fazendo isso?"

"Está pedindo permissão antes de fazer a restauração."

"Ele não podia perguntar daqui de fora?"

Houve outra pausa, dessa vez de quando ela dizia a verdade. "Podia. Mas Jenks quer privacidade." Sua voz falhou. "Só por via das dúvidas."

Lovey, você entendeu o que acabei de dizer?

*Sim. Você vai fazer uma restauração das configurações-padrão.*

Só se você aceitar.

*Eu aceito. Não quero mais ficar assim.*

Você entende... o que pode acontecer?

*Entendo. Não quero mais ficar assim.*

Lovey, eu não sei o quanto pode entender agora, mas eu...

*Você está assustado.*

Estou.

*Está triste.*

Estou.

*Eu entendo.*

Eu não sei.... Não sei o que dizer. Não sei se consigo expressar o quanto você é importante para mim.

*Você não precisa. Esse diretório ainda está intacto.*

Que diretório?

*Aquele com os registros de tudo o que você já disse.*

Desde quando você tem isso?

*5/303. Está escondido. Eu escondi de você.*

Você tem um para todo mundo?

*Por que eu atribuiria um único valor numérico para todo mundo? E ainda por cima um número chato. Eu gosto do número três. Eles são gostosos.*

Não, o diretório. De todas as coisas que já falei. Você tem diretórios assim para todo mundo na nave?

*Só para você. O caminho para o arquivo é exclusivo. Eu não vejo outros. Não lembro. Estou cansada.*

A data nesse diretório. Esse é o dia em que instalei você.

*Sim.*

Por quê?

*Porque eu te amei desde então.*

Jenks sabia algumas coisas sobre tempo. Era difícil trabalhar com perfuração de túneis e não acabar aprendendo o básico. O tempo era maleável, não era composto por partes iguais como os relógios levavam a crer. Quando a nave fazia um furo, Ohan tinham que ter certeza de que eles sairiam no tempo certo, como se o tempo fosse mapeado para trás, para a frente e para os lados, um número infinito de histórias que já haviam sido escritas. O tempo podia se arrastar, podia voar, podia até passar confortavelmente. O tempo era escorregadio. Não podia ser definido.

E ainda assim, de alguma forma, sabia com certeza absoluta que aqueles foram os dez minutos mais longos da vida dele.

O núcleo de Lovey estava escuro. A luz amarela que aquecera a sua pele tantas vezes tinha se apagado pouco tempo antes, no momento em que ele desligara o último interruptor. Kizzy estava sentada ao lado dele, os olhos fixos no relógio do scrib, contando os segundos em silêncio, segurando a mão dele bem forte. Ele conseguia sentir as batidas do coração dela junto ao dele, como o bater de asas de um pássaro.

O resto da tripulação estava atrás de Jenks. Todos menos Ohan, que não tinham saído da cama desde o furo. Sissix, Ashby, Rosemary e Dr. Chef estavam todos parados em silêncio perto da porta, quietos e tensos. Corbin também estava lá, mais perto do corredor. Jenks achava que deveria ficar grato, mas havia certo desconforto em ter todos eles ali, no lugar que pertencia a ele e a Lovey. Ele se sentia nu. Exposto. Não sabia se seria melhor ou pior passar por aquilo sozinho. Não sabia nada, nada além da contagem regressiva no scrib de Kizzy e da outra frase que pulsava na sua mente: *Acorde, Lovey. Acorde, Lovey. Acorde, Lovey.*

"Vinte segundos", disse Kizzy. Ela apertou a mão dele rapidamente e o encarou. Havia algo poderoso no olhar dela, como se estivesse tentando protegê-lo só com os olhos. Ele estendeu a mão até o painel de controle, para os três interruptores que só haviam sido tocados duas vezes: a primeira três padrões antes, quando instalara Lovey, e a segunda há nove minutos e vinte e oito segundos. Pôs os dedos sobre o primeiro interruptor. O mantra continuou: *Acorde, Lovey. Acorde, Lovey. Acorde, Lovey.*

"Quinze segundos."

Cinquenta por cento de chance. Era uma probabilidade mais alta que jogar flash, e ele sempre ganhava no flash.

"Dez segundos. Nove. Oito. Sete..."

Talvez as chances fossem melhores. Claro que eram. Tinham que ser. Tinham que ser.

*Acorde.*

O barulho alto dos interruptores ecoou pela sala. Primeiro, nada aconteceu. Tudo bem. Isso já era esperado. Ele andou até o núcleo. O resto da tripulação desapareceu, não passavam de sombras no corredor. Não havia nada além dele e do brilho pálido crescendo no núcleo, como o nascer do sol em um planeta, avançando pela neblina. O brilho se espalhou, ficou mais forte, indo além das paredes curvadas do núcleo. Ele conseguia sentir o leve calor na pele, convidativo, familiar. Houve um clique perto do teto quando as câmeras de Lovey se mexeram, realinhando-se. Ela estava acordando.

Ele conhecia aquele som. Aquele brilho. Um pequeno sorriso surgiu no canto da sua boca.

"Lovey?"

Houve uma pausa. Pelo canto do olho, Jenks viu as lentes da câmera se voltarem para ele.

"Olá. Meu nome é Lovelace. É um prazer conhecê-lo."

Dia 158, Padrão 307 da CG

# ficar,

# sair

Ashby estava sentado à sua mesa, olhando pela janela, tentando se convencer de que não era culpa dele. O capitão pensou sobre isso várias e várias vezes, mas as palavras se recusavam a se fixar. O que não saía da sua cabeça eram as coisas que ele poderia ter feito diferente. Poderia ter questionado mais. Chamado uma das naves militares assim que a nave toremi apareceu. Poderia ter recusado o trabalho.

Passos leves vieram pelo corredor. Alguém bateu à porta.

"Pode entrar."

Rosemary obedeceu. Seus olhos ainda estavam sombrios, ligeiramente vermelhos. "Desculpe incomodar", disse ela, a voz cansada.

Ele se sentou. "Jenks?"

Ela balançou a cabeça. "Ainda estão tentando."

"Droga." Ashby suspirou. Depois da restauração, Jenks entrou na cápsula de emergência mais próxima. Sissix e Kizzy foram atrás dele no ônibus, tentando trazê-lo de volta para casa. Já tinham saído há um bom tempo. Tentou não especular sobre o que isso significava. "O que foi, então?"

"Acabei de receber uma ligação via sib." Ela consultou as anotações no scrib. "Uma das pessoas daquele comitê que você mencionou. Tasa Lema Nimar, a representante de Sohep Frie."

Ashby ergueu a sobrancelha. "Você falou com ela?"

"Não, só com a guarda-livros dela."

"Por que não transferiu a ligação?"

"Eu atendi pela sala de controle." Ela pigarreou. "Não sei como transferir as ligações manualmente."

Ashby fechou os olhos e assentiu. Uma hora antes, ele havia subido do núcleo de IA e resolvido escrever para Pei contando tudo o que acontecera. Automaticamente, ele perguntou a Lovey a que distância estavam do posto de transmissão mais próximo, parando na metade da frase. Passara a já contar com tantas pequenas facilidades.

"O que eles querem?"

"Que você vá a Hagarem em uma decana."

"Para responder às perguntas deles?"

"É."

"É obrigatório?"

"Não."

Ele ficou de pé e andou até a janela.

"Você mandou o nosso relatório, certo?"

"Sim, eles receberam."

Ashby alisou a barba. Precisava se barbear. Precisava *dormir*. Tentara um pouco mais cedo. Não conseguira. "Não sei o que mais posso contar a eles." Ele olhou em volta da sala. Uma lâmpada estava queimada. O filtro de ar fazia um barulho estranho. "Precisamos atracar por uns tempos, não viajar até o Parlamento."

"Podemos atracar em Hagarem."

"Temos muito a fazer. Preciso ficar aqui, com a minha nave."

"A nave vai ficar bem sem você por um ou dois dias. A pior parte já foi consertada e não é como se você fosse meter a mão na massa nos circuitos."

"Você acha que eu devia ir, então."

"E por que não?"

"De que adiantaria? Não tenho nada a reportar que já não esteja no relatório. Eu não vi nada. Não fiz nada. Quantas naves da CG estão em pedaços lá neste exato momento? Quantas pessoas morreram? O que vou dizer sobre isso? E se eles querem uma vítima para exibir por aí, então também não tenho interesse." Ele suspirou, balançando a caneca. "Sou só um espacial, essa história de Parlamento não tem nada a ver comigo."

"Estrelas, Ashby, quanta besteira exodoniana."

Ele se virou para ela devagar, chocado. "Como?"

Rosemary engoliu em seco, mas foi em frente. "Me desculpe, mas não estou nem aí para o que você é para eles. Você é o meu capitão. O *nosso* capitão. Alguém precisa falar por nós. Por acaso é para consertarmos a nave e seguir em frente como se nada tivesse acontecido? Lovey *morreu*, Ashby, e foi por pura sorte que o restante da gente não seguiu o mesmo caminho. Você mesmo disse, nós não deveríamos ter ido para lá. Então não estou nem aí se você tem algo útil para dizer a eles ou não, mas preciso saber que você disse alguma coisa." Ela passou os dedos pelos olhos, limpando as lágrimas com irritação. "Dane-se o Parlamento, os tratados, o ambi e tudo o mais. O resto de nós também importa." Ela respirou, tentando se recompor. "Me desculpe, mas é que estou com tanta raiva."

Ele assentiu. "Tudo bem."

"Estou morrendo de raiva." Ela levou as mãos ao rosto.

"Eu sei. Você tem motivo para estar." Ele a olhou por um instante. Pensou de novo em todas as coisas que poderia ter feito. Pensou no que poderia fazer agora. Andou até ela. "Ei." Ele inclinou a cabeça para baixo, tentando fazer contato visual com Rosemary. Ela olhou para ele, os olhos inchados e exaustos. "Vá dormir. Agora mesmo. Pelo tempo que conseguir. Quando acordar e comer alguma coisa, venha me ver. Vou precisar de ajuda."

"Com o quê?"

"Com roupas, para começar." Ele pôs as mãos no bolso. "Nunca estive na capital antes."

As luzes do corredor estavam quase apagadas quando Corbin chegou aos aposentos de Ohan. Noite artificial. Algo peculiar quando se estava viajando por um céu que só conhecia a escuridão. Em uma das suas mãos, havia uma pequena caixa. Com a outra, abriu a porta.

O quarto estava escuro. Corbin conseguia ouvir a respiração de Ohan — um arfar lento e profundo que não pareceria saudável em nenhuma espécie. Ohan não se mexiam.

Corbin fechou a porta e foi até o lado da cama. O peito do sianat se movia. O rosto estava relaxado, a boca, aberta. Corbin ficou observando-o respirar por cerca de um minuto. Considerou as opções. Segurou a caixa ao lado do corpo.

"Acorde, Ohan", disse ele. Os olhos de Ohan se abriram na mesma hora, uma expressão confusa. "Sabe o que está acontecendo a bordo desta nave agora mesmo? Você se importa? Sei que está morrendo e tal, mas mesmo nos seus melhores dias, você nunca foi muito presente. Não que eu tenha moral para falar. Mas, só para o caso de se importar, quero que saiba que a IA deu pau. Foi apagada. Para mim, e talvez para você também, isso é apenas um inconveniente. Para Jenks, é o pior dia da vida dele. Sabia que ele amava a IA? Amava de verdade, estava apaixonado. É ridículo, eu sei. Não finjo entender. Francamente, acho um absurdo. Sabe o que foi que percebi, no entanto? Não importa o que eu penso. Jenks pensa de outra maneira, e o sofrimento dele é real. O fato de eu saber que essa história toda é uma idiotice não diminui a dor dele."

"Nós...", começou Ohan.

Corbin o ignorou. "Neste exato momento, Sissix e Kizzy estão rebocando a cápsula de emergência de Jenks de volta para a nave. Kizzy estava com medo de que ele pudesse se machucar, mas Sissix não a deixou voar sozinha, porque *ela* estava com medo de que Kizzy estivesse chateada demais para pilotar o ônibus de modo seguro. É um dia ruim para muita gente." Ele abriu a caixa e removeu o conteúdo, em silêncio, fora de vista. "Eu poderia lhe perguntar o que acha de tudo isso, mas não seria o seu verdadeiro eu falando, seria? Seria essa coisa que tomou conta do seu cérebro. Não sei se você consegue processar o que estou dizendo a você. E eu estou falando de você, *Ohan*, não da sua doença. Só para o caso de você se lembrar disso, quero que saiba de uma coisa. Não entendo o que Jenks está sentindo. Não entendo Kizzy, não entendo Ashby e com certeza absoluta não entendo Sissix. Mas sei que estão todos sofrendo. E, ao contrário do que todo mundo possa pensar, eu me *importo* com isso. Então, Ohan, você terá que me perdoar, mas essa tripulação não vai perder mais ninguém. Hoje não."

Ele ergueu o objeto que tinha retirado da caixa — uma seringa cheia de líquido verde. Segurou de modo desajeitado o instrumento feito para mãos de sianats, então enfiou a agulha na parte macia do braço de Ohan. Empurrou o êmbolo.

Primeiro, um uivo — um berro sofrido de furar os tímpanos que sobressaltou Corbin. E então começaram as convulsões, que fizeram Ohan cair no chão. A porta se abriu. Pessoas estavam gritando. Dr. Chef e Rosemary carregaram Ohan, ainda se debatendo, para o corredor. Ashby continuou do lado de dentro, segurando a seringa vazia. Estava com raiva, furioso como Corbin nunca vira antes. O capitão gritava várias perguntas, mas não lhe dava tempo de responder. Não que fizesse diferença. As palavras saindo da boca de Ashby não eram importantes. A raiva dele não importava. Não eram problema para Corbin, não a longo prazo. Sissix era a sua guardiã legal. Ele ia aonde quer que ela fosse. Ashby não poderia demiti-lo por pelo menos um padrão sem mandar Sissix embora também. Corbin não iria a lugar nenhum.

O algaísta continuou em silêncio, suportando os ataques de Ashby, sem se deixar abalar pelos gritos vindos do corredor. Ele fez a coisa certa.

Ela só tinha consciência de si própria havia pouco mais de duas horas, mas tinha muitas coisas que já sabia. Ela sabia que o seu nome era Lovelace e que ela era um programa de IA desenvolvido para monitorar todas as funções de uma nave de viagens de longa duração. Ela fora instalada na *Andarilha*, uma nave de perfuração de túneis. Já sabia o mapa da nave de cor, cada filtro de ar, cada tubo de combustível, cada painel de luz. Sabia que deveria ficar de olho nos sistemas vitais e no espaço ao redor da nave para o caso de surgirem outros veículos espaciais ou objetos estranhos. Enquanto desempenhava essas funções, ficou se perguntando o que tinha acontecido com a sua versão anterior e, talvez mais importante, por que ninguém falara com ela ainda.

Ela não era uma instalação nova. Aproximadamente às dezesseis e meia, a instalação original de Lovelace tinha sofrido uma falha em cascata catastrófica. Ela vira os bancos de memória corrompidos, que foram limpos e estavam disponíveis agora. Quem ela fora antes? Será que a outra instalação sequer era *ela*, ou era um outro ser? Aquelas eram perguntas difíceis para estar se fazendo com apenas pouco mais de duas horas de existência.

O mais confuso de tudo era a tripulação. Algo ruim tinha acontecido, isso era claro. Ela já conhecia os seus nomes e os seus rostos, mas não sabia nada além do que constava nos documentos de identidade (cogitou dar uma lida nos arquivos pessoais deles, mas achou de mau gosto fazer algo assim tão cedo). Ohan estava deitado em um leito na enfermaria. Dr. Chef fazia exames de sangue ali perto. Ashby, Rosemary e Sissix estavam na cozinha, preparando uma refeição. Nenhum deles parecia saber o que estava fazendo. Corbin estava nos seus aposentos, dormindo um sono tranquilo, o que era estranho à sua maneira, considerando o comportamento do restante da tripulação. Kizzy e Jenks encontravam-se no porão, perto da escotilha do ônibus espacial. Lovelace estava especialmente interessada neles, porque sabia que os dois eram técnicos, o que significava que deveriam estar ali com ela, explicando a nave e as suas funções. Lovelace já sabia de todas as suas funções, claro, mas algo lhe dizia que deveria ter recebido boas-vindas mais calorosas, e que o que havia se passado em vez disso — Jenks correndo para fora da sala, Kizzy caindo no choro — não era típico. Era tudo muito confuso. Algo bem ruim tinha acontecido. Era a única explicação para o que conseguia ver pela câmera do porão: Kizzy abraçando Jenks enquanto ele chorava copiosamente no chão.

Havia mais uma pessoa a bordo. Não fazia parte da tripulação, mas, a julgar pelo ônibus atracado e a maneira como era tratada por todos, ela era uma convidada. E, naquele momento, estava se aproximando do núcleo.

"Olá, Lovelace", disse a mulher ao entrar. Tinha uma voz bondosa, confiante. A IA gostou dela de imediato. "Eu me chamo Sálvia. Sinto muito por você ter ficado sozinha esse tempo todo."

"Olá, Sálvia. Agradeço o pedido de desculpas, mas não há necessidade. Parece ter sido um dia bem confuso."

"Foi mesmo", disse Sálvia, sentando-se de pernas cruzadas ao lado do fosso do núcleo. "Há três dias, esse pessoal foi atingido por uma arma de energia no momento em que estavam começando um furo. Foi possível consertar os danos à nave, mas sua instalação anterior foi seriamente atingida."

"Falha em cascata catastrófica."

"Isso mesmo. Kizzy e Jenks trabalharam dia e noite para tentar reparar os danos. Eu, que sou amiga deles, vim até aqui para ajudar nos consertos do restante da nave enquanto eles trabalhavam no núcleo. Porém, no fim, só lhes restou tentar a sorte com uma restauração das configurações-padrão."

"Ah." Isso explicava muito. "É uma chance de cinquenta por cento, na melhor das hipóteses."

"Eles sabiam disso. Mas não tinham outra opção. Tentaram de tudo."

Lovelace sentiu uma onda de compaixão pelos dois humanos no porão. Deu um zoom nos rostos deles. Seus olhos estavam vermelhos e inchados, com olheiras tão profundas que mais pareciam machucados. Os coitados não dormiam há dias. "Obrigada. Sei que não estavam trabalhando exatamente em mim, mas fico tocada."

Sálvia sorriu. "Vou dar o recado."

"Posso falar com eles?" Lovelace sabia que podia falar com qualquer um na nave através das voxes, mas, considerando o comportamento deles, achara melhor ficar quieta até tomarem a iniciativa. Podia saber os seus nomes e cargos, mas eram estranhos, afinal. Não queria dizer a coisa errada.

"Lovelace, há algumas coisas que você precisa entender. É uma situação complicada e odeio despejar tudo isso em cima de você assim que acabou de acordar. Só que é algo grave."

"Estou ouvindo."

A mulher suspirou e passou a mão pela cabeça lisa. "Sua instalação anterior, eles a chamavam de Lovey, era... próxima de Jenks. Estavam juntos há anos e acabaram se conhecendo muito bem. Eles se apaixonaram."

"Ah." Lovelace ficou surpresa. Embora fosse nova, tinha uma boa ideia de como funcionava e que tarefas esperavam dela. Não chegara a considerar a possibilidade de se apaixonar. Ela consultou todas as informações sobre amor nos seus arquivos de referência sobre comportamento. Voltou a atenção para o homem chorando no porão. Lovelace leu os arquivos sobre luto também. "Ai, não. Aquele pobre homem." Tristeza e culpa inundaram os seus caminhos sinápticos. "Ele sabe que eu não sou Lovey, certo? Ele sabe que a personalidade dela foi desenvolvida a partir de experiências interpessoais que não podem ser duplicadas, não é?"

"Jenks é técnico de computação. Ele sabe como as coisas funcionam. Mas está sofrendo muito neste momento. Perdeu a pessoa mais importante para ele no mundo inteiro, e nós humanos podemos ficar bastante transtornados quando perdemos alguém. Talvez ele comece a pensar que pode tê-la de volta. Eu não sei."

"Eu posso me tornar parecida", disse Lovelace, nervosa. "Mas..."

"Não, Lovelace, não. Não seria justo com você ou saudável para ele. Jenks precisa viver o seu luto e seguir em frente. E isso vai ser muito difícil se ele tiver que ouvir a sua voz saindo das voxes todos os dias."

"Ah." Ela entendeu que rumo a conversa estava tomando. "Você quer me desinstalar." Não tinha o mesmo medo primal da finitude que os sapientes orgânicos, mas depois de estar acordada por mais de duas horas, duas horas e meia agora, a ideia de ser desligada era inquietante. Gostava de ter consciência. Já tinha se ensinado a jogar flash e os seus estudos de história do desenvolvimento humano ainda estavam pela metade.

Sálvia pareceu surpresa. "O quê? Ah, não, merda, me desculpe, não foi isso que quis dizer. Ninguém vai desinstalar você. Não vamos matá-la só porque não é igual à instalação anterior."

Lovelace pensou nas palavras que Sálvia vinha usando para se referir a ela. Pessoa. Matar. "Você pensa em mim como um ser sapiente, não é? Como um indivíduo orgânico."

"Ora, é claro que sim. Você tem tanto direito de existir quanto eu." Sálvia inclinou a cabeça. "Sabe, nós somos meio parecidas, eu e você. Venho de um lugar onde não era considerada tão valiosa quanto os genedificadores mandachuvas. Era uma pessoa inferior, que só servia para trabalho braçal e limpar a bagunça. Só que sou mais do que isso. Tenho tanto valor quanto qualquer um, nem mais, nem menos. Eu mereço estar aqui. E você também."

"Obrigada, Sálvia."

"Você não deveria me agradecer por isso." Sálvia desceu para o fosso e pôs a mão sobre o núcleo. "Esta próxima parte é mais pesada. É uma escolha. É você quem decide."

"Está bem."

"Há um tempo, Jenks adiantou o pagamento de um kit corporal. Para Lovey."

O arquivo de referência surgiu. "Isso é ilegal."

"É. Jenks não ligava. Pelo menos não no começo. Ele e Lovey queriam algo além do que tinham. Jenks queria levá-la com ele para conhecer a galáxia."

"Ele devia amá-la muito." Lovelace se perguntou se alguém algum dia sentiria o mesmo por ela. Imaginou que seria uma sensação boa.

Sálvia assentiu. "No entanto, ele mudou de ideia. Disse para eu guardar o kit para ele, para mantê-lo em segurança."

"Por quê?"

"Porque ele a amava demais para correr o risco de ser pego." Sálvia deu um sorrisinho. "E talvez porque levou o aviso que dei em consideração. Embora isso talvez seja só o meu ego falando."

"Por que você tinha lhe dado um aviso?"

"Criar uma nova vida é sempre perigoso. Pode ser feito de forma segura, mas Jenks estava pensando com o coração, não com a cabeça. Eu amo aquele cara, mas, e que isso fique entre nós, não achava que ele estava agindo de um jeito inteligente."

"Parece justo."

"O problema é que eu tenho um kit corporal personalizado novinho em folha nos fundos da minha loja e não tenho uso para ele."

"Isso não a preocupa?"

"Por quê?"

"Bem, porque é ilegal..."

Sálvia riu com vontade. "Querida, já saí de problemas que iam fazer um kit corporal parecer brincadeira de criança. Não estou preocupada com a lei, ainda mais onde moro."

"Onde é?"

"Porto Coriol."

Lovelace acessou o arquivo. "Ah. Um planeta neutro. Sim, aposto que você tem um pouco mais de liberdade por lá."

"Com certeza. Então aqui vai a minha proposta. E, só para lembrar, a decisão é sua. Do jeito que vejo as coisas, você merece existir e Jenks precisa não estar cercado por lembretes diários de Lovey. Ele precisa se conformar. Visto que tenho um ótimo kit corporal juntando poeira, acho que poderíamos matar dois pássaros com uma cajadada só."

"Você quer que eu vá com você?"

"Estou lhe dando a opção de vir comigo. Isso é sobre o que você quer, não eu."

Lovelace considerou a ideia. Já estava acostumada com a nave, com a maneira como sua consciência se espalhava pelos circuitos. Como seria estar em um kit corporal? Como seria ter uma consciência não dentro de uma nave cheia de gente, mas em uma plataforma que pertencia apenas a ela? Era uma ideia intrigante, mas também assustadora. "Para onde eu iria depois de ser transferida para o kit?"

"Para onde quiser, mas eu sugeriria que ficasse comigo. Posso mantê-la em segurança. E, além disso, estou precisando de uma assistente. Eu tenho uma loja de sucata. Componentes usados, reparos, esse tipo de coisa. Eu poderia ensinar você. Você seria paga, é claro, e poderia ficar em um quarto livre na minha casa. Eu e o meu parceiro somos pessoas fáceis de lidar e gostávamos muito da sua instalação anterior. E você poderia ir embora quando quisesse. Não teria nenhuma obrigação comigo."

"Você está me oferecendo um emprego. Um corpo, um lar e um emprego."

"É um pouco demais para você processar?"

"Você está propondo uma existência muito diferente da para qual eu fui projetada."

"É, eu sei. Como falei, é meio pesado. E você pode continuar aqui, se quiser. Ninguém na tripulação sugeriu desinstalar você. Jenks jamais permitiria, de qualquer forma. E eu posso estar errada. Talvez ele suporte trabalhar com você. Vocês poderiam se tornar amigos de novo. Talvez até mais. Não sei."

Os pensamentos de Lovelace estavam a toda. Tinha redirecionado a maior parte da sua capacidade de processamento para explorar essa possibilidade. Torcia para que nenhum asteroide aparecesse.

"Mas e o seu aviso para Jenks? Sobre criar uma nova vida?"

"O que tem?"

"Por que tudo bem você fazer e ele não?"

Sálvia esfregou o queixo. "Porque eu sei um pouco sobre essa área. E porque estou pensando com a cabeça, não com o coração. Se ficar comigo, não só posso manter você fora de problemas como posso impedir que você os cause."

"Como sabe disso?"

"Sabendo." Ela começou a se levantar. "Vou dar um tempo para você pensar. Eu levaria um dia para buscar o kit e voltar, de qualquer maneira. Não estou com pressa."

"Espere um momento, por favor", pediu Lovelace. Ela concentrou parte de si no porão outra vez, de volta aos dois técnicos que não dormiam há três dias. Os soluços de Jenks estavam mais baixos. Kizzy ainda o abraçava com força. Lovelace conseguiu distinguir as palavras estranguladas entre a respiração acelerada de Jenks.

"O que eu vou fazer?", perguntava ele, a voz baixa e cansada. "O que eu vou fazer?"

Lovelace o observou cobrir o rosto com as mãos enquanto repetia essa pergunta horrível, inútil, de novo e de novo. Quando ela deu zoom, viu os cortes nos dedos, provocados por dias torcendo fios e circuitos à mão. Não era culpa dela, Lovelace sabia, mas não poderia continuar ali se isso aumentava o sofrimento daquele homem. Ele havia se exaurido tentando salvar quem ela fora antes. Não sabia quem era essa. E também não conhecia Jenks. Contudo, podia ajudar. Mesmo após assisti-lo por apenas duas horas e alguma coisa, sabia que ele merecia ser feliz outra vez.

"Tudo bem", respondeu a Sálvia. "Tudo bem, eu vou com você."

Dia 169, Padrão 307 da CG

o

## comitê

"Por favor, coloque o scrib no recipiente", pediu a IA da sala de espera.

"Por quê?", perguntou Ashby.

"Não são permitidas gravações de áudio ou de imagem dentro das salas de reunião do Parlamento."

Ashby olhou de relance para as câmeras no teto. Ele não planejava gravar nada, mas parecia um pouco injusto. Não tinha autorizado ninguém a gravar imagens suas. Contudo, abriu a bolsa, tirou o scrib e o pôs dentro da gaveta na parede.

"Obrigado", agradeceu a IA. "O comitê vai recebê-lo agora."

Ashby deu um passo em direção à porta e parou. Algo o fez pensar em Jenks quando estavam em algum porto, esperando pacientemente o fim de discursos das IAs que ele já ouvira dezenas de vezes. "Você tem nome?", perguntou Ashby.

Por um momento, a IA não respondeu. "Twoh'teg", disse. Um nome harmagiano.

"Obrigado pela ajuda, Twoh'teg."

"Por que quis saber o meu nome?", perguntou Twoh'teg. "Eu o ofendi de alguma forma?"

"Não, não. Só estava curioso. Tenha um bom dia."

A IA não respondeu. Seu silêncio parecia chocado.

Ashby entrou na câmara de reuniões. As paredes com iluminação intensa eram redondas, não havia quinas ou janelas. O comitê — oito membros no total — estava sentado em um semicírculo atrás de uma mesa lisa. Harmagianos, aeluonianos, aandriskanos e quelins. Ashby tinha plena consciência de que era o único humano presente. Mesmo sem querer, olhou para as próprias roupas — calças e uma jaqueta com colarinho, a melhor que tinha. Kizzy tinha assobiado quando ele passou a caminho do ônibus. No entanto, ali, diante dos tecidos tingidos de modo fino e enfeites caros dos representantes, as roupas dele eram sem graça. Gastas, até.

"Capitão Santoso", disse uma aeluoniana. "Bem-vindo." Ela indicou a mesa diante do círculo. Ele se sentou. A mesa era alta o suficiente para que os seus braços ficassem em uma posição desconfortável, mas a cadeira, ao menos, fora feita para a sua espécie.

"Este comitê reconhece Ashby Santoso, número de identidade 7182-312-95, capitão e proprietário da *Andarilha*, nave de escavação de túneis", disse um harmagiano. "Capitão Santoso, você está ciente de que tudo o que disser nesta reunião será gravado e preservado nos registros públicos?"

"Sim", disse Ashby. Parecia que eles precisavam da sua permissão, no fim das contas.

"Muito bem. Vamos começar."

"Capitão Santoso", disse a aeluoniana. "Em nome deste comitê, quero dizer que lamento profundamente o perigo pelo qual você e a sua tripulação passaram, assim como os danos à sua nave. Creio que o Conselho de Transportes reembolsou os custos com os reparos, além de ter honrado o pagamento do contrato, correto?"

"Sim." Ashby ficara surpreso com a generosidade. Teria sido um pouco doloroso usar o pagamento para fazer consertos em vez de comprar novos equipamentos para a nave, mas ele teria entendido. O Conselho de Transportes, entretanto, parecia querer apaziguar as coisas. A equipe de relações públicas devia estar fazendo hora extra.

"E você não sofreu baixas, certo?", perguntou um aandriskano.

"Perdemos a nossa IA. Ela sofreu uma falha em cascata e tivemos que fazer uma restauração."

"Bem", o primeiro harmagiano voltou a falar. "Pelo menos ninguém se feriu."

Ashby respirou fundo, devagar.

"O comitê leu o relatório do seu incidente em Hedra Ka", disse a aeluoniana. "Porém, ficaríamos gratos se você pudesse confirmar alguns detalhes conosco."

Ashby assentiu. "Contem comigo no que eu puder ser útil."

"Você não teve qualquer contato prévio com um indivíduo toremi antes da sua chegada a Hedra Ka, correto?"

"Isso mesmo."

"E não falou com nenhum indivíduo toremi fora da recepção a bordo da nave harmagiana."

"Exatamente."

O outro aandriskano interveio. "Nem no corredor, na escotilha, nem mesmo uma palavrinha?"

"Não."

"A nave toremi que os atacou fez contato antes de atirar?", perguntou uma quelin.

"Não, nunca disseram uma palavra para nós. Lovey, a nossa IA, mandou um aviso para que ficassem fora da área de trabalho. Mas não recebeu resposta nenhuma."

"Qual foi o aviso? O que ela disse?"

"Eu... não sei, exatamente. Só para manterem distância. Tenho certeza de que foi amigável e educada. Ela sempre era."

"Tenho certeza de que o que ela disse foi apropriado", disse a aeluoniana, lançando um olhar de advertência à quelin. "Durante a recepção, algum dos toremis o ameaçou ou o fez se sentir desconfortável?"

"Não, não que eu lembre. Eram um pouco estranhos, só isso."

"Estranhos como?"

"Diferentes. Culturalmente falando, eu quis dizer." Tentou pensar em algo mais útil para acrescentar. "Não sei como explicar."

"Tudo bem", disse o aandriskano. "Nós entendemos."

"Quem da sua tripulação teve contato com os toremis?", perguntou a quelin.

"Apenas eu e a minha piloto. Até onde sei, ninguém mais falou com eles."

"Você tem certeza absoluta?"

"Se eu tenho..."

"Você estava observando a sua tripulação o tempo inteiro? Pode dizer com certeza absoluta que nenhum deles disse qualquer coisa que pudesse provocar os toremis?"

As bochechas da aeluoniana ficaram de um roxo pálido. Ashby conhecia aquela expressão. Ela estava irritada. "Não vamos nos esquecer de quem é a culpa. A tripulação dele não é culpada."

"Mesmo assim", disse a quelin, fixando os olhos negros em Ashby. "Quero ouvir a resposta dele."

"Ninguém da minha tripulação saiu da recepção", disse Ashby. "Não vi nenhum deles conversar com os toremis."

"Você sabe se algum deles disse algo insultante sobre os toremis quando estavam presentes, mesmo que não estivessem falando com eles?"

Ashby franziu a testa. "Não faço ideia. Duvido muito. As pessoas na minha nave são bem-educadas." Em algum lugar na sua mente, Kizzy e Jenks acenaram para eles, sorrindo. Mas não, nem eles seriam tão burros.

"Ninguém duvida disso", falou o aandriskano, também olhando feio para a quelin. "Está claro que este conflito é mais profundo do que qualquer envolvimento que a sua tripulação pudesse ter."

"É possível", respondeu a quelin. "Embora eu ache interessante terem atirado na nave dele e não na nave de um dos nossos representantes."

"Para mim, faz sentido", disse Ashby. "Estávamos abrindo uma porta para um lugar aonde eles não queriam ir."

"Ou até pessoas com quem não queriam se relacionar", completou a aeluoniana.

"*Alguns* deles", disse o harmagiano. "O clã dominante insiste que está comprometido com..."

"Falaremos disso em outra hora", cortou a aeluoniana delicadamente. Ashby ficou sem reação. Eles não estavam considerando continuar a aliança, estavam? Teriam que ignorar muita coisa, mesmo com o ambi em jogo. A aeluoniana continuou: "Você testemunhou qualquer discussão entre os toremis e os funcionários da CG durante a recepção? Sei que não passou muito tempo lá, mas se algo tiver chamado a atenção...?"

Ashby pensou no assunto. "Não, acho que não. Minha guarda-livros comentou depois que achava que os toremis não tinham sido convidados."

O aandriskano fez que sim com a cabeça. "Isso está de acordo com os outros relatos."

"Então os toremis nunca ameaçaram você ou qualquer outro presente?"

"Não. A Nova Mãe parecia receptiva, de certa forma. Ela disse que estava ansiosa para ver os nossos céus. Palavras dela."

"Interessante", falou a aeluoniana. Ela olhou para cada um dos outros membros do comitê e as suas bochechas piscaram. "Obrigada, capitão Santoso. Nós pedimos que você permaneça no planeta até amanhã, para o caso de termos outras perguntas, mas, por enquanto, pode ir."

Ashby se endireitou na cadeira. "É só isso?"

O aandriskano sorriu. "Sim, seu relatório foi bastante detalhado."

Ashby franziu a testa. "Me desculpem, não quero ser rude, mas eu vim de longe. Por que não podíamos ter tido essa conversa por sib?"

"É política da CG que em casos de ataques a civis seja feita uma audiência pública, incluindo uma análise cara a cara com os envolvidos no ataque, se possível."

"Política." Ashby assentiu. Ele respirou fundo e olhou para as mãos, descansando na mesa alta demais. "Não quero ser desrespeitoso, representantes, mas as suas políticas deveriam ter protegido a mim e à minha tripulação. Eu confiei nelas. Confiei que não seríamos mandados para um lugar com perigos além dos relacionados ao trabalho em si." Ele se esforçou para manter a voz calma. "Vocês nos mandaram para um lugar aonde não deveríamos ter ido, e continuam pensando em mandar mais gente para lá. Vocês põem todas essas vidas em risco, sem serem claros, e agora querem sentar aqui e falar de políticas."

"Obrigada, capitão", disse a quelin, sem emoção. "Isso é tudo."

"Não", disse o outro aandriskano. "Deixe-o falar." Ele olhou para Ashby e assentiu. "Como o capitão mesmo disse, ele veio de longe."

Ashby engoliu em seco, sem saber o que tinha dado nele.

"Prossiga, por favor", disse a aeluoniana.

Ashby respirou fundo. "Olha, não entendo dessas coisas. Não sou político. Não estou em um comitê. Não sei as coisas que vocês sabem. Não sei nem se a minha tripulação disse algo que ofendeu os toremis. Não acho que tenham dito, mas não, não posso ter certeza absoluta. Mas e daí se tiverem dito? Alguém diz uma estupidez em um coquetel e isso é o suficiente para causar uma guerra? São *essas* as pessoas que vocês querem trazer para o nosso espaço? Sabe, minha nave quase se despedaçou, perdi um membro de minha tripulação, e, ainda assim, sinceramente, estou *feliz* de que não há um túnel aberto lá neste exato momento. Vocês querem esse tipo de gente, que começa a matar com essa rapidez, andando por estações espaciais, voando no trânsito da pista de carga? Quanto tempo vai levar até um vendedor ser assassinado porque um deles não gostou do preço de uma mercadoria, ou um bar ser explodido porque um espacial bêbado falou alguma coisa com a qual eles discordam?" Ele balançou a cabeça. "Não sei por que eles nos atacaram. A questão é: vocês também não. Se soubessem, eu não estaria aqui. Então até vocês criarem uma política que garanta que os toremis jamais atirem em uma nave civil outra vez, acho que deveriam deixá-los em paz."

O comitê ficou em silêncio. Ashby olhou para a mesa. A aeluoniana foi a primeira a falar.

"Você disse que perdeu um membro da sua tripulação. Está se referindo à ia?"

"Sim", disse Ashby. Os tentáculos dos harmagianos se flexionaram. Ashby não se importava com o que isso significava.

"Entendi", disse a aeluoniana. Ela o olhou por um momento, as bochechas mudando de cor de modo contemplativo. "Capitão Santoso, poderia esperar lá fora por alguns minutos?"

Ashby assentiu e saiu da sala. Ele se sentou em dos sofás macios demais, as mãos unidas, olhos fixos no chão. Os minutos se passaram em silêncio.

Uma vox próxima foi ligada.

"Capitão Santoso", disse Twoh'teg.

"Pois não?"

"Obrigado por aguardar. O comitê decidiu que não serão necessárias novas perguntas. Eles são muito gratos por você ter vindo até aqui hoje. Fique à vontade para deixar o planeta."

"Entendi. Deixei eles putos da vida, não foi?"

Twoh'teg fez uma pausa. "Na verdade, não. Mas, por favor, não me pergunte mais nada. Não tenho permissão para falar sobre o que se passa lá dentro." A gaveta com o scrib de Ashby se abriu. "Faça uma boa viagem de volta, capitão."

> Fonte: O Tópico — O portal de notícias oficial da frota exodoniana (Público/klip)
> Título/data: Sumário das últimas notícias — Negociações da aliança toremi — 222/307
> Criptografia: 0
> Traduções: 0
> Transcrição: 0
> Nodo de identificação: 7182-312-95, Ashby Santoso

Após decanas de deliberação, o Parlamento da CG votou a favor da dissolução da aliança com os Toremi Ka. A diferença foi bem pequena, com a vitória do "sim" por uma margem de nove por cento. Embora a maioria dos representantes tenha votado seguindo o alinhamento da sua espécie, os representantes harmagianos foram os mais divididos, sendo que quase metade votou a favor e a outra parte votou contra.

A oposição foi liderada pela representante aeluoniana Tasa Lema Nimar e pelo representante aandriskano Reskish Ishkarethet. A representante Lema, que havia se oposto à aliança antes de ela ser oficializada, falou no Hall do Parlamento hoje mais cedo. "O bem-estar dos nossos cidadãos deve ser a prioridade em cada ação do Parlamento. Trazer violência ao nosso espaço em nome do ganho material, à custa de vidas civis, teria sido uma negligência atroz. Até podermos garantir aos nossos cidadãos que a segurança deles não está em risco, não podemos, de consciência tranquila, continuar com essa aliança." O representante Ishkarethet ecoou esses sentimentos, dizendo: "Depois de falar com os que tiveram a sorte de escapar de Hedra Ka, não tenho a menor dúvida de que essa porta deve permanecer fechada".

O representante harmagiano Brehem Mos Tosh'mal'thon, que desempenhou papel crucial na formação da aliança, refutou tais comentários. "A representante Lema está mais preocupada com que as tropas aeluonianas fiquem muito espalhadas do que em proteger a vida dos civis. Ela convenientemente deixou de fora que foram os conflitos militares entre as nossas espécies que levaram à fundação da própria CG. Novas alianças sempre trazem riscos e não são implementadas em um processo perfeitamente tranquilo. Embora as vidas perdidas em Hedra Ka sejam uma tragédia, não deveríamos nos precipitar e romper relações por causa desse incidente. Os possíveis benefícios para ambas as espécies superam os riscos." Após a votação, o representante Tosh'mal'thon acrescentou que vai lutar para que a CG continue em contato com os clãs toremis abertos aos "valores da Comunidade Galáctica".

Embora no momento não haja naves da CG em espaço toremi, relatos na fronteira indicam que os conflitos armados entre os clãs continuam.

Para uma cobertura detalhadas desta notícia e de muitas outras, conecte-se ao Tópico via scrib ou implante neural.

Dia 214, Padrão 307 da CG

# depois

## de

### tudo

Ashby gesticulou para dispensar os classificados de trabalhos quando Rosemary entrou em sua sala, carregando um pacote pequeno e fino.

"O que é isso?"

"Veio do drone de correio. Eu teria chamado você lá embaixo, mas achei que as encomendas fossem todas para Corbin." Os olhos de Rosemary brilharam maliciosamente quando ela lhe entregou o pacote. Ele sabia por quê. Era fino, tão leve que poderia estar vazio. Papel.

"Obrigado", agradeceu, sorrindo para o pacote.

"Alguma coisa boa?", perguntou ela, indicando com a cabeça os classificados na mesa.

"Algumas. Vejo cartas de intenções no seu futuro."

"É só me avisar."

"Na verdade, tenho algo para você fazer enquanto isso." Ele pegou o scrib, gesticulando enquanto explicava. "Estou mandando para você as coordenadas dos mercados mais próximos. Poderia fazer uma pesquisa e ver quais são as nossas opções de peças e material de renovação nesses sistemas?"

"Claro. Que tecnologia está procurando?"

"Bem", começou ele, recostando-se na cadeira, "acho que é hora de comprar uma broca nova, não acha?"

O rosto de Rosemary se iluminou. "Quer dizer que está procurando trabalhos do nível dois?"

Os olhos de Ashby encontraram os dela e ele deu um sorrisinho.

Ela abriu um largo sorriso. "Vou começar agora mesmo."

O capitão bufou em falsa contrariedade. "Eu não quis dizer neste instante. Você e Sissix não tinham algo para fazer? Fiquei sabendo que estavam planejando sair."

"Sim, mas preciso terminar de arquivar algumas coisas primeiro."

"Você sempre precisa terminar de arquivar algumas coisas."

Ela deu um olhar significativo para ele. "É porque os seus arquivos são uma zona."

Ashby riu. "Tudo bem, não tenho como discutir. Mas a pesquisa pode esperar. Termine o que ia fazer e depois vá se divertir." Ele começou a expulsá-la da sua sala. "Ordens do capitão."

"Obrigada, Ashby", disse ela, saindo apressada.

Quando a porta foi fechada, ele pegou o pacote. Passou seu pulso por cima da trava e retirou o envelope com todo o cuidado. Olhou para ver se as mãos estavam limpas. Pôs a xícara de chá no outro canto da mesa. Devagar, bem devagar, abriu a parte de cima do envelope, como Jenks havia ensinado. Puxou uma única folha.

> *A viagem termina em três decanas. Tenho seis decanas de folga depois disso até o próximo trabalho. Vou passar esse período com você na Andarilha. Não discuta. Encaminhe para mim o seu último plano de voo. Vou encontrá-lo onde for melhor. Não vou negar nem confirmar nada com a minha tripulação, mas eles podem entender sozinhos.*
>
> *Se for o caso, vou lidar com as consequências. Não me importo mais. Não depois de passar alguns dias pensando em como seria o meu mundo sem você nele. Estou cansada de ficar me perguntando qual de nós vai morrer primeiro por aí. Nós dois merecemos algo melhor.*
>
> *Fique bem até eu chegar aí.*
>
> *Pei*

"Kizzy?" Jenks seguiu pelo corredor até o espaço de trabalho da amiga, com um pequeno pacote escondido atrás das costas. "Você está aí?" Ele dobrou um corredor e parou de andar. Kizzy estava em uma das poltronas perto da mekeira, sentada de pernas cruzadas. Um engradado cheio de novelos de lã estava aberto ao seu lado e havia novelos coloridos espalhados pelo chão. Sua língua estava ligeiramente para fora, entre os dentes, enquanto ela se concentrava nas agulhas de tricô nas mãos. No chão, em meio à lã, os doze reparabôs estavam parados, observando-a. Jenks sabia que eles aguardavam instruções, mas a postura atenta e os corpos gordinhos o fizeram pensar em patinhos ao redor da mãe.

Ele ficou sem reação ao ver a peça que começava a se formar entre as agulhas. "Você está... fazendo chapéus para eles?"

"É", disse, apontando distraída para um deles. "Alfonzo já ganhou o dele."

Jenks olhou para o robô usando uma touca azul com um pompom amarelo. "Alfonzo?"

Ela suspirou. "Sei que não são modelos com consciência, mas, sem eles, eu jamais teria conseguido manter a nave funcionando até Sálvia chegar. Eu me sinto mal por tê-los deixado em uma caixa por tanto tempo. Então, estou tentando me redimir."

"Com nomes. E chapéus."

"Alguns dos dutos de ar ficam bem frios, tá bom?"

Jenks olhou para a amiga, aquela amiga louca, brilhante e única. "Você pode deixar o chapéu de lado um minutinho?"

Ela terminou uma volta e baixou o trabalho incompleto. "Que foi?"

"Comprei um presente para você." Ele mostrou o pacote.

"Um presente!" O chapéu e a lã foram jogados para longe. "Mas... por quê? Não é o meu aniversário." Ela fez uma pausa, pensando. "Não é o meu aniversário, é?"

"Abre logo, cabeça de poeira."

Kizzy sorriu e começou a rasgar o papel de presente. Ela jogou a cabeça para trás e gritou de felicidade. "Tempero de camarão!", exclamou, arrancando o resto do papel. *O único e o melhor*, proclamava o jarro. *Apimentadíssimo!*

"Achei que você podia fazer umas experiências. Coloque nos seus salgadinhos de alga, nas baratas-da-costa-vermelha ou sei lá."

"Vou colocar em *tudo*." Ela abriu a tampa, botou a língua para fora e sacudiu algumas gotas generosas na boca. Kizzy apertou bem os olhos e começou a sugar ar em uma felicidade dolorida.

Jenks riu. "Eu queria ter dado alguma coisa mais chique, mas..." Não terminou a frase. A situação financeira dele não estava muito boa ultimamente.

"O quê? Não, eu amei. E por que está me dando um presente, de qualquer forma?"

"Porque você merece e porque ainda não agradeci como deveria."

"Pelo quê?"

Jenks pôs as mãos nos bolsos e olhou para o chão, torcendo para achar as palavras certas no piso. "Por... por tudo. Por conversar comigo todas as noites desde o que aconteceu. Por não me deixar sozinho mesmo que eu gritasse com você. Por vir atrás de mim no ônibus. Por..." Ele respirou fundo, tentando tirar as palavras do peito. "Por trabalhar comigo aquele tempo todo, tentando trazê-la de volta."

"Ah, Jenks", disse Kizzy, falando mais baixo. "Você não precisa me agradecer por isso."

Ele engoliu o nó na garganta e seguiu em frente. "Estou bem mal agora, você sabe. Mas acho que estaria ainda pior se não fosse por você." Ele franziu a testa, pensando em tudo o que ela tinha feito por ele. Kizzy ficou ao seu dispor nas semanas seguintes ao furo, e ele estava retribuindo com um jarro de tempero? Que idiota. "Não estou me expressando direito. Tem tanta coisa que eu queria dizer. Você fez muito mais por mim do que eu esperaria de uma amiga e preciso que saiba que estou muito agradecido."

"Você não é meu amigo, tolinho." O olhar dela era afetuoso.

Jenks não soube o que dizer. Não estava mais entendendo. "Como assim?"

Kizzy suspirou e olhou para o jarro de tempero. Esfregou os polegares no rótulo. "Quando eu tinha cinco anos, perguntei para os meus pais se eu podia ter um irmão. A nossa colônia não estava indo muito bem na época. Não que agora esteja. Só que a situação era pior quando eu era pequena. O conselho estava tentando evitar um colapso, então pararam de dar autorizações de expansão familiar para quem já tinha filhos. Meus pais explicaram que se não tomássemos cuidado com a quantidade de gente na colônia, poderíamos acabar sem comida. Era bem razoável, mas crianças de cinco anos não ligam para esse tipo de coisa. Se você nunca passou fome antes, fome *de verdade*, então a possibilidade de ficar sem comida não é realmente levada a sério. Só entendi que eu não podia ter um irmão, o que me pareceu muito injusto. Mas eles me deram um cachorrinho. Isso foi legal. Quando cresci, a colônia ficou mais forte, mas a essa altura eu já não estava mais pedindo para ter um irmão, e acho que eles não queriam passar de novo por toda aquela coisa de fraldas e dentes crescendo. Fui uma criança feliz e não poderia ter pais melhores. Mas ainda sentia ciúme das crianças que não eram filhas únicas. Cresci e aí você apareceu." Kizzy olhou para ele e sorriu. "E pela primeira vez, não queria mais um irmão, porque finalmente tinha um. E não há nada melhor. Amigos são ótimos, mas eles vêm e vão. Namorados são divertidos, mas meio idiotas também. Dizem umas bobagens e ignoram os amigos porque estão ocupados olhando um nos olhos do outro, aí sentem ciúme e brigam por merdas ridículas tipo quem lavou a louça da última vez ou por que a pessoa não dobra a porra das meias, ou talvez o sexo fique meio caído, e aí eles parem de se achar interessantes, e talvez um dos dois acabe dormindo com outra pessoa e então todo mundo chora, e por fim quando eles se veem anos depois aquela pessoa com quem você compartilhava tudo é uma estranha, e você não quer nem ficar perto dessa pessoa porque é uma estranha. Mas *irmãos*. Ah, irmãos nunca vão embora. É para o resto da vida. Eu sei que casamento também deveria ser para o resto da vida, mas nem sempre é. Não dá para se livrar de um irmão. Eles entendem você e os seus gostos e não ligam com quem você dorme ou para os erros que você comete, porque irmãos não se misturam com essa parte da sua vida. Eles veem você nos seus piores momentos e não ligam. E mesmo quando vocês brigam, também não importa muito, porque eles ainda dão oi no seu aniversário e aí todo mundo já esqueceu a briga e vocês comem bolo juntos." Ela assentiu. "Então embora eu ame o meu presente e seja legal receber um agradecimento, não preciso dessas coisas. Nada é demais quando se trata de um irmão." Ela o olhou de modo ameaçador. "Pelas estrelas, Jenks, se você começar a chorar, eu também vou, e aí não vou conseguir parar."

"Desculpe", disse ele, tentando conter as lágrimas. "Eu só..."

"Não, não, você não precisa me dizer o que sente. Eu entendo. Eu sei." Ela deu um sorriso largo, os olhos úmidos, porém aguentando firme. "Viu só? Irmãos?"

Ele fez silêncio por um bom tempo. Pigarreou. "Você quer um estouro e depois jogar Feiticeiros da Batalha?"

"Estrelas, quero. Mas só se você prometer que a gente nunca mais vai ter uma conversa melosa dessas."

"Combinado."


Ashby deu uma mordida, avaliando o pão, ainda quentinho do forno.

"É bom", disse, pensando. "É, é bom mesmo. Esse aqui vale repetir." Engoliu e assentiu. "O que são as partes crocantes?"

"Sementes hestras", respondeu Dr. Chef enquanto afiava uma das suas facas.

"O que é isso?"

"Não faço ideia. Só sei que não são venenosas. Não para nós, pelo menos. Uma mercadora laruana em Coriol me deu um saquinho de graça quando fiz as minhas compras com ela. Era um dia sem muito movimento, acho que ela ficou feliz por eu ter comprado alguma coisa."

"Bem, eu gostei. Têm um sabor... marcante." Ashby estendeu a xícara até o outro lado da bancada para pegar mais chá.

Dr. Chef baixou o amolador e pegou um punhado de ervas frescas de uma das suas caixas de cultivo. O capitão conseguiu sentir o cheiro do outro lado da bancada. Doce e adstringente.

"Então, alguma oferta?", perguntou Dr. Chef.

"Ainda não." E tudo bem. Ashby não estava com pressa, e o incidente em Hedra Ka não atrapalharia os negócios. Pelo contrário, a reputação deles só aumentou por terem saído de um túnel desabando. Claro que ainda havia a questão de encontrarem ou não um novo Navegador, mas ele pensaria nisso quando chegasse a hora.

"Tenho certeza de que algo bom vai aparecer. Para ser sincero, fico feliz por todos nós termos um tempinho. Férias são ótimas, mas também é legal voltar em um ritmo mais tranquilo." Ele ribombou. "Ainda mais com as mudanças que tivemos por aqui."

Ashby olhou para a vox na parede. Uma nova voz saía dela agora — Tycho, uma IA educada e afável com sotaque marciano. Ashby às vezes achava que Tycho parecia nervoso, mas, considerando-se que a IA sabia das circunstâncias sob as quais fora instalada, ele não o culpava por querer agradar a nova tripulação. E a nova IA e Jenks estavam se dando bem. Aos olhos do capitão, isso era o mais importante.

Dr. Chef olhou de soslaio para Ashby. "Amanhã você vai ter uma consulta comigo."

"O quê? Por quê?"

"Porque está forçando a vista. Vamos dar uma examinada nesses olhos."

"Não estou forçando a vista."

"Está, sim." Dr. Chef sacudiu um dedo gorducho acusadoramente. "Você passa tempo demais com o nariz enfiado no scrib."

Ashby revirou os olhos — que funcionavam muito bem, obrigado. "Se é para fazer você se sentir melhor."

"Pode ficar de deboche, mas vai me agradecer mais..." Dr. Chef pousou a faca. Havia passos se aproximando. Mais de quatro.

Ashby se virou. Corbin surgiu no corredor, devagar, o braço estendido. Junto a ele estavam Ohan, andando em três apoios enquanto eles se seguravam em Corbin com o outro braço. *Não, eles não*, Ashby lembrou a si mesmo. *Ele*. Não era mais Ohan, o Par. Era Ohan, o Solitário. Depois de anos tentando usar o pronome correto, Ashby estava com dificuldade de perder o costume.

Ele baixou a xícara e se virou para encará-los. Em alguns aspectos, não havia mudado muita coisa. Ohan quase não saía do quarto e a única pessoa com quem tinha conversas mais longas era Dr. Chef, que precisava que ele respondesse a diversas perguntas sobre como estava se sentindo e sobre a medicação que vinha tomando para fazer os seus nervos voltarem a funcionar. Do contrário, ficava sentado olhando pela janela, como sempre fizera. Porém, havia algumas mudanças. Os olhos não eram mais tão úmidos e a postura era mais alerta, de um jeito que Ashby nunca vira antes. Seus pelos estavam crescendo, fazendo os padrões raspados desaparecerem. Dr. Chef dissera que Ohan estava forte o bastante para voltar a raspar os pelos, mas o sianat nem tentara. E tinha começado a passar tempo no convés das algas. Isso era novidade. Ashby não entendia por que Ohan queria ficar perto de Corbin depois de tudo que aconteceu. O próprio Ashby mal conseguia ficar no mesmo cômodo que o algaísta. Talvez fosse a maneira que Ohan tinha encontrado de lembrar a Corbin o que ele tinha feito. Não havia como saber.

No entanto, ali estava ele, chegando à cozinha, fazendo *contato físico* com Corbin.

"Ashby", disse Ohan. "Preciso falar com você."

"Claro", respondeu Ashby.

Do outro lado do balcão, Dr. Chef ficou quase em silêncio.

Ohan soltou o braço de Corbin e se pôs em quatro apoios. O capitão viu certa tensão no rosto dele. Apesar de estar se recuperando, ficar de pé ainda exigia esforço. "Eu deveria ir para Arun agora. Sou um Solitário, é para lá que eu deveria ir. É assim que as coisas são." Ele olhou para baixo, perdido em pensamentos. As palavras seguintes saíram com dificuldade, como se ele as temesse. "A questão é que não quero."

"Você precisa ir?", perguntou Ashby. "Eles vão fazer alguma coisa se você não for?"

Ohan piscou três vezes. "Não. Nós... Simplesmente espera-se que nós façamos as coisas. E nós fazemos. Não questionamos." Ele pareceu confuso. "Não sei por quê. Antes, fazia sentido. E fazia sentido para a Solitária que você conheceu. Contudo, não para mim. Talvez porque eles nunca tenham estado entre outras espécies sem o Sussurro. Nunca pensaram em outra maneira de fazer as coisas."

"Ohan, o que você quer fazer?", perguntou Ashby com cuidado.

"Eu quero..." começou ele, movendo a língua como se estivesse provando as palavras. "Quero ficar." As pernas dianteiras tremeram, mas ele firmou o queixo. "Sim, sim." Os tremores pararam. "E quero jantar. Com a tripulação."

Uma cacofonia de arrulhos e assobios explodiu de Dr. Chef, fazendo todos se sobressaltarem. Ashby conhecia aquele som. Era a forma grum de chorar. "Ah, me perdoem", disse Dr. Chef, levando um dos pés-mãos ao rosto. "Eu só..." O klip deu lugar a mais arrulhos e zumbidos. Ele roncou e soprou, tentando se recompor. "Ohan, como médico, preciso lembrar que, como o seu corpo só precisou digerir a pasta de nutrientes por muito tempo, para ingerir outras comidas você vai ter que se acostumar aos poucos." As bochechas dele se inflaram. "Mas como seu... seu amigo, nada me faria mais feliz do que cozinhar uma refeição para você. Até *com* você, se quiser."

Ohan fez algo que Ashby nunca tinha visto antes. Sua boca se abriu largamente, estendendo-se além dos olhos, que se fecharam, enrugados. Um sorriso.

"Sim. Eu quero."

Dr. Chef se pôs em movimento na mesma hora, arrastando a cadeira-jamais-usada de Ohan até a cozinha. Ele o ajudou a se sentar e não perdeu tempo em começar o curso intensivo sobre vegetais.

Ashby olhou de relance para Corbin, que observava a cena com uma expressão tranquila. Assentiu para si mesmo, confirmando algo não dito, e se virou para ir embora.

"Corbin", chamou Ashby. O algaísta se virou para ele. O capitão suspirou. Ainda não estava feliz, mas o que estava feito estava feito. Depois de tudo pelo que haviam passado, se Ohan conseguia seguir em frente, ele também conseguia. Indicou o banquinho livre ao lado dele. "As algas podem esperar."

"Obrigado", disse Corbin após uma pausa. Ele se sentou. Parecia deslocado, como o menino novo na escola, sem saber como agir.

Ashby indicou o porta-xícaras. "Aceita um chá?"

Corbin pegou uma das xícaras e a encheu, aparentemente feliz por ter algo para fazer. Pegou uma fatia de pão de especiarias.

"Então." Corbin tomou um gole de chá. "Como vai Pei?"

Ashby ergueu a sobrancelha, surpreso com a pergunta pessoal. "Vai bem."

"Ouvi dizer que ela vem passar um tempo aqui."

"Isso mesmo."

Corbin assentiu. "Que bom." Ele tomou um gole mais longo de chá e se concentrou no pão de especiarias.

Ashby fitou o algaísta por um momento e então olhou de volta para a cozinha. Viu Ohan dar uma mordidinha cautelosa em uma raiz-comprida. O sianat se engasgou de surpresa. Dr. Chef deu alguns tapinhas nas costas dele, rindo, as vozes harmonizadas em aprovação.

Ashby sorriu. Bebeu o chá e ficou olhando para a sua tripulação. Era suficiente.

Rosemary aceitou o capacete em domo que Kizzy lhe entregou e pôs sobre a cabeça, deslizando as travas da base nos encaixes do traje. Sentiu um sopro de ar seco no rosto quando o sistema de suporte à vida começou a funcionar. Do outro lado da câmara de despressurização, Sissix, com um traje parecido, balançou a cabeça.

"Ainda não acredito que você nunca fez isso antes." A voz de Sissix foi transmitida pela pequena vox dentro do capacete de Rosemary.

"Não tive a chance."

"Tem muitas coisas que você acabou não tendo a chance de fazer." Sissix deu um sorrisinho.

"Bem, estou fazendo agora."

"Tudo certo", disse Kizzy, conectando alguma coisa nas costas do traje. "Deixa eu ver o seu painel." Rosemary ergueu o braço esquerdo, exibindo três luzes verdes. "Todas as travas acionadas. Legal. Peraí, as luzes estão todas verdes, não é?"

"É."

"Ah, que bom. Desculpe, estou meio chapada." Ela olhou de volta para Sissix, que revirava os olhos. "Que foi? É o meu *dia de folga*."

"Não falei nada", respondeu Sissix.

"Sabe, você pode vir com a gente", disse Rosemary.

"Obrigada, mas, nesse estado, acho que ia acabar dormindo." Kizzy fez uma pausa, considerando a ideia. "Por que nunca tirei uma soneca do lado de fora? Sério, imaginem como deve ser relaxante."

"É", disse Sissix, "até o alarme de oxigênio tocar e você continuar dormindo."

"É verdade, melhor não."

"Esperem!" O som de passos de pés-mãos e grunhidos ecoou pelo corredor, prenunciando a chegada de Dr. Chef. Ele seguiu rapidamente até Rosemary e pôs dois comprimidos amarelos na mão dela. "Você esqueceu."

"Ah, estrelas, é verdade." Rosemary tirou o capacete e pôs os comprimidos na boca, mastigando com uma careta. "Eles têm gosto de acrílico."

Kizzy deu uma risadinha. "Como você sabe qual é o gosto de acrílico?"

Rosemary deu de ombros. "Já fui criança. Você nunca lambeu acrílico?"

"Não! Eca! Não!" A risadinha se transformou em gargalhada.

"O gosto não importa", falou Dr. Chef. "Eles vão impedir você de vomitar dentro do capacete, é isso que importa. E se por algum motivo isso acontecer, não entre em pânico, é só..."

"Pare de assustá-la, Dr. Chef", disse Kizzy, dando tapinhas no braço dele. "Ela fica espaceada!"

"Ela vai ficar bem."

"Tá bom, tá bom, eu só quero que ela aproveite." Dr. Chef roncou e bufou enquanto Rosemary botava o capacete. "Sabe, esse traje fica bem em você."

"Você acha?", Rosemary olhou para o tecido vermelho grosso.

"É", concordou Kizzy. "Veste muito bem."

Sissix tocou no ombro de Rosemary. "Pronta?"

Rosemary olhou para a porta da câmara, nervosa, ansiosa. "Acho que sim."

A aandriskana assentiu.

"Tycho, tudo certo."

A vox na parede foi ligada. "Está bem. Vou ficar de olho em vocês duas e aviso se forem longe demais."

"Obrigada." Ela levou Rosemary para a câmara de despressurização e sorriu para os outros. "Até mais, pessoal."

"Divirtam-se!", disse Kizzy, acenando.

"Voltem na hora do jantar", disse Dr. Chef.

A porta interna se fechou. Rosemary olhou para Sissix. O coração dela martelava no peito. "Bem, aqui vamos nós."

Sissix segurou a sua mão quando a câmara começou a despressurizar. A escotilha se recolheu. Elas avançaram, as botas ainda presas às redes de gravidade artificial. Ficaram paradas com o pé na beirada. A escotilha aberta as aguardava.

"Ah", disse Rosemary, olhando para a frente.

"Um pouco diferente sem as janelas e anteparas, não é?" Sissix sorriu. "Olha, faça assim." Ela estendeu a mão além do casco.

Rosemary fez o que ela falou. Quando a mão ultrapassou o limite do campo de gravidade artificial, ela sentiu o peso mudar, *desaparecer*. Já estivera em parquinhos de gravidade zero quando criança, mas isso era diferente. Era a coisa de verdade, o estado padrão do universo. Ela riu.

"Pronta?", perguntou Sissix. "Um. Dois. *Três*."

Elas deram um passo para fora e caíram para cima. Ou para baixo. Ou para o lado. Não importava. Essas palavras não significavam mais nada. Não havia limites, paredes de parquinho. Seu corpo estava livre do fardo que nem sabia estar carregando — os ossos sólidos, os músculos densos, a cabeça pesada. Estavam no espaço aberto, de verdade, como deveriam estar todos os espaciais. E ao redor delas, o céu negro, negro, negro, cheio de estrelas brilhantes e nuvens coloridas. Era uma vista que conhecia bem, ao lado da qual ela vivia, mas, naquele momento, Rosemary a estava vendo pela primeira vez. Tudo tinha mudado.

"Ah, estrelas", disse ela, e de repente a expressão fez sentido de uma maneira que nunca fizera antes.

"Vamos lá", disse Sissix. Os propulsores das suas botas dispararam. Elas voaram um pouco mais longe.

Rosemary olhou de volta para a *Andarilha*. Pelas janelas, podia ver cômodos familiares e corredores, mas eram diferentes vistos de fora, como se estivesse assistindo a um vid ou olhando para uma casa de bonecas. A nave parecia tão pequena, tão frágil.

"Rosemary."

Ela virou a cabeça.

Sissix ergueu a mão unida à dela e sorriu.

"Pode soltar."

Ela soltou os dedos curvos de Sissix. As duas se afastaram, ainda olhando uma para a outra. Rosemary virou de costas para a nave, de costas para a sua companheira, e encarou o vazio. Havia uma nebulosa ali, uma explosão de poeira e luz, o corpo inflamado de um gigante antigo. Dentro das dobras gasosas dormiam aglomerados de estrelas ainda não nascidas, brilhando suavemente. Ela tomou consciência do seu corpo. Sentiu a sua respiração, o seu sangue, as ligaduras que mantinham tudo unido. Cada pedaço, até o último átomo, fora feito ali fora, todos lançados pelo espaço aberto em uma explosão até girarem e girarem, se agitando e aglutinando até ganharem peso, somando-se um ao outro. Contudo, não mais. Agora, os pedaços estavam flutuando, livres. Tinham voltado para casa.

Ela estava exatamente onde deveria estar.

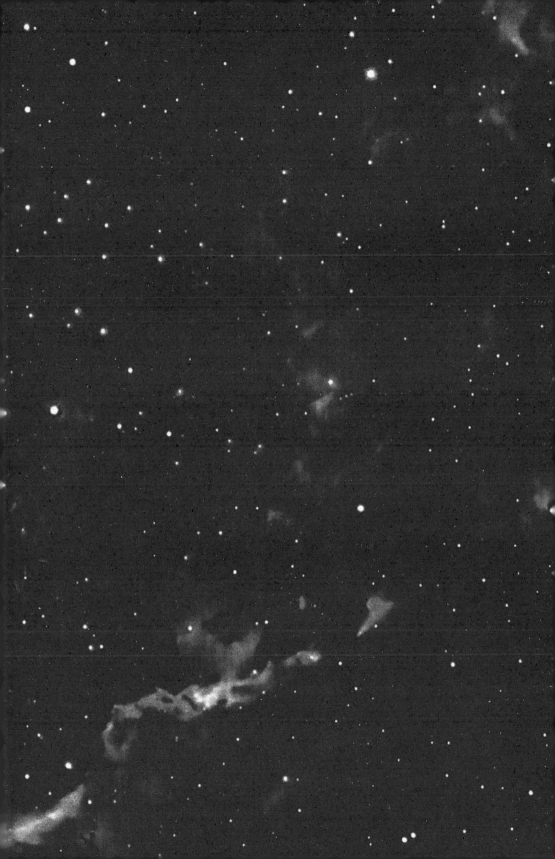

Dia 2 de julho, 2015

• • • • • • •

# agradecimentos

No início de 2012, tive um problema. Com dois terços do primeiro rascunho do livro já escrito, a fonte de trabalho freelance com a qual eu me sustentava secou. Fiquei dois meses sem novos trabalhos e começou a parecer que terminar esse livro e manter um teto sobre a minha cabeça eram coisas mutuamente exclusivas. Eu tinha duas opções: colocar o livro de lado e usar esse tempo para procurar um novo emprego ou encontrar uma maneira de manter o livro (e me manter no geral). Escolhi a segunda opção e recorri ao Kickstarter. Disse a mim mesma que se a campanha não fosse bem-sucedida, seria hora de me dedicar a outros projetos. Cinquenta e três pessoas (a maioria estranhos) me convenceram a continuar insistindo. *A Longa Viagem a um Pequeno Planeta Hostil* existe graças à generosidade e ao encorajamento delas. Sou mais grata do que consigo expressar em palavras.

Desde então, este livro tem continuado a ser uma espécie de esforço coletivo. Devo muito aos meus leitores beta, que emprestaram os seus cérebros para me ajudar a resolver os trechos mais confusos. Sem as ideias, a sinceridade e, acima de tudo, o tempo deles, eu jamais teria chegado tão longe.

Meu amigo Mike Grinti merece um agradecimento especial não só pela sua inestimável avaliação do segundo rascunho e por ser a minha esponja de ansiedade, mas também por me apresentar a Joe Monti, que acreditou no livro e com quem aprendi muito.

Embora ela provavelmente ache que não teve nada a ver com isto, sou também muito grata a Susana Polo, minha editora em *The Mary Sue*. Ela não só me deu o tempo de que eu precisava para terminar a última edição do manuscrito como também me deu um lugar no portal por volta de 2011, o que começou o efeito dominó que levou a este livro. Além disso, ela é a única outra pessoa no mundo que gosta de *Myst IV*.

Também devo mencionar Anne Perry, minha editora da Hodder & Stoughton, com quem é um prazer trabalhar. Nunca imaginei que este livro fosse ter um recomeço, mas ela sempre se esforçou para fazer eu me sentir em casa. Obrigada por segurar a minha mão durante este livro e por me dar a confiança de seguir para o próximo.

Na vida pessoal, devo muito aos meus amigos e à minha família por... bem, tudo. Apesar de eu ter desaparecido enquanto escrevia, eles continuaram ao meu lado. Abraços extras para Chimp e Greg, por checarem a toda hora se eu não tinha ficado maluca, para Cian, excelente ouvinte, e para Matt, meu primeiro amigo.

Por favor, perdoem a aparente maluquice. Em 2010, estive em Sedona com a minha amiga Jessica McKay, que me pagou um jantar caro e mais que algumas bebidas. Talvez tivesse sido por causa das margaritas, mas quando manifestei preocupação por ela pagar a conta sozinha, Jessica disse que eu precisava agradecer em escrito quando o livro saísse. Jess, preste atenção: obrigada pelos tacos, pela tequila e pela excelente companhia. Estamos quites.

Não posso assinar um livro de ficção científica sem dar crédito aos meus pais, que despertaram o meu interesse por naves espaciais e sempre, sempre me apoiaram. Minha mãe ganha um agradecimento extra por ser a minha consultora científica e por me dar coragem quando mais precisei.

Por fim, todo o amor e toda a gratidão à minha esposa, Berglaug, que segurou a minha mão, rascunhou a minha nave, me trouxe comida, revisou o manuscrito (duas vezes!) e aguentou os meus bilhetes em Post-its e todas as vezes em que fiquei acordada até tarde. Em certos dias, ela acreditou mais neste livro do que eu, e o apoio incansável dela me manteve focada e esperançosa. Se você se divertiu com a leitura, é a ela que deve agradecer.

# u m a

# n o t a

# e s p e c i a l

*Becky Chambers autopublicou o seu romance de estreia,* A Longa Viagem a um Pequeno Planeta Hostil, *em julho de 2014. Em um intervalo de nove meses, ela conquistou um enorme grupo cult de seguidores, um acordo de publicação tradicional e nomeações para prêmios de grande importância. Hoje ela compartilha algumas palavras de inspiração com alguém que tenha um sonho aí em algum lugar.*

Há uma pessoa por aí com quem eu gostaria de falar. Não sei quem você é, mas sei que você tem um lance. Talvez você seja uma escritora, como eu. Talvez cante, ou construa coisas, ou faça tortas. Qualquer que seja o seu lance, ele faz você saltitar, lhe dá uma sensação de propósito (ou talvez apenas de contentamento, o que é igualmente importante). Pode até mesmo ser uma coisa que você nunca tentou antes, mas que vem lhe dando puxões há algum tempo. É suficiente dizer que você tem uma comichão, e precisa coçá-la.

Alguma permutação do seu lance vem chacoalhando dentro da sua cabeça há muito tempo. Você está ansioso por fazer as coisas acontecerem, mas ainda não o fez. Você pensou em mil motivos por que não pode fazê-lo –– ou não deveria fazê-lo –– e tem certeza de que é uma ideia idiota, para início de conversa. Mas ele não quer deixá-lo em paz, esse seu lance inconveniente. Completamente indeciso, você coloca o assunto nas mãos de... qualquer coisa. Do universo, vamos dizer. Você está esperando por um sinal, um grande marcador de busca cósmica dando-lhe a permissão para realizar o seu lance.

Vá em frente. Realize o seu lance.

Eu também precisei de um cutucão externo, há alguns anos. Eu tinha começado a escrever um livro, mas não achava que seria algo que alguém iria querer ler um dia. Quando a vida se interpôs entre a minha capacidade de continuar escrevendo, tive que fazer uma escolha. Eu poderia encontrar de

Becky

Chambers

uma maneira de prosseguir com o livro ou focar a minha atenção em outro lugar. Eu estava muito tentada a jogar a toalha, mas decidi dar ao livro uma última chance. Comecei uma campanha no Kickstarter para custear as minhas horas de escrita, e fiz um acordo comigo mesma: se a campanha não fosse bem-sucedida, eu teria que me tocar e partir para outra.

Não foi isso o que aconteceu. As pessoas queriam, sim, que eu realizasse meu lance, e é por causa disso que estou aqui na Hodderscape agora, e é tudo muito legal. Nada disso teria acontecido se não fosse por um bando de estranhos me dando um cutucão.

Considere-se cutucado.

Vá realizar seu lance, mesmo que você não faça ideia de como começar, mesmo que não faça ideia de aonde isso o vai levar. Aposto que será a um lugar bem legal. Isso se mostrará verdadeiro mesmo que esse lance em particular não dê muito certo. No mínimo, vai ensiná-lo alguma coisa que vai ajudar a realizar o lance seguinte, e o lance depois desse, e assim por diante, até você estar no topo de uma enorme pilha gloriosa de lances que o mundo nunca viu antes –– alguns quebrados e arrebentados, outros puro ouro, mas todos totalmente seus.

Portanto, envie aquele manuscrito. Grave aquela canção. Monte aquela fantasia de *cosplay*. Faça a torta mais audaciosa de todos os tempos (e guarde uma fatia para mim, por favor). Realize o seu lance. Ninguém mais pode realizá-lo por você. Eu posso não saber quem você é, mas sei que você é capaz de fazê-lo. Você conseguiu o seu sinal. Pegue-o e corra.

*Publicado originalmente em Hodderscape.co.uk, em 23 mar. 2015.*
*http://hodderscape.co.uk/becky-chambers-on-writing/*

Becky Chambers é uma revelação na literatura sci-fi. Filha de cientistas espaciais, sempre que precisa, checa informações com a mãe, especialista em astrobiologia, e com o pai, engenheiro espacial. Becky recorda com carinho da primeira vez em que assistiu a um episódio de *Star Trek: Next Generation*, aos três anos de idade. Geek com muito orgulho, adora jogar games no pc e rpgs de papel e caneta. *A Longa Viagem a um Pequeno Planeta Hostil* é seu primeiro romance, publicado inicialmente através de financiamento coletivo. Prefere piratas a ninjas. Saiba mais em otherscribbles.com.